編集復刻版 戦後改革期文部省実験学校資料集成
第II期 第2回配本（第4巻～第6巻）

2017年8月10日 第1刷発行
揃定価（本体75、000円＋税）

編・解題者 水原克敏
発行者 小林淳子
発行所 不二出版
東京都文京区向丘1-2-12
TEL03(3812)4433
印刷所 富士リプロ
製本所 青木製本
乱丁・落丁はお取り替えいたします。

第6巻 ISBN978-4-8350-8049-9
第2回配本（全3冊 分売不可 セットISBN978-4-8350-8046-8）

編集復刻版

戦後改革期文部省実験学校資料集成 第Ⅱ期 第6巻

水原克敏 編・解題

不二出版

〈復刻にあたって〉

一、原本自体の破損・不良によって、印字が不鮮明あるいは判読不能な箇所があります。
一、資料の中には人権の視点から見て不適切な語句・表現・論もありますが、歴史的資料の復刻という性質上、そのまま収録しました。
一、解題（水原克敏）は第1巻巻頭に収録しました。

（不二出版）

〈第6巻　目次〉

資料番号―資料名◆編・著◆発行所◆発行年月日……復刻版頁

〈初等教育研究資料〉

〈文部省初等教育実験学校研究発表要項〉

◎収録一覧

巻		資料名	出版社	発行年月日
		〈初等教育研究資料〉		
第1巻	1	第１集　児童生徒の漢字を書く能力とその基準	明治図書出版	1952(昭和27)年５月10日
	2	第２集　算数　実験学校の研究報告(１)	明治図書出版	1952(昭和27)年６月５日
	3	第３集　算数　実験学校の研究報告(２)	明治図書出版	1953(昭和28)年１月20日
	4	第４集　算数　実験学校の研究報告(３)	明治図書出版	1953(昭和28)年３月５日
	5	第５集　音楽科　実験学校の研究報告(１)	音楽之友社	1953(昭和28)年５月10日
第2巻	6	第６集　児童生徒のかなの読み書き能力	明治図書出版	1954(昭和29)年５月１日
	7	第７集　児童の計算力と誤答	博文堂出版	1954(昭和29)年３月25日
	8	第８集　算数　実験学校の研究報告(４)	明治図書出版	1954(昭和29)年６月１日
	9	第９集　算数　実験学校の研究報告(５)	明治図書出版	1955(昭和30)年６月５日
第3巻	10	第10集　算数　実験学校の研究報告(６)	明治図書出版	1955(昭和30)年10月５日
	11	第11集　国語　実験学校の研究報告(１)	明治図書出版	1956(昭和31)年２月10日
	12	第12集　読解のつまずきとその指導(１)	博文堂出版	1956(昭和31)年２月22日
	13	第13集　教育課程　実験学校の研究報告	明治図書出版	1956(昭和31)年９月５日
第4巻	14	第14集　頭声発声指導の研究―音楽科実験学校の研究報告(２)	教育出版	1956(昭和31)年７月20日
	15	第15集　算数　実験学校の研究報告(７)	明治図書出版	1956(昭和31)年９月５日
	16	第16集　小学校社会科における単元の展開と評価の研究―実験学校の研究報告	光風出版	1956(昭和31)年12月10日
	17	第17集　国語　実験学校の研究報告(２)	明治図書出版	1957(昭和32)年６月10日
	18	第18集　読解のつまずきとその指導(２)	明治図書出版	1956(昭和31)年11月15日
第5巻	19	第19集　漢字の学習指導に関する研究	明治図書出版	1957(昭和32)年６月15日
	20	第20集　国語　実験学校の研究報告(３)	明治図書出版	1958(昭和33)年９月
	21	第21集　色彩学習の範囲と系統の研究―図画工作実験学校の研究報告(１)	博文堂出版	1958(昭和33)年９月５日
	22	第22集　家庭科　実験学校の研究報告(１)	学習研究社	1959(昭和34)年11月15日
第6巻	23	第23集　小学校　特別教育活動の効果的な運営―実験学校の研究報告	光風出版	1960(昭和35)年５月15日
	24	第24集　小学校ローマ字指導資料	教育出版	1960(昭和35)年７月15日
	25	第25集　構成学習における指導内容の範囲と系列―図画工作実験学校の研究報告	東洋館出版社	1961(昭和36)年８月30日
		〈文部省初等教育実験学校研究発表要項〉		
	26	昭和28年度　(文部省初等中等教育局初等教育課)		1954(昭和29)年５月
	27	昭和29年度　(文部省初等中等教育局初等教育課)		1955(昭和30)年５月

初等教育研究資料第23集

小学校

特別教育活動の効果的な運営

—実験学校の研究報告—

1960

文部省

初等教育研究資料第23集

小学校

特別教育活動の効果的な運営

—実験学校の研究報告—

1960

文部省

まえがき

従来，教科以外の活動として実施されてきた特別教育活動は，来たる昭和36年度より教育課程の4領域の一つとしてすべての学校において実施されることとなった。各学校においては，特別教育活動の指導・運営に関して，種々の問題があり，研究を進められていることと思われる。

本書は，文部省が昭和33，34年度の2か年にわたって，「特別教育活動の効果的な運営」という主題で，東京都練馬区立関町小学校に実験研究を委嘱して得た成果をまとめたものである。本書を一つの手がかりとして，今後この方面に関する研究を進められることを期待してやまない。

なお，本実験研究に心からの協力をいただいた関町小学校の職員の方々，および特に執筆をも担当された大井安美校長はじめ服部栄教務主任，宮倉敏男，太田久治，上田勤，岡善太，岡田正裕教諭各位に深く感謝する次第である。

昭和35年3月31日

文部省初等中等教育局
初等教育課長　上野芳太郎

目次

I 生きている学校

生きている学校，いきいきとした学校。

それは学校の中での，児童と教師のたゆみない前進のための教育活動の姿を現わしたことばである。毎日ほとんど変わりない校舎・校庭ではあるが，そこに展開される児童の活動はいろいろである。学芸会・運動会はもとより，日々の教科の学習，休み時間の遊び，給食の配膳と食事，清掃と美化から学級園の世話，動植物の飼育栽培，放送や新聞，学級文庫や学校図書館の経営など，生活のすべてが児童の自発性に根ざして，その人間的な成長を助けていく。こんな学校は，楽しいふんい気に包まれて，児童や教師も活気に満ちているに違いない。

このような学校生活は，現実にはその一つ一つの単位である学級を通して進められるほか，学級をこえた学校全体としての動きも当然あるはずである。学級には学級独自の考え方や活動の様式があるが，それには学校として目ざす一本の太い背骨――教育目標が通っているはずである。教育の目標や方針を具体的な形で教育活動に現わしていくことが，われわれの日常の実践であり，特別教育活動は，その中で主要な役割をになう実践活動であると考える。

それではわれわれは，新しい学校づくりにあたって，特別教育活動をどのように運営してきたか，この点に触れてみよう。

1. 創立当初の2年

開校初年の昭和31年度および32年度は，新しい学校が発展するための基礎をかため，内外の整備を進めることに重点をおいて，児童会とその委員会活動を取り上げて実施した。特に初年度は，母体校の教室を借りての二部授業というような悪い条件のもとで半年を過ごしたので，活動は思うようにいかなかった。委員会は6年だけの参加で，そのほとんどが奉仕活動であった。

32年度には，まだ委員会活動とクラブ活動とをはっきり分けないで，同一の委員会組織の中で両者をあわせて実施したが，これは学校の施設や職員数の関係で，別に行なうことが困難であったためのやむを得ない方法であった。

○学校児童会　児童会は，4年以上から各学級委員2名ずつ，各委員会からの委員長で構成された。各学級には，学級会があった。

○委　員　会　生活・整美・保健・交通・放送・図書・掲示・科学の委員会。5年以上の全児童を2期に分けて編成する（前期か後期のいずれかに分かれる。交代時期は10月初め）。活動は，それぞれの委員会の特質を生かすよう考えたが，前の4委員会は奉仕活動の色彩が濃く，他の4委員会では，児童の興味や欲求を生かしたクラブ的な活動を取り入れた。

2年目になると，児童の要求が高まって，いつのころからか図画工作の教師を中心とした図工クラブのようなものができ，土曜の午後や長い休みなどを利用して活動をしていた。また音楽でも同好の者が集まって，図工の場合と同じような動きを示すようになってきた。思うにこれらの動き

は，他の面にもあったかもしれないし，個人的な関心や欲求を満たそうとするクラブ活動への胎動であったとも考えられた。そこでこれらの点を反省して，次年度の構想を練ったわけである。

2. 33年度と34年度

昭和33年度は，前年までの反省の上にたって，それに学校も3年目でだんだん整備されてきたこととも考え合わせて，次のような組織を作った。

○代表委員会　児童会は全校児童が構成員であるが，その運営は，4年以上の各学級から選ばれた委員2名ずつと，各部の部長とからなる代表委員会が中心となる。代表委員会は互選によって選出された議長団の司会によって，毎金曜日の第6校時に，定例の会議をもつ。討議決定された事項は，学級委員，各部の部長，または議長団より全児童に報告される。

○児童会各部　5・6年全員をもって組織し，学期ごとの3期交代で活動する（1学期間を児童会活動，あとの2学期間をクラブ活動に充てる）。部は，生活・美化・保健・放送・掲示・図書・交通の七つ。金曜の第5・6校時に部活動を行なうが，常時活動も多い。各部は部長・副部長を中心に活動し，各部相互間の連絡調整や学校全体に関する問題は，代表委員会で話し合い処理する。

○学級会　学級全員で組織し，毎週1時間の話し合い活動と常時の係り活動とがある。4年以上は，学級委員を代表として代表委員会に送る。

○クラブ　5・6年全員が参加し，3期交代で行なう（前出各部の項参照）。習字・家庭・郷土・科学・図工・音楽・演劇の七つに分かれ，毎金曜日の第5・6校時に行なう。各クラブは世話係を選び，その運営にあたる。

昭和 34 年度の組織と計画については，Ⅲ章で触れるが，前年と違うおもな点は，児童会の生活・交通部を週番として別格にしたこと，掲示部を新聞部とし，園芸部を新設したことなどである。その他では，クラブの郷土を社会としたぐらいで，クラブ・学級会とも変わりはない。

ただ運営の面で前年と異なるのは，児童会の代表委員会を，金曜日の第6校時から水曜日の第6校時へ移したことが大きい意味をもつ（職員会と交互に2・4の隔週）。これには，担当教師のほか，できるだけ全職員が参加するし，代表児童が部活動・クラブ活動を中断することもなく，時間的な悩みがなくなったわけである。

3. 文部省実験学校

本校の特別教育活動は，だいたい以上のような過程を経て今日に至ったのであるが，ここで特記しなければならないのは，33・34の 2 年間にわたって，文部省の実験学校に指定されたことである。研究の主題は「特別教育活動の効果的な運営」ということで，教育課程の4領域の一つとしての特別教育活動を，他の領域と調和を保ちつつ，どのようにして効果的に運営するかということであった。われわれは，数名の教師で特別教育活動推進委員会を組織して研究の中核とし(第1・3の金曜日に例会をもつ),全職員がこれに協力する態勢をとった。また第2金曜日には，全職員の特別教育活動連絡会を開いて研究を深めた（委員会とクラブ別々に，時には合同で)。

特別教育活動の効果的な実践研究は，われわれが取り組んだ大きな課題ではあったが，このために教育課程全体の調和を破るというようなことのないよう，この点には絶えず配慮してきた次第である。

II 本校の教育課程と特別教育活動

1. 教育課程と特別教育活動

1. 教育課程と特別教育活動の関係を考えるにあたって，文部省の小学校特別教育活動指導書の第1章第1節の記述が参考になる。その内容のあらましは次のようである。

特別教育活動の内容と考えられる活動のうち，そのあるものについては，すでに戦前にもその芽ばえが見られた。しかし教育課程の一部として正規に取り上げることはなかった。

戦後の自由研究は，こうした教科に直接関係のない児童の活動を教育課程の一部として取り上げたものであり，昭和22年度の学習指導要領一般編には，自由研究の時間に行なわれる活動の内容があげられている。

しかしながら自由研究への反省が高まるにつれ，従来比較的軽視されていた領域に積極的な教育的価値を認めようとする傾向が加わって，昭和 26 年度の学習指導要領一般編では，自由研究に代わって，教科以外の活動が登場してきた。

しかし教科以外の活動は，その内容がばく然としてはっきりせず，学校によって実施の実際や効果の上で差異があった。そこで 33 年の改訂学習指導要領では，この点を改めて特別教育活動の名称を用い，各教科・道徳・学校行事等と並んで，教育課程の一つの領域としてその位置を明確にした。そして活動の内容としては児童会活動・学級会活動・クラブ活動の三つが，どこの学校においても行なわれるべきものとして示された。

2. 本校の特別教育活動の発展については，Ｉ章に述べたとおりであるが，初めの２年間は学校の整備を進める動きと歩調を合わせて，奉仕活動を多く取り入れた組織を考えた。

特別教育活動としての組織と計画のもとに，本格的な活動をしたのは創立３年目の昭和 33 年からで，この年文部省の実験学校に指定されたのである。

われわれは，特別教育活動が教育課程の他の領域と調和を保ちつつ，円滑に運営されることを主たる方針としてきた。四つの領域には，それぞれの教育的意義ないし目標がある。これを互いに侵さず侵されず，教育目標の完全な達成に向かって結集することがたいせつであると考える。この観点から次のような方法をとってきた。

(1) 教科の時間数を，36 年度からの新教育課程実施にそなえて，漸次規定のものに近づけている。（Ⅳ章参照）

(2) 道徳については，33 年９月から時間を特設したが，実際には学級会との振り替えであった。34 年度からは，学級会とは別に，毎週１時間ずつ道徳の時間を設けている。

(3) 特別教育活動は，前述の趣旨に従い，次のような週あたりの時間配当をしている。

1・2年　$^2/_3$ 時間（学級会）　　3・4年　1時間（学級会）

5・6年　3 時間（学級会・児童会・クラブ）

4年以下での学級会にも，話し合い活動と係り活動がある（Ⅲ章学級会参照）。係り活動は，そのほとんどが常時活動であるし，低学年特に１年生などでは，毎日短い時間を話し合いに充てる等の方法もとられている。

5・6年では，学級会活動に１時間，児童会とクラブの活動に２時間

を充てる。しかし主として施設や児童数の関係から３期交代制をとっていること，クラブと児童会の人数の比率が２対１になることから，年間を通すと，

（１学期）　（２学期）　（３学期）

1. 児童会 ⟶ クラブ ⟶ クラブ
2. クラブ ⟶ 児童会 ⟶ クラブ
3. クラブ ⟶ クラブ ⟶ 児童会

のように，三つのコースが考えられる。そしてそれぞれのコースをとった場合，児童個々についての時間数は，およそ次のようになるであろう。

第　1　表

コース	児童会活動	クラブ活動	計
1	約　28 時間	約　48 時間	約　76 時間
2	〃　30　〃	〃　46　〃	〃　〃
3	〃　18　〃	〃　53　〃	〃　〃

(4) 学校行事等については，教育課程全体の時間数の上から，最も慎重に計画実施されなければならない領域と考える。学校行事等によって，教育活動の円滑な実践が阻害されることのないよう，その教育的な目標や効果をじゅうぶん検討していくことが肝要である。（Ⅵ章特別教育活動の諸問題参照）

以上の点について，より望ましい教育課程を編成する資料とするため，年間を通して授業の実施時間数を記録してみた。その具体的な数字については，Ⅵ章特別教育活動の諸問題の項で触れることにする。

2. 特別教育活動と他の領域との関連

指導書にも述べているように，特別教育活動が，教育課程の他の領域と多くの点で直接間接の関連をもつことは当然のことである。本校の場合，この関係をどうとらえているかを次に考えてみよう。

1. 各教科との関連

特別教育活動が，教育課程の一つの領域として，はっきりと位置づけられたことには深い意義があると思う。これを，教科の学習よりは人間の教育が自覚されてきたためだとみる考え方もある。

教えこまれ，暗記をしいられるだけの学習活動，指示命令に従って行動するだけの生活では，ほんとうの意味での人間的な発展も人格の形成も望まれない。こどもたちは，自分から進んで問題をもち，それをいろいろな手段方法によって解決しようと努力する。自分の意見を発表し，他人と話し合い，計画をたてて実行する。それらの結果については，さらに反省討議して，より高い段階へと進んでいくのである。こうした新しい考え方ないし学習の形態は，新しい時代の人間の育成に欠くことのできないものであり，その根底には自発性の原理が考えられる。

特別教育活動は，児童の自発的・自治的な実践活動がその基本となり，そこに自主的な態度の養成，社会性の育成，個性の伸長等が期待されるのである。

したがって新しい形態の学習で習得された知識技能が，特別教育活動に生かされ，特別教育活動の成果が，学習活動をいっそう活発にするということになる。これを，教科の学習は理解を通しての受容であり，特別教育

活動は実践による発動であると考えてもよい。

各教科の学習内容や方法と，特別教育活動の関係の具体的な点については，指導書に詳しく触れているので，ここでは省略する。ただ児童会活動・学級会活動やクラブ活動も，すべて教科の学習と深い関連をもち，互いの教育効果を高めるために，重要な役割を果たすものであることを強調したい。したがって，指導にあたってもこの点に特に留意して，効果を上げるための最善の方法を考える必要がある。このことが全体としての教育課程を調和的に円滑に実践していく重要なかぎとなるのである。

2. 道徳との関連

道徳教育は，教科の学習はもちろん，学校生活のあらゆる場面で行なわれなければならないものであるが，特に特別教育活動が重要な関連をもつことは，その性格からみて当然のことである。特別教育活動は，児童の自主的な態度を養い，社会性を育て，個性を伸ばすという目標をもつものであるから，それ自体が児童の人格形成の重要な一面をになっていることになる。

特別教育活動の内容である児童会活動の話し合いや実践活動，学級会活動での話し合いや係り活動で，児童たちは企画性や実践性・協同性を身につけ，さらに批判精神やなかま意識を高めていく。クラブ活動では，興味や欲求を満足しながら個性の伸長を図り，自分と同じように他人のことを考え，互いの努力によって規律と秩序を保っていく。こうした中で近代社会が要求する新しい人間像が育成されていくのである。もちろん教科の学習や行事等においても，こうしたはたらきは考えられるのであるが，特別教育活動は，とりわけ好適な領域であるといえよう。

道徳教育が目ざすところの近代的な人間の育成が，特別教育活動を通し

て果たされるということは，特別教育活動に対する認識を改めさせるものであり，このような位置に特別教育活動をおいたということに，人間の教育への自覚の高まりを感じとることができる。教科の時間を欠くことには，きわめてやかましいのに，特別教育活動の時間は，案外あっさりつぶされて不思議でなかったのは，教科を偏重して，特別教育活動を軽視した考え方によるものと思う。しかしながら前述のように，特別教育活動が人格形成に果たす大きな役割を思うとき，その重要さは，けっして他の領域にまさるとも劣らないので，われわれは，この点から特別教育活動を高く評価するものである。事実われわれの学校でも，ぼつぼつその効果が現われてきたのか，児童の自主的な動きが生活のいろいろな面で，かなり活発になってきている。

なお学級会と道徳の時間の類似について，よく論議されるのであるが，両者は本質的に異なる性格をもつもので，相補いともに助けあっていくべきものであることは，指導書に説いているとおりであると考える。

3.　学校行事等との関連

学校行事等には，いわゆる儀式のほか，体育的な行事や学芸的・文化的な行事など，多くのものが考えられる。これらは，教育課程全体の調和を考え，その教育的目標や効果を明確にし，方法・時期・回数などをじゅうぶん考えて，万全の準備のもとに実施することがたいせつであるとされている。

ところで学校行事等は，学校が計画し実施する教育活動であると考えられているので，特別教育活動との関連をどう考えるかが問題となってくる。

まず考えられることは，学校が計画し実施するといっても，行事によっては，かなり児童会や学級会・クラブの活動と関連づけられるのではない

か。つまり児童は，ただ単に指示されたとおりに参加するというのでなく，自主的な態度で，積極的に意見を述べ，計画に参画し，実施に協力するということができるのではないかということである。

もともと学校行事等は，学校が（教師が）計画し実施するといっても，その行事の意味なり目標なりを，児童ができるだけよく理解して自覚的に参加するのでなければ，その教育的効果は期待できないのである。また特別教育活動は，しばしば述べてきたように，児童の自発的・自治的な実践活動をその基本とするものであるから，児童は特別教育活動をとおして，学校行事等の計画を考え，実施に参加協力することが当然考えられていいのである。事実そこまでいってこそ，特別教育活動の効果が上がっているといえるのである。この点から学校行事等と特別教育活動は，じゅうぶん関連づけられるし，そうあることがきわめて望ましいことなのである。

本校ではこの見解にたって，運動会や学芸会を，特別教育活動との関連の上から最も取り上げやすい行事と考え，児童会・学級会・クラブの活動をとおしての参加を考え，実践している。その具体的な記述はIII章にゆずるが，このことが行事を盛んにして教育効果を高めるだけでなく，特別教育活動をも活発にして，学校運営の上にいい影響をもたらしていることを喜んでいる。

以上で，教育課程と特別教育活動との関係の考察を終わるのであるが，特別教育活動が，教育課程の中の一つの領域として位置づけられたことは，なんとしても特記すべきことである。われわれは，このことの意味をよく考えて，教育課程の運営に万全を期さなければならない。

また，特別教育活動が何を目ざすかということ，つまりそのねらいを明確にしておくことがたいせつであると思う。今までにもくり返し触れたよ

うに，特別教育活動は，児童の自発的・自治的な実践活動が基本となる。その活動をとおして，自主的な態度，社会性などが育てられ，個性が伸ばされていく。したがって，特別教育活動においては自主性の問題が，かなり大きな比重をもつことになる。

われわれは，日常の指導活動においても，絶えずこの点に意を用いて，自主性の育て方と，その評価の基準や方法などを考えている。もちろん，まだはっきりした結論には到達していないが，現段階での考え方については，Ⅳ章特別教育活動における児童の自主性とⅤ章特別教育活動における評価の項で触れることにする。

いずれにしても，この点の究明が，われわれの今後の課題となるであろうし，このことが結局は，特別教育活動を効果的に運営する方途であると考えるのである。

創立当初の2年間は，現在，児童会の部と呼んでいるものを委員会，代表委員会と呼んでいるものを学校児童会と称した。

III　特別教育活動運営の実際

1. 児童会活動

「小学校特別教育活動指導書」に，「児童会活動の組織は，施設・設備・教師や児童の数など学校の実情に基づき，児童の希望を考慮することによって，各学校ごとにそれぞれ異なるものが考えられる。」と述べられているように，児童会活動の組織は，それぞれの学校の実情に応じて作成され，改善されて，はじめてその目的が達せられるわけである。

1. 組　　織

本校の児童会は，全校児童をもって組織され，第2表のように組織づけられている。代表委員会，各部，学級会および児童集会のそれぞれの大要は次のようである。

(1) 代表委員会…… 4 年以上の各学級より選出された学級委員 2 名ずつと，各部から選出された部長1名ずつ，計24名をもって代表委員会を構成する。また必要に応じて週番代表が参加することもある。代表委員会では学級代表としての立場と，各部の代表としての立場から，それぞれ話し合いが行なわれるわけである。

この委員会は定期的に行なわれるものであって，隔週ごとに水曜日5時間目終了後，1時間ぐらい開かれる。緊急を要する場合は，もちろん臨時委員会が開かれる。ときにはクラブ員の参加を求める場合もある。たとえば運動会などで協力参加を求める時などである。

第　2　表

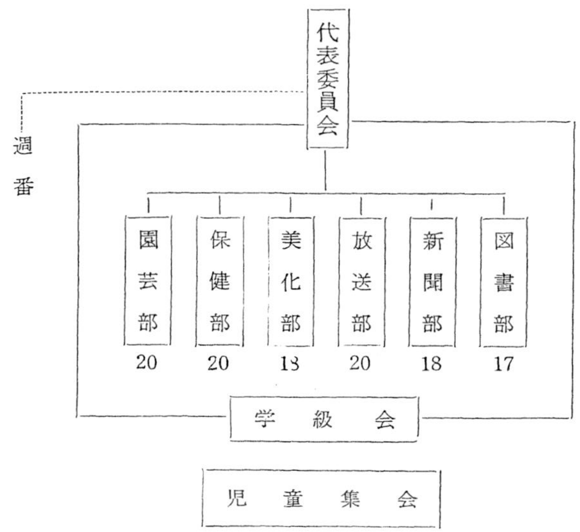

(2) 各　　部……5年生以上が参加し，毎週金曜日午後，活動が行なわれる。児童はスピーカーから流れる美しいオルゴールの音を合図に，特別教育活動の時間であることを，はっきり意識してそれぞれ学級をといて持場に集合し，いっせいに活動がはじめられるのである。

(3) 学　級　会……全員の活動の場であり，学級の当面する問題を解決したり，仕事を分担処理していくものであるから，それぞれ学級の特質をもった学級委員が代表委員会に参加するわけである。

(4) 児 童 集 会……朝の児童集会は全校児童が参加する全校集会の形をとり，代表委員会や各部活動状況の報告・発表・いっせい合唱・ラジオ体操等が行なわれる。

2. 組織づくりの留意点

本校の児童会組織を作成する上で，どのような点に留意したかをあげる

と次のようである。

(1) 全体組織を簡素化することに努めたこと。従来児童の希望のままで組織化を図ったり，あるいは教師の一方的な考えで組織をつくることによって，いたずらに複雑化してしまって，仕事の内容がそれに伴わず，理想倒れになることが多かった。そうした実情の上にたって，できるだけ能率的に働きやすいようにした。

(2) 実践活動を主体として組織したこと。とかく，実践活動を離れて，禁止事項や，申し合わせ事項のら列になりやすく，全校の生活を基盤においた生活実践の活動ということが少なかった。そのため，実践活動も多くは，行事等を中心に奉仕活動的性格が強かったので，日常の実践活動を進めていく方向に力をそそぐようにしたのである。

(3) 児童の負担が一部の者にかたよらないようにしたこと。

効果だけ期待しすぎると，能力ある一部の児童にその活動がかたよったり，負担過重になって，児童の興味や意欲をそこなう結果になる。それればかりでなく，じみな活動をいやがる傾向にもなりがちで，「放送部」とか「図書部」のように外見上はでな活動を希望するか，仕事のあまりないほうへと希望するようになる。そこで児童の負担を考慮して，「交通部」を週交代制に改めたり，仕事の範囲を縮小したりした。

(4) 教師の負担も考慮したこと。

熱心な教師ばかりが関心をもつということでなく，絶えず全体の調整を図り，計画なども無理のないようにし，あるいは，人数・施設等において指導の負担を考え，全教師が全力をあげて運営に当たれるよう考慮したことなどである。

3. 代表委員会の運営

組織は前に述べたとおりであるが，代表委員会を開く回数・時間は年間計画の中にはっきり示されている。すなわち隔週ごとに開かれる，水曜午後6時間目に全職員出席のもとに行なわれるわけである。したがって定期的な学校行事のようなものは，児童としてどのように参加するか，あらかじめ学校の諸計画の中に含まれることになる。この際問題になることは，児童の能力・人数・施設等であり，それによってどの程度の参加が教育的意義をもつかは，じゅうぶん検討されなくてはならないであろう。次にどのような行事参加への議題が取り上げられ，運営されたかをみてみよう。行事への参加の関連を表にしたものである。

児童の学校行事への参加は，全面的に児童側にあるもの，一部参加のもの，補助的なもの等がある。

第　3　表

4　月	始　業　式 入　学　式 年間計画立案 定期健康診断 校外学習 こども会編成	学　校　主　催 学　校　主　催 各部の計画を話し合う 児童は補助的に おもに学級会で話し合う 児　童　の　計　画
5　月	小運動会 健　歩　会 野球，ドッジボール大会	児童の計画もいれて行なう 学　校　主　催 児童が計画，実施
6　月	こども会班別懇談会 交通安全運動	主として児童 交通班の児童を中心として活動
7　月	夏季生活懇談会 こども会リーダー講習会 文　化　会 終　業　式	学　校　と　父　兄 学　　　　校 学　　　　校 学　　　　校

9　月	始　業　式 夏休み作品展 （研究発表）	学　　　　校 児　童　の　参　加 計画立案　児童とともに
10　月	秋季運動会 校外学習	児童と教師，計画，実施 おもに学級会で話し合う
11　月	健　歩　会 交通安全運動	学校が計画，実施 交通班の児童を中心に活動
12　月	火災予防週間 終　業　式	学　　　　校 学　　　　校
1　月	始　業　式 冬休みの反省 耐寒訓練	学　　　　校 おもに学級会で話し合う 学　　　　校
2　月	学　芸　会	児童の参画，一部計画に参加
3　月	終　業　式 卒　業　式 こども会（6年お別れ会）	学　　　　校 学　　　　校 児童の計画，実施

以上の表に示したように，児童会において，いずれの学校行事に参加させるべきかは，それぞれの学校の実情に応じて，年間計画の中で表わすことができよう。

4.　児童会と行事等の運営の例

(1)　運動会・学期当初運動部で計画された具体案が職員会に提出され，本年度の運動会実施についてその方針が，明らかにされ，さらにこれらの案を最も活動しやすいように審議され，児童側に移されるのである。

しかし，このことはけっして児童の意見を無視して教師側の案によって実施されるということではなく，児童にあらかじめいろいろな資料を提供し，児童が自発的に到達すべき方法なり方向なりを示すものである。本年度（34年度）の実施によると，運動会の実施月日があらかじめ発表されると，代表委員会で，これを取り上げ，さっそく運動会についての小委員会をつくったのである。かれらは定期的に毎週会合をもち，昨年度の資料や，教師側からの案を基にし，自分たちの手で，どのように協力し，しかも楽しくできるかを真剣に考えたわけである。話し合いの発展経過を示すと，

ア．第1回の会合では児童には案外予備知識はない。昨年の運動会の様子を思いおこしてみる。仕事の内容を説明する，するといろいろな発言が出る。「ピストルをならすもの」「テープをもつもの」「ラインを引く係」等々昨年参加した児童はその体験を発表する。しかし，まだまだ万全ではないので，助言しながら運動会全体の組織を考えさせる。

イ．第2回の会合では，それぞれの係りのうち，自分たちでできそうなものと，また危険性のある仕事などを整理しながら，所期の係り分担を決めていく。

放送部――放送係	新聞部――採点係
図書部――審判係	保健――救護係
美化部――ポスター係	園芸――会場係

ウ．第3回の会合では，特に人数の点や，仕事の内容について話し合いがもたれ，調整を考えていく。特に前日の役割などはたいせつであるから万事細密な方法を考えていく。

エ．第4回目，原案ができたらプリントして代表委員会に提出，みんな

に考えてもらう。また児童側と教師側との仕事の区別を明確にしておく。

さらに，運動会参加実施後の反省会をもち，じゅうぶん来年度への自覚を高めておかなくてはならない。

(2) 学芸会・学校行事であるから，主体性は教師側にあるが，人数・能力に応じてできるだけ参加するように考慮し，助言指導のもとに計画実施させるようにした。本年度は主として児童会を通した係りと，学級会を通した係り（5年以上）をもって係り分担が決められた。児童会からは，進行係として放送部，受付係として図書部から数名で，他は週番・クラブ員で係構成を行なった。

5. 代表委員会に出された問題

年間を通じて代表委員会に提案として出された問題は主として，(1) 学級会から出された問題 (2) 各部から出された問題 (3) 週番から出された問題 (4) その他等である。

議題の整理を行なってみると各部からの提案がいちばん多い。

(1) 各部から出されたもの（1例）

ア 図書使用後の注意事項。（図書部）

イ 朝礼の集まりがうまくいかない，どうしたらよいか。（放送部）

ウ 花園をきれいにしたい。（園芸部）

エ 児童会より球根を送ってくれた人に礼状を出してほしい。（園芸部）

オ 衛生検査について。（保健部）

カ 投書箱を利用してほしい。（新聞部）

(2) 学級会より出された問題

ア　給食時の過ごし方。

イ　図書の貸し出しをしてほしい。

ウ　コマを学校で回すことについて。

(3)　週番より出された問題

ア　階段ののぼりおりについて。

イ　朝のお当番について。

ウ　帰る時間について。

エ　その他，注意事項。

(4)　問題の解決

前項の「給食時の過ごし方」は校内にいろいろ問題を投げかけた。問題を提出した学級は「給食時には，だいぶ時間がかかるため，校内放送がよく聞くことができない。放送時間をおそくしてほしい」という提案がなされた。これに対して各学級さまざまな意見が提出された。ある学級のやり方を説明することによって問題は解決されたのであったが，給食時の過ごし方について，さまざまな話し合いが行なわれ，それぞれ学級の参考になる意見が交換され，全職員にも参考になったのである。

問題は簡単のようであるが，児童が話し合いのなかで校内のきまりを，納得のいくまで話し合うことによって，自然に解決されていくのである。

あるいは，朝会時の集合が朝当番や，遊びのためにおそくなるのを，放送部に頼んで早目に予告してもらうことによって解決した，並び方も前列に白線を引くことによって，おのずから解決案を考えていく。

まだ本校で問題点は週番制にあるのであるが，調査をしてみると，児童自身は週番が必要だと考えているものが多いのである。

週番からは「なかなかいうことを聞いてくれない」という声と「週番はいばりすぎる」という文句が多いことである。これは上級生・下級生・同級生どうしの関係など複雑であるようだ。このことは人間関係の根本問題として考え，むしろ道徳との関連において，人間尊重の精神を互いにもつように意識を高めることが，たいせつなことであると思われる。

次に本年度の年間計画を図表によって示すと，次ページ以下のようである。

第4表　昭和34年度各部活動実施計画表

月＼委員会	学校および児童会行事	図書	新聞	放送	美化	保健	園芸
4月	始業式 入学式 年間計画立案 定期健康診断 校外学習 こども会編成	○計画 ○新刊紹介	○計画 ○編集技術について講習	○計画 ○機械操作の技術 ○アナウンスの技術 ○みどりの羽根について	○計画 ○廊下昇降口等の壁面利用について	○計画 ○健康診断に協力 ○都平均と本校との身体状況比較グラフ作り	○計画 ○花壇教材園の割り当て
5月	小運動会 健歩会 野球ドッジボール大会	○図書整理 ○図書利用の方法について	○壁新聞 ○謄写技術について講習 ○資料集め	○番組の編成について ○小鳥の愛護について ○母の日について	○廊下階段付近の飾りつけ （花，絵画，工作品等）	○清掃週間について ○カーテンの整美 ○教室の換気 ○用具の分配	○用具の整備 ○教材園の整地 ○草花の手入れ ○用具の使い方
6月	こども会班別懇談会 交通安全運動	○新刊の紹介解説（放送部に依頼） ○読書会 ○本の見方について校内指導	○特集号の発行 ○部活動状況をのせる	○各部の活動状況報告 ○世論調査 ○放送劇 （時の記念日のことなど）	○園芸部と共同して校内に草花の装飾 ○ポスターのはりかえ ○草花の愛護ポスター	○虫歯についての統計，お話 ○はみがき訓練 ○雨季の衛生 ○はえとり，消毒液	○樹木の名標作り ○教材園の管理指導
7月	七夕 夏季生活懇談会 こども会リーダー講習 文化会 終業式	○夏休み前の読書指導計画	○夏休みの生活を中心とした事前指導のニュース（こども会と連繋） ○遊びについて	○七夕のいわれ ○星座の話	○時事ニュース等のはりかえ ○換気のポスター	○夏の衛生 衣服，飲み物，食べ物について	○夏の野草について ○草取り
9月	始業式 夏休み作品展 （研究発表）	○読書調査 ○図書の整理と修理	○夏休みの生活特集号	○夏休み作文の放送 ○遊びの調査発表 ○番組について	○ポスターのはりかえ ○学期始めの装飾 ○廊下の絵のはりかえ	○清掃指導計画 ○清掃用具整備 ○衛生検査	○用具の手入れ ○雑草取り ○整地 ○秋の七草について ○支柱作り （台風にそなえ）

10　月	秋季運動会 校外学習	○図書室利用者数のグラフ作り ○新刊図書の紹介	○文芸特集 ○新聞週間について ○運動会に協力
11　月	健歩会 交通安全運動	○読書指導 ○新刊紹介 ○図書利用の方法について	○読書週間について ○代表委員会・部活動について ○わたしたちの意見等
12　月	火災予防週間 終業式	○図書館ニュースの発行	○校内10大ニュース
1　月	始業式 冬休みの反省 耐寒訓練	○冬休みの図書閲覧について	○冬休み記念特集号
2　月	学芸会	○図書の修理	○学芸会に協力 ○ポスターなどの掲示
3　月	修業式 卒業式 こども会 歓送迎会	○図書の整理 反省	○卒業生を送る特集号 反省

○番組について ○運動会に協力	○図工クラブと共同図画の展示会 ○運動会の装飾について	○眼の愛護デー ○わたしたちの身体と健康	○春咲き草花の播種，株分け，移植 ○球根植え付け
○読書週間について ○文化の日について ○物語の放送	○壁面の利用 ○壁面の清掃	○衛生検査 ○給食について表など作成	○霜よけ作り ○種の採取 ○球根保存
○年末お楽しみ番組について	○はたき作り 大そうじに協力	○冬の衛生 ストーブと換気 湿度の調査 ○冬の清掃	○種苗作り
○冬休み中の諸報告	○廊下の美化 ○ストーブのまわりの整美	○清掃用具分配 ○学期始めの大そうじ	○樹木の名標つくり
○学芸会に協力	○学芸会に協力	○健康診断に協力	○植樹，造園計画を話し合う
○進学進級のお祝い ○モニター会議 反省	○卒業生，新入生歓送迎会の飾り付け 反省	○身体の清潔 （手足，頭髪，爪など） 反省	○春の種子まき 反省

かならずしも計画どおりいかないが，実践活動によって示すことにする。

6. 部活動の運営

(1) 新聞部活動の実践記録

第　5　表

	月　日	月　日
よてい	来週もう一度各部クラブ活動のことを記事にしよう。さ来週は来週とる記事をもとにして，新聞を作ろう。どのくらいよくできるか楽しみだ。	編集会議 各部やクラブそのほかから持ちよった記事を，せいりするそうだん。
したこと	各部・クラブのようす，次のよていなどを聞きに行った。とても勉強になった。きょうは記事の取り方でどれがよいか，悪いかみんながひとりずつ自分のを読んで先生に批評てしもらった。	この間の記事の取り方が悪かったので，どうしたらよいか相談した。投書箱にもよい記事があつまらない。原稿用紙をつくって，各部やクラブの人たちに書いて出してもらうことにきめた。
かんそう	悪く書いてある部・クラブが多い。 新聞部の人はもう少し，かなづかいを研究してもらいたい。かなづかいの誤りが多い。各部・クラブ活動のことが書いてあるが，それをまる写ししてこないで自分で考えて書いてもらいたい。	よていどおりいかなかった。なかなか記事があつまらない。 図工クラブは前回取った記事とかわりなく，図工クラブのことを悪くかいてある。 それに字がきたない。
反　省 (指導者記入)	各班の取ってきた記事を発表しあったが，まとまりがないのが多い。 記事の取り方にもっと研究の必要がある。とにかく多くの記事を取ることが必要，原稿がそろったら，その中から編集するようにしたい。 次回は， 記事の選定	各部やクラブ活動の記事ばかりでなく「記事は身近にある」ということに気づかせて活動させると同時に毎日が豆記者であるという点を理解させる必要があると思う。

この例に示されているように，新聞部活動でいちばん問題になること

は，記事の取り方にあるようだ。割り付け，印刷技術等は6年あたりになると，学級内で係りのお知らせや，学習問題の作成等の場合に指導され，ある程度できるようであるが，校内のニュースの取材となるとなかなか容易でない。

まず数班に分かれてそれぞれの新聞の名称を相談する。記事の割り付けや，印刷技術はともかく，校内ニュースその他気のついたことを書かせてみる。児童はいろいろな本を集めたりしながらなんとか完成する。ただ完成した喜びでいっぱいである。できあがった新聞を見ながらみんなで批評する。形の上から内容から考えていくと，新聞は「読んでもらえる新聞」であることに気づかせる。そこではじめて，日常の生活に目を向ける必要さを痛感し，「特別教育活動の時間だけの取材だけではだめだ」ということや「ふだん注意してメモしておくこと」や「計画をたてて書いてもらう」ということになったわけである。細かい点にも気を配るようになり，ア，理科の観察用水槽の稲の芽が伸びたことを知らせよう。イ，飼育小屋の小鳥が卵を生んだことをみんなに知らせよう。というようになったのである。

原稿用紙をつくり，全体に呼びかけたり，先生にお願いしたりして能率を高める方法をくふうするようになった。

さらに投書箱を設置したり，カットの入れ方を相談したり，意識はしだいに深められていったと思う。教師の助言も加えられて，「特集号」を発行しようということになり，学校行事のうち，児童の参加を必要とする—たとえば運動会については「運動部の先生」に原稿を頼んでおいたり，児童会の運動会に対する役割分担を報道するようになったことである。

次に6年女子の書いた新聞部活動の作文を引用しよう。

「わたしは今度はじめて新聞部にはいった。はじめてなのでよくわから

なかったが，わたしは第３班にはいりました。最初は記事がたくさんあったので，第１号はすぐできあがりました。できた時はとってもうれしかったが，先生が『みんなに読んでもらえる新聞をつくりなさい』といわれて，みんなで新聞をみせあったら，字がきたなかったりしてもっと考えたほうがよいと思いました。みんなの書くことがいろいろな本からうつしたりしていることもあったので，先生から注意されました。第２号の『青空新聞』をつくるときは，みんなで考えて『こども会野球大会』のことをのせるようにしました。こんどは全員でいろいろ野球の記事をあつめたりして『野球大会特集号』を出すことにきめました。カットもＮ君がえがうまいのでかくことになりました。児童会のＡ君のところで聞いて，児童会できまった野球のメンバーの組み合わせをのせたり，記事をおもしろくするため『今年はどこのこども会が優勝するか，あててみてください』というようなことも書きました。できあがったときは，校長先生もほめてくださってほんとうにうれしいと思いました。」

新聞部の活動はかぎりなくある。しかも校内生活を向上していく上にその使命はひじょうに重大である。一応上のような経過をたどったわけであるが，(1) 学校生活に対する反省の目が生まれてきた，(2) よく観察眼を働らかせるようになった，(3) わからないと図書室へ行って調べるようになった，ことなどがその長所であり，問題点としては，(1) 時間がおそくまでかかりすぎて負担が多い，(2) 自主的にやってはいるが，校内全体に対する有機的つながりが少ない，などであろう。

以下の実践記録例も，その一部を示すものである。

(2) 図書部活動の記録

第　6　表

	月　　　　日
よ　て　い	図書新聞をくばること。 読書の注意を書くこと。 ばらばらの本を整理すること。
し た こ と	Ａ班ではまちがえて入れた本を整理した。 Ｂ班はもぞう紙に読書のときの注意を書いてはりだすことにした。
か ん そ う	Ａ班の人たちは本の整理をしただけだったので，あと仕事がなくてたいくつだった。 Ｂ班では仕事がいろいろあったのでおもしろくできた。みんなが協力してくれてよかった。
反　　省 (指導者記入)	○ややさわがしかったが，持場持場での自主的な活動がなされた。 ○こどもたちは修理を主にした仕事を希望していたが材料の関係で作業にはいれなかった。 ○貸し出しを希望する児童が高学年に多い。これについて話し合う機会をもちたい。

機械的な仕事にはきわめて熱心であるが，与えられたわく内にあって自発的に活動することはじゅうぶんに行なわれにくい。図書館を利用することを多くの児童に与えたいがどんな方法がよいであろうか。幸い高学年の児童会から，だいぶ図書の貸し出しをしてほしいという希望が多いので，貸し出しをすることに決定した。これは従来，イ，貸し出しに応ずる設備がじゅうぶんでなかったこと，ロ，希望に応じて貸し出してよい本がじゅうぶん整っていない，ハ，図書部員の不慣れ，まだ日も浅く貸し出しの整理がうまくいきそうにもない等で，貸し出しができなかった。しかし，児童会を通じて，「貸し出してほしい」という希望が多かったので，図書部会で話し合いの結果，土曜日放課後，当番を決めて貸し出しを始めること

にした。最初はだいぶ不慣れのため混雑したが，事務が慣れるにしたがって混乱も少なくなり，また貸し出しを受けた児童のほうでもその返還がわりあいうまくいっているようである。

(3) 美化部活動の記録

第　7　表

	月　　　　日
よ　て　い	つぎの金曜日までに，花びんを買って，花を生けてきれいにかざる。
し た こ と	前のポスターの残りをはがした。運動会のポスターをはったり，図工クラブといっしょになってしごとをした。
か ん そ う	前のポスターはがしはなかなかたいへんであったが，しっかり最後までやった。
反　省（指導者記入）	運動会もま近いので美化として壁面の利用について話し合い古いポスターをはがしたり，新らしいポスターのつけかえをした。

美化部は本来奉仕的な性格をもっていることが多いので，その運営はなかなかたいへんである。本校においては，常時活動として教室の清掃等の成績をいたずらに競争しない程度に朝会，放送を通じて発表したり，校内の美化に努めている。児童からの問題は「花を廊下にかざろう」ということで牛乳びんや竹筒など利用して作ったが，こわれやすい心配や，水が早く無くなることなど反省して，花びんを買うことになり，毎週１回花の取り換えをして，常にいきいきとした花が廊下などに飾られている。花の集め方も全校に呼びかけたり，園芸部に頼んだり，いろいろと苦心をした。さらに季節によって花の無い時もあるので，そのときは予算に組み入れてもらうようにしてどうやら解決した。こうしたことによって，今まで無関心であった児童が，校内の美化に気を配るようになったことは事実である。

(4) 放送部の活動記録

第　8　表

	月　　　　日
よ　て　い	プログラムのつくり方について。
し た こ と	プログラムの編成 1. 各部やクラブの人たちにも出て放送してもらう。 2. 科学クラブや社会科クラブの見学したことを感想文に書いて発表してもらう。 3. 記事を集める人　下田君，永井君。
か ん そ う	・黒板へプログラムを書いているとき，さわいでいる人がいた。 ・給食の時放送をやっても聞いてくれない組があった。せっかく放送しても聞いてくれないので残念だった。 ・プログラムを集めに行ったとき文句をいう者がある。
指 導 記 録	週の放送番組について ○放送申し込みのしかたがうまくいかない。 ○学級への連絡については今一度考える必要がある。

校内の通信報道機関としては，最もたいせつな役割を受け持っている放送部員の仕事は，単に放送部員のものではなく，全体のものであるという意識の上にたって，仕事をしていくことが重要だと思う。

第　9　表
放　送　番　組　の　一　例

曜日	番　　　　組
月	教師の童話，レコード（童謡）
火	うぐいすのお宿，南極の海 連合音楽会のテープ録音放送
水	擬音レコード 放送部員の朗読
木	科学クラブ気象について発表 クイズ（放送部会）
金	放送劇（録音放送）
土	各部，クラブ等連絡放送（打ち合わせなど）

これは給食のとき放送され，これ以外に毎朝，朝会前にレコードの放送，お知らせ等を放送する。放課後は帰宅時間を知らせたり，連絡事項に使用されている。こどもたちはひ

じょうに熱心に，交代制をもって実施している。

(5) **その他の部活動**

その他保健部などでは，洗面所の石けんの使い方を調べて，高学年では石けんがあまり使用されていないため，その原因を調べた。その結果手洗いを励行させることにしたり，消毒液の設置を考えたりして，衛生思想の普及に努めるなど活躍をするようになったのである。

(6) **わたしたちの黒板**

日常の実践活動を新聞放送をとおしてのみ知らせるばかりでなく，常にいきいきとした活動が現われるものにしたいため，低学年用，高学年用の黒板を「わたしたちの黒板」と名付け特別教育活動用の黒板として，いろいろ書き方を考えさせた。黒板の責任は代表委員会の役員が受け持つことに決め，週目標週行事予定を書き込んだり，児童会での決定事項などを知らせている。さらに，その週の各部の活動・クラブの活動の様子を知らせるようにした。一例をあげると下のようである。

第 10 表

今週のめあて 1. 朝礼の時早くならぼう。 2. わたり板にのらないようにする。		
月	週番より 今週の目標発表	ラジオ体操
火	花の入れかえ（美化）	ラジオ体操
水	児 童 会……朝礼のならび方について	ラジオ体操
木	児童会からお知らせ めあての達成について中間発表	ラジオ体操
金	各委員会・クラブ活動	ラジオ体操
土	今週の反省・週番の引きつぎ	ラジオ体操

美 化 部 よ り

毎週土曜日　おそうじの結果をしらべます。

○ × の数で上・中・下をきめる。

第 11 表

月	さ ん	
	窓	
	床	
日	壁	
	せいとん	
結果は上・中・下と書いた模様入りの紙をかかげます。		

新 聞 部 よ り

「青空新聞」第３号が出ました。各教室にはっておきましたからよくみてください。

保 健 部 よ り

お手洗いの石けんがあまり使われていません。
手はいつもせいけつに。

また低学年用に，わかりやすい場所に，上級生が低学年向きにその活動がわかりやすいように，マンガなどを書いて知らせるようにし，どこまでも親しみのある黒板をつくることに苦心をしている。

(7) **部活動に対する中学年の児童の意識**

高学年児童によって部活動が行なわれているが，中学年４年生においてはどの程度の理解度があるであろうか。部活動に対する認識度を第 12 表のように調査した。

第 12 表

部 活 動 の 目 的	人 数	割 合
先生の仕事を手伝う	6	4 %
委員を選んだりすることを勉強する	3	2 %
学校生活に役だてる	140	88 %
自分の得意なものをのばす	4	3 %
部活動があると便利	3	2 %
無　答	2	1 %
合　　計	153	100 %

これによると部活動

に対する認識度は割合高いことがわかる。これは，5・6年の日ごろの実践活動の反映がこうした結果を示したものと考えてよいであろう。部活動の内容に対する理解のしかたが，「どうしてわかったか」というと次の第13表で明らかである。

第 13 表

部活動の内容がどうしてわかったか。

理　　　由	人　数
人から聞いた	21
上級生の活動を見聞きして知　た	75
いつの間にか知った	55
合　　　計	151

二つの表を比較することによって，現在行なわれている部活動が，校内生活の向上に役だっていると考えてよいのではないだろうか。

2. 学 級 会 活 動

1.　本校の学級会活動のあり方

(1)　児童の学級会

学級会は学級の全児童が参加して運営されることがたいせつであることは，従来行なわれてきた学級会をふり返ってみても，また学習指導要領によってみても当然のことであるが，本校の学級会のあり方にもこの方針はもられている。昭和 31 年開校以来本校では中学年以上に教科以外の活動の時間の一部として，学級会の時間を週1時間ずつ設け，主として児童の手によって運営させてきたのも，学級会活動を全児童のための実践の場と考えて，自発的，自治的活動をうながし，社会性を育成するという本校教育目標の具体化にほかならなかった。

現在実施している各学年の学級会活動の指導方針は次のとおりである。

第１学年　　楽しく実践できるよう
第２学年　　楽しい学級づくり
第３学年　　係り活動を活発に
第４学年　　児童の興味を中心として係りを編成し，自主的な活動を促す
第５学年　　話し合いの結果を係り活動を中心として実践させる
第６学年　　適材を適所に充てて，自主的な実践活動に導く

以上は学校として特に一貫性のある指導方針をたてているわけはないが，学級会をあくまでも児童の自発的・自治的な活動の場として，その意味で，自由な発言や行動がとれるように配慮してたてた指導方針である。

(2) 学級会活動と学級経営

学級会活動は学級児童の主体性をできるかぎり生かすように指導することはもちろんであるが，反面学級担任教師の行なう学級経営の一面として，その指導には教師の教育観がじゅうぶん反映するような方法をとらなければならない。このことは，児童の自主性と教師の指導との触れ合う面としてむずかしいところであるが，学級会を指導するということは，単にその時間における指導のみをさすだけではない。それ以外のあらゆる時間，特に休み時間や放課後等における児童と教師の触れ合い，あるいは各教科，道徳，その他学校行事等の場合における両者の心的交流がなめらかにいくことによって，醸成された好ましい人間関係（思ったことを互いに隠さず，遠慮なく話せるふんい気）が，学級会活動での指導の基本的な要件である。特に教師の態度としては，児童の発言をじゅうぶん尊重すると同時に，児童の判断の誤りなどは，話し合いによって児童がわかるまで徹底した指導が望まれる。

(3) 児童会との関係

児童会は学校の全児童がその構成員となっているのであるが，運営は主として5・6年児童によって行なわれている。また，代表委員会には4年以上の学級代表児童は参加するが，3年以下は学級代表を送っていない。したがって学級会は児童会の下部組織の形ではあっても，代表委員会を通じての直接的なつながりはうすくなっている。

4年以上の学級では，学級で話し合われた問題が学級代表によって代表委員会に提案され，代表委員会で話し合われた問題や決められたことがらのうち，学級でもっと話し合って深めたい場合に話し合い活動の時間に話し合うというように相互の交流もなめらかである。

3年以下の学級では，担任教師によって中継ぎされる場合もあり，児童

会の集会の時に，委員による代表委員会の報告や，あるいは掲示板等によって代表委員会で決められたことがらを理解する，といった方法がとられている。

2. 学級会の組織

(1) 組織の方法

学級は担任教師の学級経営の方針によって，いくつかの生活班に分かれ，学習，清掃，校外学習や遠足の際の基盤となっている。これは担任が指導する多くの教育活動にできるだけ相応ずるように意図した異質集団である。

この生活班は全学年にわたって，どの学級でも組織され，特に低学年においては仲間意識を育てるために具体的な花の名や鳥の名など児童に親しみやすい名をつけさせている。

学級会の組織として1年生では生活班の組織をこのまま使う学級もあったが しだいに学校生活になれるにつれて，学級内の仕事について教師と話し合う間に，いくつかの自分たちでできる仕事があることに気づいてきた。ただし，それは組織化するまでに至らず，初め小人数が係りを受け持ち，しだいに人数を増すという方法がとられている。

係り活動の係りとしてある程度固定化されるのは2年になってからであって，教師は児童の意見を取り入れて係りの種類(名称)・係りの人員・分担等を決めている。係りの名称など，窓あけ，整とん，花，くばる等具体的な仕事を現わすものが多い。

3年の2学期以降になると主として児童の意見によって決めている。話し合いもこのころから児童が司会をして進めるようになった。ただし教師の助言は量的にもかなり多かった。

4年になると係りの決め方なども，主として児童によって決められる学級もでている。司会も児童がして話し合い，教師の助言もあまり多くなく

なる。係りの種類も内容的には皆がはたらきよいものが生まれ，分担も児童それぞれの希望をとると同時に，仕事の分量の配分などにも気をつかうようになった。

高学年ではほとんどどの学級も児童が中心となって決めている。そうして教師は特殊な児童のいる場合や，中途において問題が生じて話し合いが行きづまったときなどに適宜助言を与えるようなやり方になっている。

(2) **係りの種類と仕事の内容**

前項にも述べたところであるが，学級会の係りは児童の考えによって作られたものがおもなものであるから，それはまた児童が実際に行なうことのできる身近なものである。ことに低学年における係りは未組織の段階にあり，また仕事がひじょうに具体的に示されている。第 15 表によればたとえば1年における窓あけ・黒板・くばる等，2年における窓・お花・かだん・ゼリー・黒板等，仕事の内容が具体的に示されており，かつ単純なものが多い。

第 15 表　学級会の係りの名称

学年	係りの名称	備考
1 年	窓あけ・朝礼・せいとん・げた箱・ストーブ・お花・黒板・えいせい・けいすうき・戸だな・べんきょう・くばる・ごみすて・わすれものなど	係りというほどはっきりしたものではない
2 年	お花・きゅう食・ほけん・かだん・べんきょう・せいり・窓・黒板・はいきゅうなど	1週間で交代する
3 年	集金・文庫・えい生・おとしもの・花係・出席簿・宿題・新聞など	全員がどれかの係りにはいる
4 年	会計・飼育栽培・体育・美化・掲示・保健・新聞・学級文庫など	〃
5 年	記録・会計・出欠・保健・学習・気象・忘れ物・新聞・掲示・幻燈編集など	〃
6 年	学習（宿題）・図書・美化・保健・配布・忘れ物・会計・学級園など	〃

各学年における学級会の係り（1・2年については数学級のもの）。

それに比べ中学年になると，低学年におけるような係りも3年にはあるが，4年になるとほとんどなくなって，係りの仕事の内容は相当複雑になってきており，3年以降は学級の全員がどれかの係りを分担して，常時活動している。また各係りには責任者が決められ，児童たちの相談によってかなりの程度自主的に仕事を遂行している。しかしこの場合も教師は常に児童の相談相手になって，新しい仕事の展開に示唆を与え，実践の評価を怠らず，随時励ましていなければ長続きしない段階にある。

高学年の場合は係りの名称等は4年の場合とほとんど変わらないが，その仕事の内容は学級の皆のためになる仕事として高度のものとなり，またいくつかの係りは児童会の部に参加している児童がそのまま受け持って児童会と学級会との関連を図る等内容がいっそう複雑化している。これは学年による能力の程度に応じたやり方でもあり，また実践活動の実際的な運営の必要上からもなされるものである。

ただし低学年から高学年までに共通していることは，係りの仕事が学級生活をよりよくするためのものであり，その上それが継続的に行なわれていることである。

3.　学級会活動の運営

(1) **話し合い活動の指導**

年間に話し合われた問題のいくつかをあげると第 16 表のようである。

第　16　表

学年＼学期	第 1 学 期	第 2 学 期	第 3 学 期
1年	○より道をしない ○女の子の遊びのじゃまをしない ○非常階段へ登らない ○クラスや先生に望むこと	○教室を美しくしよう ○らくがきをやめよう ○お話（みんなの前で話せるようになるため，番を決めて話のけいこ） ○約束について	○学級の仕事の分担（係り） ○工事場にはいらない ○けんかについて

2年	○春の遠足について おこづかいの額 おやつの量 ○係りの仕事について ○先生の机にさわらない ○先生がたったらみんな静かにする	○秋の見学の団体行動について ○各係りの反省 ○学級のきまりについて ○鉄条網に登らない	○各係りからの意見 ○遊び方について
3年	○係りをどうするか ○夏の暮らし ○学級委員選挙について ○雨の日の遊びについて	○運動会のきまり ○見学のきまり ○Sさんのお見舞について ○遠足について	○学級文庫について ○日々の遊びのきまり ○ストーブの取り扱いについて ○朝　礼
4年	○学級会のやり方について ○遠足の相談と反省 ○病気の友人を見舞うことについて ○運動場の使い方	○運動会の相談と反省 ○学級新聞をよく読んでもらいたい ○男子と女子のけんかについて ○給食のしかたについて	○カーテンについて ○遊びについて ○先生がいないときの勉強のしかた ○お別れ会の相談
5年	○学習態度について ○帰校後の遊びについて ○学級文庫について ○給食の配膳方法について ○学習表について	○そうじの徹底について ○給食前後のきまり ○あだ名について ○ドッジボール大会について ○男子女子の遊びについて	○勉強のしかたについて ○お別れ会について ○作文交換について ○会計係の仕事のしかた ○保健の係りについて
6年	○各係りの報告について ○男子・女子の遊び方 ○学級会のやり方について ○6年生として	○あだ名について ○運動会に参加することについて ○げた箱の清掃について ○朝会の態度について	○給食時のすごし方 ○朝の問題 ○卒業行事委員から ○学級園の最後の手入れ

1.　話し合いの問題について

これは毎週1回ずつ行なわれてきた話し合いの時間における問題の一部

であるが，1年生の1学期には主として日常生活の行動を規制することから話し合われている。これは学校における集団生活になれないため，教師から問いかけている問題である。ところが2学期にはいると高学年の教室を見た児童から「花をかざろう」とか，「らくがきをやめよう」とかいう意見がでてくる。自分たちの教室を少しでもよくするための考えがでることは，意識においてまだじゅうぶんでないとはいえ自主性の芽ばえとして特筆すべきことである。

2年になると学級のきまりについても意見がでている。これは児童が集団というものをある程度認識し，理解したあらわれであって，社会性の育成の端緒として重要なことであると思う。

中学年になると児童の生活における諸問題はいうまでもないが,「学級委員の選挙」とか「学級文庫について」とか「学級会のやり方」または「学級新聞を読んでもらいたい」等は係り活動の運営を自分たちで行なった結果でてきた問題であり，あるいは学級会は自分たちのものであるという意識の存在を示すものであって，学級会活動で本来目ざしているところの自主的な実践活動がかなり意識的に行なわれているといえる。

4年から高学年になると，代表委員会において話し合われた問題，たとえば「カーテンについて」とか「給食前後のきまり」などは，どの学級においても話し合われている。代表委員会で話し合われた問題がその場での解決や結論が出ず，各学級において話し合って方法を考えてくるという，いわゆる学級へ持ち帰られた問題が話し合われる。なお高学年の場合は，「高学年生としての学校生活のあり方」というような，一つの自覚の上にたっての話題も取り上げられている。このように見てくると，話し合いの場において示される児童の意識が，学年の進むにつれてしだいに高まってくることがかなりはっきりとはあくできるのである。

ロ　児童の参加について

次に前述したような問題の出る話し合い活動において，児童はどのように参加していたか。第17表は4年以上の学級に対して調査した結果を集計したものである。

問　学級会の話し合いに自分から進んで参加し，よく発言できましたか。

(イ)　よくできた。

(ロ)　よくできなかった。

理由（　　　　　　　　　　　　　　）

第 17 表　学級会における発言の程度と発言しなかった理由

	4年			5年			6年		
組	**1** (49名)	**2** (48名)	**3** (48名)	**1** (56名)	**2** (55名)	**3** (53名)	**1** (52名)	**2** (52名)	**3** (50名)
イ	**7** 14％	**13** 27％	**9** 19％	**15** 27％	**16** 29％	**20** 38％	**11** 21％	**23** 44％	**18** 36％
ロ	**42** 86％	**35** 73％	**39** 81％	**41** 73％	**39** 71％	**33** 62％	**41** 79％	**29** 56％	**32** 64％
ロの理由のおもなもの	○いい考えがうかばない 36 ○どう言っていいかわからない 28 ○恥ずかしい 勇気がでない 19 ○おもしろくないので言う気がしない 14 その他 ○手をあげてもさしてくれない ○皆が騒いで聞いてくれないから ○人が先に言ってしまう 等少数……………… 8			○恥ずかしい 4 ○話す内容がむずかしい 15 ○自分に関係がない 9 ○手を挙げてもさしてくれない 7 その他 ○いじわるされる ○司会がへたで発言しにくい ○うるさく言ってもつまらない ○他の人が言ってしまう 等少数………………15			○意見がない 35 ○勇気や自信がない 31 ○恥ずかしい 20 ○よくわからない 12 ○もんくを言われる 7 その他 ○言われてしまう ○話したくない ○あがってしまう ○男の子が言ってしまう 等少数………………16		

この調査の結果を学年別にみると，

(イ)の「自分で進んで参加し，よく発言した」と答えた者が，4年約20％，5年約31％，6年約37％となっており，学年の進むにしたがって学級会に対する意識（または問題意識）がめいりょうとなり，積極的に参加の度合いも濃くなって自主性に目ざめてきているといえるであろう。

しかしながら(ロ)のよくできなかったとする者がそれぞれ4年約80％，5年約69％，6年約63％あることはまだまだ全体として実際には活発に活動していないことを示しており，教師としてはこのパーセンテージが順次低率になっていくよう指導しなければならないことを痛感する。どのような点に指導の重点をおくべきかは，「(ロ)の理由のおもなもの」を見れば明らかである。

すなわち4年における「いい考えが浮かばない」と「どういっていいかわからない」と答えたものが50％をこえ，6年における「意見がない」とするものが約30％を占めているのをみると，ともに話し合われている問題の理解がじゅうぶんでなく，自分のものとしてじゅうぶん考えられないうちに次の問題へ移るというような進行がうかがえる。6年の「意見がない」とするものは，このうちに意識的な問題をも含んでいるものとすると特に学年が低い場合は，その問題についてどの児童にもはっきり理解し認識させるような指導がなくてはならない。「恥ずかしくて言えない」とか「勇気や自信がない」などは「おもしろくないので言う気がしない」「いじわるされる」「もんくを言われる」「男子が言ってしまう」等と共通した学級のふんい気（人間関係）に関連した点の指導がなされなければ解決のつかない問題である。

ハ　児童の実践について

学級会において話し合ったことが，児童によってどの程度実践されたかについては，特別教育活動の性格上からも，特に重要視していかなくてはならない。

第18表はこの点を調査した結果である。

問　学級で話し合ったことはよく実行しましたか。

(イ)　よく実行した。

(ロ)　よく実行しなかった。

理由（　　　　　　　　　　　　　　　　　）

第18表　学級会で話し合ったことについての実行の程度

	4年			5年			6年		
組	**1** (49名)	**2** (48名)	**3** (45名)	**1** (56名)	**2** (55名)	**3** (53名)	**1** (52名)	**2** (52名)	**3** (50名)
イ	**42** 86%	**42** 87%	**33** 73%	**49** 87%	**52** 95%	**46** 87%	**42** 80%	**47** 90%	**43** 86%
ロ	**7** 14%	**6** 13%	**12** 27%	**7** 13%	**3** 5%	**7** 13%	**10** 20%	**5** 10%	**7** 14%
ロの理由のおもなもの	○つい忘れる 16 ○人につられて 1 ○よくわからなくて 1 ○きびしく決めすぎる 1 ○けんかをすると忘れる 1			○忘れてしまった 20			○すぐ忘れる 15 ○きまったことがはっきりしない 3 ○あだ名などつい言ってしまう 3 ○長続きしない 1		

この表から(ロ)の「よく実行しなかった」について見ると最高は27％，次が20％であって他はどれも14％以下という数字を示している。これは一つには学級で話し合われたことが，多くの児童に実行しやすいものであったということができるし，また一つには，大多数の児童が学級のきまりなり，話し合いの結果なりをかなり尊重しているということがうかがえる。このことは(ロ)の理由の中に「つい忘れて」に類するものが82％を占

めていることによっても裏づけられるであろう。このような傾向は，学級会活動における指導について，良い方向を示しているというべきである。

次に1年，O組における話し合いについての活動の指導の一例を示してみよう。

1月25日。「講堂建築工事場のさくの中にはいっている子がいる」という問題が，朝の相談の時間（話し合いの時間）に，告げ口のような形でひとりのこどもから出された。これは学級会での話し合いという形態に流れ込むにはよい問題であると思い，「どうしたらよいか」という発問をなげかけた。こどもたちは一様に「はいってはいけない」という答え。「それてはなぜはいってはいけないのだろうか」という問い。「あぶないから」「さくがしてあるから」という答え。みんなではいらないように気をつけようということで終わる（時間は10分)。

その後，外に出て現場を見た。

2月1日。ふたたびさくの問題が取り上げられて，多くではないが何人かいるということになった。「A君がはいった」「B君もはいった」とあちこちでけんけんごうごう。結局「どうしたらよいのか」ということになり，「係りを作ろう」「かこいをもっとしっかりしてほしい」「遊ぶときは大きな運動場で」「立て札がほしい」「運動場へも出るし，係りも作る」等の意見が出たが，結論として，外での遊びは大きな運動場でということになった。

——以上2回の話し合いで——

その後はいるこどもはなくなったが，ただ高学年のこどもたちではいる者がいるからということが出て，「週番の人たちにお願いしよう」と教師が発展的指導を加えていった。

(2)　係り活動の指導

学級会の係り活動はその大部分が常時活動にゆだねられていて，児童たちは朝の始業前の朝の相談や朝会または児童会の集会の時間・休み時間・給食時・放課後等随時随所にその活動を展開している。

これを指導するには，教師はその学級経営の中に位置づけて，有機的にこれを指導しなくてはならない。毎日くりひろげられる1日のプログラムの中で，教師は常に児童の係り活動を観察し，気を配りながらも可能なかぎり児童の自発的，自治的な活動にゆだねるべく配慮すべきである。

次に3年A組における，話し合いから係り活動への発展的な指導例を示してみよう、

「学級文庫を作ろう」

Kから「4年C組では学級文庫を作って，みんな本を読んでいるから，この級でも学級文庫を作ったらいいと思う」という問題が出された。話し合いはしだいに建設的な方向に進んでいって，

1. 本は皆で持ち寄ることにする。
2 あき箱を持ってきて本箱にする。
3. 係りを決める。
4. 本を見る時間と，貸し出しの方法を考える。

の四つについて相談し，

1. 本はひとり1冊ずつ持ってくる。自分で読んでしまった本でよい。
2 あき箱はM君とBさんがりんご箱を持ってくる。色紙できれいにはってくる。
3. 学級文庫の係りは五つの生活班からひとりずつ出て受け持つことにする。1班からはS男，2班からはY子，3班からはU子，4班からはS子．5班からはT郎が決まる。
4. 本は休み時間と放課後，貸し出しはもう少したってから決める。

翌日から本はつぎつぎと届けられ4日間に大部分の者が持ってきた。3人だけのこったが，貧しい児童のため，よいことにする。児童の中には何人か不満をもらすものもあったが，納得するまで話し合う。

集まった本を見て次のような点に問題のあることがわかる。

1. 漫画が多い。
2. かなりこわれた本もある。
3. ひじょうに新しい本も何冊かある。

このような問題点があったが，初めから具体的に指摘したらせっかくの児童たちの自主性の芽をつみとるおそれがあることを考えて，児童の中から意見が出てくるのを待った。

それ以後

1. 本の数が少ないのでふやしたい。
2. 本の使い方が乱暴である。
3. 本は係りの人が直したらいい。
4. 漫画本でなく読み物を持ってきてもらいたい。
5. 係りの人はなまけている。
6. 貸し出しの約束はどうしたのか。
7. もっとよい本を読みたいから，本を買ったらどうか。
8. 本がなくなったが，どうしてか。

等々さまざまの問題が話し合いのときにしばしば出てきた。児童たちが「学級文庫」を主体的に意識してその結果このような問題が多く出たものと思われる。

本の種類などもつぎつぎと程度が高まっていき，助言の行きすぎもあまりなかったと思われる。この「学級文庫」による活動は係り活動のほんと

うのあり方がある程度全児童に客観的に理解され，係りの児童は，どのような態度でその仕事をしていったらいいかを，実践を通じて体得できたのではないかと思われる。

(3) 学級会の集会の指導

学級会活動の一部として行なわれるものに学級会の集会がある。これは主として社会的行事に関連して行なわれるもの，学級の児童の祝い事として行なわれるもの等が考えられる。

本校の各学級で行なわれた学級会の集会を示すと第19表のようである。

第 19 表　各学級で行なわれた学級会の集会

	1　組	2　組	3　組
1年	誕生会 クリスマス会 ひな祭り会 教生を送る会	誕生会 クリスマス会	たなばた祭り クリスマス会 ひな祭り会 お別れ会
2年	(毎月)誕生会 教生を送る会	発表会 (6月,11月,3月)	誕生会
3年	(毎学期1回ずつ) クラス会 クリスマス会 教生を送る会 誕生会	誕生会	(毎月1回)誕生会
4年	お別れ会 (毎学期1回)	お別れ会 教生を送る会	さよなら会 クリスマス会 お正月おめでとう会
5年	お別れ会 教生を送る会	なし	教生を送る会
6年	教生を送る会	教生を送る会	なし

これによってみると，低学年から中学年まではかなり数多く行なわれているが，高学年になると非常に少なくなっている。

これは教科における学習もむずかしくなってくると同時に，特別教育活動の常時の活動に時間がさかれて，低学年や中学年のようには行なえない時間の問題が存在するからである。教生を送る会は本校に配属された教育実習生とのお別れ会であるが，これは教生の指導を担当した教員の学級ではすべて行なっている。

このような学級の行事に直結している集会は，児童の寄せる興味と関心がひじょうに大きいので児童の自発的な活動をうながし，自主的な生活態度を養う上にひじょうに効果がある。児童のこの意欲をなお高めて，望ましい活動をうながすには，低学年の教師はこの集会を進める上での親切な助言者となることがよいであろう。また中学年においては，集会の中に教師がとけこんで，児童の主体性を認めながら，教師のはたらきによって児童自身が啓蒙されるという，間接的指導法が最も適切であろう。

3. クラブ活動

1. クラブの組織

(1) 組織はどうなっているか

クラブ活動は部活動をやっていない5･6年生全員の3分の2の児童で組織されることになっているので，学期ごとに各クラブ参加人員は少しずつ移動するが，34年度第3学期のクラブの組織は次のようになっている。

クラブ名	指導者数	参加児童数
演劇クラブ	1名	12名
図工クラブ	2名	24名
音楽クラブ	2名	16名
社会科クラブ	2名	22名
科学クラブ	2名	57名
家庭クラブ	3名	52名
習字クラブ	2名	25名

33年度には上の7クラブ（社会科クラブは郷土クラブと呼んだ）を選んで活動したが，1年後に児童の設置を希望するクラブを調査したところ前記7クラブ以外に運動関係の，体操，卓球，野球，スケート，テニス，水泳，すもう，柔道等が多数あげられたが，指導者数，指導能力，人員，施設など問題点が多いので，運動関係は地域ごとの校外生活グループで組織されたことも会活動の中で取り上げることにして，クラブ活動としては設けないことになった。

(2) 児童はどのように参加しているか

1. はじめて参加する場合

はじめてクラブ活動に参加する5年生の場合はクラブ活動の内容の理解が問題となってくる。34年度5年生がクラブ活動に参加する前，事前指導をまったく受けていない時に調査したクラブ活動の内容の理解程度は

演劇クラブ	67 %	図工クラブ	67 %
音楽クラブ	58 %	郷土クラブ	30 %
科学クラブ	48 %	家庭クラブ	76 %
習字クラブ	61 %		

となっていて半数近い児童はクラブ活動の内容をはっきりつかんでいないわけである。このために事前指導や，参加前に各クラブの活動状況を見学して内容をはっきりつかませるようにして，参加希望をとるようにしている。

2. 所属クラブを変更する場合

年度変わりには新たな組織に編成されるのでクラブを変更することは自由であるが，各人の所属したクラブは2学期間は継続する原則なので途中で所属を変更する例はきわめて少ない。2学期間クラブ活動を行なってきた児童は，クラブ活動の内容は理解できているので次のような調査結果が出ている。

33年度末調査

現在のクラブにはいってよかったと思う。

5年生　91 %　　6年生　76 %

現在のクラブはよくなかった。

5年生　9 %　　6年生　24 %

現在のクラブを続けてやりたい。

5年生　80 %　　6年生　68 %

別のクラブにはいりたい。

5 年 生　20 %　　6 年 生　32 %

3. 児童のクラブに対する考え方

クラブ活動は活動の主体が児童にあるので児童の希望するクラブに所属させる原則であるが，参加前の児童のクラブに対する考え方は次のようである。

（調査対象34年度5年生）

問　クラブ活動は何のためにやるのでしょうか。

学科の勉強を補うため	25 %
自分の得意なものを伸ばすため	25 %
みんなでいっしょに楽しむため	20 %
自分の得意でないものを直すため	16 %
学校でのみんなの生活に役だてるため	14 %

問　はいりたいクラブ名を書きなさい。

演劇クラブ	8 名	図工クラブ	19 名
音楽クラブ	2 名	社会科クラブ	5 名
科学クラブ	21 名	家庭クラブ	46 名
習字クラブ	9 名		

となっている。

33年度にクラブ活動を行なった児童の調査は，次のような結果である。

問　なぜそのクラブにはいりましたか。

好きだから	60 %
にが手がじょうずになりたい	17 %
おもしろそうだから	15 %
友だちがはいったので	3 %
うちの人にいわれて	1.2 %
どこかにはいらねばならぬから	0.8 %
その他	3 %

以上のように大部分の児童は自分の判断，意志によってそれぞれのクラブを選んでいるが，次の例のように参加活動しているうちに自主性をみいだしている児童もある。

「ぼくは初め友だちにすすめられて社会クラブにはいった。1週間後歴史班と地理班に分かれた。ぼくは土器の話がおもしろそうなので歴史班にはいった。3学期に研究発表をすることになりぼくもでることになった。ぼくにできるだろうか心配だが，いっしょうけんめいやるつもりだ。」

（6男K. 1）

2. クラブの指導計画

(1) 年 間 計 画

各クラブでは年度初めに指導者と児童の話し合いによって年間の実施計画を立案するのであるが，児童のひとりひとりからでる希望はひじょうに多いので，それらを指導者が前年の活動をもとにしてたてた指導計画に沿って種類別に統合し，まとめあげたものが第20表の年間計画である。

第 20 表　昭和34年度クラブ活動年間実施計画表

学期 / クラブ名	1 学 期	2 学 期	3 学 期
演劇クラブ	放送劇	脚本作り 舞台劇	舞台劇 舞台効果 舞台装置
図工クラブ	立体ポスター 人物，風景写生	わたしたちの町の模型 木版，粘土 石膏作り	ステンドグラス 表紙の図案 面作り

音楽クラブ	レコード鑑賞 おもちゃのシンフォニー 第1楽章合奏	レコード鑑賞 おもちゃのシンフォニー 第2楽章合奏	合唱 おもちゃのシンフォニー 合奏しあげ
社会科クラブ	関町を中心とした歴史的観察	関町を中心とした地理的観察	日本・世界の歴史，地理的観察
科学クラブ	生物観察，実験 化学実験 理科工作	模型工作 天体気象 物理実験 化学実験	電気実験工作 化学実験
家庭クラブ	レース編み 基礎，応用	毛糸編み 料理	フランスししゅう，編み物
習字クラブ	運筆，字型の研究	生活と関連したもの	運筆，楷書，行書の研究 寄せ書き

(2) 活動計画

年間実施計画に基づいて月または週の活動計画をたてるわけであるが，これには児童の意見が主体となって，取り上げる題材，材料，方法などを話し合って決めている。第21表は34年度中に行なわれた計画の例である。

第 21 表

学期	クラブ名	年間計画	指導計画	題材	題材を選んだ話し合い
1	科学クラブ	化学実験	化学変化の妙を味わって化学実験に対する関心と興味を深める。	写真撮影と青写真やきつけ	化学実験の具体的な希望は児童からは望めないので手近な化学変化の例を幾つかあげて児童の最も希望するもの，操作技術が簡単で興味深いものという話し合いによって決められた。
2	図工クラブ	粘土工作	可塑性ものので，いろいろなものを作る喜びを味わう。	パルプ粘土工作	立体工作をやりたいという児童の希望から，工作のしかたがむずかしくなく材料が得やすくて今までにあまり使っていないものという話し合いによって決められた。
3	家庭クラブ	編み物	個人の技術の向上を図り，応用する創意くふうの心を育てる。	毛糸で自分の好きなものを編む	実用できるもの，しかも季節に適しているものという希望と児童でも製作できる程度のものという話し合いでえりまき，くつ下手袋などを編むことに決められた。

3. クラブ活動の運営

(1) クラブ活動の時間はどのようにやっているか

各クラブの活動によって多少の違いはあるが，クラブ活動の時間は次のように展開されている。

出欠の点検

話し合い（今日の仕事の予定と打ち合わせ）

先生の注意

実際活動

話し合い（反省と次週の打ち合わせ）

記録簿，わたしたちの活動記録記入

1. 話し合い活動

各クラブとも話し合い活動は欠かすことのできないたいせつなもの

である。教科学習のように決まった題材を学習するのではないから，各人各様の意見，主張を話し合ってお互いの意志の疎通を図り，意見の調整，了解点の追求をして活動を進めなければならない。そしてクラブという集団の活動を盛り上げていくために話し合い活動の重要さがある。特に演劇クラブや音楽クラブのように常に全員でまとまって活動しているクラブにとっては，話し合い活動がそのまま主活動になるような場合さえある。演劇クラブの日誌から次のような例があげられる。

「みんなで脚本を選んだ。三つ選び出したが決定は先生にしてもらった。決まった脚本を読んで係りと配役を決めた。劇をやるまでの係りと劇の時の係りと配役を考え，演出，擬音，録音，レコード，脚本印刷，道具，配役名などを作ることにした。その次にだれがそれをやるか話し合った。希望者の多い役はせりふを言ったりしぐさをしたりしてみんなで決めた。」

これを指導した教師の反省

自分たちでせりふ，要領，出入り，しぐさを考えさせ，演出をさせてみたが，その劇のふんい気と味をこわしてしまう。どこまで教師が手を加えるかその度合が問題だ。

2.　実 際 活 動

クラブ活動は集団活動である。同じクラブの中の個人は自主的に個人の欲求するところに向かって活動しているが，その活動の高まりが集団活動となってクラブ活動の意義を深くし，さらにそれが個性の伸長を図るものでなくてはならない。クラブによっては個人の活動が主となるものと集団による活動が主になるものとがあるが，いずれも上の目的が達成されるように活動しなくてはならない。

ア．個人活動が主となる場合

はじめて習字クラブにはいって活動をした児童は感想文に次のように述べている。

「わたしが習字クラブにはいった時はどんなことをやるのかと思いました。はいってみればただ先生がこなくても字をかいているだけです。10月の運動会の日に座席の立て札の字を書いて立てました。その時は自分の書いた字が立っているのでとても楽しかった。」（6女K・Y）

上の作文のように習字クラブは本質的に個人活動が主となっている。しかし教科学習と違って個人活動の後に学校行事や児童会活動に協力するというような集団活動が行なわれているのである。

イ．小集団活動が主になる場合

社会科クラブでは地理的な活動をしようとする者，歴史的な活動をしようとする者を分けて，地層調査班，土器発掘班，郷土史班の三つの班によって活動を行なった。地層調査班は地層の露出しているところを調査し，その調査結果の話し合いによって土器発掘班は土器を発掘して歩き，ついに校庭の一隅から縄文式土器の破片を多数発見した。これらの活動結果をもとにして郷土史班は文献資料を集めて，関町の昔を歴史的な推移に従って調査しまとめあげている。

このような例はクラブ活動がクラブ内でさらに小さい集団に分かれてそれぞれの活動をして，結局一つにまとまったクラブ活動として成果を得たものである。

ウ．大集団の活動が主になる場合

音楽クラブの活動はおもちゃのシンフォニーの合奏という題材であるから当然全員一グループの活動である。それぞれのパートにおける練習は個人活動であるが，その個人活動は常に集団によって高められ，個人活動の伸長が集団活動をさらに進めて一つの合奏となって現われてくるのである。

以上のように活動のしかたにはいろいろの場合があるが，要は全員が一つの共通目標に向かって人間関係を深め，楽しみながらクラブ活動を進めていくことである。

3. 児童の記録

クラブ活動を行なった後に各クラブの日誌，個人の活動記録（わたしたちの活動記録）を児童の手で整理して活動の反省，活動の進め方などを考える資料としているが，次はそれらの記録の一節である。

ア．図工クラブ活動日誌から

「写生する場所を本立寺境内に決めてかいた。風が強かったのであまりよくかけなかった。来週はきょうかいた絵を反省してかくことを話し合った。

先週かいた絵を続けてかいた。終わりごろにはうるさい人がだいぶいた。来週は写生の反省と掲示をする予定。

ひとりひとりの絵についてみんなで批評した。活発な意見がたくさん出た。」（この後に個人の絵についての全員の批評が列挙されている）

イ．わたしの活動記録から

「レース編みの袋を作ることになった。楽しみだ。

レース編みが仕上がらない人は家で仕上げることになった。

袋のひもを編んだ。楽しくできたが少し頭が痛かった。」

（6女M・I）

(2) 時間外の活動はどのようにやっているか

週2時間（正味90分）のクラブ活動の時間ではこのような活動をじゅうぶんにやっていくことはなかなかむずかしい問題である。また活動内容によっては当然途中で打ち切ることのできない場合もある。33年度末調査で，

問 クラブの時間以外に仕事をしましたか。

仕事をした	72 %
仕事をしない	23 %

となっているように時間の延長，家庭作業などに及んで活動が続けられている。またクラブ活動の目的を達成するために校外見学の希望がひじょうに多いのであるが，これも時間内で行なうことは困難なため，結局休日利用ということになっている。34 年度中の休日利用の見学は次のようである。

演劇クラブ	児童劇見学	夏休み
科学クラブ	科学博物館見学	日曜
	天文館見学	夏休み
社会科クラブ	秋川溪谷調査	夏休み

(3) 学校行事への参加

学校行事の中でクラブ活動が参加協力できるおもなものは運動会，学芸会である。特に運動会には児童会がこぞって参加協力するので，各クラブもそれぞれの活動を生かして協力態勢をとろうということになったが次がその二，三の例である。

1. 習字クラブ

運動会前の活動の中で運動会の会場に掲示を予想される字の練習をしておいて，運動会当日の会場案内，座席表示一切を書いた。

2. 音楽クラブ

運動会の歌の練習をし，演奏吹き込みをして事前準備に協力し，運動会当日に放送するレコードの整理選定などを行なった。

3. 図工クラブ

会場の装飾一切を引き受けて計画をたて，当日までに正門アーチ，入退場門，採点板などを製作した。

4. 家庭クラブ

運動用具資材などの中の布を利用して，旗類，腕章，き章，大玉などの布を洗濯し修理して事前準備に協力した。

これらの仕事は運動会に協力しようという目標のもとにクラブ活動の中に取り入れられて活動したものであって，クラブ活動を通じて学校行事に参加したという喜びと満足感が次の感想文にうかがえるのである。

「わたしはレコードの係りでした。レコードを整理するのはずいぶんめんどうでひまがかかりました。運動会の日は時々まごついたりしてあわてました。でもきょ年はなんにも仕事がなかったが今年は仕事があったのでなんとなく楽しかったようです。来年はまごつかないようにしたいと思います。」（5女N・Y）

また参加したいという欲求も次のような感想文で多く現われている。

「運動会の前日に万国旗をだしてひろげるときに苦労した。当日は旗をつるすときしか手伝わなかったのでものたりなかった。もう少し手伝いたかった。」（5女A・T）

(4) 成果の発表

クラブ活動の成果を発表することはクラブ活動の中でたいせつな仕事の一つである。各クラブが同時に発表するということはクラブの性格，活動のしかたの違いからなかなかできないことであるので，クラブごと

に機会を設けて成果を発表しているが，第22表は34年度の各クラブの発表形式一覧である。

第 22 表

クラブ名	発表方法	発表内容	時期
演劇クラブ	校内放送 学芸会	学校放送の時間に放送劇をやる 1種目発表する	1学期数回連続 3学期
図工クラブ	校内展示 区展覧会	廊下に全作品を展示する 優秀作品を出品する	随時 3学期
音楽クラブ	校内音楽会 校内放送 区連合音楽会	クラブとして1種目発表する ふだんの活動を放送する 1種目発表する	1学期 随時 2学期
社会科クラブ	部内研究発表会 区研究発表会	クラブ内の研究を相互に発表する 研究のまとめを発表する	各学期末 3学期
科学クラブ	部内研究発表会	クラブ内の研究発表を相互に行なう	各学期末
家庭クラブ	校内展示 区展覧会	廊下に全作品を展示する 優秀作品を出品する	随時 3学期
習字クラブ	校内展示 区展覧会	廊下に全作品を展示する 優秀作品を出品する	随時 3学期

(5) 児童会との関連

児童会活動の代表委員会，各部とクラブとの直接の関係はないが，それぞれの活動によってクラブの協力を必要とする場合には協力態勢をとっている。代表委員会で運動会への協力には，クラブの協力も必要であるという話し合いの結果クラブ代表が代表委員会に参加したり，児童会美化部の校内美化活動に図工クラブが協力して展示物を製作掲示したたりしり，放送部の放送番組編成に音楽クラブ，演劇クラブが協力している例があげられる。

4. 活動後の批判

このようなクラブ活動を行なった後 33 年度末に児童のクラブ活動に対する意見を聞いたところ，

クラブがあったほうがよい	238 名
なくてもよい	2 名

と圧倒的にクラブ活動を欲しているが，その理由として，

好きなことができて楽しめる	30 %
いろいろなことが覚えられる	28 %
へたなものがじょうずになる	23 %
教科書以外の勉強ができる	10 %
知識が広くなる	9 %

と，クラブ活動開始前の調査に多く現われたクラブ活動は教科学習，補習であると理解していたものが，活動を通してクラブ本来の目的に近づいているとみられるのである。

34 年度中間調査では，

自分の選んだクラブが適していたと答えたものが，

演劇クラブ	92 %	図工クラブ	75 %
音楽クラブ	93 %	社会科クラブ	95 %
科学クラブ	98 %	家庭クラブ	88 %
習字クラブ	96 %		

クラブ活動が楽しくおもしろくできたと答えたものが，

演劇クラブ	75 %	図工クラブ	62 %
音楽クラブ	93 %	社会科クラブ	95 %
科学クラブ	93 %	家庭クラブ	83 %

習字クラブ	96 %

と大部分の児童が楽しんでクラブ活動を行なっていることを表わしている。このことは次の児童作文のなかにもうかがえることである。

「ぼくは演劇クラブにはいりました。組からぼくひとりなので恥ずかしくていちばん後の席にすわりました。先生にもっと前に来なさいと言われてどきっとしました。何回かやったころにはもうやめたくなりました。やっているうちにだんだんなれておもしろくなりました。それからは金曜日が待ち遠しくなりました。今から思うとどうしてあんなにいやだったのかふしぎでなりません。ぼくは中学にはいっても高校にいっても演劇をやりたいと思います。」（6男Ｉ・Ｋ）

上の作文は同時に活動の中で個性をみいだしこれを伸ばしていった良い例であるが，逆にクラブ活動がおもしろくなかったと答えた児童の理由に

ふざけてうるさい人がいる。

皆が自分かってで協力をしない。

友だちができなかった。

思うことができなかった。

クラブがなくてもよいの理由に，

テストがなくてつまらない。

時間がおそくなって困る。

クラブがよくなかったの理由に，

自分のやりたいことができない。

仕事の順序ややり方がわからない。

時間が守られない。

時間が短かすぎる。

というような意見があったが，今後の活動の進め方，クラブを選ぶときの

指導などの面で是正されて，クラブ本来の目的にあった活動が広げていけるようにしなくてはならない。

IV 特別教育活動における児童の自主性

1. 自主性の考え方

1. 自主性の役割

現在行なわれている，「6・3・3・4」の教育制度において，自主性の根をじゅうぶんはらせるには，こどもが柔らかい感受性をもち，担任教師が学級の大部分の時間を受け持っている小学校の時期が最もたいせつな時期であり，おそらく，一生を通じても重要な時であろう。

ところで　その小学校時代では，どんな時，どんな場で，どんな内容で自主性は育てられているかと考えてみるとき，それは一般的にいえば教育課程の全領域を通じて行なわれているといえる。

だから，そこには自主的，自発的活動はたくさんみうけられるのであり，自主性のにじみ出すような姿が全領域に感じられるのである。

それはまさしく近代の教育活動が，児童の個性を尊重し興味や要求を主眼において指導され，しかも，なすことによって学ばせることを主旨として考えられているかぎり，このような自発的，自主的活動が全領域に見られることもまた当たり前のこととなってくるであろう。

また，そうあってこそ児童は，人類の築いた文化遺産の相続にとどまらず創造発展させる成人となり，自己の能力をじゅうぶんに発揮する有能な社会人として，民主社会に適応するのでもある。

特別教育活動もこの目的を果たす教育活動の一つの領域として重要な任務を背負って立っていることは言うまでもない。

特に，特別教育活動は，

(1) 教科学習のように，正規の教科課程もなく，内容選択も学校，学級の自主的判断がかなり幅広く許されており，

(2) 全校組織の上に集団の活動として行なわれ，

(3) 児童は

ア．所属する集団の運営に直接参加して

イ．大まかな指導計画のもとに

ウ．集団としての実施計画をもって

エ．自発的に，また自治的な活動を通して

オ．発達段階に応じた実践活動として，

(4) 具体的な問題解決の場として，また，人間関係の調整の場として，行なわれるので，自主性それ自体を大きな目的の柱として実施できる絶好の場といいうるのである。

このような特別教育活動の性格からいっても，児童は自分が他の領域で会得した知識，態度，技能，能力を実践する場として活動し，それによって自主性を身についたものとなしていく。

このような意味で，小学校の特別教育活動は，問題の自主的処理の態度，自主的参加の態度を養うことに真価をみいだし，自主性の問題を解決しょうと努力することこそ，特別教育活動の基本的態度であると本校では考えたのである。

2. 自主性の考え方

それでは自主性とはどんな概念だろうか，その本質は，また，それを育成する方法はどうしたらよいか。

児童は個人で行動するとき，集団で活動するとき，

(1) 問題の自主的態度の処理として

ア．児童はどんなにして問題をとらえ，発案し

イ．計画し，実践しているか。

(2) また，どんな意識で集団の問題に参加しているか。

(3) そのあとで集団や個人について，どのように自主的な反省をしているか。などを調べることが，児童を育てる教師の側にたって自主性の考え方や指導法を生み出すよりどころとなるのではあるまいかと，本校では話し合いが進められ，いろいろの形で調査が進められてきたのである。

その一つ，放送部の児童たちの反省意見をまとめてあげてみると，

(1) 放送部にはいってよかったこと

1. アナウンスをするので話し方がうまくなった。
2. 放送機械の調整や映写機の使い方がおもしろくよく覚えた，今度学級などで使うとき便利だ。
3. 電気のコードなどなおしたり，名まえを覚えられたりした。
4. 国語の時間，本を読むのに自信がなかったが，校内放送で本を読んで自信がつき，今ではずいぶん慣れた。

(2) 放送部にはいってつまらなかったこと

1. 男と女が仲よく仕事ができなかった。
2. 校内放送のとき，せっかく放送をしても，みんな騒いで聞いてくれない組があった。
3. お帰りの放送の午後4時まで残らないといけないから，つまらなかった。
4 当番になった人が，時々遅刻をしたり，放送のうまくいかなかったのばかりしっこく部会で言う人がいる。

(3) 来年の人に申し送りたいこと

1. グループで作業をしたのは人数が少ないので仕事がやりやすくてよかった。
2. 機械やレコードにきずがつかないように大事に使ってもらいたい。
3. レコードの早さや音の大きさなどをうまく調整するようにしてもらいたい。

(4) お昼の放送はこんなにするとみんながよく聞いてうまくいく。
1. 聞きたい番組の希望を調べ．同じ物はかさならないようにし，朗読はよく練習してからやってもらう。
2. 給食の準備を早くして，みんな席につくようにしてもらう。
3. 解説のアナウンスをおもしろくしたり，朗読の合間にレコードなどはさむとよい。
4. 校内放送に，座談会やクラブ訪問などを入れてにぎやかにする。

(5) そのほか
1. お帰りの放送をしても帰らない人がいる。
3. 放送の時間に遅れないようにする。

など，自主的に，自己や所属集団，あるいは全校についての意見が書かれているが，この記録はもちろんのこと，このような反省意見が出る実践活動そのものにも，また，児童のする常時活動の中にも，自主的活動はいっぱいあることがうなずかれる。

しかし，その自主性は，他の自発性・積極性・創造性や独立性などとからみあっており，なかなか，自主性だけを抜き出して考えるのは困難であった。

そこで，自主性の問題は，こどもの活動や行動なのかで，どうとらえたらよいか論議されたのである。

この記録にも感じられるように，児童は自分の考えをはっきりさせ，問題点をつかんで，それを記録に残したり，あるいは，実際に行なったりするには，児童の意識いかんが基本であり，それは，問題に対する理解と認識が底流となって形作られるのだと考えられた。そしてさらにそれが，積極性，創造性，企画性，実践性などの，幅の広いものを通して実践活動に移され，それぞれの個性ある行動として処理されていくのである。

さらにこのような経験を積み重ね，自己反省（個性に応じた）の上にたって，自主的なよりよき実践の方法を生み出し，身についた生活態度となり，民主社会に寄与する社会性や能力態度が高まり，有能な社会人となるのだという結論に達した。

同時にまた，こういう記録を通し，活動の経過や意識を調査することが教師にとっては指導法の暗示ともなり，また，分析的にみていくことが自主性をつかむヒントともなってきたのである。

かみ砕いていえば，ある活動の中で，計画や行動の主体が教師の側にあるか，児童の側にあるかが判断の手がかりとなるのであり，意識が高いのか低いかが，指導の示唆となると考えられた。すなわち，

ア．児童の自発的な意志によって
イ．児童自身が主体であるという意識をもって
ウ．他から与えられたものでなく，自分たちのものとして立案・計画・行動・反省している。

このような条件をもつ活動を，自主性を含む活動と名づけ，それを伸ばすように指導の手は伸ばされた。

さらに具体的に項目だててみると，

ア．自分で選択し，計画する
イ．自分の力でやり遂げようと努力する
ウ．他人の意志で左右されない
エ．誘惑に負けず，信ずることを主張したり実行したりする
オ．自分の考えは進んで発表し，発言には責任をもつ
カ．自分の特性を知り，つとめてこれを伸ばそうとする
キ．自己反省をしたり，活動その他の批判をして集団を高めようと努力する　など，

このような意識を含む活動を，自主性を含む活動とし，自主的であると考えた次第である。

2. 特別教育活動に現われた実例

特別教育活動の目ざす目標は，単に自主性だけでなく，自主性はまた，特別教育活動だけで育てられるのでないことは，何回となく述べてきたが，特別教育活動の基本的な態度として，本校でうけとめた自主的活動が，また，そのような意識が，各部や各クラブ，学級会に，どのように現われたかを次に述べてみる。

1. 部活動と自主性

まず部活動の中に拾い上げてみると，

(1) 保　健　部

(1) 児童用薬品（危険性のないもの）を与えたところ，それに関心をもち，救急用薬品の知識を本でさがしたり，整理をしたり，自分たちで消毒薬を使って全校の児童に手を洗わせるようにした。

(2) 雨期よりも晩秋にかけて，本校は「はえ」が多いので，これを撲滅するように全校によびかける中心母体となり，「はえとりコンクール」などを計画したり，冬になってもこどもたちは，便所その他に殺虫剤を散布している。

(3) 冬期水道が凍り，夏期，水の不足など，しばしば問題となり，自分たちで解決される分は解決している。

(4) 身のまわりの保健上の問題を代表委員会に提案するように気をつけてきた。

(2) 放　送　部

(1) お昼の校内放送の時間が，児童の給食を食べ始めるころから始めてほしいという代表委員会の要請をうけて，給食の始まる時刻を，学級別に1週間　実態調査をして，ズレがないように調整をして放送した。また配食がすむまでにだいたい15分くらいかかると，実態の上にたって算出し，その間に配食がすむように，各学級の配食当番に要請し，うまくいっている。校内放送の番組を，グループ別に役割を決め，全校から募集したり，録音取材したりして放送している。（プログラム例はIII章参照）

第 23 表　児童の作ったレコードの借り出し簿一部

かりた日		レ　コ　ー　ド　名	責　任　者　名	かえした日	
月	日			月	日

(2) レコードの整理をしていると，無断で借り出されるので困ってしまい，自分たちで第23表のような借り出し簿を，形式から考えだし，書いてもらうようにした。

(3) 特別教育活動の時間以外を利用して，放送劇の脚本をプリントしたり，練習したり，録音機を使って，校内放送の取材や，おもしろく聞かれるための工夫などを，自分たちのグループでよくやった，など。

(3) 美　化　部

(1) 「教室の窓ガラスがきたないのできれいにしましょう」と発言があったので「どんなにするとよいと思うか」と反問したら，洗剤を配布する計画や購入方法，全校に呼びかける方法などを討議しあって，全校に洗剤を配り，美しいガラスにした。

(2) さらに発展して廊下に花を飾ることや，清掃道具の補修や，はたき作りなどをやって，他の学級から感謝された。

(4) 園 芸 部

(1) 年間花作りの実施計画を作って，花の種類や性質，たねまきなどについて自分たちで調べ，実施をした。

(2) 常時　活動していないと管理がうまくいかぬ事を児童が発見し，移植の時期やさし木によい植物，鉢植えの植物をさがして実施し，成育を楽しんでいる。（後述文例参照）

(5) 図 書 部

(1) 分類や整理の初歩的な事務を話し合ったら，分担を決めて計画的に実行した。

(2) 全校に呼びかける効果的方法について意見をもつようになり，全員の認識のないことを不服に思ったりしている。

(3) 貸し出しや返済の事務を教師の指示を受けないで，自分の任務としてやるようになった。

(4) 決議事項を決めてよく守った。

ア．放課後から午後４時までの時間を守る。

イ．本は静かに読むように注意してやる。

ウ．補修と製本は必ずその日にやって帰る。

エ．本は分類別に返してください。

(6) 新 聞 部

(1) 新聞発行の基礎となる，原稿の募集．整理，原版の配置や校正をいつも

話し合ったり、批判をしあって，プリント刷りだけではあきたらず壁新聞なども出すようになった。また，学校の諸行事も資料をよくつかんでニュースにのせたし，内容や文字のスタイルも変わってきた。

最初のころは「こども読物」の模写が多かったようだが，校内生活の問題やニュース，部員の作品などが多くなったのはほほえましい。また，内容の点で次号を楽しみにさせるくふうをしていることもうかがわれる。

以上のような内容が，各部担当の教師の手記の中に述べられてある。このようなことを総合してみると，部活動はその部の活動を通して，絶えず全校児童に呼びかけながら，学校全員の安全や幸福のために，楽しいいきいきした学校作りのために，こどもが活動したあとがよくわかり，その活動の中で児童は社会の模型的な初歩の技術を経験し，民主社会に貢献する資質を身につけていくのが感じられる。

また，部活動は全校への奉仕的性格をもつ活動であり，それが単に，学校側として便利だからとか，教師の手間がはぶけてよいからというような理由で，児童を単なるロボットのような存在とする奉仕活動でなく，児童は自分たちの仕事として自主的な意欲をもってそれを処理し，全校のために適応して活動するように指導されねばならない。一例をあげると，放送部で給食時間と放送時間の調和を図ったように（放送部事例１参照）自分たちの必要に迫った身近な問題は，ただ単に，頭の中で考えてみるだけでなく，実態を調査した上にたって結論を出している。

ここに特別教育活動の実践を通す意義もあるのであり，また，実際生活の中に実在の身近な問題と取り組むときに，児童はより自主的な態度を示すのでもある。

また，保健部の児童薬品より自主的な活動が展開（保健部事例１参照）したように，たとえ，教師から与えられた問題でも，それが大づかみに与えられ，実施計画の場でじゅうぶんに話し合いがされ興味がそそられると，

児童の自主的な活動となって，問題が児童のものとして受け取られてくる。この際，教師の綿密・親切な計画の与え方は，かえって自主性の芽をつむ結果となるから注意すべきである。

これからみても，どんなにしたらこどもの問題として「問題意識を高めるか」という自主性指導の技術が暗示されるのではあるまいか。

このようにしてみると，自主的活動は放任のままでは育たない，のみならず，問題の発見さえも制限されることが納得されよう。

白紙のままで問題に出会ったとき，児童は単なる自分の主観的な狭い視野から問題を処理しようとする。ある場合にはボスの意見に引き回されることもあろう。しかし教師のよりよき調整，示唆や暗示，適切な指導と助言によって自主的な判断と解決をすることのできる集団となるのである。

たとえば，美化部の窓ガラスの清掃（美化部事例参照）のように「きれいにしましょう」という決議だけではこどもたちは，美化の観念は理解していても，なかなか守られない。すかさず，「どうしてやるのだ」と反問してやることによって，自分の発言を今一度考え「洗剤を使おう」とか「各清掃分担の表をみてその学級や清掃区の係りの人に洗剤を配って協力してもらおう」とか，具体的な決議事項となり，実践の可能性も強くなり，考えることによって意識も高まり自主的となるのである。

また，一つの活動や仕事は，やらせるだけでなく，集団の中で個人を磨き，さらに集団の調和を図って，集団を高める指導も自主性にはたいせつなことである。

新聞部事例にあるようにガリ版刷りの新聞を出し，これではあきたらず，お互いの意見交換の上にたって，さらに壁新聞を加えるようになり，色彩感や文字のスタイルを考えたり，内容も読み物の模写から創作，校内

生活のニュースへと自主的な発展をしている。

このように，部活動に共通していることは，一つの活動や仕事は，さらに次の活動への基盤となり，さらに実践活動となって発展していく。

常に発展的に新しい問題が生まれてくるところに，自主的活動が育ってきているのだ，ということもできる。

あわせて，それぞれの部の性格が，仕事や活動を生み出す重要な立脚点であり，観点の背骨となって進められているといえる。

自分の所属した部の性格によって，児童は学校生活をより豊富に，より楽しくするための問題を発見し，これを自分たちの集団の問題として受け取り，効果的に実践する必要から，知識や技能を学び取ろうと努力している。

すなわち，仕事のもつ要求が，必要感となり，集団意識や探究欲を高めて，自主的な処理の態度をもつようになる。これも教師の考えておく技術の一つであろう。

あるいは，バッジを作ったり，部の腕章をはめたり，部の名まえ入りのカードに自分の姓を書かせて胸にさげさしている。新聞部，放送部の胸章は，自覚させる点で意味があるのである。

次に仕事をやって興味を覚えた文例をあげてみよう。

> 園芸部のある児童の記録
>
> 「わたしは最初，園芸にはいるのがとてもいやだったけれど，だんだんやっているうちに，とてもおもしろくなった。植物のそだて方や肥料のやり方をならっているうち，植物をかわいがるのがだんだん好きになりました。（略）庭にチューリップの花をうえ，校庭の木の幹をみてまわったり，草花の世話をした楽しい思い出，卒業式にさかせようといっしょうけんめいそだてた思い出がうかんできます。

と述べている。

このように，部活動ではそれぞれ実施計画がたてられてから，その仕事内容に対する知識だけでなく，必要な技術を習得しないと，目的を達成するように活動されない部の活動もたくさんあるのである。たとえば，

1. 園芸部の学校園に草花の苗を作って全校に配るための世話
2 放送部の放送をする仕事
3. 図書部の本の貸し出しや簡単な本の修理や製本のしかた
4. 新聞部の資料収集，編集，発刊の仕事
5. 保健部の簡単なけがの処置

等は，あるいは一度その部にはいったことのある児童が，自主的な指導をしたりあるいは教師との相談によって，問題を自分で明確にするまでの話し合いをしたりしている。そのようにすることがまた児童は自主的となり，活動は活発となるのである。教師もまた常時，児童に接触するので，よくひとりひとりの児童をみることができる。集団の指導であっても個人の自主性を伸ばすように心掛けるべきだ。

このようにして特別教育活動が軌道にのり，児童の活動がみられるようになると，かれらは自主的に常時活動するようになる反面，常時活動しないと集団としての効果はあがらない性格をもっている。だから特別教育活動の実質的な時間は，単に時間表の正規の時間だけでなく，あるいは放課後に，あるいは寸暇をさいて行なわれるので，総計の上ではかなり多くなるのだという見方も出てきた。

児童が主体となって，自分たちの仕事としての意識をもって活動している例は，他にもあるとは思うが，参考例としてあげるにとどめておく。また，ここにあげたのは成功した例をあげたが，ここまでに育てるには，児童と教師，また児童相互の話し合いや，教師相互の特別教育活動連絡会がもたれ，「望ましい姿を賞揚しよう」という教師の一致した指導観を，全職員の態

度として育成されてきたのである。教師は絶えず反省資料や調査資料を科学的に，事例研究的に集めてきたのである。

2. 学校行事への参加と自主性

学校行事の参加にあたっては，しばしば児童活動の企画や全校諸問題の検討にあたっている代表委員の例をあげることができよう。

それは，学校の運動会や学芸会に対し 5・6 年の児童が係りとして参加する立場をとり，代表委員会によって話を進め，前日と当日の係りに分け，なんらかの形で部とクラブの全員がこれに参加するように計画をした。そして，それぞれの部，クラブの性格からその受け持つ分担を決め，さらにその小集団は，自分たちの集団の中で，それぞれの性格と能力に従って，参加されるような方法を具体的にとりきめていった。また，こんなにして学校の行事に参加することによって，かれらは自分たちのものという意識を強くもって参加をし，行動のきまりなども自主的に守るようになり，さらに整列のしかたや，集合がおそい，などの日常の学校生活にも批判を下すように発展した。代表委員会の他の面の自主的活動をあげてみると

(1) 代表委員会の例

1. 朝当番がいっせいに行なわれないのでどうしたらよいかを，自分たちの問題として取り上げ，放送係を通じて時間を知らせてもらい，当番はそうじ時間5分前に登校するように決めた。
2. 日直の必要性が討議されて各組に日直をおくように決定した。
3. 朝会の時，前列に白線を引いて並びやすくしたらどうか話し合い，議長団の人たちにやってもらい解決をした。
4 学校用，教室用カーテンが話題となり6年生の卒業行事として，ホックをつけ，全校児童が勉強しやすくして，下級生より感謝された，など。

このように代表委員会の企画により全員が学校行事に参加したのだが，その一つ

(2) 習字クラブの行事参加記録

6年生の児童の記録から

「……運動会の時に，わたしたちクラブが立ふだを作って自分たちで字を書いて立てました。「先生は(略)」とおっしゃいました。みんなその気になってはりきって書いていました。（中略）

へたなわたしでも，きっと，じょうずに書けるんだなあと思いました。」

児童の積極参加と自主的参加がうかがわれる文例である（詳しくはⅢ章参照）。

全員参加の立場をとって，自主的に行事に参加している(Ⅲ章参照)。

3. クラブ活動と自主性

次にクラブ活動の自主性をあげてみると，

(1) 家庭科クラブ

編み物を自由に作らせたら，材料や編み方など本で研究しながら，個性的なものを作り，活動的だった。また，その作品を持ちよって，研究しあったら，いつもより関心があり，注意を集中した。

クラブ活動は個人の能力を伸ばし，個性を重視して行なわれても，常に集団の調和を忘れるべきでない。集団の中で個人の自主的意識は，また，みがかれるのである。

(2) 演劇クラブ

自分たちのグループ員の個性をよく知って，そのような人物が出てくる脚

本をさがし出し，主人公や登場人物に合った配役をして，お互いに批判しあったり，背景などもくふうして練習をしていた。

(2) 社会科クラブ

1. 研究題目をよく理解し，自分たちで計画して土器を集めたり，図書を通して知識を広めたりした。
2. また，仕事の配分を友だち相互の能力に応じて決めたり，お互いに助けあって作業をした。
3. 古代人の住居作りの場合，模型を自分たちで作り文献などによって，研究の前進を図っていた。
4. 特に土器の発掘にあたっては，クラブの時間以外にも常時作業を続けていた，など。

(4) 習字クラブ

1. 書く題材の批判，個人の作品の批評などよく意見を出し，練習するときには，自分で計画をもってやり，教師のいないときもよくやった。
2. 運動会の運営を理解して，その仕事の分担を積極的にやった。（後述の記録参照）
3. うまく書けないところをどこまでも納得するまで練習をし，指導をうけた。

(5) 音楽クラブ

鑑賞用レコードを自分で選択して，解説を板書し，お互いに批判しあったり，編曲したのを，めいめいで，パートをきめて練習し，合奏して楽しんだ。

(6) 科学クラブ

研究題目を自分で決定し，多くの児童は，研究方法，経費，時間などまで考えて立案，計画し，クラブの時間が始まると，めいめいで実験室にはいり，実験計画に従って，実験研究していた。

(7) 図工クラブ

1. 今までの例では絵をかくときなど，モティーフの選択でも，かきはじめてから，自分でいいと思うまでねばるところがたいへん少なく，終始教師のところへ聞きにくることが多かったが，一度外へ写生に出てから（吉祥寺）は，場所の選択，書き方など，めいめいで考え，熱心にかいていた。興味をうまく引き出す努力が必要と反省した。
2. 運動会のときには入場門，退場門，アーチなど，6年と合同で作ったが，喜んで参加した（児童文例後述参照）。
3. 学芸会の背景を作るのに自分たちで構図を考え，放課後の時間も惜しみなく，おそくまでやっていた，など。

クラブにおける自主的活動は，部活動のそれに比べて小規模な活動であり，集団活動ではあるが，個人的性格があり，個々の活動が目につく。それは，部活動が集団として学校全体に奉仕するという性格に対し，クラブは，もちろん集団活動として行なわれるのではあるが，やや，個性を伸ばすという点が重視され，クラブ員の活動は程度の差こそあれ，教科学習で学んだ，知識，理解，態度，技能，能力によって，自分で問題を処理しながら，集団としてのふんい気を楽しみ，集団のふんい気を楽しみながら，反面，個人の社会性や個性をみがき，その中で自主的に行動する。

いいかえると，共通の趣味をもった者の集まり，同好の者の集団であるため，部活動よりも問題処理の態度としての自主性に，個人差があることが感じられる。同じように立案し，計画され，自分のものとして行動してい

ても，自主性の内容は個性的な現象として現われ，質的にも，量的にも，幅や深さが違うので，特に個人をよくみて指導せねばならない。

もちろん，学校行事にクラブとして参加し集団としての集約と高まりをみがき，それによって自主的態度を伸ばすような指導の機会も配慮されたのは前述の通りである（III章3項参照）。

次に，各クラブで自主性を伸ばすような話し合いがされ，現在，本校でやっている指導の方法を分けてみると，

(1) クラブの計画立案をこどもの創意にまかせ，各個人に研究テーマを選ばせ，児童は，それぞれ独自の自主的な計画によって作業し，個人の研究テーマとして活動している科学クラブのごとく，また，(2)クラブ全体で一つの問題をとらえ，その問題に従って小集団を作り，児童のそれぞれの能力に応じて仕事を分担して自主的な活動をしている社会クラブのように，クラブ内の小集団が活動の単位となっているもの，また，(3) 個人の技能を高め，集約して合奏をしたり，批評をしあいながら集団の調和を図り，さらに個人を高める音楽，図工クラブなどの指導方法のごとく，だいたい三つに分けられる。

これらは，そのいずれの場合でも自主性はありうるのであり，それぞれの立場から，実状にたって指導の方法がなされているわけである。

その指導の方法は，児童の能力に応じ，またそのクラブの集団の性格や，地域の実状に即して，自主性を育てるような指導計画と実施計画がなされねばならない。

図工クラブの児童記録には，

「運動会の前の日，図工クラブのものは点数板を書くのにせいを出していた。N先生が一畳もあろうと思われるほどの大きな白いボール紙を何枚か手に持ちながらはいって来た。ぼくは『あの大きな紙にどうどうと

したりっぱな数字を紙いっぱいに書くのか』と思った。だがN生先のことばはそうではなかった。縦何センチ，横を何センチと細かく説明するのだった。ぼくは『ガックリ』した。『どうせ書くなら図工クラブの名誉のため，でっかい字のほうがいいなあ』と思った。そのうちみんなが紙を小さく切り始めたので，ぼくはつばをのみこまんばかりにぼう然と見つめているだけだった。（中略）N先生はぼくのそばにきて，『どうして小さくするのか，色の明度や，純度のこと，たくさんの人がみるのだから力を合わせてりっぱなのを作ろう』とはげましてくださった。

ぼくはうれしくなり，しらずしらずのうちに夢中になって仕事していた。」

自分の仕事の意義を理解し，自分から進んで全体の作業に調和していったよい例だと思う。仕事の目的や仕上げを急ぐような場合，じゅうぶんな意志の通じあいがなされず，心せくままに結果を急ぎがちになりやすいが，理解と認識は常に自主活動の底流となるものであり，意識いかんが活発な実践力となって現われるかぎを握っていると強調したい。その間で教師はひとりひとりのこどもとよく接触し，児童の行動の原因をつきとめるように個人をよくみて不満がらないように配慮することもクラブ活動をいきいきしたものにする上で，忘れていけない指導上の留意事項でもある。

4. 学級会活動と自主性

部活動，クラブ活動の集団とは異なり，学級会活動は学校教育の基本単位である学級集団の中で行なわれ，その学級が当面する問題の処理であり，あわせて人間関係の調和を図ることに特質がある。だから，各学級，学年における自主的活動を学年の系統からながめてみることも，児童の発達段階による自主性の指導がよくわかり意義があると思い，調べてみるこ

とにした。

(1) 学級会活動の中から

まず第1学年では，

1. みんなで歩いたり，うるさい音を聞いたりしながら，廊下の歩行について話し合った。
2. 実際に清掃をし，靴の出し入れを常に注意し，げた箱の使い方の関心を高めた。
3. 月曜の朝，話題のある児童に数人ずつ，みんなの前で発表させ，発表の練習をさせた。
4. 学校のまわりの「らくがき」のあとを消して歩いて，らくがきの話し合いをし，身のまわりのことに関心を高めた。

2 学期にはいって，

1. 朝の課題を出してくれるようにという提案がされ，学習の世話係を作った。
2. 係りを作る話し合いがこどもの中から出て，はきそうじ，黒板係，クレパス係，けい数器係，お花係などを決めた。
3. 「講堂工事現場にはいらないようにしよう」と，話し合い注意する係りの人をふたり決めた，など。

と記録してある。やはり低学年では教師は司会者ないし提案者の役割を引き受けており，共通目標の発見に努めながら「なかま」意識を育て，集団の魅力を感じさせ，そこから児童の自主性を育てようと指導の手を伸ばしている。

さらに2学年のころからは，

1. 給食の配膳を静かに待つのはどうしたらよいか提案され，話し合って協

力するような方法が討議された。

2. 毎朝5分くらい，各係りからのお願いやした仕事の発表を行ない，簡単な討議が行なわれた。

3. 学級会の司会や記録が決まり議題を決めて，納得のいくまで討論するようになった。

未熟ではあるが会議活動の形態は整ってきて，ある程度自主的な態度で会議は進められるようになる。ただし，教師はこのころの計画や討論の組織だてと調整をするように留意する必要があった。

係り活動としても，自分たちの学級生活に必要な係りを作ったり，新しく新聞係やクラス会のプログラムを作ったり，かざりつけをやったりするようになった。

これが3年生となると，さらに多角的な決議や実用的な調査や記録法などを加え，自主的な活動が多くなってきているが学級経営との関連の中でどのように活動したか参考例としてあげてみる。

(2) 学級経営組織と学級会の活動から

学級の当面する問題の処理の方法や，解決への運び方，解決のしかたは，学級を担任している小学校では担任教師の人間味や指導観によって，多かれ少なかれ各学級間の差異を生ずるものであり，このような意味から担任教師が主体となって計画し組織だてる学級経営は，学級会の運営や指導の裏づけとなる。

3年生のある学級で，学級経営の組織として五つの生活班を考え，グループ指導を強化するために，これを学級会の問題として与えたところ，話し合いの結果，第24表のような組織と係りが一致し，かえって自主的な活動が展開された例がある。

第 24 表

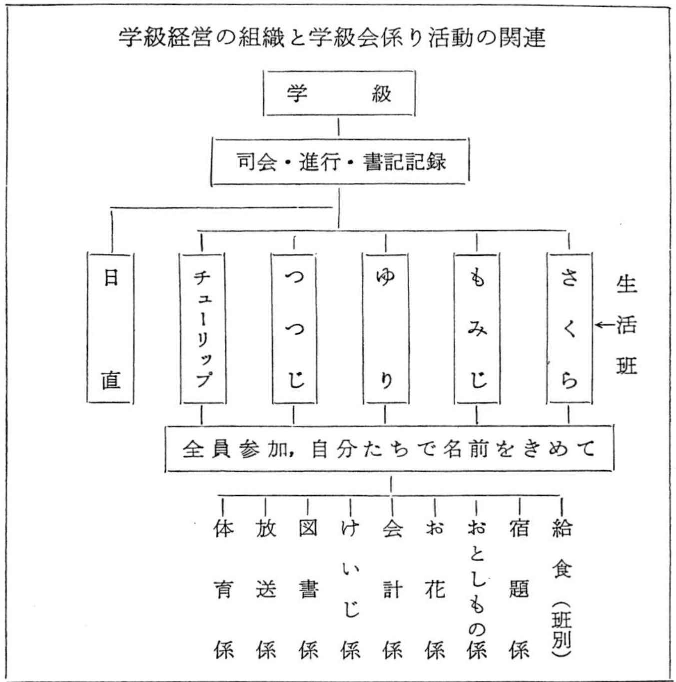

すなわち，教師は学級経営の立場から生活班を，(1) グループ学習をする小集団として，(2) また校外学習や遠足の場合の行動単位として，(3) 清掃のときの単位として，(4) 給食当番の単位として，使う意企をもって，学級委員を中心に五つのグループに分け，「なかま」意識を育てながら，学級集団を育てようと経営組織を作ったわけである。これに対し児童は自分たちの話し合いで花の名をつけて呼ぶこととし，また係りを決めてこの生活班を単位としながら人員をわりふり，生活班を単位としての活動が実践された。

長期にわたった活動には，次のようなものがあった。

1. 「風の子」新聞を各生活班の輪番制で 2・3 学期間はり出した。
2. 学級「もちより文庫」の話し合いをして自分たちで，リンゴ箱や本を集めて表のような記録を作り壁にはり出していた。また，絶えず，使い方や，本を読む時間，扱い方の問題が学級会に取り上げられた。
3. 各係りがお互いに話し合い第 25・26 表のような記録を作った。

第　25　表

児童の作った文庫係の記録

文庫の本	左略す	イソップ童話	世界名作全集	おはようコロタン	不思議なつえ	世界のどうぶつ	トム・ソーヤーの冒険	マゼラン	少年クラブ
かりた人		K・T	Y・M	H・M	H・S	K・K	Y・K	Y・Y	T・K
月日		10 10月 日	10 9月 日	10 14月 日	10 8月 日	10 8月 日	10 3月 日	10 8月 日	10 8月 日
かりた人		M・H	Y・O	K・T	M・I	L・M	U・M	Y・T	H・S
月日		10 16月 日	10 14月 日	10 20月 日	10 8月 日	10 25月 日	10 15月 日	10 14月 日	10 14月 日

以　下　略　す

第　26　表

児童の作った係り活動の調査一覧

S子	○	○	×	○	×	○	○	○	○	○
T子	○	○	○	×	○	○	△	○	×	×
U子	○	○	○	○	○	○	○	○	○	○
Y男	×	△	×	×	○	○	×	○	○	○
O男	○	○	□	□	□	○	○	○	○	△
K・I子（宿題係）	・作った日　9月18日　金よう ・わすれた人は　×　　やすみの人は　□ ・やった人は　○ ・はん分やってきた人は　△									

このことからみても学級会の会議活動は係り活動と相まってかなり多彩なものとなり，点数制で評価した，図表形式や方法を考えたりして，自主活動の範囲は相当に深まっていくものであり，壁新聞などには自己の趣味や特技などいかされ，クラブ活動的な色彩もおびた自主的活動がみうけられる。

さらに4年生にはいると身のまわりの問題を学級会の問題として適切にとらえて提案したり，それを適確に批判して，賛否の意志をはっきりと表示するようになり，発展して全校の児童会にも提案し，みずから解決を求めようとする方向に向かってくる。

しかし，このようになるまでの過程の中で，教師はあらゆる学級の活動面で，また思考と批判性を養なう面で，豊富な経験を与えておく必要があり，そのような経験があって，児童は自主的な批判や，自主的な判断や，自主的な選択ができるようになり，5年生になって，部やクラブの自主的な選択ができ，自主的な計画・立案など，児童の可能性の範囲は高まるような指導を着々と進め，準備をさせておかねばならない。

手をこまぬいて児童の成長と発達にまかせたり，無計画・無反省に指導するだけでなく，科学的・合理的な指導計画の上にたって児童の自主性は育てられなければならない。

3. 自主性を育てる指導

自主性を大きく育てていくためには，いくつかの配属が必要である。自主性は社会的役割の自覚から始まって，児童自身の発達段階に応じて伸びていくものであるから，これをよりよく育てるためには，その観点から「なかま意識の育成」「集団での話し合いの尊重」「精密な観察記録・常時の調査」等のたいせつな点があげられる。

1. なかま意識を育てること

自主性は何よりもまず，社会的地位に応ずる社会的役割を指導することによってよりよく育てられるものであることを忘れてはならない。いわゆる「なかま意識」をじゅうぶんに育てることである。地位と役割を理解し，自覚するよう1年生入学当初より指導することが，きわめてたいせつである。受動的であり，固定的であり，おざなりの動きを示す児童を，学級生活の実際の場合において，現実に実証され納得されるよう細かい配慮のもとに地位と役割を指導していくことが望ましい。その指導にあたっては，児童の優劣を問題とせず，どの児童もひとしく大事に扱ってやらなければならない。ある特定少数のもののみが，ある特定の地位を独占しないように，小学校では特に気をつけなければならない。「適任者適役主義」もたいせつには違いないが，小学校の1年から6年までの段階を踏んでいく指導であり，幼児期から少年期へと移行していく小学校の児童には「順

番交代」はよりたいせつである。地位と役割のよりよき理解はここから出てくるし，よきリーダーとよきなかまはここから生まれてくる。

本校は，低学年の学級においても，「ひとりひと役主義順番交代」で学級会内の諸係りがおかれ，学年が進むにつれ，他の章に見られるように学校の部活動等に適応した係り分担に展開している。もちろん，こうした係り活動等を指導していくにあたっては，個人的な発達の様式に注意し，個人差に気をつけて指導しなければならない。また学校によっては，1年などには何もさせないところもあるが，自立の習慣や社会的責任の学習は早く始めるほどよい——と言う観点から，本校は入学当初から前述の線で指導が始められ，なかま意識を早くもてるよう指導している。

1年1組の担任ノートより

どの子も万遍なしに経験し，仕事を覚えて，楽しく活動するという考えから，1週間交替と話し合ってきめ，自分たちで係り名札をまわして引きつぐことを考えた。

2. 集団の話し合いがたいせつであること

朝の相談，学級会，児童会，その他により，教科の学習が動機づけられ，教科学習による力が特別教育活動の実際活動の場で練成され身につくものであるから，教科の学習と特別教育活動の活動は，ひじょうに関連が深いものである。もちろん，自主性は特別教育活動のみで育てられるものではなく，教科の学習においても育てられていくものであるから，両者の学習形態も相似かよった緊密なもののほうがよい。

5, 6人の小集団の話し合いは，自主性を育てるのに最もたいせつであり役だつものであるから，学習の常時形態もできるかぎり，小集団の話し合いを活用したものでありたい。

入学当初の地域的に分けた分団から，能力別に分けた分団，あるいは作業のときのみに使用する分団，または児童自身の必要性から生まれた分団等，さまざまな組み合わせによるいろいろの分団を作って，日々の学習を進めていくことが自主性の育成にきわめてたいせつである。

集団自主性の向上は，集団の話し合いがいちばん有効適切である。教師は話し合いの指導に全力をあげるとともに，教科は教科，特別教育活動は特別教育活動の弊に陥らぬように留意せねばならない。特定の特別教育活動の時間に，たいへんじょうずに話し合いをさせている優秀な教師が，自己の学級の教科学習にあたっては，強い押しつけ学習を展開させている例がややもすると一般にはよくあるから，厳に慎まなければならない。

本校では，毎朝の相談の時間，週１回の学級会はもちろん，あらゆる機会に話し合いが尊重され，指導されている。

１年２組の記録より

先日は「らくがきをしないこと」「便所の使い方」「廊下の歩き方」「げた箱の使い方」「病気の友の見舞」について話し合った。この中，「便所の使い方」「げた箱の使い方」は実際に現場で練習等をするまでに発展した。

２年１組４月の記録より

６つのグループに分かれて，それぞれ係り活動を行なうように決めた。話し合いの中から，１年の時よりも，係りを増し，せいり係とほけん係が自然に生まれたことはうれしい。

５年２組の記録より

議事が紛きゅうしてきたとき，いろいろな議論を整理しようとする提案が出るようになった。

決定すべき事項と，意見として出す発言とを，よく区別するようにな

った。

学習係は教師が入室してくるまでの時間を自分たちで有効に使用することがじょうずになったくらい，話し合えるようになった。

科学クラブの記録より

研究題目は児童自身に決定させたが，方法，経費，時間などを考えた計画書を作るときはなかなか興味のある話し合いがあった。自分の興味を中心に，友だちの意見，家のものから言われたこと，研究するものについての知識の深浅などが話し合われ，その中で自分の研究計画書を作っている点である。（中略）

このごろでは，時刻がくると入室したものから，話し合いで手はずや準備を進め，実験，研究にはいっていくようになった。

美化部の記録より

各教室の窓ガラスのきたなさが話題になり洗済配りに発展した。

花を廊下に飾り，責任をもって花の手入れをするように提案があり，ただちに実行に移った。

清掃用具の不足を指摘した子があり，一同がそれに関心を深め，はたき作りの計画実施，道具の修理が行なわれた。

図書部の記録より

新購入図書の紹介，図書室の美観保持，貸し出し，返却の方法等についてのＰ・Ｒのしかたについて話し合い，効果的な方法について意見をもつようになった。

3.　観察記録を細かにとること

自分を含めた学級なり学校なりの社会が円満に伸びていくためには，どのように自分を生かし，動かし，それにより，どのように自分も集団も成

長していっているかということを常に細かに観察し，記録することは，自主性を伸ばす基盤としてぜひ必要なことであり，細かに観察し記録してこそ，社会に参加し適応していく望ましい態度，能力が養えるのである。

この場合，教師の眼は，仕事の量に向けられてはならなく，あくまでも仕事の方向や活動に向けるのが正しい。特別教育活動においては意識や態度がどこまでも問題の中心になるのである。

このような記録は累加記録が望ましいので実際活動の観察を累加していくのがよい。本校では，部活動の各部や各クラブの日誌を次のような形式でとっている。

第　27　表

部、クラブ活動日誌

月　日（　）	よてい	したこと	かんそう	反　省
	児童記入			教師記入

大きさ　B6判

また，児童ひとりひとりに次のような形式の記録帳を持たせている。

第 28 表 B

裏表紙

特別教育活動について

一、特別教育活動は五年以上参加して，毎週金曜日の五時間めと六時間めに行ないます。
二、特別教育活動は部活動とクラブ活動とに分かれています。
三、部は一学期間学校の仕事を計画したり仕事をしたりする係です，進んで学校のみんなのために仕事をしましょう。
四、クラブ活動はみんながやりたいと思う研究をしたり，自分のしゅみをのばしたりする活動ですからしっかり目標をたてて最後までやり通すようにすることがたいせつです。
五、この手帳は一年間使います。たいせつにして所属の部，クラブで仕事をやるときには，担当の先生に提出してください。

（B 6 半裁）

第 28 表 A

表　紙

No. ＿＿＿＿

わたしたちの活動記録

昭和　　　年度

年　　組	氏名		
部			
第　　学期	部		
ク　ラ　ブ			
第　　学期	クラブ		
部	先生 先生	クラブ	先生 先生

東京都練馬区立関町小学校

（P 6 半裁）

第 29 表

内　容　（大きさ　B 6 判）　最後は教師所見欄

部　活　動　記　録

1	月　日		
2	月　日		
3	月　日		
4	月　日		
5	月　日		
6	月　日		
7	月　日		
8	月　日		
9	月　日		
10	月　日		
11	月　日		
12	月　日		

クラブ活動記録

1	月　日		
2	月　日		
3	月　日		
4	月　日		

○　部や，クラブでやったことを書く
　何をしたか，何を作ったか，どの程度にできたか
　楽しくできたか……など

5	月　日		
6	月　日		
7	月　日		
8	月　日		
9	月　日		
10	月　日		
11	月　日		
12	月　日		
13	月　日		
14	月　日		
15	月　日		
16	月　日		
17	月　日		
18	月　日		
19	月　日		
20	月　日		
21	月　日		
22	月　日		
23	月　日		
24	月　日		

これらの記録や実際活動に，診断的な評価を加えたものが，自主性を育てるよい資料である。部活動クラブ活動の記録（前出の日誌）の最後の教師記入の反省欄はこのような診断的評価に使われていることは前章に述べられているとおりであり，たいせつなことである。

また，児童個人個人に思い思いのレポートを書かせるのもたいせつなことである。次に2つばかり紹介してみよう。

放送部へはいって　　　　　　6男　Y・O

「ぼくは前から希望していた放送委員にえらばれた。放送きかいを自由にできる。そう思っただけでも胸がどきどきした。ぼくは金曜日が楽しみになった。

はじめての部会の日の相談でぼくは委員長にえらばれた。先生の放送きの扱い方やそのほかの話をきいていると，どうも放送の仕事はつらいらしい。がっかりしたような感じだ。でも委員長にまでなったぼくだ。さいごまでやりぬこうと思った。しかし，ぼくははじめての委員長という役目にめんくらってしまった。そしてぼくに委員長の仕事がはたせるかと心配になった。考えてみれば，放送がだらけると学校がだらけてしまう。委員長のせきにんは実に大きい。学期の終わりに反省してみると自分ではせいいっぱいやったつもりだったが，どうもうまくいかなかったと思う。でも学期の終わりに各部やクラブの一学期間の反省放送を座談会形式でやったのはよかったと今でも思っている。」

園　芸　部　　　　　　6男　H・S

「ぼくは園芸部にはいった。『あまりよくないな，園芸なんて』と思ったが，はいってしまったのだからしかたがない。はじめは，球根を植えた。深さは 10 センチくらい，ぼくは『美しくきれいにさいてくれ』と言いながら静かに土をかぶせた。次の時は理科室の前の花壇に種子をまい

た。まく所は山にして，水の流れる所も作り，きれいにやった。まいた日の翌日，見にいってびっくりした。犬や人の足跡がところどころにあった。朝の集会でみんなに言わなければいけないと思った。球根のせわ，花についての知識，肥料についての勉強，草とり，みんな楽しかった。ぼくは園芸部〃前に思ったより楽しいのでうれしかった。楽しいうちのがんばり，これが部のしごとの中心だと思う。」

このような記録や観察があってこそ，集団のあゆみにどのように喜んで参加しているか，集団の中でどのように安定をもっているか——等がよくわかり，自主性を伸ばしていく適切な助言が生まれてくるのである。

4. 教師が行動の評価規準を明確に身につけていること

自主性をよりよく育てるためには，教師自身が，行動評価の規準をはっきり身につけていることがたいせつである。教科の評価規準に慣れているために，ややもすればそれに類する評価がさき立ってしまうきらいがあるのを警戒しなければならない。Ⅴ章の評価のところで明らかにしているのは，主として意識の問題であり，調査等を評価の中核においているが，特別教育活動の評価，特に自主性の評価はそのようなものでありたい。教師は児童の態度や実践等について，自分なりの考慮でよいから，常にいくつかの観点をとらえ，いくつかの規準をおき，観察し，調査し，それにより，暗示したり，示唆を与えたり，あるいは賞賛ししっ責し，あるいは方向づけをする等，その場その場に適した機敏な高度の技能が要求されるわけである。今，一般に考えられている自主性に関する評価の観点をあげてみると次のようになる。

1. 自分で計画したか
2. 進んで実行しているか

3. 自分の力でやりぬこうと努力しているか
4. 人の意見に左右されていないか
5. 誘惑に負けていないか
6. 信ずることをはっきり主張しているか

5. 調査を常に行なうこと

前述の各章や後述の章でもわかるように，また今までこの節でも述べたように，観察やその記録を細かくし，かつ正確さを望むためには，各種の調査を平常行なっていなければならない。態度，技能，鑑賞，表現，習慣，理解等の全般にわたって，調査は必要であり，自主性を伸ばすためには特別教育活動であろうと教科学習であろうと，また自主性の指導ばかりでなく，教育全般に調査がぜひ必要であることはもちろんであるが，特に自主性を育てるためには，こつこつとじみな調査をして固めていく必要があるのである。

特に特別教育活動のための調査というのはないが，各種の調査の中，自主性を育てる指導上，役だつと思われるものをあげてみると次のようになる。

観察法，面接法，行動記録法

プロジェクティヴ・テクニック

品等法，質問紙法，臨床法

事例研究法

テストとしては，

問題場面テスト，チェックリスト，評定尺度法，エピソオド記録，質問紙法，自己評価，相互評価，プロジェクティヴ・テクニック，ケース・スタディー

があげられ，本校では他の章でも明らかなように，

行動記録法，質問紙法，臨床法，

事例研究法，エピソオド記録，

自己評価，相互評価，問題場面テスト等

を多く採用してきた。

また「交友調査」「家庭環境調査」も重要であるが，これらの行動記録，観察記録や調査結果は学級担任のみでなく，いつでもだれでもが活用しうるよう整備され，提示され，管理されていなければならない。これらは本校の例でもわかるように，別に特殊の方法によらなくても，廊下の壁面の活用，職員室に専用戸棚を設ける等でよく，児童個々の活動記録等は袋に入れ，明記して教室の一隅に下げられてあればこと足りるわけである。

6. そ の 他

(1) 教師のノートは綿密に，与える計画は大まかに

教師はじっと観察し記録し，ひとりひとり有効な助言を与える事が望ましく，教科の学習のように精密な計画をたてて，児童に押しつけることは好ましくない。計画は児童とともにたてることがもっともよく，児童たちが気づかないほどの大まかなわくづけをしておいて，その中で児童自身が常に自分で計画し，立案し，実践するようにしむけてやらねばならない。いきいきとして動きに動いている活動の場において，その場に即応した助言をスムーズにすることは，教師にとってひじょうに苦しいことであるかもしれぬが，われわれは自主性を育てるためにはあえてこのような態度で望まなくてはならない。特別教育活動の場においては，教師は腰かけて腕を組んで見ているだけのように一見して思われる姿が真の特別教育活動の顔である。前述の科学クラブの記録の一節や，次の社会科クラブの一例の

ごときはその代表的なものと言えよう。

社会科クラブのこと　　K・I

ぼくは友だちにすすめられて社会科クラブにはいった。ぼくは土器に興味があるので歴史班にはいった。歴史班と地理班があるが，歴史班は古代住居復元と土器や石器の発掘研究をすることに相談できまり，さっそく住居復元の計画をたてた。穴を掘り四本の柱を立てる仕事は金曜日だけではできないので，話し合って土曜日もやった。休みを終わってから，どうしてもこの仕事は土木班と研究班に分けてやらねばうまく進んでいかないことが相談してわかったので，そのように分かれた。研究班が研究して，土木班はほんとうに作ることをやる。土木班のわからないことや，土木班にやらせることは研究班が調べ出す。研究班はそのほかに土器の分類，石器の分類，関町の地図つくりをした。先生に教えてもらわなくても，学校の図書館がずいぶん役にたった……。

このクラブは担当者としてふたりの教師がいたが，実際活動はこのレポートに明らかであるように，こどもたちの力で校庭の一隅に古代住居の復元が出現するまでにこぎつけ，ふたりの教師はまったく陰の存在であった。この間のふたりの教師のはっている眼に見えない網の動きこそ尊いものである。

(2) 学校こども会の指導

特別教育活動と言うことはできないが，自主性をよりよく伸ばしていくのにひじょうに役だっているものに，本校では学校こども会活動があるのも見のがせないので，ここに付記するが，学校こども会の班活動，班をまた小集団に分けたグループの活動は，常に話し合いが中心になって進められ，教室という狭い範囲の中ではなく，自由に広々とした地域社会で，しかも１年から６年までの児童が集まった集団として活動が持たれるので，

自主性の指導には大きな貢献をしている。すなわち，このような活動は社会的学習の過程であって，エゴイズムの社会化であり，集団生活の秩序とルールを理解し，それへの協力を学びとるのには絶好の場である。

以上を通じて自主性を育てる指導について述べたのであるが，自主性のよりよき育成は，学校全部の教師が一致して同じ態度で児童に接するようでないと育成はなかなかむずかしい。教師の会合や話し合いについては後章で述べているが，ひとりでもあせって押しつけをする教師がまじると，片隅から崩壊していくものであることを最後に付記しておく次第である。

V　特別教育活動における評価

特別教育活動における評価の問題は，戦後に始められた教科以外の活動をとおして 10 数年の間，常に指導の実施に伴って取り上げられてきたのである。しかし児童の全人的な発達を目的としての指導に対して，評価に関しては，いろいろ試みられはしたものの，児童会活動やクラブ活動のような学級を解体した上での集団に対し，教師がその児童の実態をつかみがたい点や，その他技術上の問題などのため決定的な方法がいまだにはっきりしていない。

本校においては次のような考えのもとに，特別教育活動における評価を実施してみたのであるが，これは今後における研究によって当然改善すべき点が数多くあると思われる。

1. 評価の態度

評価を行なう場合の教師としての基本的な態度を以下に述べてみる。

1.　評価は指導の過程において不断になされなくてはならないものである。およそ学校における教育活動で，教育の目標の達成を図らないものはないであろう。特別教育活動においても，児童会活動・クラブ活動・学級会活動等を行なう場合，なんらかのねらいをかかげて，そのねらいを達成するために指導計画をたてるのであって，児童に対する指導がどの程度いきわたったか，児童はどの程度ねらいを達成できたかなどをそのつど測る必要がある。そしてそれによって次の指導をいかに展開したらよいかという手がかりをつかむことができる。ここにはじめて計画的な，児童に相応じた正しい指導がくり返されていくわけである。児童の日々に変わっていく実態は不断に行なわれる評価によって正しくはあくされるのである。

2.　特別教育活動における評価は，児童のひとりひとりの人格形成のために役だつ実践活動が，どのように行なわれたかをみるという一面をもになっている。そのゆえにこそ活動の効果がじゅうぶんなはたらきを示しうるに適したものであったかどうかを，組織・計画・運営・指導法・施設その他のものについて明確にすることが必要になってくるのである。もしこれらのものについて不適切なものがあったならば，当然修正を加えて，より適切なものに改善していかなければならないであろう。

これらの評価は，その結果がただちに改善をなし得るもののみではないが，実際的な指導の場における教育の効果がただちに児童の成長の面に現われてくるものであるから，ただ単に学校内における教師と児童との創意くふうにたよるだけでなく，広く地域の家庭にも理解と協力をもうるよう積極的に働きかけるよう努力することが必要である。

3.　評価は教師と児童とがともにすべきである。教科においても児童は学習したことがらについて，自身で評価をくり返すことが必要なのであるが，特別教育活動においては児童自身による評価が特にたいせつである。たとえば児童会の部活動において，自分の所属する部の実施計画が適切なものであったかどうか反省してみたり，ある時間における活動において自分が自主的に活動できたかどうかを反省して記録する等の方法がある。

2.　評価の観点について

特別教育活動の特質は，自主的な生活態度をふまえた自発的，自治的活

動であり，常に集団の場における実践活動であることである。したがって評価の観点もここによってたてられなければならない。

1.　指導計画等についての評価の観点

○児童が喜んで参加しているかどうか。
○全員が積極的に活動しているかどうか。
○問題に対して児童が具体的，積極的に解決の方法を考えているかどうか。
○組織は合理的になされているかどうか。
○児童の希望や意志がどの程度尊重されているか。
○教師の指導助言は適切であったかどうか。
○設備や施設に不備はないかどうか。

2.　児童の成長についての評価の観点

いろいろの活動を経験することによって，児童は意識も変化していくものである。あるときはそれが望ましい方向に伸びている場合もあるし，時には集団のふんい気になじめず非社会性をもつ場合もある。教師はいち早くこれを見きわめて，指導の反省への大きな資料を得るとともに，児童自身も自己反省によって自分の長所短所を知り，次の段階での努力の目標を見いだすことになろう。

教師による評価の観点をあげると次のようである。

○児童の意識はどのようであるか。
○児童の実践力の成長の度合いはどうか。
○児童の自主性の進歩はどうか。
○児童の社会性はどのように成長したか。
○集団としての意識や実践性は高まっているかどうか。

次に児童自身による評価の観点は,

○特別教育活動に参加して,楽しく活動できたか。

○なかまの人たちと協力できたか。

○集団全体としてよいふんい気で活動できたか。

等であり,これらは話し合いの活動や,実践的な活動等その場その場によって評価すべきである。また児童個々が自分を評価するだけでなく,なかまどうしが互いに評価しあうことも必要なことである。ただしこの場合は,相手の長所を見いだすなどくふうし,欠点を露骨に指摘するなどの方法はなるべくさけるようにしたいものである。

3. 評価の方法

前項で述べた評価の観点については,本校においては次のような方法によって試みられている。

1. 教師の話し合いによる評価

(1) 特別教育活動推進委員会

前にも触れたようにこの会合は毎月2回,第1・第3金曜日の午後,特別教育活動が終わるとすぐ開かれる。この会は学校長・校務主任を含めて7名をもって構成され,特別教育活動推進の中核体となって立案・計画にあたっている。したがって指導計画(組織・施設その他を含む),学校行事等をはじめ,各領域との関連,その他全体の運営の立場からその結果を反省し,評価し,次の計画立案への態度を決めるとともに,次に述べる特別教育活動連絡会へも問題を投げかける等,話し合いの内容は多岐にわたっている。

(2) 特別教育活動連絡会

この会は児童会活動,クラブ活動それぞれの担当者ごとの集まりによって構成され,毎月1回第2金曜日の午後,特別教育活動が終わってから開かれる。

またこの会は,必要によっては全員協議会となる場合もある。

話し合いの内容は,特別教育活動推進委員会で話し合われた問題について意見を交換することもあり,児童会活動,クラブ活動ごとに指導方法につき具体的な事例をあげて問題を討議し,あるいは評価の観点,評価の方法,あるいは問題児の取り扱いのしかた等,すべてその日に指導した具体例によって研究を深めていく方法をとっている。

これらの話し合いの結果は,直接担当の教師によって次の指導への有力な手がかりとなって,児童の成長におおいに力になっている。

(3) そ の 他

特別教育活動の時間,その他の時間において組織的,計画的でなくとも,何人かの教師が互いの問題点について話し合い,反省する場合が数多くある。このような話し合いには,決められた会合の場合のように一定のテーマというものがない場合が多いため,むしろ自由に各教師の意見が交換できて,有益なものが多い。

2. 児童の記録による評価

(1) わたしたちの活動記録――その記入例――

第 30 表

美化部活動記録		6女 S・S	所見
1	9月4日	部長,副部長の選挙	正しい選挙ができましたね。

2	9月11日	当番の成績をつける場所をきめた。ポスターをはった。	ポスターはよくできたね。
3	9月18日	かびんのことについてそうだんした。	よい意見を出しました。
4	9月25日	当番表についての反省，花びんや，ろうかのかざりつけなどをそうだんした。	当番表はよくいっていると思う。
5	10月2日	運動会の係りと，花と花びんを買いにいく人をきめた。当番表の反省。	
6	10月7日	花をかざる所のそうだん。（先生がるす）	うまくそうだんできましたか。
7	10月16日	花，当番表のことについて。	当番表にくふうはいらないものだろうか。
8	10月30日	当番表をうつくしくする。（たいへんよくなった）	よい思いつきでした。
9	11月6日	かみくず箱のそうだん，運動会の係り（受付）の反省。	よい意見がでました。
10	11月13日	校庭の見えない場所のくずひろい。	学校がだいぶきれいになりました。
11	11月20日	花のとりかえ，花びんの場所かえ。	いろいろくふうしましょう。
12	11月27日	当番表の集計をした。	集計の方法がよくわかったでしょう。

第 31 表

社会科クラブ活動記録		5男 I・E	所　　見
1	4月17日	部長と副部長をきめた。	みんなよく意見がまとまったね。
2	4月24日	歴史班と地理班にわけた。（歴史班にはいってよかった）	しっかりやりなさい。
3	5月8日	関公園をあるいた。土器などをさがした。	昔のこの辺のことをしらべたらよいのではないか。
4	5月15日	一学期にやることの予定をつくった。	よい仕事ができそうです。

5	5月22日	図書館の本で昔の練馬の事をしらべた。	きょうはよくやった。
6	6月5日	1学期にけん究することを地図にかいた。	
7	6月12日	地図をかく作業	ゆかいにやったね。
8	6月19日	地図をかく作業	きょうは先生は何もいわなかったがみんなよくやりました。
9	6月26日	東側の校庭にたて穴式住居のあなをほった。	
10	7月3日	穴をほる作業	
11	7月10日	穴をほる作業（土器がたくさんでた）	楽しくなってきたようだね。

第30表・第31表の部活動の記録とクラブ活動の記録は，その1例にすぎないが，児童は活動のあとをかなり詳しく記録している。そこには必ずしも児童の感想が盛られていなくても，指導する教師は，その時の集団のふんい気の中においてなされる児童の活動の実態をその場で観察しうるものである。そうして活動終了後ただちに記録されたものによって，児童のその活動がはたして児童を高めるためのよい実践であったか否かは，判定しうるわけである。

このようにして児童の記録は，教師のなした観察の裏付けとなり，なお児童の記録の右の欄に教師の簡単な所見をつけることによって，児童の次の活動への動機づけとし，励ましとすることができる。

教師のこの仕事はかなり多人数を担当した場合は負担が重くなるが，指導の直後，またはときによっては指導の終了間際に，児童に記録させて所見を記入する場合もありうるのである。

(2)　**学級会カード――その記入例――**

第 32 表

学級会カード		
氏名	6 女	I・F
11 月 4 日 金曜		
発言	○×をつける	
	×	
話したこと	話せなかった理由	
いい意見がでなかった		
聞いたうちで，だれの話しが良かったと思いますか		
氏名	○島さん	
どんな点で感心しましたか		
○沢先生に勉強などを教えていただいたから，お礼の意味で送別会をするのはいいことだと思います。		
学級会できまったこと		
○沢先生の送別会を 11 月 5 日の木曜日にやる。		
このつぎ話し合ってもらいたいこと		
遠足の反省		

第 32 表は学級会の話し合い活動のときの記録である。

現在は 5・6 年の学級で実施しているのであるが，この形式と内容ならば 4 年の学級でもじゅうぶん書きうるものと思われる。これは平常児童が

もっているものであるが，教師は随時児童に提出させて見ることができるものである。書く時間は特別には設けないから，児童たちは主として話し合い活動のときに机上に用意しておき，学級会の終了後教師の要求に応じて提出する。

このカードはまず話し合いの場合に発言しなかった児童の考えがわかることである。児童の問題に対する理解や認識の度合い，判断の正否等と同時に，これらを前提とした集団活動に対する意識もわかるわけである。次に発言した児童も，カードを書くときになって自分自身が反省することもあるであろう。また人の意見や発言，学級会で決まったことがらに対する批判もできるのである。

このようにして教師は児童の活動している時間の指導のほか，記録されたことがらを通して児童の活動を評価し，教師の指導そのものも評価することができるのである。

3. 教師の指導記録による評価

第 33 表　放送部活動日誌

	よてい	したこと	かんそう		反省（指導者記入）
五月二十二日 金曜	プログラムについて	プログラム作りと校内放送はんせい	○プログラムをあつめにいったとき，自分のことを考えないで人のことばかりいう。 このことについて朝会で皆に言いたい。 2-1 先生にたのんだ。 2-2 自分のことを考えないで人のことばかりいう。	2-3 22と同じ。 3-1 ひとりがいい出すとみんなまねをする。 3 2 3-3 先生にたのんだ。	週プログラム作成について ①放送申込み票の使い方がうまくいかない。 ②学級への連絡について，今一度考えてみる必要がある。 特に校内放送申し込みをつのること

			4-1 先生にたのんだ。 4-2 学級委員にたのんだ。 4-3 とうひょうしてきめることになった。 5-1 放送部員がきめた。	5-2 学級会でそうだんすることになった。 ○ 放送のことについて 1. レコードをえらぶ。 2. いいかたをれんしゅう。	は，学級経営との関連もあることだから，学級生活のそれぞれをよく考えてから共通的なことがらをつかんでからもう一度はたらきかけたい。
	よてい	したこと	か　ん　そ　う		反省(指導者記入)
六月十九日　金曜	放送についての話し合い	話し合い	○ 話し合いは先生が来るまで言い合いっこになった。 ○ あいずがだんだんわかってきたという。 ○ 放送できづいたこと。 ・あまりマイクに近づきすぎてどなりすぎる。 ・ふうふう吹かないこと。 ○ えん奏室ができたのでうまく利用したい。 ○ 紙でつるをおってあそんでいる人がいた，注意すること。 ○ 4時になってから放送したら放送部員は帰ってよいときめる。		○ほぼ軌道にのってきたように思われる。 ○しかし放送技術と室内整理はまだ言わないとなかなかうまくいかない。 ○話し合いの場合は，お互いの連絡事項にとめてできるだけ活動を中心として行なうようにしたい。 1. 連絡事項 2 機械操作 3. 放送技術の指導 ○こどもの態度はだんだんよくなる。

第 33 表は児童会の部活動の一つである放送部の活動日誌の記入例である。部活動の時間が終わると部長はこの日誌の，月・日・曜，よてい，したこと，かんそうの欄にその日の活動の実際の要点と，それに対する感想を記入して所定の場所にもどしておく。教師はその後，反省の欄に感想を含めた反省事項を記入する。この欄には個人に対する評価は記入しないこ

とが多く，主として計画に対する反省，児童の活動を集団全員の点でとらえ，その活動の状況の概評を記入する。児童の意識の現われとか，実践力，自主的な態度で活動していたかどうか，児童相互の協力はうまくいっているかなどの観点からの観察事項等が多く，また今後の指導に対して留意すべきことなども記録する。

この日誌には児童のリーダーが書いた記録や感想もはいっているので，教師は自分の観察したことに加えて，児童自身の評価や相互の評価等も参考できるので，指導の手がかりとしてたいへんよいものである。

またこの日誌に記録されたことをもととして，前述した連絡会等においてもはっきりした事実や反省について話し合われるので，手軽に記入できてしかも利用価値の高いものと考える。

第 34 表　科学クラブ活動日誌

	よてい	し　た　こ　と	か　ん　そ　う	反省（指導者記入）
七月三日　金曜	ゴム動力の船をつくる	1. 材木を 30cm に切った。 2. のみで穴をほった。 穴をほるときっ水が浅くなるのではった。	みんないっしょうけんめいになってやっていた。 穴をほるとき，とてもたいへんだった。 手や足をきった人もかなりいたので注意したい。 (以下教師付記)赤字 けが ↓ ○田——(5-3) ○江——(6-1) ○松——(6-3) ○来——(6-2) ○井——(5-3)	○ きわめて男性的な作業で正味2時間，相当な不快条件の中で，話し声もたてずやっていた。 ○ 道具の取り扱いの方法が不慣れで左記のように事故者を出したがいずれも軽傷，今後じゅうぶん留意のこと。

	よてい	し た こ と	か ん そ う	反省（指導者記入）
十二月十一日 金曜	12月4日にやった研究の発表	発 表 会 1班 でんぷんの糖化(くだもの) 2班 でんぷんの糖化（ビオフェルミン） 3班 1班と同じ 4班 かたくり粉の糖化 5班 植物のでんぷんの糖化 6班 1班と同じ 7班 でんぷんの糖化（さとう，くだもの） （以下略……12班まである）	どの班も同じような目的でやっていた。12もの班があるので，これからは，それぞれにちがう研究をして，しらないことをたくさん知りたい。	目的のはっきりしないもの，結論の導き出し得ないものが多い。 5班はオリジナルなものであったが，実験の失敗から誤れる結論を出してしまった。 発表の態度は積極的でだいたい良好。 聞いているほうの態度不良。

第 34 表はクラブ活動日誌の一部を示したものである。

前述の部活動の日誌と形式は同じであるが，クラブはことに興味と関心の共通した者の集まりであるので，その活動もいっそう自発的で動的である。記録や感想はかなり具体的に記入され，特に感想の欄の記入はリーダーとしての意識がかなり高いものを示している。また今後の仕事の計画などについても，こどもらしい希望を書いているところなどは，児童は児童なりに反省を加え，評価をしていることがわかる。

このような記録されたものを見て教師は反省を書くわけであるが，活動状態の良かった点，悪かった点を指摘しながら，なおかつ技能の面，理解の点などの指導も行なっている。

4. 児童の感想文による評価

前述したところの「児童の記録」においても例を引き述べている点もあるが，ここでは記録，日誌以外の児童の感想文の例を示したい。

このような感想文はある継続的な仕事が一段落したあととか，学期末，または学校の行事に特別教育活動の立場から参加したようなときに書く場合が多い。

(1) 放送部員が学年末に書いたもの

放 送 部 の 反 省　　　　6女　M・T

1. 放送部にはいってよかったと思ったこと。放送なんてしたことがなかったわたしは，はじめてマイクを持った。顔は赤くなり，ことばもつっかえつっかえしながらも，でも終わったときはほっとする。機械をいじるときも「これでいいかしら。まちがってへんなふうに聞こえないかしら。」などと思って何度もたしかめたこともあった。まわりにだれもいないのに上がってしまいます。今考えてみるとおかしくなる。
   今はもうマイクにも機械にもすっかりなれて，いろいろマイクの前での話し方，機械の使い方もわかり，ほんとうにためになったと思います。それからみんなでとてもなかよく，楽しくできていつまでも忘れられないでしょう。
2. 放送部にはいってつまらなかったと思ったこと。
   テープレコーダーなどの使い方がまだよくわかっていないので，覚えたかった。
3. 来年に申し送りたいこと。
   放送のしかたのまずかったところなど，こんどの人たちはよく研究しあい，皆さん仲よくやってください。
4. お昼の放送はこんなにするとよく聞いてくれてうまくいく。
   今までは，ろう読やレコードばかり続いていたので，もっと変わったことをどんどんやると，みんなはきょうは何をやるのかなあと，お昼の放送を聞くのをたのしみに待つようになるにちがいないと思う。

(2) 社会科クラブ員が運動会参加後に書いたもの

運動会の仕事の反省　　社会科クラブ　6男　Y・O

1. やった仕事（前日）
   1. 入退場門を立てる穴をほった。
   2. トラックの砂はき。
2. やった仕事（当日）
   1. 入退場門を立てた。
3. 仕事をした反省
   1. 入退場門を立てる穴ほりはわりあいらくにできた。
   2. トラックの砂はきは人数のわりに仕事はたいへんだった。
   3. 先生は社会科クラブは穴ほりがじょうずだから適当だといわれたが，来年はもっとよく考えて仕事のわりあてをしたらどうかと思う。
   4. 早くおわってしまう者はよいが，おそくまでかかるとたいへんだ。公平にしたらよい。
   5. 当日の仕事はかんたんすぎた。運動会の演技の手つだいなどもしたかった。

(1) の例と (2) の例を比較すると，活動の内容は違ったものであるが，(1) の場合は仕事を継続してやっているうちに，仕事のしかたも覚え，なかまとも楽しくできてかなりの満足感をもっているようだ。それに比べて，(2) の例では，運動会の運営にかなりの深さで参加してはいるものの，児童の気持ちの上では，かなりの不満がうかがえる。特に 3. の 3. などは教師が半ばじょうだんに言ったことが，真剣に取りあげられて児童全員を公平な立場で仕事の配分をしたほうがよいと警告している。もっともなことで，指導者は仕事の配分はもっとじゅうぶん児童たちと話し合った上でやることが望ましいことがわかる。

なお(1)の放送部員は社会性も相当育ってきており，来年度の児童に申し送ることばなどはおえましくさえなってくる。

このような記録は単に担当指導教師だけが見るだけでなく，連絡会等においてお互いに見せあい読みあって，教師それぞれの指導について望ましい方向への歩みを続けるべく努力している。

5. 諸調査による評価

特別教育活動を運営する上で各学級とか児童会の部，およびクラブ等単位集団全体の傾向を見るために行なうのによい方法である。特に児童の意識の問題は，活動の効果を上げるためのなんらかの手がかりともなるものと思われるので，本校で実施したものを，節をあらためて述べることにする。

3. 児童の意識調査

1. 特別教育活動に対する反省

児童の自発活動をうながして，自主性や社会性を伸ばすことが，特別教育活動のねらいであるにもかかわらず，なかなか所期の目的が達せられない原因は次のような点にあると考えた。

(1) 児童の活動に学校や教師の下請け的な仕事があるのではないか。

(2) 優秀な一部の児童が中心になって活動が進められ，取り残される児童がある。

(3) 行事中心の運営が進められ，表面ははなやかに見えるが，児童の日常における実践活動がじゅうぶんでない。

(4)　「禁止事項」や「生活目標」の申し合わせ的なものや反省事項が多く，生活化されていない。

これらのことを改善していくためには，日常生活の具体性をもった児童自身の問題点を取り上げて実践的に進めていくのでなくては解決されない。そのためには，児童の心の中にある意識を教師がつかんで指導を進めなければならないと考えたのである。

2. 調査の観点

それではどのような問題によって，どのように調査するのがよいであろうか。そこで次のような観点が考えられた。

(1)　児童ひとりひとりの自主性が生かされているか。
(2)　活動を楽しんでやっているか。
(3)　積極的に活動しているか。
(4)　民主的な運営がなされているか。
(5)　能力に応じて仕事が分担されているか。
(6)　部活動の価値や仕事の重要性が認識されているか。

3. 調査問題

上の観点にたって次の問題を作成した。

(1)　部活動についての問題

1. 部活動は好きですか，きらいですか。
2. 学校に部があったほうがよいか，なくてもよいと思いますか。
3. あなたは部にはいって仕事を仲よくやれましたか，仲よくやれませんでしたか。
4. あなたは話し合いでよく発言しますか。

5. これからはいりたいと思う部の名をあげなさい。

(2)　クラブ活動についての問題

1. 学校にクラブがあったほうがよいと思いますか，なくてもよいと思いますか。
2. どうしてそのクラブにはいったのですか。
3. そのクラブにはいってよかったと思いますか。
4. 現在のクラブ以外にどんなクラブがあったらよいと思いますか。

上の項目の問題について，現在部活動とクラブ活動に参加している５・６年児童を対象に調査を行なったところ，次のような結果がでた。

4. 部活動についての調査の結果

前述した部活動についての調査を次に問題別に述べてみよう。

(1)　部活動は好きですか，きらいですか。

この結果は第１図のとおりであるが，調査問題の中に「理由」を書かせ，それを類型的に数項目に分けて集計したものである。

第　1　図

(イ)　部活動は好きである

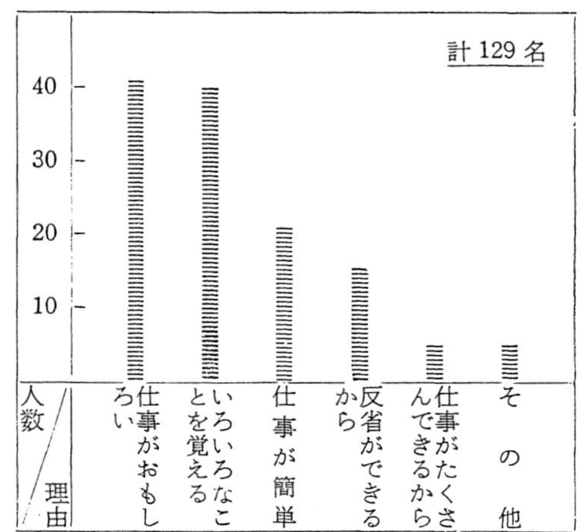

(イ)と(ロ)とを比較してみると，「好きである」と「きらいである」とがそれぞれおよそ半数ずつになっている。

(イ)の理由の 60 パーセ

ント以上は「おもしろい」ということと，「いろいろなことを覚える」ということである。「おもしろい」という内容を検討してみると，多くは施設や設備をじゅうぶん使用して行なうことのできる放送や図書等の部で，施設や設備を使いこなすことが「おもしろい」という意味のようである。また適切な指導や，児童たちがじゅうぶんに仕事ができるように配慮されていた場合のようである。

(ロ) 部活動はきらいである

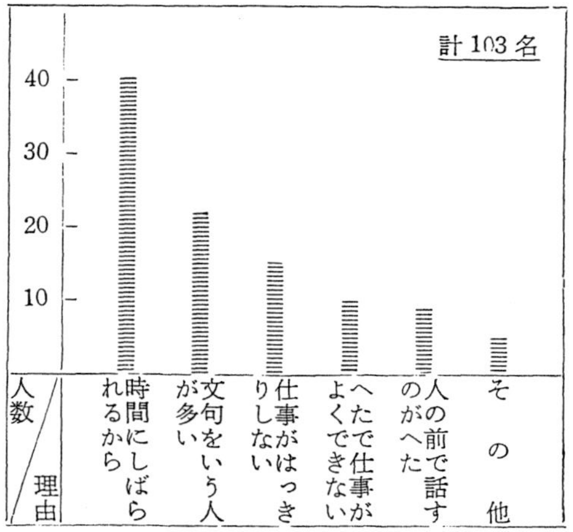

(昭和34年3月実施)

このことは，1年後にさらに調査してみると，「学校に役にたってうれしい」（美化部）という感想が見られたり，「仕事が家庭で応用できてうれしかった」（園芸部）などの表現になって現われてきた。このことによっても，じゅうぶんな計画や適切な指導がなされれば，さらに所期の目標達成に近づくことができるものと思われるのである。

次に(ロ)の場合をみると，その理由のほとんど40パーセントが「時間にしばられるから」となっているが，これは一つには放送部などにみられるように，仕事がないのにおそくまで残っていなければならなかったり，あるいは興味のない仕事を時間まで続けなければならなかった場合などによるらしい。

つまり指導の面と，児童の意欲の面との調和がうまくとれなかったこと

がはっきりしているようだ。しかしこれらの理由：指導のいかんによっては解決しうる問題で，(イ)の図との比率関係は当然変わることになろう。

「仕事がはっきりしない」という場合は計画の問題が多いと思われる。指導上の的確な計画性と適切な指導が実践活動を通して行なわれ，さらに次の実践事項がはっきりはあくされ，仕事の内容がよく理解されていくかぎり，解決されるものと思われる。

特別教育活動が人間関係をよくすることを目ざすものである以上，「文句をいう人が多い」というのがいちばんの問題点であろう。これは上級生と下級生の関係の場合と，同級生どうしの場合とでは，著しくその内容が異なってくる。一般には下級生からは，上級生としてのあり方が，批判の対象となることが多い。「いばりすぎる」ということばにもあるように，ことばの使い方が乱暴であったり，命令的にやらせたりすることが，上級生と下級生の人間関係がうまくいかない原因のようである。

同級生どうしの場合だと，一方的に言われたりすることでまず反感をもつらしい。特に仕事の性質でそれぞれの協同的な役割がじゅうぶん生かされないときなど，たとえば新聞部などで原紙を切る場合など，「字がへただ」などと言われたりしようものなら，「しゃくにさわる」やら，反感やらで二度とやる気が起こらなくなるであろう。

根本的には，お互いの人間尊重の精神がじゅうぶん養成されなければならないことはいうまでもないが，指導の場合特にリーダーに対しては，ことばの使い方や，上級生は下級生を親切にめんどう見てあげるようになど，絶えず気をつけていくことが必要であろう。

仕事の効果をねらいすぎると，つい相互の人間関係に目が届かなくなるということを常に反省しなくてはならない。したがって「へたで仕事がうまくいかない」とか「人の前で話すことがへただから」等の反省的なこ

とばも，仕事に対する認識のしかたさえはっきりするように指導すれば，喜んで仕事の中にとけこんでいけるであろう。

(2) **学校に部があったほうがよいか，なくてもよいと思いますか。**

この結果は第２図のようになった。

第１問の好き，きらいの感情的な認識に対してこれは理性的な認識を示したものである。調査にあたって予想したことは，特別教育活動というものは，教科の学習と比較すると，教師も父母もやや軽く考えやすいので，児童もあまり重要視しないのではないだろうかということであった。しかし結果は完全にこの予想をくつがえすものであった。

(イ)についてみると第一に多いのが「きまりがよくなるから」部は必要だ

第 2 図

(イ) 部はあったほうがよい

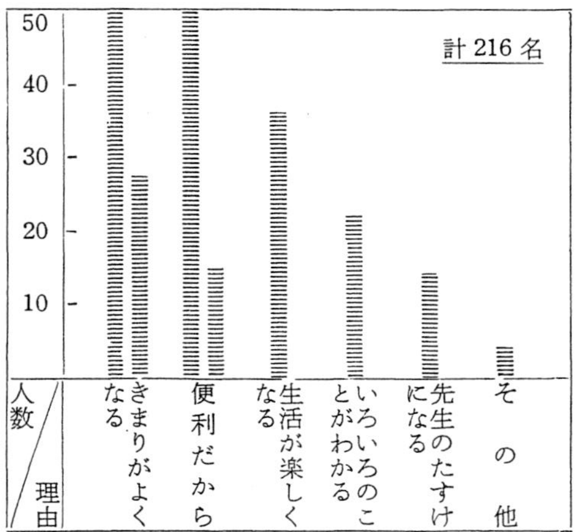

(ロ) 部はなくてもよい

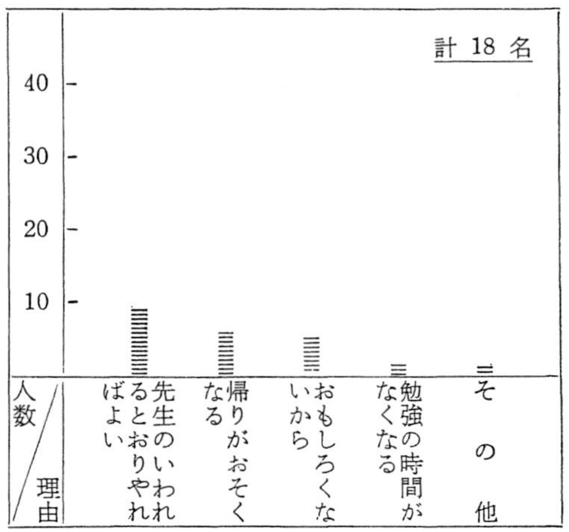

ということである。ここで「きまり」についてであるが，かれらのいう「きまり」とは学校の秩序ということであるらしい。これは週番活動等とも混同されてもいようが，部は「学校生活を楽しくするために」「学校を美しくするために」絶えず話し合いがもたれたり，それぞれの役割に応じた活動をして，学校という社会の秩序維持にたいへん役だっているのであるという認識をもっていると解釈してよいであろう。

「便利だから」と考える場合も校内全体に対するそれぞれの役割，たとえば放送部がいろいろの役にたつことを知らせてくれたり，図書部が学校図書館に購入された図書を紹介してくれたりするのは，確かに便利であろう。これも校内において部活動の果たす役割に対する認識をじゅうぶんもっている答えであるといえよう。

部が「なくてもよい」と答えた児童の数は，234 名中わずか 18 名で問題にしなくてもよいのであるが，中でいちばん多い理由として「先生の言われるとおりやれば，なくてもよい」とするものが８名，「帰りがおそくなるから」という理由のものが６名，いずれも５年生の回答で，発達段階よりみても当然のことと思われる。

(3) **部にはいって仕事を仲よくやれたか，仲よくやれなかったか。**

この調査については「仲よくやれた」とするもの 70 パーセント，「仲よくやれなかった」とするものが 30 パーセントとなっていて，前述したように上級生と下級生の関係，能力差，男女の性別など，学級を解体して作られた集団の中における人間関係の上で，おおいに考慮されなくてはならない問題であろう。

(4) **あなたは話し合いでよく発言するか。**

第３図にこの結果を示したが，この調査は発問に問題があり，主観的に答えてもそれを裏付ける具体性に欠けるうらみがある。部やクラブなどの集

第　3　図

話し合いでよく発言しますか

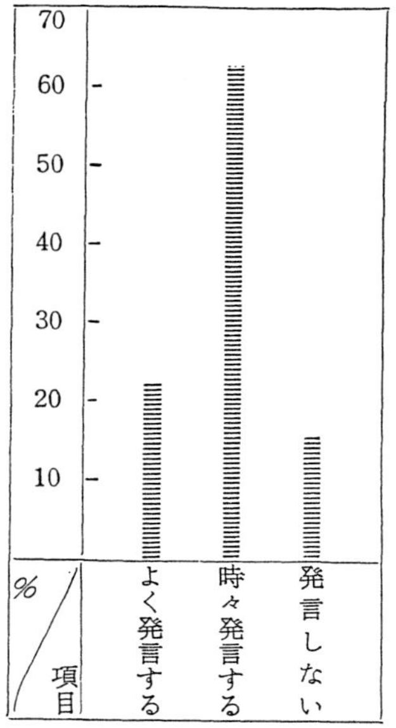

あったことなどによることもうかがわれる。「なかなか思うようにしゃべれない」「どきどきする」等性格的な問題もでてきている。

(5)　**これからはいりたいと思う部の名をあげなさい。**

第4図を見ると希望の多く集中している部名は，総じて花形ともいえる活発な活動を団の中で，役員になっている児童などは，役職の性質上,「よく発言した」と答えやすかったと考えられる。3項目の比率については，比較的妥当な結果を示していると考えられる。ただ「全然発言しない」という児童の内容を調べると,「勇気がない」「発言すると文句をいわれる」などは，自分の所属している集団の仕事に対する積極性や責任感の不足していることをはからずも告白しているともみられるし，反面集団内での反目や意志の疎通のふじゅうぶんで

第　4　図

これからはいりたいと思う部の名をあげなさい。

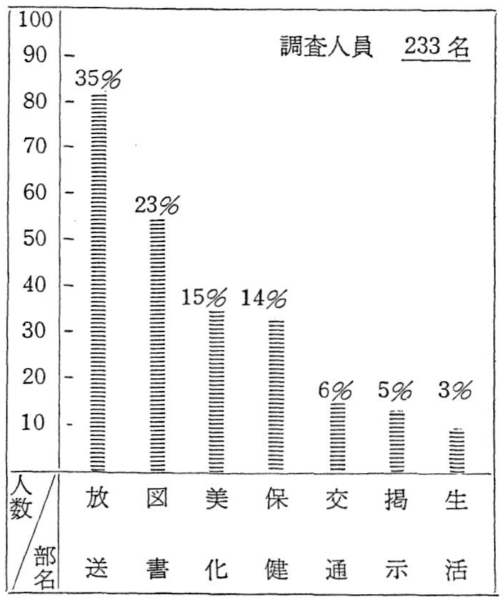

するものである。しかし放送部や図書部などは，いざやってみると，かなり基礎的な知識と，児童にとっては高度の技能を必要とするし，相当むずかしいとも思われる。しかし児童にとっては，放送のようにはなやかな活動に魅力があり，図書にはいれば本を読めるなどの打算もあることであろうし，活動中の困難な過程はあまり問題にされてはいないようである。

これと対照的なじみな活動や，単調でおもしろみのない上，整った教具等を使わず，しかも時間にしばられるような生活部や交通部などはきらわれるのも当然といえよう。

5.　クラブ活動についての調査の結果

(1)　学校にクラブがあったほうがよいか，なくてもよいと思うか。

第　5　図

学校にクラブがあったほうがよい

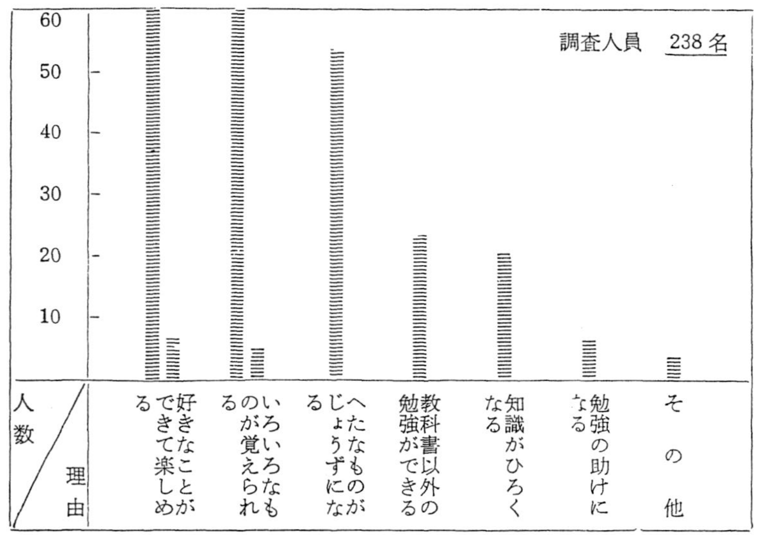

(2) **どうしてそのクラブにはいったのですか。**

第　6　図

そのクラブを選んだわけ

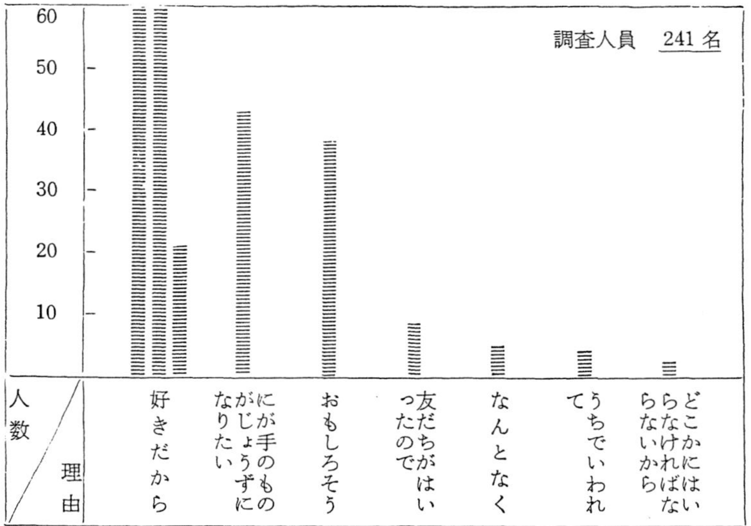

上の2問題についての調査の結果を示すと，第5図と第6図のようになる。

第5図を見ると，全員「クラブがあったほうがよい」と答えており，その理由をみると，ある程度教科的な認識をもっていると考えることもできよう。しかしその反面「好きなことができて楽しめるから」ということは，クラブ活動本来の性格を表わしている答えであるといえよう。

この問題はさらに第6図の，「そのクラブを選んだわけ」と関連づけてみると，「好きだから」あるいは，「おもしろそう」だから選んだのであり，共通の興味と関心をもつものが同じクラブにはいるという加入の段階は，好ましい形で行なわれていたことを実証しているといえよう。

これらの児童たちがクラブにはいって活動した結果，「いろいろなものが覚えられる」「へたなものがじょうずになる」「教科書以外の勉強ができる」等かなり客観的な認識をもつようになったことは，ある程度意識が高まってきたとみるべきではあるまいか。

第　7　図

(イ) そのクラブにはいってよかった

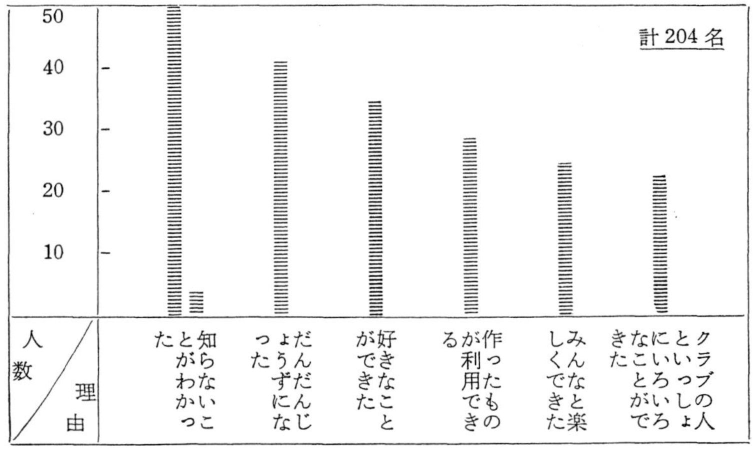

(ロ) そのクラブにはいってよくなかった

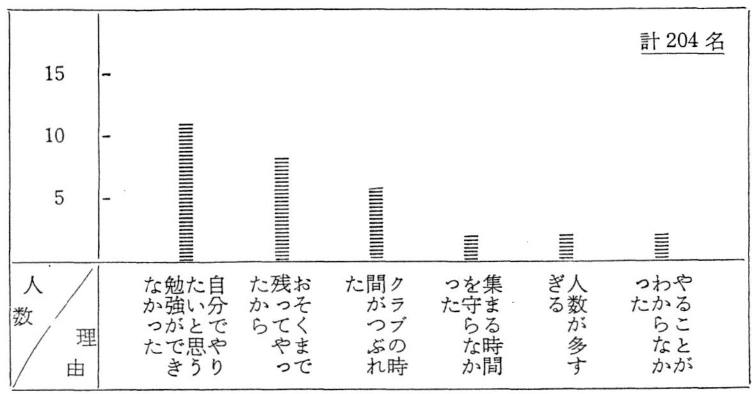

(3) そのクラブにはいってよかったと思いますか。

この問題の結果が第7図であって調査人員の 80 パーセント以上の者が「はいってよかった」と答えている。その図を見ると約半数の者が「知らないことがわかった」「だんだんじようずになった」と答えている。これを「みんなと楽しくできた」「クラブの人といっしょにいろいろなことができた」と比較して教科的色彩を感じると断定するのは早計と考えられる。教師はクラブ活動の目標を集団間の人間関係を円滑にするにあると考えても，児童は現在おかれている立場において「知り」そして「じょうずになり」たいであろう。そしてそのような活動の過程において半ば無意織の間に人間関係の好ましい姿が形成されていくのであるとみれば，むしろ当然な答えであるといえよう。

とにかく大多数の児童は，自分の希望したクラブの中で満足して活動していると思われる。

(ロ)の図は「そのクラブにはいってよくなかった」と答えたものの理由を示したものであるが，教師と児童とが，より慎重な態度で実施計画をたてておけば，このような問題は少なかったにちがいない。しかし「クラブの時間がつぶれた」というようなことは，児童の意欲を後退させるおそれがじゅうぶんあることで，指導者は特に留意しなければならない問題である。

(4) 現在のクラブ以外にどんなクラブがあったらよいと思いますか。

本校にあるクラブ以外の希望をとってみたわけであるが，体育関係のクラブを答えた者が 70 パーセントをこえた。これは本校に体育関係のクラブがないことにも原因があるであろうが，児童の意識は常に教師の考えの意表をつき，盲点を指摘することが多いということを改めて痛感したわけである。

以上本校で試みた評価について述べてきたが，特別教育活動の評価には未解決の問題を数多く含んでいる。これらを解決して望ましい評価が行なわれるようにするには，なお相当の研究が必要である。

VI 特別教育活動の諸問題

特別教育活動の指導計画をたてるにあたっては，その学校の施設，設備，資料，予算等の面から，また，参加児童数や指導者の数の立場から，じゅうぶんな検討を加え，許される条件の中で意義のある効果的な活動の形態がうち出されるような配慮が必要である。

本校においても計画にあたっては現状にこまかな検討を加えながら，最もじみちに児童ひとりひとりとの対決によって，自主性や社会性を伸ばすことを目ざして立案された。しかし，実際活動が行なわれていく過程においては，さまざまな問題にぶつかり，その打開策に苦慮する場面が数多く出されてきた。ここでは，主として，外観的な面での問題を拾って，考察を加えながら次の段階への足がかりとしたい。

1. 施設，設備について

施設，設備の問題は，単に特別教育活動だけの問題でなく，他教科にもおおいに関係のあることである。ただ特別教育活動の場合その性格からこれに対する要求の度合は，いきおい高くなってくる。問題は直接児童の活動内容につながることであり，この活動が目ざす自主性にも大きな関連をもってくる。創意とくふうによって，ある程度は解決されるとしても限度がある。特に創立して間もない学校にとっては，活動を進めていくうちでいかにこの問題に対処していくかが悩みとなってくる。

かぎられた公費ではとうていじゅうぶんな補いはつかないし，私費によ

る充足にもおのずと限度があり，現在徐々にみたされてはきているものの，けっして満足すべき状態とはいえない。

ここで，各部，各クラブから出されている声をあげてみると，次のようである。

○図　書　部

1. 図書室（教具室としてその他の教材教具が納められている）としては狭すぎ，活動がじゅうぶん行なわれない。専用室がほしい。
2. 貸出事務ができるようなカウンターを備えたい。

○新　聞　部

1. 新聞部専用の印刷機がほしい。
2. 必要なだけの消耗品が，じゅうぶん補充できない。

○放　送　部

1. テープレコーダーは，あと2台ないし3台はほしい。
2. 会議活動を進めていくには，現在の室では狭すぎる。

○美　化　部

1. 校庭用のごみ箱はぜひ備えたい。
2. 花びんや，花代の予算化が望ましい。

○保　健　部

消耗品の補充はじゅうぶんにしたい。

○園　芸　部

1. 農具で使用に耐えるものが，ひじょうに少ない。
2. 球根，種苗の購入費が足りない。

○演劇クラブ

1. 教室で行なったため，広さに難点があった。

2. 外部からの雑音が多くて，気が散りがちであった。

○図工クラブ

1. 木工具等の主要な工作用具が皆無で，その面での活動がじゅうぶんにやれなかった。

2. 普通教室のため，思いきった活動ができなかった。

○音楽クラブ

1. 器楽活動のための楽器を，可能な範囲で今少し補充してほしい。

2. レコードを補充したい。

○社会科クラブ

この地域の古代生活についての研究がされ，住居復元にまで活動が進んだが，予算の裏付けが弱いため，停滞しがちである。

○科学クラブ

1. 理科室が人数に比して狭く，一部児童は普通教室を使用したが，活動に円滑を欠いた。

2. ガスの施設がほしい。

○家庭科クラブ

1. 家庭科教室での活動が望ましい。

2. 参考書，資料等の補充がじゅうぶんでない。

○習字クラブ

中学年の教室であったため，机，腰掛けが低くてやりにくい。

以上は指導者側から出されたものであるが，児童の記録の中にも同じような希望が出されている。その二・三の例をあげてみると，

○図　書　部　　図書室がいろいろな会合に使われていることが多くて，図書室で本を読む人が少なくなった。当番もしないで帰る人が出てきた。

○家庭科クラブ　　料理をやってほしいけれど，普通の教室ではむずかしい。家庭科の教室がほしい。

○科学クラブ　　はんだこてをたくさんそろえてほしい。教室もみんながはいれるようにしてほしい。

児童の声はもちろん一断面にすぎない。しかし活動意欲に対して，かなり大きな制約を加えていることは確かである。こういった制約のなかで，どのような展開をして，指導者の意図と，児童の動きとを調和させていくか，単なる指導者の技法だけでは解決は困難である。

意欲をもって部やクラブに参加した児童が，設備や施設が不足していたためにじゅうぶんな活動ができず，しだいに関心が薄らぎ，その成果をあげることができなかった例も少なくない。

Ⅲ章の部活動の「意識の調査の項」をみてもわかるように

「好きか」「きらいか」の結果「好き」な理由としての大半は，「おもしろいから」と出ている。「おもしろい」の内容としてはやはり，施設，設備をじゅうぶん使用して行なうことのできる放送部や，図書部あたりに集中されてくる傾向が強い。もちろん，この結果を全部設備に結びつけることは危険であるが，多分にこの要素が働きかけていることは否定できないようである。

今後，じゅうぶんな検討を加え，無理のない組織活動を進めると同時に，施設，設備についても真剣に打開策を講じていきたいと考えている。

2. 時間について

学習指導要領によれば，特別教育活動，学校行事等については，それらに充てる授業時数を特に定めず，適切な授業時数を配当することが望ましいことになっており，学級会活動についても，学年の段階に応じて，週一定の時間を学級会にあてることが望ましいことになっている。

学級会の場合は，予定した時間に行なわれなかったとしても学級内での問題であるから担任の教師の意志によってある程度時間の補充，くり替えは可能であるが，部活動，クラブ活動，になると，組織母体が5年6年にまたがること，指導者が全職員にわたること等から，学級会に比して融通性がなくなり，補充くり替えもむずかしくなってくる。したがって時間設定にあたっては学校の実状に即し，適切な，調和を保った計画がなされなければならないであろう。

本校においてもこの基本線にたって第 35・36 表のような年間の計画をたて実施してきた。

第 35 表　昭和34年度　授　業　日　数

月	日数	日曜	祝日	休業	授業日数	学校行事等その他			その日数
4	30	3	2	5	20	始業式，入学式 大そうじ，遠足 健康診断	映画，避難訓練	PTA	3
5	31	4	2		25	小運動会 健歩会	〃	結核 検診	2
6	30	4			26		映画　〃	知能 測定	
7	31	3		11	17	終業式，文化会	〃	こども会 リーダー 講習	1.5
8	31			31	0				
9	30	4	1		25	始業式 運動会予行 研究発表	〃	PTA	2.5
10	31	4	1		26	運動会 校外学習	映画　〃	結核 検診	2
11	30	5	2		23	健歩会	〃		1
12	31	3		6	22	終業式 大そうじ	映画　〃		1.5
1	31	4	1	7	19	始業式 大そうじ 耐寒訓練	映画　〃		2
2	29	4			25	学芸会 新1年健康診断	〃	学力 検査	3
3	31	2	1	6	22	終了式，卒業式 大そうじ	〃	PTA	2.5
計	336	40	10	66	250				21
			116						
備考　○各教科，道徳，特別教育活動に充てる日数は 229 日とする。									

第 36 表は，各学年の一学級を指定して出された数字であるから，その学級の特殊な条件，偶発的な支障によって多少の差異がある。しかし，全体的には相当な時間がつぶされている。その理由のほとんどはやはり，当初に予定していなかった他からの持ち込み行事とか，学芸会，運動会等の練習によるものである。行事についての検討も必要になってくるが，これは今後の問題としてここではあまり触れないでおきたい。

この表が示しているように，教科，道徳に比し，特別教育活動の時数がそれほどさかれていない。これはできるだけつぶさないで，特別教育活動を生かしていこうとした意図があったためであり，これによるしわよせは，多少教科のほうにくい込んでいることは否定できない。ただ，一般的傾向としては，ともすると特別教育活動を軽視しがちであり，その結果つぶされるきらいがないでもないが，この活動のもつ意義を理解して，生かしていくような配慮がなされていくべきであろう。

34 年度の週時数の配当は 1・2 年は 25 時間，3 年は 27 時間，4 年は 29 時間，5・6 年は 33 時間とした。教科，道徳，特別教育活動への時間配当については，5・6 年の場合，国語の時間を特別教育活動に充当し，特別教育活動の週時数を 3 時間として実施した。ただし，これについて

第 36 表　昭和34年度授業予定時数と実施時数の比較

学年＼領域・時配	国語 A	国語 B	社会 A	社会 B	算数 A	算数 B	理科 A	理科 B	音楽 A	音楽 B	図画工作 A	図画工作 B	家庭 A	家庭 B	体育 A	体育 B	道徳 A	道徳 B	特別教育活動 A	特別教育活動 B	授業ができなかったおもな事由
1年	259	253	74	69	148	141	74	71	74	71	111	111			111	106	37	32	25	23	学芸会練習 体重測定 区研究発表 遠足の翌日1時間遅れ 研究集会 組合総会 連合学芸会 連合音楽会 連合運動会 校庭整地 選挙 教育会総会 父母会 予防接種 交通安全講話 演劇教室 防火旬間の講話
	−6		−5		−7		−3		−3		0				−5		−5		−2		
2年	266	259	114	109	152	145	76	72	76	71	114	111			114	111	38	35	25	23	
	−7		−5		−7		−4		−5		−3				−3		−3		−2		
3年	226	116	114	107	190	180	114	106	76	69	76	69			114	111	38	35	38	36	
	−10		−7		−10		−8		−7		−7				−3		−3		−2		
4年	226	213	152	137	228	117	114	105	76	66	76	66			114	97	38	33	38	33	
	−13		−15		−11		−9		−10		−10				−17		−5		−5		
5年	228	215	152	135	228	217	152	139	76	70	76	70	76	63	114	104	38	29	114	109	
	−13		−17		−11		−13		−6		−6		−13		−10		−9		−5		
6年	228	212	152	138	228	217	152	141	76	67	76	64	76	71	114	106	38	30	114	110	
	−16		−14		−11		−11		−9		−12		−5		−8		−8		−4		
備考	○Aは予定時数　Bは実施時数																				

は、現在は最低授業時数の規定がないから格別の問題とはならないが、36 年度からは各教科，道徳の最低授業時数がはっきりと規定されてくるので、現状のまま特別教育活動を進めることになれば、本校における1週の授業時数は、年間の授業週数を 35 週と考えると、当然1時間ふやさなければならなくなる。したがって高学年の1週授業総時数は 34 時間となり，週間時間配当を考えてみると，月曜日から金曜日までは6時間，土曜日のみ4時間ということが予想される。ただこれは1日7時間を設けないことをたてまえとした場合である。

今まで代表委員会は，前述のように水曜の第6時に実施してきたが，この時間をどこにとるかが問題となってくる。ここでまた，特別教育活動の時間を1時間にするとか，部やクラブの活動と並行して行なうとか，土曜の午後をこれに充てるとかいう，操作上の問題が必然的に生じてくる。これは，教科，道徳の時数が強くうち出されたことに起因しているからであり，むしろもっと根本的な時間の問題として考えていく必要があると思う。

時間の取り方については，いろいろな方法があげられる。特別教育活動3時間の場合，画一的に学級会，部，クラブ活動におのおの1時間という形がごく普通である。考えられる。しかし本校の場合は児童数（後述）と施設の関係や，活動内容と時間とのバランス等の面から，部とクラブの活動を2時間通した形で実施してきた。特に，クラブの活動内容を考えた場合，1時間では中途半端な状態のまま打ち切るような結果になりがちであり，効果的な運営を望むことは無理である。クラブの場合，現在の2時間で児童の活動意欲は満たされているようであるが，2,3 の技芸的なクラブでは，家庭まで延長されている現状である。したがって，クラブによっては特に時間を限定することは無理ではなかろうか。一概に時間を限定することが困難なものもあり，延長された時間の取り扱い方については，いくたの問題点が残されている。部活動の場合は，なかには2時間の時間は多いとする声もないではないが，これもまたクラブ活動と同じく，時間の取り扱い方については研究の余地が残されている。

3. 人員について

部やクラブを組織するにあたって問題になることは，参加する学年，それによって生ずる児童数の問題である。本校においては，5・6年を参加の対象として，部活動とクラブ活動を進めてきた。全員参加のたてまえからその数は34年度においては330名となり，これをそれぞれの部とクラブに所属させ，いずれの児童にも年間を通して一定時間同時に活動させることになれば施設や指導者との関係から，部，クラブ共に運営は困難となる。その結果はおのずと明らかであり円滑な運営はとうてい望めない。代表委員会や部活動のねらいが自発的，自治的に学校生活に関する諸問題をお互いに話し合うことによって，これらの問題を解決し，学校生活を向上発展させるにあるとすれば，参加児童にとって活動しやすい組織であることが望ましい。このような立場から一つの部の構成人員は，多少の差はあるにしても必要以上にふくれあがらせることははなはだ危険であるといわなければならない。

以上のような立場からクラブ活動においても一つのクラブの人数を考慮して，その運営が適切に行なわれるような努力を払ってきた。ただクラブの場合はできるだけ児童の希望を取り入れてやることが望ましいことであるから，各クラブの人的構成は必ずしも平均されてこない。34年度には，5・6年の児童の3分の1を部に，残り3分の2をクラブに所属させて活動を進めてきた。

これらの活動がどのように行なわれてきたかについては，II章で述べてあるが，数の上で果して妥当であったかどうかについては，次のような結果であった。

○現在の数が適当と思われるもの。

図書部　放送部　美化部　保健部　園芸部

演劇クラブ　図工クラブ　音楽クラブ　社会科クラブ　習字クラブ

○現在の数では多すぎると思われるもの。

新聞部

科学クラブ　家庭科クラブ

この資料から，部もクラブもだいたい数においては問題はなかった。ただ特定のクラブについては，児童数が予定以上にふくれあがりじゅうぶんな効果をあげ得なかったようである。これは単に人数だけの問題でなく，施設や指導者の数とも関連してくることであり，指導計画をたてる際の見通しにも多分に誤算があったことを意味する。特にクラブについては，児童の希望を最大限に取り入れたため，あるクラブに数が集中したような状態になったが，活動を通して個々の児童の才能を生かしてじゅうぶんな成果をあげるためには，改めて人数の点からほり下げて，組織についてさらに検討を加えていかなければならない。

4. 週番活動の位置づけについて

週番活動についてはいろいろ論議されているが，本校では，次のように組織運営がなされている。

1. 週番の組織

33 年度までの週番組織は児童会部活動として，生活部，交通部の児童によって組織され，部員を2班に分けて1週交代に週番活動を行なった。しかし週番活動は他の各部と違った性格をもち，仕事の内容も過重であるので，なるべく多くの児童に仕事の内容を体験させて週番活動を活発にし，体験を通して学校生活について反省し考える機会を与えたいという目的で34 年度には 5・6 年全児童が参加する組織に改めた。

5・6 年生全員を 18 個班に分け（1 個班約 18 名）2 個班ずつ1週間交代で週番活動を行ない，さらにそのうちの1個班が生活担当班，他の班が交通担当班として仕事を分担する組織とした。これによるとひとりの児童は年間に生活班と交通班とをだいたい2回ずつ経験することになる。

2. 週番活動の実際

児童の週番は，代表委員会の決定に基づいて週目標を決め，週番活動を行なうのであるが，管理的な面も職員週番の指導のもとに分担していく場合がある。

(1) 一週間の活動概要

前の週の土曜日放課後，前の週の週番全員と引きつぎの話し合いを行ない，ついで週目標，活動内容の打ち合わせを行なう。

毎週月・木曜日に朝礼があり，その後に全校児童集会があるので，月曜日には週目標の発表，木曜日には週番活動の中間発表，さらに翌週月曜日には週番活動の結果が全校児童に発表伝達される。

(2) 一日の活動概要

生活班は始業 20 分前登校，簡単な打ち合わせの後分担に従って校舎内外をみまわり，学校生活を安全に，衛生的に，秩序正しく過ごせるように心掛ける。休憩時，昼休み，放課後も同じように活動し，午後3時 30 分

週番会議を開いて1日の活動の反省をし，翌日の予定を決めて下校する。

交通班は始業前 30 分ころから正門前道路，文房具屋前の横断路の2か所で，始業時まで，登校児童の整理誘導を行なっている。

次は週番会議の時に記録される週番日誌の一例である。

月　　日　　曜　天気　　　記録者

1. 週番氏名
2. 朝の清掃
   廊下側の窓があいていない。
3. 朝の校舎内外のようす
   6年の人はラジオ体操になかなか出ていかない。
   軟球でキャッチボールをしている人がある。
4. 昼休みのようす
   まりあそびのあと始末をしていない。
5. 校舎内外で気づいたこと
   第2階段でかける人がいる。
   整とんはなかなかよくできている。
6. 放課後のようす
   3年生が廊下をかけている。
7. みなで話し合ったこと
   階段では遊ばないように気をつける。
8. 朝礼のときに伝えたいこと
   ラジオ体操をしっかりやるように。
9. 代表委員会に出したいこと
   廊下の窓を必ずあけること。
10. そ の 他

校庭のへいをのりこえる人がいる。

3. 週番活動に対する問題

この週番活動に対して週番になった児童自身，および全校児童は次のように批判している。

(1) **全校児童の考え**

週番の人はいたほうがよい	83 %
いないほうがよい	7 %
どちらでもよい	10 %

いたほうがよいの理由として，

みんながよくなるから

きまりを守らない人がいるから

きまりがよくなるから

などがあげられ，いないほうがよいには，

注意しても守られないから

がある。

(2) **週番自身の考え**

週番活動を体験した者の感想では，

週番活動がよくできた	24 %
うまくできなかった	70 %
わからない	6 %

となっており，

注意してもきいてくれない

みんなが協力してくれない

上級生と下級生の間がうまくいかない

などがうまくできなかったの理由としてあげられている。

このような意見があるが，全校児童は児童の手で行なわれる週番活動を欲しているのであり，職員の看護週番の日誌の中にも週番のことを取り上げた記事の 70 % は，週番の児童がまじめによく活動していたと述べており，学校生活をよりよくするという観点からの週番活動はよくやれていると思われる。上級生と下級生の間というのは5年生の週番と6年生との関係がうまくいかないという問題であって，5・6 年児童の中の約 10 % が6年生だけで週番をやったほうがよいという意見を出しているが，5年生も6年生を助けて週番活動を行なっていくほうが，それらの問題を自分たちの力で解決し，自主的な活動を進めていくには良策である。

以上，活動の概要を述べてきたが，この位置づけについては今後の問題として研究していきたい。

5. 父母の関心について

部やクラブに対する児童の関心は，総体的に強いものがあり，特にクラブに対する児童の見方は「自分の好きなことができる」ということから，かなり魅力をもっているようである。父母の特別教育活動に対する関心については，必ずしもじゅうぶんな状態とは言い得ないが，傾向としては，かなり理解を深めてきているようである。しかしなかにはまだ部の常時活動に費やす時間に不審をいだく父母もないではない。また，学校でのクラブ活動が教科の補習的な活動であるという考え方も残されていて，クラブを選ぶ際にも，教科の不備を補わせようとする父母の意図が，児童の自発的な選択意欲に制約を与えているようである。

これは，学校から父母へはたらきかける機会がじゅうぶんもたれなかったためだともいえるし，反面児童の意識のもりあがりが全面的にはじゅうぶんとはいえないところに起因しているともいえる。

いずれにしても特別教育活動を推進していく上には父母の関心の度合がかなり大きな役割を果たしていることを考えて，絶えず正しい指導がなされていくべきではなかろうか。

以上ふじゅうぶんであるが，現に当面している問題のいくつかに触れてみた。

特別教育活動で問題となる点については，まだ数多くのものが残されている。これらの問題点は一歩一歩積みあげていくことによって解決されていかなくてはならない。それには児童の有する特別教育活動に対する切実な要望にこたえるべく，活動の過程において真剣な態度でこれにあたり，改善を図っていかなくてはならない。新年度はこの反省の上にたって，新たな構想と熱意をもって，じみなうちにも着実な歩みを続けていきたいと考えている。

MEJ 2814

初等教育研究資料　第23集
小　学　校
特別教育活動の効果的な運営
—— 実験学校の研究報告 ——

定価 117 円

昭和35年 5 月10日　印刷
昭和35年 5 月15日　発行

著作権所有者　文　部　省

東京都千代田区神田小川町1の1
発　行　者　光風出版株式会社
代表者　竹　田　光　二

名古屋市昭和区白金町 2の8
印　刷　者　竹田印刷株式会社

発　行　所　東京都千代田区神田小川町1の1
光風出版株式会社
電話　丸の内（231）２８８０番
振替口座　東京　１６２５９９番

光風出版刊

¥117

初等教育研究資料　第24集

小学校ローマ字指導資料

1960

文部省

初等教育研究資料　第24集

小学校ローマ字指導資料

1960

文部省

まえがき

本書は，小学校でローマ字の学習指導を行なうための参考として編集したものである。本書は第1部と第2部から成る。第1部には，ローマ字の学習指導に関する実験研究の報告を収録してある。この実験研究は，小学校学習指導要領第2章第1節国語の第4学年に示すところにしたがって，ローマ字の学習指導を進めるには，どのような方法が効果的かについて，明らかにしようとしたものである。実験計画に関しては，文部省で、その基本方針を立案し，お茶の水女子大学教育学部付属小学校に依嘱し，昭和33年11月から昭和34年3月までの期間に行なった。実験研究を担当し，その報告の執筆にあたったのは，同校の大橋富貴子教諭である。第2部には，ローマ字文の書き方（昭和22年2月）についての解説を収録してある。解説の執筆は，文部省調査局国語課の天沼　寧事務官に依頼した。なお、実験研究の基本方針の立案にあたっては，教育評論家　石黒　修氏の協力を得た。前記の諸氏に対して，心から感謝の意を表したいと思う。

昭和35年6月

文部省初等中等教育局初等教育課長
上野芳太郎

目　次

第1部　ローマ字学習指導実験研究報告

目　　次

第2部　「ローマ字文の書き方」解説

第　1　部

ローマ字学習指導実験研究報告

Ⅰ　実験研究の概略

1　実験研究の課題

（1） 改訂学習指導要領に示すところに従って，第4学年のローマ字指導を行なうには，どういう方法が効果的か。

（2） 改訂学習指導要領第4学年に示す20時間程度の時間で，どの程度の内容を指導することができるか。

ローマ字は，昭和36年度以降においては，第4学年以上の各学年で必修させることになった。その程度と内容に関しては，改訂学習指導要領の第4学年の内容Bの（8）には，

ア　ローマ字で書いた語や簡単な文などを読むこと。

イ　ローマ字で語や簡単な文を書くこと。

第5学年の内容Bの（6）には，

ア　第4学年で学習したことのうえにたって，簡単なローマ字の文章を読むこと。

イ　わかち書きに注意して，ローマ字の文を書くこと。

ウ　ローマ字に使われるおもな符号について理解すること。

第6学年の内容Bの（7）には，

ア　第5学年で学習したことのうえにたって，簡単なローマ字の文章を読むこと。

イ　正しくわかち書きをして，簡単なローマ字の文を書くこと。

などが示されている。また，ローマ字の指導にあてる時間は，年間に，第4学年は，20時間程度，第5学年は10時間程度，第6学年は10時間程度

とされている。

ところで，学習指導要領の26年度試案の一般編には，ローマ字に関して，「ローマ字は，国語教育の一環として，小学校は第4学年あるいは第3学年から，中学校はその在学を通じて課することができるようになっている。」と示してあって，必要と認めた場合に，各学校で選択することができるようになっていた。また，選択する以上は，第4学年から指導し始める場合には，4・5・6の各学年で40時間ずつ学習させて，総計120時間を，第3学年から指導し始める場合には，3・4・5・6の各学年で40時間ずつ学習させて，総計160時間を学習させることになっていた。

今回の改訂では，指導の総時間において3分の1以下の時間に押えられ，しかもそれが，20時間，10時間，10時間と細分されて示されている。こうした時間配分のもとで，どのような指導のしかたをするのがもっとも効果的かを研究するのが，当面の課題である。

ローマ字の指導のしかたに関しては，改訂ローマ字教育の指針（昭和25年3月）に，「指導法には次のようなものがある。」として，五つの方法を紹介し，その得失を論じている。すなわち，

ア　a，b，c などの文字の形とその呼び名から教え始める方法。

この方法では，1字1字の形と呼び名とがわかっても，単語の中にあるときの音は別に教えなければならない。この方法によると，たとえば，ジー（g），ユー（u），アイ（i），エー（a）というような文字の呼び名とそれらの文字の単語の中における発音とが混同されるために，書き方のとき，

「自転車」を { gitensya（訓）／ gitensha（標）／ Gitensya（日） } と書き，

「牛乳」を {gûnû（訓・標） / Gûnû（日）} と書き，「書いて」を「kita」と書くような誤りを生ずるおそれがある。

イ　1字1字とその表わす音とを結びつける方法。

たとえば，t をト，a をア，b をブ，e をエなどと教えるのであるが，児童・生徒に1字1字の表わす音を教え，記憶させることは，興味のない仕事であり，たとえ，1字1字の発音を覚えたとしても，それらを結びつけて一つ一つの音節の正しい発音を覚えるのは困難であり，したがって「tabeta」を「トアブエトア」と読むような誤りを起こしやすい。

ウ　a, i, u, e, o；ka, ki, ku, ke, ko；…… というような五十音図によって教える方法。

この方法で教えると，ローマ字がかなと結びつくから，ローマ字で書くとき，

「学校」を {gatukou（訓） / gatsukou（標） / Gatukou（日）}

「急行列車」を {kiyuukouretusiya（訓） / kiyuukouretsushiya（標） / kiyuukouretusiya（日）}

と書き誤るおそれがある。また，この方法ばかりによると，読むときにも，たとえば，「サ・ク・ラ・ガ・サ・イ・タ」のように音節ごとにくぎって読む癖がつく。これではローマ字文をすらすらと速く読む習慣がつきにくい。

エ　1語1語の単語の読み方から教える方法。

これは初期の指導としては，一つの指導法であるが，単語が読めたからといって，文が読めるとはかぎらない。一定の順に並んだ単語を文法的に処理して，その意味をつかむ力はまた別のものであるから，単語を読む練習に力を入れすぎると文の理解力がそこなわれる。

オ　まず，文章からはいり，適当な時期に音節に分解する方法。

ある一つの単語がいろいろの場面や位置に用いられているいくつかの文章を与え，それらの文章をくり返し読ませて，その特定の単語をはっきりと認識させた後，その単語を取り出し，その単語についての読み書き，および用い方などをじゅうぶんに練習させる。

このような単語の数をだんだんふやしていくと，字数の少ないローマ字では語形の似たいくつかの単語に出合う。そこで形の似ている単語をはっきりと区別して意識させることが必要になる。

このようにして，単語の語形の相違と，語音の相違との関係を明らかにするために，単語をさらに，音節に分解し，一つ一つの音節について，その発音を教えるのである。

分解を始める時期は，これらのじゅうぶんに練習をした単語の数が 60 語前後になったころが適当であろう。しかしながら，必ずしも，この時期から始めなければならないというわけではなく，それ以前でも，教師が適当と認める機会があったら，音節の分解を行なってもさしつかえない。たとえば，inu, koinu；neko, koneko という単語が出てきた場合には，互いに無関係な単語として教えないで，それらを比較して，「ko」という音節を抽出して示すのである。この音節の分解指導が終わると，児童・生徒の習わないことばでも，自分で自由に読むことができるようになる。

以上に示す五つの方法のうち，最後の（オ）の方法は，従来最も広く行なわれていた方法であり，学習指導要領の 26 年度試案もこの方法によることを前提にして，計画の立て方などが示されていた。しかし，改訂学習指導要領においては，指導の内容や程度および時間の配分のしかたも，これまでとは非常に違ってきているので，この際，どういう方法で指導するのが，いちばん効果的かについて，再検討することが必要になった。そのために，昭和 33 年 10 月以後，文部省内においてもこの問題について，具体的に研究することになった。

その場合に，まず，第 4 学年で一応ローマ字に関する初歩的な能力を身につけるために，どのような指導のしかたをするのが効果的かという点に問題をしぼって研究することにした。研究の結果，改訂ローマ字教育の指針に示す五つの指導方法のうちウとオの方法を取りあげ，同程度の内容のものを，ウの方法を取るコースと，オの方法を取るコースに分けて，実験的に指導し，その成果を観察記録し，この二つの方法の得失について，総合的な判定をくだすことになった。なお，20 時間程度の時間で，どの程度の内容が指導できるものか，その限界を明らかにすることも，この実験研究の目的の一つであった。

2　実験計画の概要

実験計画は文部省でその原案を作成し，実験学級の実態を考慮して，これに修正を加えた。実験指導の進行状況に応じて，計画の細部に関しては，絶えず修正を加えていった。そのだいたいについてしるすと次のとおりである。

第 1 回　（昭和 33 年 10 月 24 日）

・　実験計画に関する基本方針の決定。

実験指導の期間を 4 期に分け，その各期において，次のような指導を行なう案が提出された。

第 1 期（第 1 回～第 5 回）

ローマ字に親しみをもたせる時期。（細案略）

第 2 期（第 6 回～第 20 回）

ローマ字文に慣れ，音節を取り出し始める時期。（細案略）

第 3 期（第 21 回～第 35 回）

書くことの指導にはいる時期。（細案略）

第 4 期（第 36 回～第 55 回）

入門学年の指導を完成する時期。（細案略）

以上の原案を検討した結果，原案どおり 4 期にわたる指導を行なうことに決定した。ただし，時間配分に関しては，原案では第 1 回～第 20 回，各 15 分，第 21 回～第 35 回，各 20 分，第 36 回～第 55 回，各 15 分，となっていたのを，実験校の昭和 33 年度における 1 校時が 40 分であった関係から，指導のつごうを考えて，次のように変更することにした。すなわち，第 1 期から第 3 期までの期間は，1 回の指導時間を 20 分（1 校時 40 分の $\frac{1}{2}$）あてとする。第 4 期においては，1 回の指導時間を 40 分（1 校時）あてとする。第 1 期から第 4 期までの総指導時間数は，すべてで 800 分，指導回数は 34 回とし各期の指導回数にも変更を加えた。

実験対照学級としては，第 3 学年の 2 学級を選ぶ。第 4 学年ではすでに 4 月からローマ字教科書を採用して，ローマ字学習をしているので，第 3 学年を選ぶことにしたのである。

第 2 回　（昭和 33 年 10 月 25 日）

・　第1期の指導計画原案の検討。

第1期は，前回の計画どおり5回に分けて行なう。原案について検討した結果，第5回までの提出語数14語，音節の種類の総数は19音節とする。

第3回　(昭和33年11月6日)

・　実験研究の見通しについて検討。

11月1日(土)から始めて，翌年3月の第2週で終わる。

1週に2回，実施する。第1回から第28回までは，1回につき20分。第29回から第34回までは1回につき40分。

第1期(ローマ字に親しみをもたせる時期)

第1回から第8回まで。(11月末ごろまで)

この期には，カードによって指導する。

第2期(ローマ字文に慣れ，音節を取り出し始める時期)

第9回から第16回まで。(第2学期末まで)

第16回には年賀状を予定し，書かせる。

第2期からは，カードを利用するほかに，教科書に相当する教材を謄写印刷して与える。

第3期(書くことの指導にはいる時期)

第17回から第28回まで。(2月末ごろまで)

第4期(入門学年の指導を完成する時期)

第29回から第34回まで。(学年末まで)

この期は1週に2回指導することは今までと同じであるが，各回を40分とする。

・　AB両コースを設定して実験することに決定。

前記の計画をA案とし，一方において，音節の指導からはいるB案の

実験研究をする。

AB両案の指導は，同時に平行して行なう。

B案の実験計画の要項は次のとおりである。

・　かなの五十音と対照しながら，どんな教師にでもやれる方法を考える。

・　1回1行と機械的に割り当ててもよい。

・　状況により，1回に2行以上してもよい。

・　取り扱いは，音節を指導するとともに，kaki, koke, kuki, kaku, kiku のように，既習の語をローマ字で表現して，読ませたり，書かせたりする。

・　最初は小文字で始める。

・　ローマ字の1字の呼び名を初めから教えることはしない。

・　書くことも適宜取り入れてやっていく。

・　A案では，12回からプリント教材にはいるので，そのころまでに五十音の指導ができた場合には，それ以後は同じプリント教材で指導をする。

・　最初から細かい計画でしばることは避け，無理のないやり方で臨機応変に行なう。

第4回　(昭和33年12月12日)

・　12回までのA，B両コースの学習進行状況につき説明。

・　第1次中間テストの問題作成。

中間テストの内容は次のとおりとする。

(1)　10語の読みのテストをする。

(2)　参考にする意味で，11問目に，5語を組み合わせた語句を読ませてみる。

（3）　10語の選択については，

- 5語は，Aクラスの既習のもの，
- 残りの5語は，Aクラスにとって新語にあたるもの，

を選び，順序はとりまぜて与える。

この中間テストのねらいは，次のとおりである。

ア　A，B両クラスでローマ字の語を読む正答率がどう違うか。

イ　A，B両クラスでローマ字の語を読む速さがどのように異なるか。

ウ　Aクラスでは，ひとめ読みをした既習語と，既習語を音節に分解して学習したことによって読めなければならない未習語の読みとの間に，どのような読みの差があるか。

第5回　（昭和34年1月9日）

- 第1次中間テストの結果報告。

6時間ぐらいの指導の途中においては，Aクラスに未提出の新語をまぜて読ませると，Bクラスの方が，やや良い結果を示すことがわかる。

- 次回テストの時期の決定。

Aクラスが既習語の音節分解を終えて，Bクラスがひととおりローマ字文を学習したとき，すなわち，この実験計画では，520分（13校時）の指導を終えたところで行なうことに決める。2月20日ごろになる。

- 今後の指導方針について。

Bクラスでは，通算400分（10校時）までに音節指導（長音，よう音，つまる音を含む。）を終えて，そのあとの120分（3校時）で，Aク

ラスと同じ読解教材を扱うようにする。Bクラスでは，Aクラスが学習したすべての読解教材を扱う必要はない。

520分指導したうえで，その後の280分では，AクラスもBクラスも同一の読解教材を学習するものとする。ただし，指導法は必ずしも全く同じでなくてよい。

第6回　（昭和34年2月13日）

- 2月11日までのA，B両コースの指導の概略について説明。

第3学期は，学校行事等のために，予定のとおり1週間に2回ずつの指導を進めることができない。そのため，年間800分（20校時）の学習指導を完了するためには，最初の計画よりも，40分を充てて学習させる回数をふやすことが必要になった。

したがって，次のように計画を変更することに決定。

1回から20回までは毎回20分ずつ学習させる。通算400分（10校時）。

21回から30回までは毎回40分ずつ学習させる。通算400分（10校時）。

合わせて800分（20校時）である。

- 第2次中間テストの問題検討。

テストの内容は次のとおりとする。

（1）　問題は3種類とする。

（2）　ローマ字で書かれた語や文を正しく読む問題。

（3）　ローマ字で書かれた文章を見て，正しく書写する問題。

（4）　漢字まじり文を正しくローマ字の文に書き改める問題。

テストのねらいは，次のとおりとする。

ア　A，B 両クラスで次のことがどう違うか。

（ア）　ローマ字の語や文を読む正しさ。

（イ）　ローマ字を書く美しさ。

（ウ）　ローマ字の音節のつづりの正しさ。

（エ）　ローマ字のわかち書きの正しさ。

（オ）　符号の使い方の正しさ。

（カ）　文の初めを大文字で書くことの理解の確かさ。

イ　第1次テストにおける A，B 両クラスの差と，第2次テストにおける A，B 両クラスの差とは，どんな関係にあるか。

第7回　（昭和34年3月4日）

- 3月4日までの指導経過の説明。

- 終末テスト問題の検討。

テストの内容は次のようなものとする。

（1）　選択法により，文を完成する問題。

（2）　組み合わせ法により，いくつかの文を作る問題。

（3）　漢字まじり文をローマ字文に書き改める問題。

このテストのねらいは，次のようなところにある。

ア　よく似た語形の中から，問題が求める語形をさがし出せるか。（読みの力）

イ　多くのローマ字の語句を読み，関係のあるものどうしを組み合わせて，文を構成することができるか。（読みの力）

ウ　ローマ字で簡単な文が書けるか。（書く力）

実験計画は，以上のような経過をたどって，絶えず修正されたうえで実

施された。それが実際にはどのように指導されたかについては，II 学習指導の記録と所見に詳しく述べてある。また，その結果については，III 実験研究の結果に述べてある。この実験研究は，ローマ字の効果的な指導方法を明らかにするためのもので，A コースと B コースに分けて実施したが，その結果としては，A と B のどちらのコースのほうが効果的かということは，はっきりと出てこなかった。たゞ，A，B 両コースとも個々の指導においては，その得失が相当はっきり出ているところがあるから，その点については II および III の記述を詳しく読んでいたゞきたい。なお，この実験研究においては，20時間程度の時間で，どの程度の内容を指導することができるかについても，研究しようとした。そのために，できるだけ多くの内容を学習させることに努めた。したがって，結果的にみて，教材が多すぎたということがいえる。A，B 両コースとも，もっと学習内容を少なくして，指導の徹底を期したほうがよかったことが，反省として出ている。

（初等教育課　木　藤　才　蔵）

3　実験学級と指導者

（1）　実験学級　A と B の 2 学級とする。

A，B 両クラスの素質の比較は次のとおり。

A（語形法クラス）	B（五十音図法クラス）
3年2組 男　19名 女　27名 計　46名	3年1組 男　18名 女　28名 計　46名
IQ　田中B式（33. 2. 5.）	同

人数 / IQ	A 男（名）	A 女（名）	A 計（名）	B 男（名）	B 女（名）	B 計（名）
88	1		1			
89						
90						
91						
92						
93					1	1
94						
95						
96		1	1			
97				1	3	4
98	1		1	2		2
99		2	2		1	1
100		2	2	1		1
101		3	3			
102				1	2	3
103	3	1	4	1	1	2
104					2	2
105		1	1			
106	3	2	5	1	1	2
107	1	2	3			
108	1	1	2	2	1	3
109		1	1		1	1
110		1	1	1	1	2
111	1	1	2		3	3
112	1	1	2			
113	1	1	2	1	3	4
114	1		1		1	1
115	1	2	3	1		1
116				1	1	2
117	1	1	2	1		1

人数 / IQ	A 男（名）	A 女（名）	A 計（名）	B 男（名）	B 女（名）	B 計（名）
118					1	1
119					1	1
120	1	1	2		1	1
121	1		1			
122						
123		1	1	1	1	2
124						
125				1		1
126		1	1			
127					1	1
128						
129						
130						
131						
132						
133						
134						
135				1		1
136		1	1	1		1
?	1	0	1	0	1	1
計	19 名	27 名	46 名	18 名	28 名	46 名
知能偏差値						
42	1		1			
43						
44						
45					2	2
46						
47		1	1		1	1
48		1	1	3	2	5

	A			B		
IQ ＼ 人数	男（名）	女（名）	計（名）	男（名）	女（名）	計（名）
49	1		1			
50		3	3	1		1
51		3	3		1	1
52	3	1	4	2	3	5
53					1	1
54	2	3	5	1	1	2
55	1	2	3			
56	1	1	2	2	2	4
57		2	2	1	1	2
58	2	2	4	1	3	4
59	1	2	3		3	3
60	3	1	4		1	1
61				2	1	3
62	1	1	2	1	1	2
63	1	1	2		1	1
64	1		1			
65		1	1	1	1	2
66				1		1
67					1	1
68		1	1			
69						
70					1	1
71		1	1	1		1
72				1		1
?	1	0	1	0	1	1
計	19 名	27 名	46 名	18 名	28 名	46 名
	学級のふんい気は活発で明かるい。学習態度は積極的である。テストを受けなかった者，女子 1 名。			学級のふんい気は落ち着いて静かである。学習態度は積極的である。テストを受けなかった者，男子 1 名。		

（2） 指導者

両クラスとも同一の教師，大橋が指導する。大橋はこの学年の指導は，昨年度においては両クラスとも 1 週に 80 分（2 校時）ずつ国語を指導した。本年度はやはり両クラスに 1 週にそれぞれ 120 分（3 校時）ずつ，言語教材と放送教材の指導を行なっている。ローマ字指導実験研究は，その 120 分（3 校時）ずつの指導の時間の一部をさいて行なう。

実験学級においては，大橋が指導する以外の国語の時間は，学級担任が指導している。

4　実験の経過

（1） 基礎調査

ローマ字の学習指導を開始するに先だち，まず，児童のローマ字に対する既得の知識や理解が，どの程度のものであるかを調べた。

調査期日　昭和 33 年 11 月 1 日（土）

時間　　20 分

学級　　両クラスに対して行なう。

結果　　両クラスを通じて，日常生活において，比較的児童の目にふれやすいと思われるローマ字で書かれたことばを，だいたい読み得たものは，わずか 1 名しかなかった。

ローマ字という名称も知らない者が多く，英語と答えた者がかなりいた。

この結果によって，児童は全然ローマ字を知らない，という実態に立って，指導を開始することになったのである。

（2） 家庭との連絡

基礎調査を全く突然に行なったあとで，ローマ字学習指導について，家庭で特に実験結果に影響を及ぼすような予習復習を児童にさせることのないように，じゅうぶんな配慮をした。

（３）　指導の時間

指導の時間は，A，B 両コースとも下の表のとおりである。

テストのための時間は，指導時間の中に含めないで算定してある。

回数	学習指導	時間	テスト	時間
○			予備テスト	20 分
1	準備（導入）	20 分		
2	展開	〃		
⋮	〃	〃		
12	〃	〃		
○	ここまでで	240 分	第１次テスト	20 分
13	展開	20 分		
⋮	〃	〃		
20	〃	〃		
21	〃	40 分		
22	〃	〃		
23	〃	〃		
○	ここまでで	520 分	第２次テスト	20 分
24	展開	20 分		
25	〃	40 分		
⋮	〃	〃		
30	〃	〃		
31	〃	20 分		
○	ここまでで	800 分	終末テスト	20 分
32	発展	20 分	20 分でできなかった者は左の時間をあてる。	
計	32 回	800 分＋α	80 分＋α	

α は終末テストの所要時間の個人差によって生じる。α は全部で 20 分である。

この実験のために要した授業時数は，テストのための時間を合わせて，ほゞ 900 分である。

A，B クラスは，同じ日に時間を違えて，同じ指導者が指導した。時間表では，水曜日は A クラスが先で，B クラスがあと，土曜日は B クラスが先で，A クラスがあとである。だいたい，水曜と土曜に指導したが，その時間がうまくとれなかった週には，月曜をとった。月曜は，A クラスが先の時間割りである。

1 校時（40 分）の $\frac{1}{2}$ をローマ字にあてたので，残りの $\frac{1}{2}$ は，国語科のローマ字以外の学習にあてた。ローマ字学習と，そのほかの学習との順番のあとさきは，第１期には，ローマ字を先にし，第２期には，ほかの学習をさせてからローマ字学習を行なってみた。第３期以後は，べつだん決めずに，あとさきいろいろにやってみた。

残りの $\frac{1}{2}$ 時間で学習させたおもなものは，次のとおりである。

ア　「ラジオ国語教室」３年生の時間を聞く。（土曜日）

イ　ラジオの「みんなのとしょしつ」を聞く。（土曜日，再生放送月曜日）

ウ　かたかなの復習をする。（特に B クラスの場合，その日に学習させるローマ字の音節と関連させて）

エ　漢字の練習をする。

オ　話し方の練習をする。

カ　簡単なテスト。

（４）　A クラスにおける音節提出の状況

第１期，すなわち学習を始めて約１か月間，第１回から第８回までは，カードのみによって学習する。この時期は，ローマ字に親しませることが第一のねらいである。

この時期には，次の音節分解期に備えて，その下準備も考えておかなければならない。そこで，次の図のように，

ア行　ア　イ　ウ　エ

カ行　カ　キ　ク　ケ

サ行　サ　シ　ス

タ行　タ　チ　ツ　ト

ナ行　ナ　ニ　ネ　ノ

と，五十音図の初めのほうの音節が，多くこの時期に提出されるように計画する。

第２期は，冬休みまで，すなわち，ローマ字学習を始めて，約２か月を経過するころまでである。

この時期には，ローマ字文になれさせる。そして，音節を取り出す指導を始める。

この時期の音節の取り出しは，ア行，カ行，サ行，タ行までであるが，次の時期の指導に備えて，ハ行，マ行，ヤ行，ラ行，ワ，ン，などの音節を提出しておかなければならない。

第３期には，できるだけ，残った音節を提出していくことになる。そして一方，ラ行，ワ，ン，ガ行，ザ行，ダ行，バ行，パ行，および，つまる音，よう音，のばす音の音節分解指導を行なう。

第４期には，児童が自分でローマ字文を読むことができるようにする。

第１期，第２期，第３期における，音節提出の状況を図にすると，次のとおりである。

a	i	u	e	o				
ka	ki	ku	ke	ko		kya	kyu	kyo
sa	si	su	se	so		sya	syu	syo
ta	ti	tu	te	to		tya	tyu	tyo
na	ni	nu	ne	no		nya	nyu	nyo
ha	hi	hu	he	ho		hya	hyu	hyo
ma	mi	mu	me	mo		mya	myu	myo
ya		yu		yo				
ra	ri	ru	re	ro		rya	ryu	ryo
wa								
ga	gi	gu	ge	go		gya	gyu	gyo
za	zi	zu	ze	zo		zya	zyu	zyo
da			de	do				
ba	bi	bu	be	bo		bya	byu	byo
pa	pi	pu	pe	po		pya	pyu	pyo
(67)　グループ a						(33)　グループ b		

（100音節）グループ（a＋b）

n　n'

pp　tt　kk　ss　hh　gg　zz　dd

ii

â　û　ê　ô

(15)　グループ c

（全音節数115）

第1回～第8回で提出された音節……計 26（語数 25）… ○ 印のもの
第9回～第16回で提出された音節 …計 17（語数 17）…□ 印のもの
第17回～第23回で提出された音節…計 33（語数 36）…～～ 印のもの
残った音節，すなわち，第3期の指導を終わるまでには，読みの形では
　提出されなかった音節………………計 39……………… 無記号のもの

以上で明らかなように，全体の 115 の音節の $\frac{2}{3}$ は，語の形で提出され，残った $\frac{1}{3}$ は，音節分解によって指導される。

音節分解は，次のような順序で行なった。

第9回　ア行
第10回　タ行
第11回　カ行，サ行
第14回　ヤ行，マ行
第17回　ナ行，ハ行
第18回　ラ行，ワ，ン
第20回　よう音
　　　　つまる音
第21回　よう音
　　　　つまる音
第22回　よう音
　　　　よう長音
　　　　つまる音
第23回　ガ行，ザ行，ダ行，バ行，パ行
　　　　â　ii　û　ê　ô

の順序で進んできた。

（5） 指導の概要

回数	月日	A クラス	B クラス
1（40分）	11月1日（土）	基礎調査 20 分 ローマ字の話 20 分 （準備）	同 同 （同）
2（20分）	11月5日（水）	kiku ① no ② hana ③	kiku no hana
ここから A，B の方法を変えた。			
3（20分）	11月8日（土）	ha ④ saku ⑤ tiru ⑥ ga ⑦	a i u e o（ア行） ai au ao ie ue uo ア行の書写
4（20分）	11月10日（月）	akai ⑧ kiiroi ⑨ siroi ⑩ to ⑪	ka ki ku ke ko（カ行） kaki kaku kiku kike カ行の書写
5（20分）	11月12日（水）	hagi ⑫ susuki ⑬ da ⑭	e o kaku sa si su se so（サ行） sasa asa kasa サ行の書写
6（20分）	11月15日（土）	mo ⑮ aki ⑯ ni ⑰ naru	okasi o kau ta ti tu te to（タ行） sita tetu toti タ行の書写

回数	月日	A クラス	B クラス
7 (20分)	11月19日(水)	kuki ⑲ ue ⑳ sita ㉑ ne ㉒ aru ㉓ tuti ㉔ naka ㉕	板書読解と書写 ア カ サ タ の各行の復習 名まえの語 様子の語 動作の語 ことばつなぎ (を，へ，を使って)
8 (20分)	11月22日(土)	復　習 カードの分類 akai aki aru のように，同じ音節をまとめる。	na ni nu ne no (ナ行) ノート学習 ア カ サ タ ナの各行を含むことばを書く。
9 (20分)	11月24日(月)	音節分解開始 ア行音節の取り出し。 a i u e o ア行の新語の読み。 ao ie	ha hi hu he ho (ハ行) ノート学習 ア カ サ タ ナ ハ の各行を含むことばを書く。
10 (20分)	12月3日(水)	タ行音節の取り出し。 ta ti tu te to タ行の新語の読み。 tetu toti uta tue	ma mi mu me mo (マ行) ノート学習 {マ行をも含む語 {一音節の語 e ki to など。
11 (20分)	12月6日(土)	カ行音節の取り出し。 ka ki ku ke ko サ行音節の取り出し。 sa si su se so カ行サ行の新語の読み。 kasa kesiki	ya i yu e yo (ヤ行) ノート学習 {ヤ行をも含む語 {二音節の語 ie ii ao yoi iku usu yume yane yoko

回数	月日	A クラス	B クラス
12 (20分)	12月10日(水)	①～㉕のカード復習 ア行～タ行についての音節の復習 読解教材 (1) にはいる。 <u>kiku no hana I</u> Kiku ga saku. Hana ga saku. Kiku no hana ga saku. 新語 Kiku ㉖ Hana ㉗ **大文字　K, H** 文の初めは大文字にすること。 文の終わりに〔.〕とめをつけること。 ノート指導 Kiku no hana ga saku.	ra ri ru re ro (ラ行) wa i u e o (ワ行) n (はねる音) ノート学習 ラ行　ワ，ンを含んだ語 長い音節の語の読み書き sakana namakemono ことばをつないで文のようにしてみる。 e o kaku watasi wa hon o yomu 語ごとに離して書くことに注意する。 sio と si o
第1次テスト (20分)	12月13日(土)	ローマ字で書いてある 10 の語と，一つの語句 (5 語から成る) の読みのテスト。 順々にカードを見せて，それを紙にひらがなで書かせる。読みの速さと確かさを見る。Bクラスがわずかにまさる。(テストの詳細は後述。)	
13 テストのあと (20分)	12月13日(土)	読解教材 (2) <u>kiku no hana II</u> kiku no hana to ha kiku to susuki susuki to kiku Ame ga huru. ame ga huru.	ga gi gu ge go (ガ行) ガと読むとき，gaikoku 鼻濁音でガと読む場合， kokugai 書写指導とノート作業 ○ga 行を含むことば geta kago

回数	月日	Aクラス	Bクラス
13 テストのあと (20分)	12月13日(土)	Kiku ga tiru. Hana ga tiru. Ha ga tiru. Kiku no hana ya ha ga tiru. 新語 Ame ㉘ ame ㉙ huru ㉚ ya ㉛ 大文字　A 文の中の切れ目には〔くぎりの印をつけること。 ノートに写す指導 Ame ga huru, ame ga huru.	geta kago kangaeru ○助詞の ga を使った三語の文 e ga aru to ga aku ki ga au za zi zu ze zo (ザ行) ノート指導 z と s の類似に注意 za 行を含むことばの読み書き。
14 (20分)	12月15日(月)	読解教材 (3) Samui huyu samui huyu huyu no yoru samui huyu no yoru Huyu wa samui. Huyu no yoru wa samui. Samui huyu da. Samui yoru da. 新語 wa ㉜ samui ㉝ huyu ㉞ yoru ㉟ Huyu ㊱ Samui ㊲ 大文字　S	da zi zu de do (ダ行) 語尾の da は，離して書く一つのことばであることを知らせる。 hon da kami da zi da e da ba bi bu be bo (バ行) pa pi pu pe po (パ行) ノート指導 d, b, p の字形の区別 dasu basu pasu tada と taba bonbon dondon

回数	月日	Aクラス	Bクラス
14 (20分)	12月15日(月)	ヤ行の取り出し。 マ行の取り出し。 ヤ行，マ行の読み方。 yama mayu ノート指導 Huyu wa samui. Samui yoru da.	ponpon
15 (20分)	12月17日(水)	読解教材 (4)   	今までの復習 教室の中にあるものをローマ字で書いてみる。 友だちどうしでノートを交換して読み合う。 ひらがな，かたかなの五十音図とローマ字の五十音図を比べてみる。 濁音，半濁音の 25 音節と，濁点，半濁点のはたらきとを比べてみる。 ローマ字を形よく書く練習をする。 (1) 背の低い字 a u e o s n m r w z の 10 字 (2) 背の高い字 i t k h d b の 6 字 (3) 下に長い字 g p y の 3 字

回数	月日	Ａ　ク　ラ　ス	Ｂ　ク　ラ　ス
15 (20分)	12月17日(水)	Nengazyô 新語 omedetô ㊳ Omedetô ㊴ Akemasite ㊵ gozaimasu ㊶ Nengazyô ㊷ **大文字　O,　N** 記号　やまがた〔^〕 姓名の書き方	
	12月25日から1月7日まで、冬休み	年賀状については，出しなさいとも，出すなとも言わなかった。何も言わずに自然にまかせたのである。その結果，指導者の O のところにきた年賀状の状況は次のとおりである。 ローマ字年賀状の数の比較 ローマ字の年賀状 男 9　女 14　計 23 漢字ひらがな年賀状 男 6　女 11　計 17 年賀状をよこさなかった者 男 4　女 2　計 6	同左 男 6　女 9　計 15 同左 男 9　女 12　計 21 同左 男 3　女 7　計 10
16 (20分)	1月14日(水)	①〜④のカード復習 年賀状の復習 ノート指導 Akemasite　omedetô gozaimasu.	読解教材（4）の取り扱い 大文字　O　A 文の初めは大文字で書く。 文の終わりにはとめ〔.〕をつける。 のばす音にはやまがた〔^〕をつける。ただし，〔i〕は〔ii〕と書き表わす。 ノート指導 新年のことば

回数	月日	Ａ　ク　ラ　ス	Ｂ　ク　ラ　ス
17 (20分)	1月19日(月)	読解教材（5） Karuta　de　asobo. Karuta　o　maku, boku　ga　maku. Karuta　o　yomu, watasi　ga　yomu. Karuta　o　toru, minna　ga　toru. Heya　wa　atatakai. Karuta　de　asobu　no　wa tanosii. Minna　ga　wa　ni　natte karuta　o　toru. 新語カード ㊸ Karuta（K と k は既習） ㊹ de ㊺ asobu ㊻ o ㊼ maku ㊽ yomu ㊾ toru ㊿ minna 51 Heya 52 wa（輪） （助詞の wa と同じ形） 53 atatakai 54 tanosii 55 Minna 56 natte 57 boku 58 watasi	kya　kyu　kyo sya　syu　syo {kiyaku　規約 {kyaku　客 {isiya　石屋 {isya　医者 {kiyoku　清く {kyoku　曲 〔i〕がはいった場合は2音節（ふたうち。手を二つ打って聞かせる。）になる別の発音であることをよくわからせる。 ことばを考えさす。 kyankyan kyabetu kyarameru kyonen kyozin senkyo syasin densya syakai sensyu syuyaku syurui syokuzi yakusyo saisyo kyu はあまり使われることがなく，kyû として使われる

回数	月日	Aクラス	Bクラス
17 (20分)	1月19日 (月)	大文字　**M** ナ行の音節の取り出し。 ハ行の音節の取り出し。 ノート指導 Karuta de asobu.	ことが多い。 kyûri kyûkyûsya sikyû yakyû
18 (20分)	1月24日 (土)	読解教材(5)の第2回目の取り扱い。 natte のつまる音の書き表わし方。 ラ行の音節の取り出し。 ワ，ン，の書き方。 以上についての書写。	tya　tyu　tyo nya　nyu　nyo hya　hyu　hyo mya　myu　myo rya　ryu　ryo 数は多いが，前回に準じて指導する。
19 (20分)	1月28日 (水)	読解教材 (6) Huyu no asa Huyu no asa, hayaku okite, omote o haite iruto, gyûnyûya-san ya, sinbun'ya-san ga tôru. Minna genkini hataraite iru. Tonari no Poti ga kakine kara nozoite iru. 新語カード ㊾ gyûnyûya-san ㊿ sinbun'ya-san 61 Poti ノート指導 ……屋 ……屋さん みんな元気で。 大 文 字　**T, R**	gya　gyu　gyo zya　zyu　zyo bya　byu　byo pya　pyu　pyo 濁音，半濁音のよう音を一括して指導する。 語の読み書き練習 gyaku kingyo zyagaimo zyanken zyunzyo nanbyaku byunbyun 6-pyaku pyokon など。 gyu, byo, pyu などは，よう長音として多く使われる。 gyû,　byô,　pyû

回数	月日	Aクラス	Bクラス
20 (20分)	2月2日 (月)	読解教材 (7) Huyu no si Pyûpyû euku kaze, samui kaze. Kita kara huku kaze. kogarasi da. Boku wa genki de gakkô e. 新語カード 62 Pyûpyû 63 gakkô よう長音の指導 つまる音 kk の指導 大 文 字　**B** ノート指導 文の改行 2行目の書き方 詩の場合の行の書き分け方	つまる音 kk　gakko pp　sappari tt　kitte ss　zassi hh　yahhô gg　baggu zz　bazzi dd　beddo ローマ字では，つまる音は，次にくる子音字を重ねて表わし，かな文字のように，「っ」を用いることはしないことをよくわからせる。 {tetuki　手つき {tekki　鉄器
21 (40分) 2回分を続けて指導した。	2月7日 (土)	読解教材 (8) Tako Dare ka ga doko ka de tako o agete iru. Edako ka na? Sore tomo zidako ka na? Takaku, takaku, agatte iru. 読解教材 (9) Tôri Yûbinkyoku no kado o magatte, hiroi tôri ni deru.	読解教材 (5) Karuta de asobu. 読解教材 (7) Huyu no si (5) を黙読させる。 最も多く出てくることばは何か。 karuta かるたをどうするのか。 maku yomu toru

回数	月日	A クラス	B クラス
21 (40分) 2回分を続けて指導した。	2月7日 (土)	Densya. zidôsya, ôkina basu, iroiro no kuruma ga tôru. 新語カード ⑭ agete ⑮ agatta ⑯ Yûbinkyoku ⑰ magatte ⑱ Densya ⑲ zidôsya **大文字 D, E, Y** よう音を含む語 kyo, sya, その他 つまる音を含む語 tt 語の変化に気づかせる。 agete→agatte ageru→agaru sageru→sagaru sagete→sagatte tako→{Edako / zidako} t→d といのしるし〔?〕 ノート指導 ① 視写 Edako ka na? ② 乗り物集め densya, zidôsya, basu, kisya, など	だれが，かるたをしたか。 boku watasi minna どこでしたか。 heya どんなになってしたか。 wa ni natte 次のことばのあとはどう続くか。 karuta de…… karuta o…… karuta wa…… 文の初めには，どんな注意がいるか。 大文字 K, H, M 文の終わりには，どんな注意がいるか。 とめ〔.〕 文の間では，どんな注意がいるか。 ○字はつけて， ○ことばは離して， ○切れ目には，くぎり〔,〕をつけて， (5) を音読させる。 (6) を黙読させる。 Kogarasi とは何か。 kita kara huku samui huyu no kaze 大文字 B の指導 詩の行を変えるときの配置に注意しながらノートに書写させる。 (6) を音読させる。

回数	月日	A クラス	B クラス
22 (40分)	2月11日 (水)	読解教材 (10) Rômazi no zikan Atatakai kyôsitu. sutôbu ga akaaka to moete iru. Patipati to maki ga haneru oto. Rômazi no zikan, Ryôzi San ga surasura to zyôzu ni yonda. 読解教材 (11) Rômazi nikki 2-gatu 10-niti Hare Tenki wa yokatta ga, kaze ga samukatta. Kyûsyû kara oziisan to obâsan ga dete irassyatta. Omiyage ni, boku wa denti de ugoku zidôsya, imôto wa kâru-ningyô o itadaita. Ban no gohan wa, nêsan ga issyôkenmei ni tukutta gotisô ga takusan atta. 新語カード ⑳ Kyôsitu ㉑ Ryôzi ㉒ Kyûsyû ㉓ oziisan ㉔ obâsan ㉕ irassyatta ㉖ kâru-ningyô	読解教材 (8) Tako 読解教材 (9) Tôri 読解教材 (10) Rômazi no zikan まず，めいめいに黙読させる。 dareka ga doko kade tako o agete iru と板書して，直させる。 文の初めであることをどうやってはっきりさせるか。 大文字 D 文の終わりであることをどうやってはっきりさせるか。 とめ〔.〕 ひと続きに書いてあって読みにくいのを，いくつに切ったらよいか。 10 語を分けて書く。 agatute と板書して直させる。 これは何と読めるか。「あがつて」 〔?〕はどういうしるしか考えさせる。 「といのしるし」 次に教材 (9) について この長い文はことばがいくつ集まっているか。

回数	月日	Aクラス	Bクラス
22 （40分）	2月11日（水）	⑦⑦ nêsan ⑦⑧ issyôkenmei 大文字 R 人名の呼び方 よう音　よう長音 Kyô,　Ryô, zyô Kyû,　syû, sya gyô syô つまる音 tt. ss. つなぎの符号〔-〕長いつづりの語の読み方と書き方，月日の書き方	「18」 この文の中にはくぎり〔,〕がいくつつけてあるか。 「4」 くぎりはどんなところにつけるか。 ○話が変わるとき。 ○いくつも物が並ぶとき。 教材（10）についてストーブの様子はどんなか。 だれがどんなことをしたか。 大文字 D, E, Y, R
23 （40分）	2月14日（土）	カードによる復習 読解教材の復習 ガ行，ザ行，ダ行，バ行，パ行の音節の取り出し。 â　ii　û　ê　ô の書き表わし方 五十音図を読む。	読解教材（11） Rômazi nikki 月日の書き方 Kâru-ningyô のつなぎのしるし。 つまる音を含んでいることば。 o　wa　e
第2次テスト （20分）	2月18日（水）	テストの内容 ① ローマ字で書かれた語（4），文（1）を読んで，かなで書く問題。 （読みの正しさを見る。） ② ローマ字で書かれた2文，16語より成る文章を見て，そのとおり書写する問題。 （見た目のきれいさ，わかち書きの正しさ，つづり字の正しさ，符号の正しさを見る。） ③ ひらがなのふりがなつきの漢字まじりの語（4），文（1）を	

回数	月日	Aクラス	Bクラス
第2次テスト （20分）	2月18日（水）	ローマ字に書き改める問題。 （語の理解—わかち書きの正しさ，つづり字の正しさ，文の理解—初めを大文字で書き，終わりにとめのしるしをつけること—の正しさを見る。） 結果は，A，B両クラスの差があまりない。詳しくはあとに述べる。	
24 （20分）	2月18日（水）	テストのできた者には，できた順に提出させ，答案と引きかえに，読解教材（12）Kiiroi Nezumi to Aoi Me no Neko を渡して，めいめいで読ませた。そのため，答案の速くできた者（13分—A, Bとも）と，遅かった者（29分—Aクラス）とで，学習時間に差があった。長い者は27分，短い者は11分の学習をしたことになる。	
25 （40分）	2月21日（土）	教材（12）の第2時の取り扱い。 ①を黙読する。 ねずみについて話し合う。 ②を黙読する。 おもなことをノートに書く。	教材（12）の第2時の取り扱い。 ①②を児童，教師，児童，教師と1語ずつ交互に音読する。児童は席の順にひとりずつ交代する。 内容について問答。
26 （40分）	2月25日（水）	教材（12）の第3時の取り扱い。 ①②を音読する。 ③を黙読する。 ねこ集めの様子を調べる。 kunizyû no neko 500-piki “nyânyâ,” “nyâgoro,” などをノートに書かせる。	教材（12）の第3時の取り扱い。 ①②を黙読する。 ③を前時のように，児童と教師のかけあいで読む。 内容について問答する。 〔“　”〕や〔,〕に気をつけさせる。 500-piki のようなつなぎの使い方をわからせる。

回数	月日	Aクラス	Bクラス
27 (40分)	2月28日 (土)	教材（12）の第4時の取り扱い。 ①②③を音読する。 ④を黙読する。 ねこがどうなったか，を調べる。 ノート指導 10-piki 1-pun "gya" ⑤を黙読する。 不思議なねこのことを調べる。 ノート指導 uwasa husigina tikara o motta neko ④を音読する。 ⑤を音読する。	教材（12）の第4時の取り扱い。 ① ② ③ を指名読みさせる。 ④をかけあい読みで読む。 〔gya'〕の符号の意味を知らせる。 「ギャッ」であって， 「ギャ」ではない。 「honno」は 「hon no」とどう違うかを考える。 ほんの……ひとつづき 本　の……二つの語 行が変わるときのつなぎと，10-piki 1-pun などのつなぎの違いを調べる。
28 (40分)	3月3日 (月)	教材（12）の第5時の取り扱い。 ⑤を音読する。 ⑥を黙読する。 どんなねこだろうか調べてみよう。 ちょっと見たところではどうか。 よく見るとどうか。 ⑦を黙読する。 ねこはどうしたか調べてみよう。	教材（12）の第5時の取り扱い。 ④を朗読させる。 ⑤をかけあい読みで読む。 なぜたいじすることになったか。 husigina tikara o motta neko そのねこは，どんなねこと思うか。 題名を読ませる。 Aoi Me no Neko

回数	月日	Aクラス	Bクラス
28 (40分)	3月2日 (月)	どのくらい時間がたったか。 ねずみはどうなったか。 どんなねずみだったか。 ⑥⑦を音読する。 ノートする。	⑥をかけあい読みで読む。 どんなねこか。 からだ…… 目…… にらむと……
29 (40分)	3月4日 (水)	教材（12）の第6時の取り扱い。 ⑦を音読する。 ⑧を黙読する。 王様はどう思っただろうか。 ほかの人はどう思っただろうか。 不思議なねこのかいぬしはどうなったか。 ねこはどうなったか。 ⑧を音読する。 この話のおもしろかったところを話し合う。 むずかしいことばを調べたり，書いたりする。	教材（12）の第6時の取り扱い。 ⑦をかけあい読みで読む。 2-3-pun 23-pun の違いを知らせる。 ねこはどうしたか。 yûyû to 出てきたことを読み取らせる。 どんなねずみだったか。 neko yori ôkii kiiro ⑦を数人の児童に指名読みさせる。 今までの話を復習する。
30 (40分)	3月7日 (土)	教材（12）の第7時の取り扱い。 ①から⑧までを通して読む。 長いことばを拾って読む練習をする。 atumeraremasita koraremasita niramareruto ireraremasita 〔gya'〕〔ho'〕の〔'〕の使い方を応用練習する。	教材（12）の第7時の取り扱い。 ①から⑦までのあらすじを話させる。 ところどころ音読をさせる。 ⑧を黙読させる。 〔!〕の符号の意味を考えさせる。 強めるしるしであることを指導する。 〔ho'〕 のしるしを前の

回数	月日	A クラス	B クラス
30 (40分)	3月7日 (土)	ha' to sita "A'" to itta 〔" "〕は「　」にあたることを知る。 質疑応答 自由読み	〔gya'〕と比較して確認させる。 長いことばを拾い出して読むけいこをする。 この物語のすきなところや，感想などを話し合う。
31 (20分)	3月9日 (月)	ローマ字の復習 国語を表わすのに必要な直音（清音，濁音，半濁音），よう音，長音，はねる音，つまる音。	同左 ちょうど，ローマ字音節一覧表を作成してきた児童があったので，それを用いて指導した。
第3次（実験における最終）テスト できた者は提出して「象の話」を読む (40分)	3月11日 (水)	① 文中の欠けている1語を，四つの選択枝の中から選んで，補う問題を二つ。 （よく似た語形の中から正しい語を見分ける力を見る。） ② 左右にそれぞれ五つずつ並んでいる語句を読み比べ，正しい文になるように，左右を結びつける問題。 （余るものがないようにする。ローマ字を正しく読み，文を正しく構成する力を見る。） ③ 8語から成る文を漢字まじり文で示し，これをローマ字で書かせる問題。 （観点は次のとおりである。 （1） ローマ字の見た目のきれいさ。 （2） つづり字の正しさ。（やまがたを含む。） （3） わかち書き。 （4） 文の初めを大文字で書くことの理解の正しさ。 （5） 文の終わりには，とめ〔.〕をつけることの理解。） このテストの結果は，ローマ字書きの語や簡単な文を読むことにおいては，Bクラスのほうがまさっていた。しかし，ローマ字で，簡単な文を書くことにおいては，Aクラスのほうがまさっている。すなわち，語ごとに間をあけて書き，文の終わり	

回数	月日	A クラス	B クラス
		には，とめ〔.〕をつけて，文を完結するのは，Bクラスのほうが劣っている。 第4学年との比較においては，音節の習得と大文字の習得は，4年がまさっているが，わかち書きをすることについての理解は，3年のほうがはるかにまさっている。詳細はあとに述べる。 発展教材の "Zô no Hanasi" はテストを提出した児童に引き換えに渡して，自由に読ませただけで，いっせいの取り扱いはしなかった。 春休みに家庭で読んでくることにし，4年になってから，教室で読んでみようと申し合わせた。	

II　学習指導の記録と所見

Iの4の(3)，の指導の概略と合わせて，お読みいただきたい。

1　Aコースについて

第1回　11月1日（土）

基礎調査およびローマ字についての話をした。

第2回　11月5日（水）

教室の花びんに，「きくの花」をさしておく。

[kiku] [no] [hana] の3枚のカードを黒板の上方につるす。つるし方は，黒板の左右に，たてにカーテンレールをとりつけ，レールに上げ下げできる金具をつけて，その間に針金を渡す。針金は5本ぐらい渡す。金具を上げ下げすると，針金を上下させることができる。針金にせんたくば

さみを通しておいて，カードを自由につるす。

三つの語形の読み方を知らせたら，はずして，1 枚ずつ読ませる。ふたりずつ指名して速く読めたほうをほめたりして，だんだんに速く，ひとめで読めるようにさせる。

20 分たった時

「では，きょうは，ローマ字は，これだけ」と言って，3 枚のカードを，黒板の上方に，[kiku] [no] [hana] の順につるして終わる。

所　見

児童は非常な好奇心をもって学習した。後半は漢字の練習をした。

第3回　11 月 8 日（土）

最初に，前回の終わりにつるしておいた 3 枚のうち，[hana] をはずして，[ha] にとりかえる。

「1 枚とりかえましたよ。2 枚は，このまえにならったのです。何だったでしょう。」

と，[kiku] [no] を復習する。

「さあ、これは，きくの，これです。」

と実物の葉を示す。

「このまえに，ならったのは，きくの，これでしたね。」

と言って，[hana] のカードを見せる。

「とりかえたのを，よく比べましょう。」

[hana] と [ha] を比較させ，記憶させる。

「では，[ha] はわかったようだから，はずして，もとの [hana] にしましょう。そこで，こんどは，つぎたしますよ。」

と言って，

[ga] [saku] と並べてつるす。

「これは，が，これは，さく，です。さあ，続けてなんと読めますか。」

こうして，並べたままで，かわるがわるこれは何，これは何と，言わせて，よく記憶させる。

「では，最後に，はしのひとつだけとりかえますよ。」

[saku] を [tiru] にとりかえる。

実物の花を散らして見せ，散るをわからせる。

全部で 7 枚のカードを，教師が手に持ち，ひとめ読みをさせる。

最後に，カードを黒板の上方に，

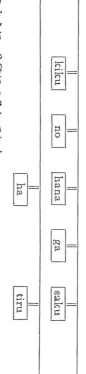

[kiku] [no] [hana] [ga] [saku]

[ha] [tiru]

のように，2 段につるしておく。

所　見

児童は語の組み合わせに興味を示し，学習は活発であった。

第4回　11 月 10 日（月）

初めに，つるしてあるカードを，指示棒でさしながら，七つの語の復習をした。

次に，上の段の左のはしに，[akai] をつるす。

「これは，きくのまえについて，あとはこのままずっと続くのです。」

「なんとか，きくの花が咲く。」

「なんとか，きくの花が咲く。」

そう言いながら，実物の赤いきくの花をさして見せる。

[akai] がわかったところで，[siroi] [kiiroi] を，つるさずに，手に持って見せて，覚えさせる。

次に，[akai] をはずし，3 枚につき，ひとめ読みをする。

それから，

「あかい，と，しろい，と，きいろい」

と言いながら，それぞれのカードと，to のカードを交互に見せ，助詞の「と」をわからせる。

kiiroi を上段の左端につるし，2 段目には akai to siroi を並べて，左のほうにつるす。

2～3 枚を続けて指示棒でさし，読ませる。

siroi　hana
hana　to　ha
ha　ga　tiru

ひと続きのことばを言い，指示棒でさささせる。

所　見

「きょうは，どんなことばを覚えるの。」

と，時間の初めに言った児童があった。おもしろがって覚えていた。

第5回　11 月 12 日（水）

時間の初めに，11 枚の既習カードのひとめ読みをやった。

「秋の花は，きくのほかに，このように，いろいろありますが，中でも特に秋らしいものをきょうは二つ覚えましょう。」

実物を見せながら，susuki hagi を知らせる。次に，da を示し，

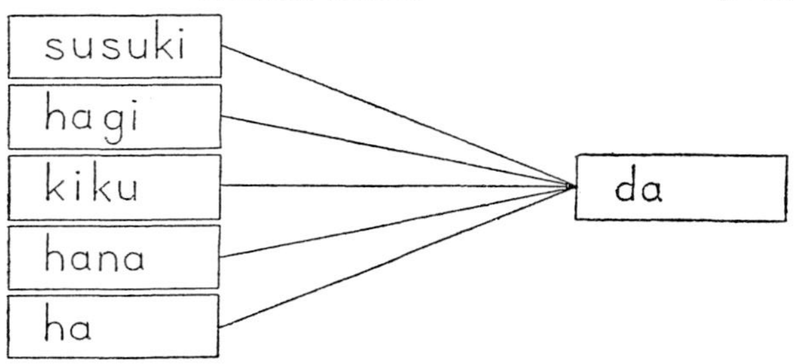

などを読ませる。

そのあと，合わせて 14 枚のカードで，ひとめ読みの練習をする。

所　見

きくとすすきだ。きくとはぎだ。はぎの花とすすきだ。など，いろいろと児童は考えだした。学習は積極的に見えた。

第6回　11 月 15 日（土）

例によって，ひとめ読みののち，mo をまず提出した。

kiku ga saku

hagi mo saku

二つを比較させて，が も の使い分けを考えさせる。

「きくが咲き，はぎも咲く季節をなんというでしょう。そうです。秋です。」

aki da

「これが秋です。」

aki なんとか，なんとか，to，kiku ga saku，「さて，このなんとか，なんとか，の二つのことばを，ここに入れたいものですね。」

「秋が来ると，秋になると，さあ，どっちがいいでしょう。秋になると，のほうがよさそうですね。では，ni naru を覚えることにしましょう。」

次に，きょうまでに学習した 18 語を小黒板に板書して，それを立てかけ，

「これだけのことばを習いました。このうちのいくつかを組み合わせてみましょう。考えた人は，ここに出てきて，このカードを取って，並べてください。」と言って，

教師の机上にも同じ語をしるしたカードを並べておく。児童が考えて取

ったカードを，教師が黒板の上部につるし，小黒板に書いてある語には線を引いて消す。

組み合わせ例は次のようなものであった。

kiku　no　hana　ga　saku

akai　hagi　to　siroi　susuki　da

aki　ni　naru

kiiroi　ha　mo　tiru

これで，18 枚全部を使ったことになった。

所　見

組み合わせは，児童に気に入ったようであった。けっきょく全部のカードを使い果たそうと，みんなが熱心に考えた。

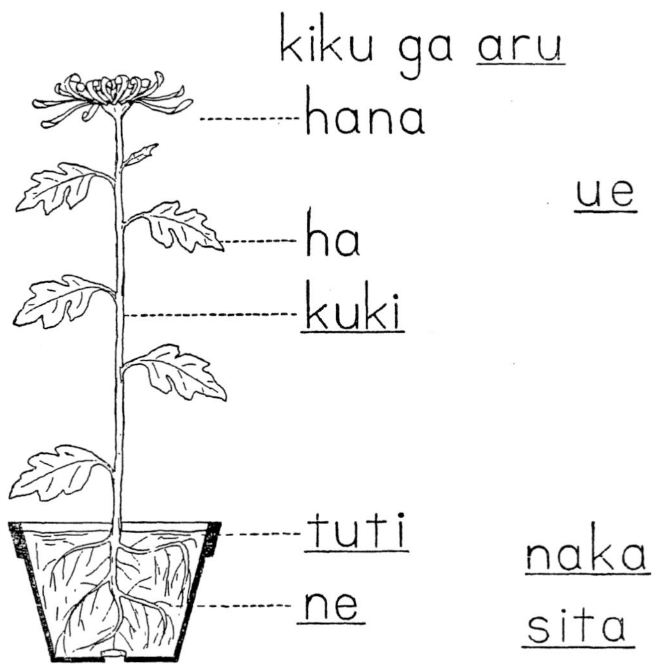

第７回　11 月 19 日（水）

黒板にきくの絵を書いた。

問答をしながら，本時提出の新語を絵のわきに書きこんでいった。そして赤線を引きながら，その語の読みを記憶させた。

次に，新語のカードを１枚ずつ見せながら，黒板の絵のわきの説明語と比較させ，発音させた。

それから，既習の 18 語に本時提出の７語をまぜて 25 語とし，それについて，ひとめ読みの練習をさせた。

所　見

本日の新語提出７は多すぎた。

ue　と　ne

aru　と　naru

kuki　と　tuti

haka　と　hana

のようなまぎらわしいものは，多くの児童がまちがえていた。

「ローマ字，きらい。わからないんだもん。」

と言いだした児童があり，

「ぼくも。」

「あたしも。」

と同調する者が，５ 名ばかり出た。こんなことは，この回がはじめてである。

この時期の新語は 3～4 語がよいらしい。

Ｂ クラスの友だちから様子を聞き，この組では，どうして アイウエオを教えないのかと尋ねた児童がいた。「違う教え方をしているのよ。」と言ったら，あとはべつになんとも言わなくなった。

第8回　11 月 22 日（土）

第2回から，第7回までに取り扱ったカードによることばの復習をした。

その際，カードを次のように，よく似た語ごとにまとめて，各群ごとにひとめ読みをし，ことばの復習と合わせて，音節分解の下準備をするようにした。

カードの群の作り方

① aki,　akai,　aru

② siroi,　kiiroi,　akai

③ kiku,　saku,　kuki,　susuki

④ ha,　hagi,　hana,　naka

⑤ aru,　naru,　tiru

⑥ ha,　ga,　da,　ni,　ne,　to,　mo,　no,　ue

⑦ kuki,　tuti,　naka,　sita

ひとめ読みがあまりよくできないときには，1 群の語を横に並べて，見比べさせながら言わせた。

所　見

この回に新語を出さずに復習にしたことは賢明であった。復習によってかなり語の記憶が確かになった。

「きょうは，新しいことばはありません。今までのことばのおさらいです。」

と言ったとき，

「ああ，よかった。」

と児童たちが口々に言ったのでも，そのことが想像された。

しかし，まだ記憶はじゅうぶんでない。第7回がむずかしかったから，こ

こでもう1回復習の時間をとれたらよかった。

第9回　11 月 24 日（月）

「みなさんも，だいぶローマ字に慣れて，よく読めるようになりました。きょうからは，これまでとは，少し違った勉強をしましょう。

ここに，3 枚のカードがあります。さあ，速く読んでくださいよ。」

[aki] [akai] [aru] のひとめ読みをさせる。

この3語を板書し，各語の左端の a の文字を赤チョークでなぞる。

「今，赤くぬったこの字（指示棒で線をたどりながら）は，なんと読むのでしょうか。」

ア——キ
ア——カイ
ア——ル　｝（児童に発音させる）

「アと読みますね。この字はアと読むのです。では，次をよく見てください。」

siroi
kiiroi
akai　｝の3語を板書し，右端の〔i〕の文字を赤チョークでぬる。

〔a〕を取り出した要領で〔i〕は「イ」であることをわからせる。

そこで.

a　i　□　□　□

と板書し，[ue] のカードを示して，ウとエの文字に気づかせて，

a　i　[u]　[e]　□

とうめる。

「ローマ字の，a i u e ができました。オも教えてあげましょうね。これ

は、オという口の形と同じでやさしい字ですよ。」

□ の中に o を書き入れる。

「a i u e o がわかりましたか。では、これが読めますか。」

ao、ie, au, ou, ei, oi, などを読ませる。

所　見

「a」を取り出したとき，児童は思わず，

「あっ，そうか。」

と言って，納得がいったという顔つきをした。

「i」を取り出したとき，

「みんな，なんとかいとなってますね。」

と言った児童があった。

ローマ字以外の国語の時間をとって，ここで発展的に，おしまいにいのつくことばを集めさせてみたらよかったと思う。形容詞の存在にきっと興味をもったことであろう。

第10回　12 月 3 日（水）

「ローマ字のアイウエオは，覚えましたか。」

a　i　u　e　o

と板書する。次に，

sita

tiru

tuti

□

to

と板書し，上から順に読ませる。

「この赤くぬったところ（ゴチックのところ）だけは，なんと読むでしょうね。」タ、チ、ツ，ト，に気づかせて，a i u e o の下に ta, ti, tu, □ to と板書する。

残ったのは何かと尋ねると，すぐに「テ」と答えた。

「ローマ字の「テ」は、どう書いたらいいでしょうね。」

tetu

ote

と板書し、

「ナイフなどは，これ（tetu をさす）でできています。犬に、おかしをやるときなどに、よく、これ（ote をさす）をさせます。

なんと読むのでしょう。」

と尋ねる。

テツ，オテ，の答えを得て，te を見つけさせ，ta, ti, tu, te, to, を完成する。

tetu. toti, tai, uta, tue などの読みを練習させる。

所　見

ア行の次に、タ行をする必然性はなかった。しかし，字形がやさしいので、記憶はよかったと思う。

音節分解は、児童にはよく理解されるように思った。

第11回　12 月 6 日（土）

いきなり，次の板書をした。

□	□	□	□	□
akai,	kiku,	kiku		
naka,	kuki,	kuki		
	susuki,	saku		

□　□　□　□　□

saku,　siroi,　susuki

sita

それぞれの語を読ませてから，赤の部分を読ませ，カ，キ，ク，と サ，シ，ス，の音節を得る。そして，□ の中に，ka, ki, ku と sa, si, su を書き入れる。

「まだわからないのは，こことそこの四つですね。」

koko,　soko,

と板書する。

「『ここ』は，これです。これは，ローマ字で『ココ』と読みます。『そこ』はこれです。これはローマ字で『ソコ』と読みます。『コ』と『ソ』のローマ字がわかってしまいましたね。」

ko, so, を記入する。

「残ったのは，ケ，と，セですが，ここで，前にならったア行，タ行と並べて比べてみましょう。」

ke, se, がわかったら，カ行，サ行を完成する。

saka. kesiki, kusa, seki, tako, soto などを読ませる。

所　見

カ行，サ行の2行を一度に取り扱うことは，案外すらすらといったが，練習の時間が足りないことを感じた。やはり，1 行ずつにして，新語を読ませることもゆっくりとやりたかったし，今までの語の中で，アカサタを含むものについて，なるほどと納得がいくように，よく読ませたいと思った。

第12回　12 月 10 日（水）

第7回までの 25 語について，ひとめ読みの練習をやった。

アカサタの4行について，音節の復習をし，ひとさし指で，空書きをさせた。

読解教材（1）のプリントを配布した。

「きょうは，ローマ字の教科書をあげます。1 枚教科書ですよ。さあ，配られたら，読んでごらんなさい。」

「みんなよく読めますね。今までにならったことをよく覚えたからですよ。でも，この教科書の中に，今までにならった中にはなかったことがあります。なんでしょう。よく気をつけてさがしてごらんなさい。」

カードと教科書の違いを知らせる。

① カードは，一つ，一つ，ばらばらのことばである。

② 教科書のは，まとまったことばが一つ（kiku no hana）と，文が三つである。

③ 文の初めの字は大文字で書く。

Kiku と kiku の違い。K と k

Hana と hana の違い。H と h

④ 文の終わりには，とめ〔.〕をつける。

「では，きょうは，ローマ字帳に，きくの花が咲く，と書いてみましょう。教科書をよく見て，そのとおり書きなさい。」

所　見

「やさしい。みんな読めました。」

と児童は喜んでいた。

25 語のカードのひとめ読みは，速くて確かな者もいるが，読めない者もいる。

12 月 13 日，第 1 次テストがこの間にはさまる。

第13回　12 月 13 日（土）

読解教材（2）を配布する。

[Ame] [ame] [huru] [ya] の新語カードを見せて，読みの指導をしてから，教材を黙読させる。

文の初めの大文字 A を指導する。

文の中の切れ目には，くぎり〔,〕のしるしをつけることを知らせる。

ノートに，雨が降る，雨が降る。と書かせる。書くのは，教科書を見て，ていねいに書写させる。

所　見

教科書の文が，読解の第2時の教材としては，ちょっと長すぎると思った。雨が降るのところは除いて，新語は ya だけにしたぐらいのほうがよかったと思う。

第14回　12 月 15 日（月）

6 枚の新語のカードを準備して，新語の読みを指導して後，教材（3）の読みにはいる。

その後，

huyu, yoru, ya から ya, yu, yo を取り出し，ya, i, yu, e, yo をわからせる。

また，

samui, ame, mo から mu, me, mo を取り出し，既習の他行と比べて ma, mi を得て，ma, mi, mu, me, mo を完成する。

yama, mayu, yume などを読ませる。

ノートに，

Huyu　wa　samui.

Samui　yoru　da.

の2行の視写をさせる。その際，大文字の S に注意させる。

所　見

読解と，ヤ行，マ行の音節分解を同じ時間内に行なうことは，分量が多すぎた。2 回に分けた方がよい。忙しい 20 分であった。指導の不徹底をおそれて，全文書写を家庭での宿題として課した。

第15回　12 月 17 日（水）

年賀状の教材配布。

五つの新語のカードを見せて，読みを指導する。

やまがた〔^〕は，音をのばすしるしであることを教える。

このとき，kiiroi のカードを見せ，「イー」は ii で表わし，î とは書かないことを知らせる。i は，棒の上にまるがのっているので，もう一つ〔^〕をのせると，頭が重くてころびそうだからね，と言ったら，児童は笑いながらうなずいていた。

ローマ字で名まえを書くときには，みょうじを先に，名まえをあとにする。みょうじの初めと，名まえの初めと両方とも大文字にすることを話した。

ノートに，教科書の2枚の文を書写させた。

所　見

はじめて，絵のある教材を与えたので喜んだ。色を塗ってもよいかと言う者もいた。はがきの表をローマ字で書くのはどうやるのかと尋ねた者もあった。表書きは，漢字やかなで書くようにと注意した。みんなはまだよく書けないし，郵便配達さんがまごつくといけないからと話した。

ひとりひとりに，姓名をローマ字で書いてやればよかったが，忙しかったのでしなかった。わたしの名まえを書いてくださいと言ってきた者には書いてやった。それは6名ぐらいであった。

ここまでで，学校は冬休みにはいった。

第16回　1月14日（水）

冬休みが終わって，はじめてのローマ字の時間である。

①から，㊷までの既習カードのひとめ読みの練習をした。

児童からきたローマ字の年賀状を見せて読ませた。

ノートに，「あけまして　おめでとう　ございます。」とローマ字で書かせた。

所　見

8日に3学期が始まったが，3学期初めの行事のために，時間を取られ，14日になってしまって，新年教材は，ちょっと時期遅れの感があった。

第17回　1月19日（月）

読解教材（5）を配布した。

この時間の新語16をカードによって指導した。16枚のうちで，[o] [maku] [yomu] [atatakai] の4枚は，すでに提出した音節だけで成り立っているから，各行を思い出させて読ませる。

[Minna] [minna] [natte] の3枚は，n，tt を含むもので，特に文字数，語形によく注意させる。

黙読をさせる。

問答により，読みを確かめる。

「maku（さしながら）のはなんですか。」

「yomu（さしながら）のはなんですか。」

「toru　（さしながら）のはなんですか。」

などと問答をしながら，次のように板書していく。

karuta —— { maku / yomu / toru

「この間に何かことばを入れないと，外人の話のようですね。なんと入れますか。」「o」と入れる。（ここで，karutao と分節によるわかち書きにせず，karuta o と語によるわかち書きにすることを徹底させる。）

「asobu（さしながら）のはなんですか。」

ここで，二つの答えが出る。karuta，minna

「カルタを遊ぶのですか。」

o と de の違いに気づかせる。

「『みんな』，『遊ぶ』，さあ，この二つのことばの間をつなぐことばはなんですか。」

ここで，ga と de の違い，その他，wa，mo，to などが使えること，それぞれ意味が違うことを考えさせる。大文字 M についても指導する。

「maku（さす）のはだれですか。」

「yomu（〃）のはだれですか。」

boku，watasi を指導する。

「どこで遊ぶのですか。」

Heya　de

「どんなになって遊ぶのですか。」

wa　ni　natte

「natte と natute とどう違うでしょう。」

ローマ字では，小さく「つ」を書くことはないことを知らせる。小さく書いてみせるとおかしいことがわかる。

ナ行とハ行を次の板書により指導した。

ha<u>na</u>,　ni,　□　ne,　no,

<u>ha</u>na,　□　<u>hu</u>yu,　<u>he</u>ya,　□

そのあと，ノートに，カルタで遊ぶと書かせた。

所　見

読解指導に重点を置いたので，ナ行，ハ行の音節分解は，ごく簡単になってしまって，新語の読みはできなかった。

2回分を1回にやったような盛りだくさんの感じがしないでもなかった。

児童はわりあいにおもしろがって，ついてきたのでほっとした。

準備のカード作りが，数が多くてたいへんであった。この教材は，新語の提出が多すぎるように思った。

第18回　1月24日（土）

前回の新語カード㊸から㊿までの16枚について，復習をしてから，教材（5）を黙読させる。

□　wa　□　o　□

と板書し，Boku, Watasi, Minna, maku, yomu, toru などを読み取らせる。

Minna wa wa ni natte asobu.

とノートに書かせ，助詞の「は」と，「輪」が，どちらも，wa であることに注意させる。

また，nate, natute, natte の違いをわからせ，tt をわからせる。

atta, katta, sotti, kitto などを読ませる。

Minna, Mina を比べさせ，「n」が「ン」であることに気づかせる。

所　見

うっかりしていたら，wa は，第14回に，教材（3）で出ていた。すなわち "Huyu wa samui." の文で，すでに提出されていた。

第14回は，教材が多すぎたので，wa（は）の指導までは手がまわらず，うっかりしていた。

きょうは，指導内容の分量は多すぎなかったが，このところ，学校のつごうによって授業ができず，ローマ字学習指導も，1週間に1回というありさまで，まことに能率が悪い。

このように，時日をおいて，とびとびに指導する場合には，もっと，前時の復習に時間をかけないと，習得がじゅうぶんでない。

第19回　1月28日（水）

新語カード3枚を見せ，読み方を指導する。つづりが長いうえに，よう音，長音，きるしるし〔,〕，つなぎのしるし〔-〕などを含んでいるので，ゆっくり，くりかえし説明をした。

教材（6）を黙読させ，問答により，音声化させた。

ノートには，gyûnyûya-san, sinbun'ya-san, Poti, Minna genki de. と書かせた。

大文字の T，P を指導した。

所　見

この教材も少し長い。20分ですませるには，ちょっと重すぎる感じであった。せめて2回の取り扱いとしたかった。

この文章は気持ちがいいから好きだと言う者が多かった。

genkini は genki ni ではないかと言う者があった。むずかしい。

第20回　2月2日（月）

新語カード2枚を示し，よう長音の pyû，つまる音の kk について指導した。

教材（7）を黙読させ，問答をしながら音声化させた。

書写は，全文を視写させた。

普通の書き出しは，ほゞ2〜3字分，右に寄せて書き始め，2行目からは，はじから書いてよい。漢字まじりのひらがな文で，初めの1字分だけ下げて書くのと同じである。

詩の場合は，詩の気持ちが表わせるように行をかえる。

この詩は，1行目を左に寄せ，2行目は少し右から始めている。それは，1行目が，言いだしたことで，2行目でそのことのしめくくりをつけて，とめ〔.〕をつける形で，そろえてあるのである。

大文字 B について，b と似ていることに気づかせて指導する。

所　見

この教材は長さもちょうどよく，わかりやすかったように思う。きょうは第3学期になって5回目である。第3学期になってから，きょうまで，ずっと，1週間1回の割りしか，ローマ字の時間がなかった。進度が予定よりも少し遅れてしまった。ローマ字指導開始を，もう2週間ぐらい早めることが必要であると思った。3学期は忙しい時であるからである。

第21回　2月7日（土）

予定した指導時間がよく抜けるので，やむを得ず，きょうから，40分学習とした。

読解教材の（8）と（9）をきょういっぺんに指導したわけである。

先に両教材の新語を新語カードによって指導した。カードはこれで㊾となった。

次に大文字の D，E，Y を指導した。

黙読をさせながら，問答によって，語および文の内容を読み取らせた。

agete,　sagete,　ageru,　sageru

agatte,　sagatte,　agaru,　sagaru

tako＜Edako / Zidako

と板書して，同じことばでも発音が変わることに注意をさせた。

問いのしるし〔?〕の使われている意味を考えさせ，ローマ字文では，問いの文には必ず〔?〕をつけることを知らせた。

ノート作業

① 視写　“Edako ka na?”

（わかち書きに注意）

② 考えて書く

乗り物集め，

densya,　zidôsya,　kisya,　basu など。

所　見

はじめての40分学習である。ローマ字の好きな児童は喜んでいたが，遅い児童は二つ目の教材を読むのがなかなかであった。変化形は遅い児童には興味がない。乗り物集めはみんなが好んだ。

やはり，2回分の教材を1回に1度にやるのは多すぎる。

第22回　2月11日（水）

きょうも40分学習をした。

新語カード9枚を見せて読ませてから，教材（10）をまず読ませ，kyôsitu, Ryôzi San, を指導し，ノートに書かせた。

それから，教材（11）を黙読させ，問答によって読みを確かめた。

kâru-ningyô のつなぎは，gyûnyûya-san, sinbun'ya-san を思い出させて，あまり長いひとことばは，その中の切れ目の所につなぎ〔-〕を入れることの復習をした。

irassyatta, issyôkenmei につき，ss であり，tusya や tusyo とは違うことをはっきりさせた。

長いつづりのことばは，１音節ずつ声を出して読まずに，その一続きを頭に入れてから，声に出すよう，注意した。

2-gatu, 10-niti のように，数字とそれに続く数えることばの間には，つなぎ〔-〕を入れることに注目させた。

大文字の R と r を対比して覚えさせた。

所　見

40 分学習に，教材を二つ取り扱うことは，20 分に一つずつ取扱うよりもむずかしいことである。ことに，教材（11）は，長くて抵抗を感じる児童がいる。教材（11）は書写指導ができなかったので，全文視写を家庭での宿題にした。

第23回　２月 14 日（土）

カードは 78 枚になっている。その中で手あたりしだいに抜き出してひとめ読みの練習を５分間行なった。

そのあとで濁音の音節取り出しを指導した。

gakkô, ha**gi**, [　] **ge**nki, **go**zaimasu,

から，ga, gi, [gu], ge, go を導き出す。

gozaimasu, **zi**dôsya, [　], ka**ze**, no**zo**ite,

から，za, zi, [zu], ze, zo を導き出す。

yon**da**, [　] [　] **de**ru, ka**do**,

から，da, [zi] [zu] de, do, を導き出す。

basu, [　], sutô**bu**, [　], **bo**ku,

から，ba, [bi], bu, [be], bo, を導き出す。

patipati, [　] [　] [　] **Po**ti,

から pa, [pi] [pu] [pe] po, を考えさせる。

次に，

ob**â**san, oz**ii**san, y**û**binkyoku, n**ê**san, omedet**ô**,

から，â ii û ê ô ののばす音の書き表わし方をまとめる。

kya, kyu, kyo

sya, syu, syo

tya, tyu, tyo

nya, nyu, nyo

hya, hyu, hyo

mya, myu, myo

rya, ryu, ryo

gya, gyu, gyo

zya, zyu, zyo

bya, byu, byo

pya, pyu, pyo

を読ませ，やまがた〔^〕のついた場合の読み方も考えさせる。

最後に，五十音図表をとびとびに指名して読ませた。

所　見

大急ぎでひととおり終えたという感じであった。計画予定にしばられた感じがする。きょうの1回分は，20分ずつ3回にして，ゆったりとまとめたかったと思った。

2月18日（水）

第2次テスト

第24回　2月18日（水）

きょうは，テストのあとの20分で，教材（12）の自由読みをさせた。速い者は13分でできたので，25分以上も読む時間があったが，最後の児童は，29分もたってからテスト用紙を出して，教材を受け取ったので，10分ぐらいしか，読んでいない。

所　見

教材（12）を，楽しんで読む様子が見えた。

第25回　2月21日（土）

教材（12）の第2時の取り扱いをした。

教材（12）は，学習指導要領に示す45分の授業の6時間をあてる予定の教材である。

本時は，①と②について指導した。

まず，①を黙読させて，ねずみについて，問答法によって，読みを深め，次に，②を黙読させ，王様や役人たちがどうしたかを読みとらせた。

kuni　ni
naka　ni
sakanni　} の付け離しの違いを指導した。

ノートに，kiiroi ôkina nezumi と書かせた。

所　見

個人差がかなりあり，よく読める者は，速く読む。

taiziru のわからない者があった。児童は taizi suru のほうを使い，taiziru はあまり使わないことがわかった。

第26回　2月25日（水）

教材（12）の第3時の取り扱いをした。

まず，①②を黙読させ，簡単に内容を復習してから，③を黙読させ，問答によって，読みを確かめた。

iu

iwanai

itta

ienai

iimasita

などを考えさせ，初めの i は変わらないこと，yû や yuimasita ではないことを指導した。

ねこ集めの様子や，ねこの鳴き声について読みとらせ，ノートに次のことばを書かせる。

kunizyû　no　neko

500-piki

“nyânyâ”

“nyâgoro,”

所　見

atumeraremasita, narimasita などの長いことばは，速く読めない。「ました」のつくことばは長い，というものがあったので，—masita の形だけ覚えていれば，前のほうは，そう長くはないことを話し合った。これをち

ょっと発展させて,

kakimasita

yomimasita

ikimasita

narimasita

atumeraremasita

などをいくつも並べて書いて読ませ,「ました」の働きに気づかせつつ, masita のつく長いことばの読みに慣れさせたらよかった。

第27回　2月28日（土）

教材（12）の第4時の取り扱いをした。

きょうは，読める児童を指名して，初めに，①②③の音読をさせた。

そして,「さあ続きはどうなるでしょう。」と言って，④を黙読させた。

ねこがどうなったかを読みとらせ,

10-piki, 1-pun, gya` の書写をさせた。

⑤を黙読させ，問答によって，不思議なねこのことを読みとらせた。

uwasa, husigina tikara o motta neko,

をノートに書かせた。

各自に読みのけいこをさせ，指名して，④と⑤を音読させた。

所　見

④の後半のねこが血だらけになって出て来るところは，省いたほうがよかった。ざんこくだから。

「どこからともなく」の一句は省いて,「ところで，そのころ，南の離れ島に，不思議な力を持ったねこがいる……。」という文にしたほうがよかった。文がごたごたしているから。

第28回　3月2日（月）

教材（12）の第5時の取り扱いをした。

まず⑤を指名読みをさせ，本時の⑥の黙読に進んだ。

不思議なねこについて，わかったことを話させた。ちょっと見たところの様子，よく見ると，どこが普通のねこと違うか，などを読みとらせた。

次に⑦を黙読させて，ねこがどうしたかを調べさせた。

どのくらい時間がかかったか,

ねずみはどうなったか,

どんなねずみだったか,

について，話させたり，読ませたりした。

⑥と⑦を指名読みさせた。

ノートに

Me kara aoi hikari o dasite iru.

2-3-pun, yûyû

と書かせた。

所　見

児童から

niramareruto は niramareru to ではないか。

Nanno は Nan no ではないか。

などという質問が出たので，一つのことばと考えてもいいではないかと話した。

第29回　3月4日（水）

教材（12）の第6時の取り扱いをした。

まず⑦の指名読みをさせ，⑧を黙読させた。

問答によって，読みを深めた。

⑧を指名読みさせた。

この話のおもしろかったところについて話し合った。

ノートに，むずかしいと思うことばを書かせた。

“Appare zya!”, “ho' to sita,”

所　見

だいたいの内容を目で読みとることは，大部分の児童ができるが，すらすらと音声化できる者は 10 名ぐらいである。

第30回　3 月 7 日（土）

教材（12）の第7時（最終時）の取り扱いをした。

①から⑧までを続けて指名読みさせた。

特に長いつづりのことばを拾って音声化の練習をさせた。

atumeraremasita

koraremasita

niramareruto

ireraremasita

gya' ho' の〔'〕の使い方の応用をした。

はっとした。　Ha' to sita.

「あっ」と言った。　“A'” to itta.

〔“ ”〕のつけ方を練習した。

「はい」と言った。　“Hai,” to itta.

自由に読ませ，机間巡視をして，質問に答えたり，個人指導をしたりした。

所　見

質問のおもなものは，次のとおりであった。

ねずみの大きさはどのくらいか。

ねこには，どんなほうびをやったか。

つなぎ〔-〕をつけるのは，どんなときか。

つなぎの使い方については，長いことばの間の切れ目に使う場合，例，mike-neko。数とその次の数え方のことばの間に入れる場合，例 1-piki, 2-kumi, 2-3-pun。あることばの途中で，行がいっぱいになって，次の行に書かなければならない場合の三つの場合があることを指導した。

そして，第3の場合には，ある一つの音の途中に〔-〕を入れないこと，つまり　atumer-aremasita　のようにしてはいけない。atume-raremasita, atumera-remasita などのようにしないと，いけない。

この話を読み終えたときの児童はたいそううれしそうであった。わたくしも，このような長文が読めるようになったのを見て，うれしかった。

第31回　3 月 9 日（月）

きょうで，20 時間のローマ字指導予定時間がいっぱいになる。きょうは 20 分しか残っていない。

ローマ字の復習をした。

音節一覧表を B クラスの児童が作ってきたのがあるので，それを使って，読みの復習をした。

そのあと，指で空書きをさせた。アの字，イの字，カキクケコのかしら文字，ガッコウと書くときのつまるところ，というふうに言って，その字を書かせた。

所　見

大文字の提出がふじゅうぶんであった。

よう長音，よう音とつまる音が組み合わさったことば，などの理解が，まだ足りない者が見受けられる。ノートを見ると，1字1字を間をあけて書く児童が少しある。音節の間をあけて書く者はひとりもいない。

字はかなりじょうずになった。

3月11日（水）第3次テスト

テストができた者には，発展教材“Zô no Hanasi”を与えて，自由に読ませた。

全体についての所見

（1） 教材が多すぎ，かつ程度が高すぎた。800分でもここまでやれる，という実例にはなったが，一般のローマ字教育の内容としては，もっとしぼるべきであろう。

（2） 800分の時間でも，文章からはいり，適当な時期に音節に分解する方法を取り入れて指導することは，決してむりではない。

（3） 実験児童のローマ字学習に対する興味と意欲は，途中に谷があったけれども，最後のほうではまた高まった。そして，

「4年になっても，ローマ字をきっと教えてください。」

と約束をさせられ，事実4年になっても，喜んで，ローマ字学習を続けている。

（4） Aクラスのような形態をとってのローマ字指導は，9月から始めて，1週間に2回，1回に22.5分ずつ，3月までに40回行なうようにすれば，よいのではないかと考える。10月中旬から始めて，最後の4～5回を45分学習にして，3月までに20時間になるようにするのもよいであろう。この実験では，開始時期がややおそかったので，終わりが忙しか

った。

（5） 1校時40分を2分して，ローマ字とその他の国語学習を半々に行なったことは，学習の気分転換になり，学習能率はあがった。

教師は，学習の前おきのようなことや，学習のふんい気を盛りあげるための注意や指導を思い切らなければならなかった。時間のむだを極力省くため，学習態度のしつけはかなりやかましく力を入れた。

2　Bコースについて

第1回　11月1日（土）

第2回　11月5日（水）

ここまではAクラスと同じである。

第3回　11月8日（土）

「きょうは，ローマ字のアイウエオを勉強しましょう。」

[a] のカードを見せて，

「これが，アです。口を大きくあけて，アと言ってみましょう。」

[i] を見せて，

「これが，イです。はい，イ」

「こんどは，どんな形でしょう。これです。」

[u] を見せて，

「ウですね。口を小さくして，ウ」

「こんどは，はい，いっしょに，エ」

[e] を見せる。

「最後に，これです。はい，オ」

[o] を見せる。

「さあ，形を覚えて，ノートに書いてみましょう。」

黒板に

の線を引く。

「ノートの第 1 ページをあけて，この線と比べてごらんなさい。」

「さあ，では，こちらをよく見てくださいよ。」

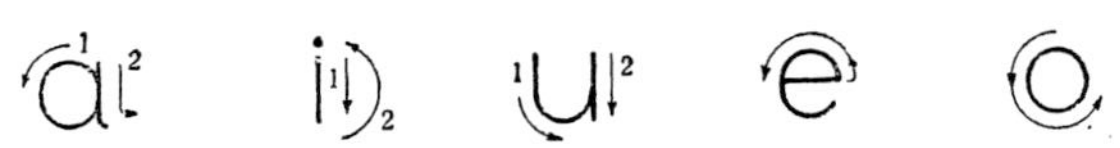

と離してゆっくり書いて見せる。次に赤で書く順のしるしをつける。

「1 字 1 字よく見て，一つ一つ間を離して，ノートに書きなさい。」

「では，読んでみましょう。」

棒で，黒板の字を順序不同にさして読ませる。

カードをひとめ読みさせる。

教師が発音して，児童に，黒板やノートやカードの，その音を表わす文字を示させる。

「こんどは，アイウエオをいろいろに組み合わせますから，読んでください。」

ai,　au,　ao,　ie,　ue,　uo,　aoieu,　oeuia などを読ませる。

「ていねいに，もう 1 回，ノートに aiueo を書いて，終わりにしましょう。」

所　見

児童は全員興味をもってついてきた。

「Kiku no hana はどうしたの。」

と尋ねる児童もあったが，「それは，また，あとでやります。」と言ったら，それきり何も不審には思わないらしかった。

第4回　11 月 10 日（月）

「このまえ教えた aiueo は覚えましたか。」

カードを読ませてのち，

「きょうは，カキクケコを勉強しましょう。」

前回と同じように，ka, ki, ku, ke, ko を順次提出した。

そして，同じく，カ行の書写をさせ，カ行の読みの練習をし，そのあとで，カ行の組み合わせによることばを読むことをした。

kaki, kaku, kake, kiku, kike, kuki, kuku などを，児童に考えさせながら板書したり，カードで構成したりして読ませた。kiku が出た時，喜んでいた。

「家で，ローマ字帳にことばを書いてきてもよいか。」と言いだす者があったので，ア行，カ行を使って書けることばならば，なんでも書いてよいと答えた。

所　見

きょうも大喜びで学習した。

授業後，カードを貸してくれと集まってきた者が数人あり，並べて喜んでいた。

第5回　11 月 12 日（水）

[e] [o] [ka | ku] と並べたカードを読ませ，

「このとおり，もう短いお話もできます。」

「aiueo と kakikukeko がよくわかったら，きょうは，次に進みます。」

と言うと，児童は，

「覚えました。早く，サシスセソを教えてください。」と大乗り気であった。

そこで，前回のようにして，サ行を指導し sasa, asa, kasa などを，カードを組み合わせて読ませた。S の字は 8 の半分として記憶させ，S のようないわゆる鏡文字にならないように配慮して指導した。

所　見

今のところ，習得ぶりはよい。

前回のあと，家庭学習を，意外に多くの児童がやってきており，きょうも，家でまた書いてくると言っていた。

第6回　11 月 15 日（土）

「ア，カ，サの3行がわかったので，こんなお話ができましたよ。さあ，なんと読むのかな？」

okasi o kau とカードを並べて見せる。

さっそく読んだ児童たちは，

「先生，早く，タ行を教えてください。」

と言いだした。

タ行の指導では，

sita, tetu, toti などを読ませた。児童もノートに二つ三つことばを書いた。

所　見

児童の態度はなかなか意欲的である。

第7回　11 月 19 日（水）

「きょうは，新しい字の勉強はお休み。今までに習ったア，カ，サ，タのおさらいをしましょう。」

「なあんだ。つまらないの。」

「わあ，よかった。」

両方の声がする。

「ア，カ，サ，タだけで，いくつ発音があるでしょう。ア，イ，ウ，エ，オ，カ，キ，ク，ケ，コ，それから……。」

「20 です。」

「そうですね。20 の発音を組み合わせたら，いろんなことばができるはずですよ。みんなで考えてみましょう。」

まず，名詞がいろいろ出る。それをカードを並べたり，板書したりしてやる。

「asai, akai, こんなのもありますよ。名まえではありませんね。どういう仲間のことばと言ったらいいでしょう。」

「様子を表わすことば。」

「そうです。こういうのも，集めてみましょう。それから，まだ違ったことばの仲間はありませんか。」

ここで動作を表わす，kaku, sasu などがあることに気づかせる。

「こんどは，o や e を使ってことばをつないでみましょう。」と言い，

kasa o kasu

sita e iku などを読ませた。

所　見

ここで復習を行なったことは，適当であった。

第8回　11 月 22 日（土）

「きょうはナ行ですね。」と言って，さっそく，na, ni, nu, ne, no のカードを見せ，読ませてのち，n の書き方を黒板に書きながら指導した。

na, ni, nu, ne, no をノートに書かせてから，ア，カ，サ，タ行のどれかと，ナ行のどれかが含まれることばをカードで作ったり，板書したりして，読ませた。

そのあとノートに各自にことばを書かせた。

所　見

ことば集めをおもしろがる。

音節ごとに間をあけて書く児童がある。

第9回　11 月 24 日（月）

前回とほぼ同様なかたちで，ハ行の指導と，ア行からハ行までのことばの読み書きをした。

n と h の字形の似ているところと，違っているところに注意させた。

所　見

ア，カ，サ，タ，ナ，ハと6行になったので，書けることばが豊富になり，家でノートに書いてきたいと言う者があったので，1 ページをうめて書いて来る宿題を出した。次回まで1週間ある。

第10回　12 月 3 日（水）

マ行の指導をした。書写指導のとき，m の字形を n と比較させながら指導した。（メートルの記号としてすでに知っている m は続け文字であることをわからせた。）

前回の宿題について，机を並べている者どうしで交換して読ませた。

i, e, o, や ki, si, ta, ne, ho など，1 字または 2 字のことばがあり，

それらは，手をたたいてみると，ひとうちのことばであることを知らせた。

所　見

友だちのノートを読むのは，読みの練習になった。きょうも1ページ宿題を出した。

第11回　12 月 6 日（土）

ya, yu, yo を指導した。i, e, がア行と共通であることは，ひらがなと同じであることをわからせた。

y が今までの字と違って，下のほうにつき出して書く字であることに特に注意を与えた。

前回にひとうちのことばを指導したので，ふたうちのことばにはどんなものがあるかを考えさせた。

ie, ii, ao のように 2 字のもの，

yoi, iku, usu のように 3 字のもの，

yume, yane, yoko のように 4 字のもの，

があるが，どれもふたうちである。

きょうの1ページ宿題は，字数のいろいろなことばを書いてくるようにさせた。

所　見

名詞ばかりが多く出てくるが，やむを得ないように思う。A コースに比べて，ひとめ読みの機会が少ない。カードを組み合わせても，黒板に書いても，ことばになる前から読んでいく。

第12回　12 月 10 日（水）

ra, ri, ru, re, ro, wa, n を一度に指導した。

前回の宿題の中から長いことばを発表させて，カードを並べたり，板書したりして読ませた。

3 うち（3 音節）のことば，sakana, hanaya

4 うち（4 音節）のことば，amimono, yomimono

5 うち（5 音節）のことば，namakemono

長くても，切って読まないで，全部目を通してから，続けて読むことを指導した。音節ということばは教えない。ひとうちごとに字を離して書くことはしないことを知らせた。

また，ことばをつないでお話にするときには，

e　o　kaku

watasi　wa　hon　o　yomu

のように，ことばごとに切って，間をあけて書かなければならないことを知らせた。

si　o　kaku

sio　o　kakeru

を比べさせ，"si o" と "sio" が違うこと，o のような短いことばもあることをよくわからせた。

所　見

このクラスでは，大文字を平行して教えていないので，この場合に直ちに "E o kaku." を指導することができない。どうしても，指導が2度にわたる。

12 月 13 日の第1次テストが，この間にはさまる。

第13回　12 月 13 日（土）

板書によって ga 行の指導をした。

ついでに

gaikoku　　濁音

kokugai　　鼻濁音

の発音の違いを指導した。

ノートに書かせるときに，ga を含むことばと，つなぎことばの ga を入れた短い文の両方を書かせた。グラムの g については，m と同様に続け文字であることを注意しておいた。

この回にはザ行も合わせて指導した。z と s の向きの違い，直線と曲線の違いに特に注意を向けさせた。

所　見

ga, za, 2 行の指導はらくであった。

e　ga　aru

to　ga　aku

ki　ga　ii

などは，初めを大文字で書いてないので，指導しながら，なんとなく変な気がした。

第14回　12 月 15 日（月）

ダ行，バ行，パ行を一度に書いて指導した。

ダ行は，da, de, do, の三つであること，di（ディ），du（ドゥ）は日本のことばにはないので，zi, zu, だけでもよいことは，容易に理解してくれた。

dasu,　basu.　pasu

tada,　taba,　patapata

dondon,　bonbon,　ponpon

などを比較させて，はっきり区別して読み分けられるように努めた。

ことばのおしまいの da に気づかせ，

kore　wa　zi　da

sore　wa　kami　da

are　wa　e　da

などの da は，離して書くことを教えた。

所　見

d, b, p は形が似ているので，いっしょに取り扱ったことがよかったと思う。ノート作業をする時間はあまりなかった。

第15回　12月17日（水）

「きょうは，最初の5分間に，教室の中にあるものをローマ字で書いてみるけいこをしましょう。」

書いたノートを友だちどうしで交換して読ませた。(5分)

その次の5分は，ひらがなおよびかたかなの五十音図と，ローマ字の五十音図を見比べさせ，ローマ字には濁点〔゛〕や半濁点〔゜〕がなく，別の字があること，ローマ字では，ア，イ，ウ，エ，オの各段にあたる音には a, i, u, e, o がつくことなどを指導した。

最後に，ローマ字を書く位置の上から，

真中の2本の線の間におさまる背の低い字 a, u, e, o, s, n, m, r, w, z の10字，

上の3線の間に書く背の高い字，i, t, k, h, d, b の6字（ただし，〔i〕〔t〕に注意）

下の2線の間に入れる下に長い字，

g, p, y の3字

に分けて，その形を確認させつつ書かせた。

所　見

最初に教室内の物の名を書かせた時，ボール，ロッカー，学級文庫などの書き方に困った者があった。

ここで冬休みを迎え，約1か月間，ローマ字の時間はなかった。

第16回　1月14日（水）

「きょうは，ことしはじめてのローマ字の時間ですね。ですから，きょうはローマ字の年賀状の勉強をしましょう。皆さんの中にも，ローマ字で年賀状を書いて，わたくしにくださった方がありました。では，初めに，年賀状をすった物をあげましょうね。」

読解教材（4）を渡す。

Omedetô.

Akemasite　omedetô　gozaimasu.

の2種類である。

「今までに習わない文字がありますが，みんな読めますか。」

ここで O, A, を指導した。

「〔^〕のしるしは，なんのしるしでしょうか。」

ここでのばすしるしの「やまがた」を指導する。

â, û, ê, ô と書くが，i だけは，ii とする。i には上に点があるので，「やまがた」を付けると高くなりすぎるからと説明した。

「もう一つ，気をつけて見てもらいたいしるしがあるのです。」

ここで，とめのしるし〔.〕に注目させる。

「あけまして　おめでとう　ございます。」というのは，ばらばらのことばを集めたのではなくて，ちゃんと意味のあるまとまったものですね。こ

ういうのを文と言います。ローマ字では，文の初めは必ず大文字で書き，文の終わりにはとめのしるしをつけるのです。」

「では，帳面に新年のあいさつを書きましょう。sinnen no aisatu（nengazyô）と初めに書いておいて，おめでとうを書きましょう。」

Omedetô.

Akemasite　omedetô　gozaimasu.

を書かせて終わった。

第17回　1月19日（月）

「このまえ，nengazyô（板書）の書き方を学習しましたね。zyô はなんと読みましたか。きょうは，こういう音の書き方の勉強をします。zyô のやまがたをとると，zyo になります。こういうような音は，ほかにどんなのがありますか。」

かなで書くとき，小さな「や」「ゆ」「よ」の付く音に気づかせ，kya, kyu, kyo, と sya, syu, sho を指導した。

kiyaku,　isiya,　kiyoku

kyaku,　isya,　kyoku

などを比べて発音させ，手を打って，音節数の違うことを確かめさせた。

kya, kyu, kyo,　sya, syu, syo　を含むことばの読み書きを練習させた。

やまがたを含むよう長音をも合わせて取り扱った。

所　見

このクラスは低学年時代に「や」「ゆ」「よ」を小さく書くことをじゅうぶんに指導してきてある。したがって，ローマ字では，「や」「ゆ」「よ」を小さく書くわけにいかないことをよく納得させた。第15回に，ローマ字の字形のまとめをしておいたのも役だったと感じた。

第18回　1月24日（土）

チャ行から，リャ行までのよう音をまとめて指導した。

所　見

数は多いが，y を間に入れることを理解させたので，わりあいに簡単であった。

第19回　1月28日（水）

ギャ行，ジャ行，ビャ行，ピャ行と，濁音および半濁音のよう音を一括して指導した。よう長音もともに指導した。

所　見

原則は理解されたが，内容が多すぎたので，じゅうぶんな練習ができなかった。

第20回　2月2日（月）

つまる音を一括指導した。

tt	matti.　kitte
pp	sappari,　teppen
kk	gakkô,　nikki
ss	zassi,　gussuri
hh	yahhô
gg	baggu
zz	bazzi
dd	beddo

ローマ字では，「や」「ゆ」「よ」と同じく，「つ」も小さく書くわけにいかないから，次の字を二つ重ねて書いて，つまる音を表わすことをよく知らせた。

tetuki は，何かをする手つきであり，

tekki は，鉄器であって，別の読み方をするので，別の意味をもっていることをわからせた。

所　見

初めは tt から考えさせ，pp, kk, ss に進んだところ，hh, gg, zz, dd などを考えだしたので驚いた。そんなふうだったので，tu を使わないということは，よくのみこめたらしかった。

第21回　2月7日（土）

この回から，1回を 40 分にした。そうしなければ，年度内に 20 時間分の授業時数をとることができないことがわかったためである。幸い，漢字まじり文のほうの進度は予定よりもはかどったので，以後，水曜と土曜には，ローマ字を1時間続けてやることにした。週に2回ローマ字をやることになったわけである。

きょうは，読解教材の（5）と（7）の二つをやった。

まず，（5）を黙読させ，最も多く出てくることば，karuta に注目させる。以下問答により，

karuta をどうするのか。

maku,　yomu,　toru

karuta をやったのはだれだれだろうか。

boku,　watasi,　minna

karuta をどこでやったのだろうか。

heya

どんなになってやったか。

wa　ni　natte

を明らかにした。

次に

karuta { de (　　　　　　). / o (　　　　　　). / wa (　　　　　　).

と板書して，ノートに写させ，あとを書かせた。

大文字の K, H, M を指導し，文の初めは大文字で書くことと，文の終わりにとめを付けることを確認させた。そして，文の中間においては，

字と字とは続けて書く，

ことばとことばとは離して書く，

意味の切れ目にはくぎりのしるしをつける，

の三つに注意をすることを教えた。

（5）を音読させてまとめてのち，「外はどんなでしょう。こんどは（6）を読んでごらんなさい。」と黙読させた。

kogarasi の意味を，文の中から kita kara huku samui huyu no kaze とわからせ，大文字 B の字形と書き方を黒板で示してから，（6）の全文書写をさせた。

最後にいっせいに音読をさせて終わった。

所　見

時間がないのでしかたがないが，1時間に2教材はやはり無理である。そのうえ内容につながりがないのでなおさらである。

第22回　2月11日（水）

読解教材の(8), (9), (10)を一度にやった。一度に全部を渡して，「みなさんは，もうローマ字はすらすら読めるはずですから，めいめいで読んで

ごらんなさい。」と告げ，黒板に，

D=d　E=e　Y=y　R=r　?=問いのしるし

と書く。

児童が読んでいる間に，黒板に

darekagadokokadetakooageteiru

と書いておく。次のような問いを出しながら指導していく。

「このままでは何と読むのでしょう。」

「いくつにくぎったらいいでしょう。」

「初めをどうしたらいいでしょう。」

「終わりをどうしたらいいでしょう。」

「これはどうしたらいいでしょう。」

agatute → agatte

「(9) の文にはことばがいくつ集まっているでしょう。」—18

「あまり長い文には，ところどころにくぎりを入れます。この文には，くぎりのしるしがいくつついているでしょう。」

「くぎりは，どんなところに付けたらいいと思いますか。」

（1）話が変わるとき。

郵便局の角を曲がって，

広い通りに出ると，

（2）いくつも物が並ぶとき。

電車，自動車，大きなバス，

「(10) の文は何と何のことを書いてあるのでしょう。」——ストーブとりょうじさん

「ストーブの様子はどんなでしょう。」

「りょうじさんの様子はどんなでしょう。」

ここで，この文章は，段落が二つに分かれていること，段落の変わり目は，行をかえて，初めを右にずらして書いてあることを指導した。

所　見

前回と同じく，内容の違った教材を三つもやるので無理であった。（読めるけれども。）

第23回　2月14日（土）

教材（11）を取り扱い，月日の書き方，kâru-ningyô におけるつなぎのしるしについて新しく指導した。

なお，つまる音，のばす音，くぎりのしるしについて，今までの指導をさらに深めるようにした。

助詞の o, wa, e について，ひらがなの場合と違うことを確認させた。

所　見

Aクラスは，教材（10）と（11）を一度にやったので，抵抗を感じたが，こちらは（11）だけであったので，らくだった。全文の視写を家庭学習として課した。

ここに2月18日（水）の第2次テストがはいる。

第24回　2月18日（水）

きょうは，第2次テストに前半を使った残りの時間である。答案をいちばん速く書けた者は27分，最後の者は11分間だけ学習した。

学習は，教材（12）の自由黙読である。

所　見

教材（12）がおもしろい題名なので，検査者のAさんを囲んで，休み時間になってからも，音読をしていた者が数名あった。

第25回　2月21日（土）

教材（12）について，①と②を児童→教師→児童→教師と交互に1語ずつ．座席の順にひとりずつ声を出して読んだ。50語あるので，1回でひととおり全児童があたる。順を変えて3回読んだ。

そのあと，内容について問答した。

所　見

「たいじる」がわからなかった。「たいじする」が児童語である。

第26回　2月25日（水）

教材（12）の第3時の取り扱いをした。

③を前時のように児童と教師の1語交替読みで音読した。

内容について問答し，[“　”]や[,]に注意させ，atume-raremasita と 500-piki のつなぎの役割の違うことに注目させた。

所　見

Aクラスよりも，読みの能力に関しては個人差が少ないように思われた。

第27回　2月28日（土）

①，②，③を指名読みさせた。

④を今までのように，教師と児童でかけあい読みをした。

gya' のしるしの意味をわからせ，ギャッとギャのローマ字書きの場合の違いに注意させながらノートさせた。

honno と hon no の違いを考えさせた。
（ほんの）　（本 の）

行が変わるときのつなぎのしるしと，複合語に用いるつなぎとを区別しながら発見することをさせた。

所　見

「飛び出してきます。」ではなくて，「飛び出してきました。」ではないかと言う者があった。

第28回　3月2日（月）

教材（12）の第5時

④を指名朗読させ，こまったねずみを何でたいじしたかを考えながら，⑤，⑥を黙読させた。

次に例によって，かけあい読みで⑤，⑥を音読し，内容の問答にはいった。

どんなねこであるかをノートに書かせた。

husigina tikara o motta neko mikeneko

aoi me (aoi hikari)——miburui ga deru

所　見

喜んで読んでいた。

かけあい読みは，だいたいすらすらと進むことができる。

第29回　3月4日（水）

教材（12）の第6時，

⑦をかけあい読みで読んだ。

2-3-pun

23-pun

を比較させ，2と3の間のしるしの意味を考えさせた。

ねこはどうなったかを読みとらせ，どんなねずみだったかを書きとらせた。

neko yori ôkkii } nezumi
kiiroi

⑦を指名音読させ，今までの話を復習させて終わった。

所　見

指名音読の際，挙手して読みたがる者が約半数で，Aクラスよりも少し多い。

第30回　3月7日（土）

教材（12）について第8時（最終時）の取り扱いをした。

①から⑦までのあらすじを復習しつつ，要所要所を音読させた。

それから⑧を黙読させ，ねこがどうなったかを考えさせた。

でかしたぞ，すばらしいねこじゃ，の次にはどんなしるしがついているかに注目させ，「とめ」「問いのしるし」のほかに，つよめるしるし〔!〕があることを指導した。

ho' を前の gya' を思い出させながら取り扱った。

次に，長いつづりのことばだけを板書して，読みの練習をしたのち，指名朗読をさせた。

最後に，この物語の好きなところや感想を話させ，王様の感想（ほめことば）をノートさせて終わった。この次は復習をすると予告しておいた。

所　見

ともかく，この長い物語を終始興味をもって読み終えたことは，3年生としては，すばらしいと思った。

本時などは，漢字まじりの文の読解指導とだいたい同じようにやれたと思う。

第31回　3月9日（月）20分

K. A.（女）がローマ字音節一覧表を家で作って持ってきた。模造紙いっぱいに書いた大きい物なので，それを利用して，音節の総復習を行なった。

所　見

K. A. の家庭学習作品はちょうどおりがよかった。

ここで3月11日（水）第3次テスト（実験における最終テスト）を行なった。テストのできた者には，補充・発展教材であるところの，教材(13)を自由に黙読させた。

全体についての所見

（1）　音節から指導する方法に関して，その欠点として指摘されている次の3点，すなわち

ア　音節をまず指導してから，次に，音節を結びつけて単語の意味を理解する手順をとるので，語をまとまった形として記憶することができない。

イ　よう音や，つまる音の表わし方を誤まる。

ウ　助詞の o, wa, e があいまいになる。

ことに関しては最初からじゅうぶん考慮して，そうならないように注意をはらったので，結果としてはその欠点が表面に出ずにすんだ。

（2）　Aクラスと同様に，読解教材が多すぎ，程度が高すぎたと思う。もっと教材を少なくして，時間をかけて，基礎の練習をしたほうが効果があったと思う。

（3）　児童のローマ字に対する関心は，最後まで高かった。春休みに教

材（13）を読んだり，4 年になって使うローマ字教科書を読んだりしてきた児童が大ぜいいた。

（4）　この実験のような指導計画は，第2学期の初めごろから，毎週 2 回ないし3回ずつ，1 回を短時間として，継続的に行なうのがよいのではなかろうか。

（5）　他の国語学習と時間を分けあうことは，ラジオ聴取や，文字練習、話し方練習などと組み合わせると，両方につごうがよかった。

III　実験研究の結果

1　実験開始当時の児童

11 月 1 日（土）の基礎調査によって，明らかにされた児童の実態は次のとおりである。

（1）　テスト問題

○次の9枚のカードを順に見せて，紙にひらがなで答えを書かせる。

1　NHK
2　PTA
3　KR-TV
4　TOKYO
5　FUKUOKA
6　SEIBU
7　Takashimaya
8　Daimaru

9　SYÔNEN-SYÔZYO

○口頭で問いを出して書かせる。

10　今見せた字はなんでしょうか。

今見せたような字で，あなたが自分で書ける字がありますか。あったら書いてごらんなさい。

（2）　調査の結果

問題	正答者数					
	A クラス (46)			B クラス (46)		
	男	女	計	男	女	計
1	19	26	45	17	28	45
2	11	18	29	13	17	30
3	2	2	4	6	3	9
4	1	—	1	2	2	4
5	—	—	—	—	1	1
6	—	—	—	—	1	1
7	—	—	—	—	2	2
8	—	—	—	—	1	1
9	—	—	—	—	—	—
10	14	11	25	12	18	30
英語と答えた者	(3)	(14)	(17)	(2)	(1)	(3)
わからない者	(2)	(2)	(4)	(4)	(9)	(13)

1 番の NHK のみは，A クラスも B クラスもひとりを除いて，完全に読めている。

読めなかったのは，A クラスでは女児 1 名，B クラスでは男児 1 名でそのどちらも，「エム・エッチ・ケイ」と読んでいた。

児童が知っていて書いた文字は，次のとおりである。(　　) は推測である。

A（アンサー，算数で使っている。）

mm　cm　m　km　l　dl（算数）

ABC，P（ページ）（理科で使った。）

K，W，H，M（慶，早，法，明）

G（ジャイアンツ）

OTB，NHK，Q，X，SOS（テレビで知ったもの，漫画の影響もある。）

B. C. G.（注射）

W. C.（日常の観察）

なお，特定の児童が，自分の名まえのかしら文字を知っていた。（男 2 名，女 2 名）

S と N については，Ƨ，И，のようないわゆる鏡文字が，男 1 名，女 2 名に見られた。

この調査でローマ字が読めるとみなされる者は，B クラスの女児 1 名のみである。

2　第1次調査

（1） テストの期日： 12 月 13 日（土）

指導開始後 6 時間を経て，第 2 期のなかばにさしかかったころの結果を評価する。

A クラス　習得語数 25

習得音節数 28

音節分解ア，カ，サ，タの 4 行まで

書くことの学習 4 回

B クラス　音節中心に指導して，清音の学習をひととおり終了

習得音節数 46

書くことの学習 10 回

（2） テストの実際

O：　きょうは，ローマ字がどのくらい読めるかをためしてみましょう。このかたが，問題を出してくださいます。文部省からきてくださった A さんです。では，答えを書く紙を配りますよ。

（次に示すような紙を配る。—94 ページ参照。）

O：　組の数字と名まえを書きなさい。

はい，みんな書けましたね。

A さん，どうぞ。

A：　わたしがカードを 1 枚ずつ見せますから，えんぴつを下に置いたまま声を出さないで読みなさい。そして，読めたら，手を上げなさい。みなさんが読めたら，わたしが，「はい。」と言って，カードを伏せますから，そうしたら，みなさんは，読めたとおり，ひらがなで，その紙に答えを書きなさい。知っている漢字は，書いてもいいですよ。

さあ，始めますよ。1 番はこれ。

（O は，カードが示されると同時に，ストップウォッチを押す。）

A：　はい。

（O ストップウォッチを止める。）

A：　お書きなさい。

A：　では 2 番，はい，これ。（以下同様。）

３年　　組　なまえ	

1.
2.
3.
4.
5.
6.
7.
8.
9.
10.

ただし，次の三つの問題に対しては，特に以下のように話した。

A：　５番は，ちょっと長いが，このことばはみんながよく知っているはずですよ。

はい。

A：　10番は，みんなが知らないことばかもしれないが，読めるはずです。

はい，これ。

A：　最後のはおまけ，長いけれども，やさしいのです。ほら。

（３）　テストの結果（欠席者無し）

問題			Aクラス		Bクラス	
番号	各問題	Aクラスにとって	時間（秒）	正答率（％）	時間（秒）	正答率（％）
1	tiru （散る）		3	84.8	12	89.1
2	saka （坂）	新	17	60.9	6	89.1
3	ue （上）		7	87.0	9	82.6
4	siroi （白い）		24	50.0	10	89.1
5	tikatetu （地下鉄）	新	75	58.7	16	80.5
6	ao （青）	新	7	87.0	4	93.5
7	susuki （すすき）		3	80.5	6	91.3
8	uti （うち）	新	10	82.6	8	87.0
9	naru （なる）		30	52.2	18	73.9
10	teikoku （定刻，帝国）	新	65	32.6	20	82.6
付	kiku no hana to ha（菊の花と葉）		9	78.3	30	71.8
合計		既 5 新 5	250		139	
全問題正解者の比率			$\frac{4}{46}\times100=8.7$		$\frac{19}{46}\times100=41.3$	

○　Aクラスは，３番と付録で正答率が高いが，その他はすべて，Bクラ

スのほうが正答率が高い。

○　A クラスは，既習語だとだいたい速く読める。4 番と 9 番は例外であるが，これは，ひとめ読みがじゅうぶんでなく，似た語形と混同したらしい。(誤答に，「しろい」を「きいろい」に，「なる」を「ある」,「ちる」などに誤まった者がある。)

○　Bクラスは，付録として出題した問題のような，語の組み合わせを読むことは不得意である。

○　満点をとった者は，B に圧倒的に多い。

3　第２次調査

（１）　テストの期日： 2 月 18 日（水）

指導を開始してから，13 時間を経過したときの結果を評価する。

これは，指導計画の第１期，第２期，および第３期を終了したところであって，あとは第４期，すなわち，入門期における指導のまとまりをつける時期を７時間余すだけである。

指導時間としては，これまでに全体の $\frac{2}{3}$ の時間を費しており，あとに $\frac{1}{3}$ の時間を残している。

習得状況

A　クラス……音節分解をひととおり終えた。

ア　習得した語数……78

イ　語の中で習得した音節の数……77

ウ　語の中で習得しないで，音節分解によって習得した音節の数……35

B　クラス……簡単なローマ字文の読みをだいたい学習した。

ア　簡単な文のきまり

○文の初めの語頭の１字を大文字にすること。

○文字や音節は続けて書き，語ごとに間を離して書くこと。

○文の終わりには，とめ〔.〕のしるしをつけること。

イ　音節

音節 115 の学習などについては，ひととおりすんでいる。

（２）　テストの実際

O：　きょうは，今までのローマ字の勉強で，どんなことがわかるようになったか、テストをします。

きょうも，問題を出してくださるかたは，このかたです。覚えていますか。そう．A さんです。こんにちは。

では，A さん，お願いします。

A：　皆さん，こんにちは。

ローマ字の勉強は，だいぶ進んだでしょう。どう，おもしろい。

どのぐらい，読んだり，書いたりできるかな。

きょうは，この紙に問題が印刷してありますから，みなさんがこれを見て，自分でやってください。

やり方は，読んだらわかると思いますが，もし，読んでみて，わからないことがあったら，手をあげて聞きなさい。

では，O 先生に，この紙を配っていただきましょう。

（O，A いっしょに，左右の列からそれぞれ，ひとりひとりに裏返しにして配る。渡し終わったところで）

O：　さあ，見てごらんなさい。

A：　どう，やりかたのわからないのがありますか。わかった人は，やり始めていいですよ。

おもな質問以下のとおり

①について

（ア）　離して書いてあることばは，答えも離して書くのか。

（ひらがなを書くときには，どうしますか。いつもするとおりにしなさい。）

（イ）　わかったことばや字だけ書いてもいいか。

（いい。わからないところは抜かしておけばよい。）

②について

（ア）　お手本が小さいから，もっと大きい字で書いてもよいか。

（よい。行かえも，このとおりでなくてよい。足りなかったら，わくの外や，裏に書いてもよい。）

（イ）　読めなくても，まねして書いてよいか。

（よろしい。）

（ウ）　横の線がないが，いいかげんに書いてもいいか。

（すじがあるつもりで，なるべくきれいに書きなさい。）

③について

（ア）　付けたり離したりするところは，左の問題のとは違うのではないか。

（もちろん，かなや漢字とローマ字では，付け離しは違いますよ。）

（イ）　大文字で書くところもあるか。

（あります。だいじなことだから，よく考えてやりなさい。）

（3）　テストの問題

年　　組	名まえ

◎　せつめいをよくよんで，やりなさい。

①　つぎのローマじをよんで，みぎがわにかなでかきなさい。

（しっている，かんじは，つかってもよろしい。）

(1)　Yûbinkyoku　e　itta.	
(2)　akai　yane　no　uti	
(3)　Nippon	
(4)　Basu　ni　noru.	
(5)　Zidôsha	

②　つぎのてほんをみて，みぎがわに，おなじように，ローマじで，かきなさい。

（しるしも，そのとおり，かきなさい。）

"Mô okinasai!" to okâsan ga ossyatta. Samukute, okiru no ga iya datta ga, gaman site tobiokita.	

③　つぎの　ことばや　ぶんを　よんで，みぎがわに　ローマじで　かきなさい。

(1)　小（しょう）学（がっ）校（こう）	
(2)　寒（さむ）い朝（あさ）	
(3)　雪（ゆき）が降（ふ）る	
(4)　ローマ字（じ）	
(5)　きくの花（はな）	

(4) テストの結果

第1表　正答調べ

問題		A 人数 (46)	A % (100)	B 1名欠席 人数 (45)	B % (100)
①	全体	24	52.2	30	66.6
	(1)	29	63.0	36	80.0
	(2)	41	89.1	43	95.6
	(3)	40	87.0	42	93.3
	(4)	39	84.8	40	88.9
	(5)	41	89.1	44	97.8
②	全体	24	52.2	20	44.4
③	全体	3	6.5	3	6.6
	(1)	11	23.9	11	24.4
	(2)	13	28.3	18	40.0
	(3)	13	28.3	19	42.2
	(4)	25	54.3	23	51.1
	(5)	35	76.1	28	62.2
①, ②, ③の全体を通じて		2	4.3	2	4.4

第2表　誤答調べ

第①問について

問題点		A 46人中	B 45人中
(1)	読めない	2	0
	母音をつけて読む	2	0
	誤って読む（いく，いって）	3	4
	助詞 e を「え」と書く	9	4
	助詞 e を「に」と誤る	5	1
(2)	読めない	0	1
	母音をつけて読む	2	0
	誤って読む（やえ，やま，くち，うた）	3	1
(3)	読めない	4	3
	誤って読む（いつどん，にいさん）	2	0
(4)	読めない	2	3
	母音をつけて読む（のおる）	1	0
	誤って読む（バスの中）	0	1
	B が読めない（〇すにのる）	4	1
(5)	読めない	2	0
	母音をつける	3	1

第2問について

問題点	A	B
まちがえて書いてある音節数（脱落や付加も含む。）	34	20
わかち書きをしないで書いた数	25	20
符号を落としたり，まちがえたりした数	10	15

視写であるから，全部の児童が書いていた。したがって，脱落はあって

も，書いてない語というものはなかった。

②に含まれている音節，わかち書きをすべき箇所，および使われている符号の総数から，上の数字を比較すると，次のようになる。わたくしの考えでは，前に，音節について述べたところであきらかなようにやまがた〔^〕は符号ではあるが，â，û，ê，ô などは，一つ一つの長音とみなして指導してきた。そのため，この計算においても〔Mô〕は〔^〕を符号としてではなく，音節の一つとして扱った。すなわち，〔Mo〕と〔Mô〕とを2音節に数えた。

観点の数	誤答の百分率	
	A	B
音節総数：44	$\frac{34}{44\times46}\times100=1.7\%$	$\frac{20}{44\times45}\times100=1\%$
わかち書きの箇所の数：15	$\frac{25}{15\times46}\times100=3.6\%$	$\frac{20}{15\times45}\times100=1\%$
符号総数：7	$\frac{10}{7\times46}\times100=3.2\%$	$\frac{15}{7\times45}\times100=4.8\%$

児童1名あたり，1音節，1わかち書き，1符号についての誤答百分率は，以上の表のようになる。

第③問について

（1）から（5）までを通じて，次のようになる。

問題点	A	B
まちがえて書いてある音節の数（付加や脱落を含む。）	175	101
わかち書きをしないで書いた数	55	84
文の初めを大文字にしなかった数	26	14
文の終わりにとめ〔.〕をつけなかった数	16	17

これを，児童1名あたりで，1音節，1わかち書き，1文の初めの大文字，1文の末の符号それぞれについてどの程度の誤りをおかしているかをみるために百分率にしてみると，次のとおりである。

観点の数	誤答の百分率	
	A	B
音節総数：25	$\frac{175}{25\times46}\times100=15.2$	$\frac{101}{25\times45}\times100=8.9$
わかち書きをすべき箇所の数：5	$\frac{55}{5\times46}\times100=19.6$	$\frac{84}{5\times45}\times100=37.3$
大文字の数：1（Y）	$\frac{26}{46}\times100=56.5$	$\frac{14}{45}\times100=31.1$
〔.〕とめの数：1	$\frac{16}{46}\times100=34.8$	$\frac{17}{45}\times100=37.7$

第3表　所要時間調べ

答案を提出した時の経過時間	A（46名）○印全正答者	B（45名）○印全正答者
開始後13分	1	1
14分まで	1	6
15分まで	1　○	3
16分まで	4	5
17分まで	6　○	9　○
18分まで	2	6
19分まで	3	6
20分まで	3	5　○
21分まで	7	1
22分まで	3	1
23分まで	1	2
24分まで	2	0
25分まで	1	0
26分まで	3	0
27分まで	3	0
28分まで	4	0
29分まで	1	0

グラフに示すと、次のとおりである。

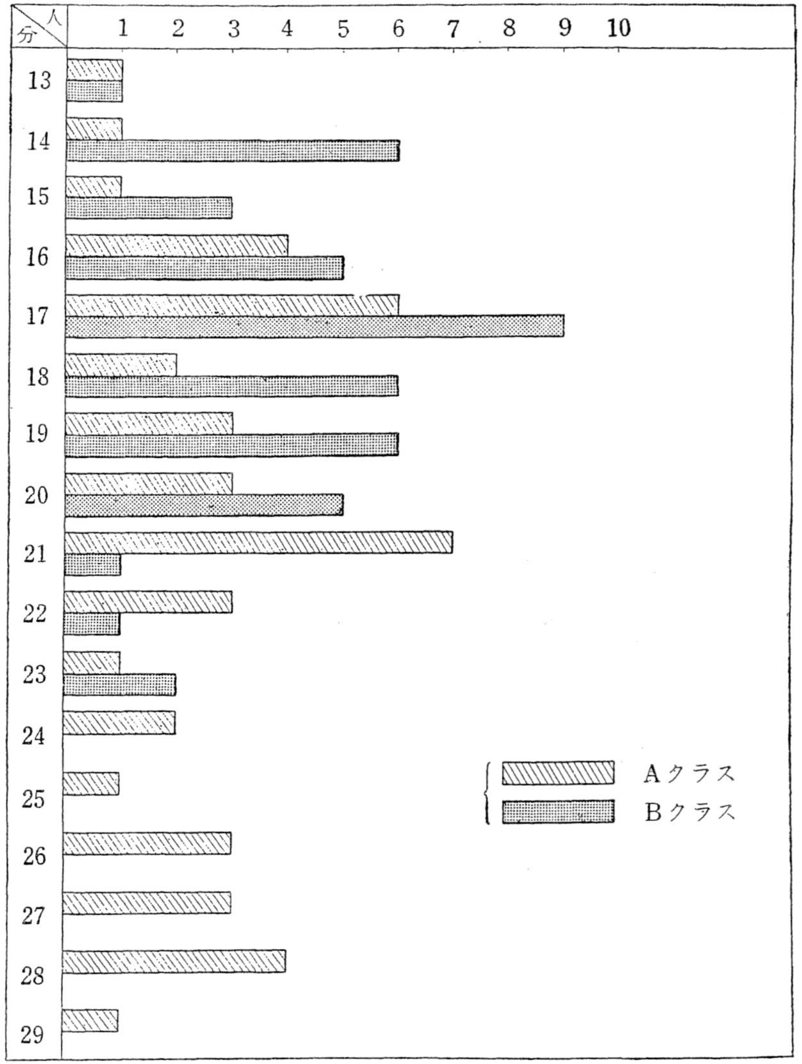

結果の概要

○　ローマ字を読むこと，すなわち，①については，Bクラスのほうがよい。

○　ローマ字を見て書くこと，すなわち，②については，Aクラスのほうがよい。

○　ローマ字で書くこと，すなわち，③については，A，Bクラスには，ほとんど差がない。

○　Aクラスには，母音をつけて読む者が，2名いるが，Bクラスには，それはない。

○　音節の習得は，読むこと書くこと，ともに，Bクラヌのほうがよい。

○　わかち書きの習得は，視写の場合には，Bクラスのほうがよいが，自分で書く場合には，Aクラスのほうがよい。

○　符号の習得は，Aクラスのほうがよい。

○　テストを終えるのに要した時間は，Aクラスのほうが多く，長い。(この3年では問題をひととおりすませたのち，時間いっぱい出さないでいるという習慣は，両組ともない。)

4　第3次調査（終末調査）

（1）**テストの期日：** 3月11日（水）

このテストは，今回の実験学習指導をひととおり終わったところで行なった。

すなわち，A，B両クラスとも，20分単位の学習を26回，40分単位の学習を7回，合わせて，40分を1単位時間とする学習を20時間行なったところである。

（2）テストの実際

O：　この時間は．ローマ字の勉強のいちばん最後の時間です。

きょうは，A さんと，それから，こちらの K さんのおふたりがきてくださいました。

みんなが，どのぐらいローマ字を覚えたか，テストをしていただきましょう。テストができたら，そのあとは，きょうも，A さんが，おもしろいローマ字むきのお話を持ってきてくださいましたから，それを読むことにしましょう。

では，お願いいたします。

A：　きょうも，問題が紙にすってありますから，これを見て，自分でやってください。

（3人で問題を刷った紙を配る。）

A：　何か質問ありますか。

（質問のおもなものは．3 についてであった。「春休みはまだなのに，何を書くのか」という意味のものが多かった。□の中の文をそのままローマ字で書くことを説明した。名まえはローマ字でなくてもよいことにした。

A：　それでは，始めてよろしい。

（3）テストの問題

-nen　　-kumi	Namae

◎せつめいをよくよんでやりなさい。

1. つぎのぶんをよんで，(1)(2)(3)(4)のうち，いちばんよいとおもうものを，⊂⊃でかこみなさい。

Kinô wa ame { (1) demo / (2) darô / (3) datta / (4) nara } node, uti de asonda.

{ (1) Osorosii / (2) Kanasii / (3) Sabisii / (4) Omosiroi } ohanasi o kiite, minna wa itido ni waraidasita.

2. つぎの，ひだりがわと、みぎがわが、ひとつづきになるように，○のなかに，ばんごうをかきいれなさい。

(1) Ozisan kara	○ itu mo sinsetu ni simasyô.
(2) Sarasara to	○ hasitte kimasu.
(3) Hito niwa	○ gohôbi o itadaita.
(4) Inu ga	○ nagareru ogawa no mizu.
(5) Nyânyâ to	○ neko ga naku.

3. つぎの□のなかのぶんを、ローマじでかきなさい。

春休み(はるやすみ)の日記(にっき)をローマ字(じ)で書(か)く。

（4）　テストの結果

○　名まえの書き方

名まえの書き方は指導してない。姓や，名は，最初の一字を大文字にすること，ローマ字は，日本語をそのまま書くものであることだけは，理解させてある。

このテストでは，ローマ字で名まえを書きたい人は，書いてもよい，と言っておいた。

摘要 ＼ クラス	A	B	4年生
ローマ字で正しく書いた者	19.5	17.8	60.0
ローマ字で書いたが正しくない者	45.6	37.8	33.3
漢字やひらがなで書いた者	34.9	44.4	6.7
合　計	100％	100％	100％

○　正答調べ

各問題別の正答者数と百分率は次のとおりである。

問題 ＼ クラス		A (45人)		B (43人)		4年 (90人)	
		人数	％	人数	％	人数	％
1	(1)	43	95.6	42	97.7	87	96.7
	(2)	42	93.3	43	100	83	92.2
	(1)(2)両方	41	91.1	42	97.7	82	91.1
2		34	75.6	40	93.0	84	93.3
3		16	35.6	11	27.5	30	33.3
1, 2, 3 の全問題		16	35.6	11	27.5	28	31.1

○　誤答調べ

問題3について，誤答を分析調査した結果は，次のとおりである。

問　題　点	A (45人)	B (43人)	4年 (90人)
音節のまちがいの数（脱落，付加を含む。）	61	58	111
わかち書きのできなかった人数	18	21	82
大文字で書くべきところを書けなかった人数	14	9	2
とめ〔.〕をつけなかった人数	14	21	30
一語の音節間を離して書いた人数	4	7	8
鏡文字を書いた人数（N を И と書いたもの）	—	—	3
小文字で書くところを大文字で書いた人数 (M, Y)	—	—	4
助詞の o を wo と書いた人数	—	—	1
全然書けなかった人数	—	—	1

この問題に含まれている観点は，次のとおりである。

（I）　音節　17

ha　ru　ya　su　mi　no　ni　k　ki　o　ro　ô　ma　zi　de　ka　ku

（II）　わかち書き　6

語が　haruyasumi　no　nikki　o　rômazi　de　kaku　の7語であるから，わかち書きすべき箇所の数は6である。

（III）　大文字　1 (H)

文の初めの大文字だけを調査の対象にした。

「日記」「ローマ字」は語頭を大文字で書いても，小文字で書いてもよいことにした。

（IV）　とめ〔.〕　1

この観点の数に、調査人数をかけたもので，さきの，問題点の項目の数を割り，100 をかけることによって，児童ひとりあたりの，各観点ごとの誤答の百分率が得られる。それは，次のとおりである。

観点の数	誤答の百分率		
	A	B	4年
音節総数：17	$\frac{61}{17\times45}\times100=8.0$	$\frac{58}{17\times43}\times100=7.9$	$\frac{111}{17\times90}\times100=7.3$
わかち書きの箇所の数：6	$\frac{18}{6\times90}\times100=6.7$	$\frac{21}{6\times43}\times100=8.1$	$\frac{82}{6\times90}\times100=15.2$
大文字の数：1 (H)	$\frac{14}{45}\times100=31.1$	$\frac{9}{43}\times100=20.9$	$\frac{2}{90}\times100=22.2$
とめ〔.〕の数	$\frac{14}{45}\times100=31.1$	$\frac{21}{43}\times100=48.8$	$\frac{30}{90}\times100=33.3$

○誤答の内容のうちで，音節では nikki のつまる音 kk のまちがいが最も多かった。

○わかち書きでは，文節によるわかち書きとの混同が多かった。すなわち，春休みの，日記を，ローマ字で，というぐあいに切って，「の」「を」「で」を前の語に続けて書く者があった。

5　結果の考察

(1) 欠席者について

第2学期は，児童の健康状態がよく，欠席があまりなかった。基礎調査も，第1次調査も，全員出席のもとに行なうことができた。

第3学期になると，寒さのため，かぜをひく者も多くなり，欠席者が増した。女児1名は盲腸手術のために，続けて長く休んだので，第2次，第3次の2回の調査を受けていない。

摘要	A	B
実験学級児童数	46	46
基礎調査を受けた児童数	46	46
第1次調査を受けた児童数	46	46
第1次調査の欠席者数	0	0
第2次調査を受けた児童数	46	45
第2次調査の欠席者数	0	男 0 女 1
第3次調査を受けた児童数	45	43
第3次調査の欠席者数	男 1 女 0	男 2 女 1

調査の結果は，以上の欠席児童を抜いて集計したものである。

男児の欠席者は，いずれも，だいたい普通児と見られる。

女児の欠席者も普通の児童で，2回とも同じ児童が，引き続いて欠席をしていたものである。

(2) A，B 両クラスの比較について

実験の目的をふりかえってみるに，

ア　ローマ字で書いた語や簡単な文などを読むこと。

に関しては，第3次の終末テストの第1問および第2問の正答率で明らかなように，75％ 以上，100％ にわたる結果を示していて，A，B 両クラスとも，大差なく，ほぼ所期の目的を達成したと考えられる。

しかし，

イ　ローマ字で，語や，簡単な文を書くこと。

とあるのについては，第3次の終末テストの問題の程度を標準とみる場合においては，Aクラスの 35.6％，Bクラスの 27.5％ という正答率の数字は，いずれも，いまだ学習ふじゅうぶんと考えざるを得ない。

この数字を比較すれば，Aクラスのほうが学習効果があがったと見ることができようが，やはり，75％ 程度の正答率は期したいところであってその限りにおいては，両クラスとも，まだ，はるかに及ばないという点で，両クラスの数字差をあまり大きく考えるわけにはいかないであろう。

(3)　これまでの普通コースとの比較について

4年生に，第3次の終末テストをさせてみた結果を見ると，ローマ字を読むことにおいて，B クラスは，4 年生にまさっていることがわかる。

4年生が，3 年生よりも，よい結果を示しているのは，第2問の組み合わせ法による読みの調査だけである。そのまさっている程度は，しかも，わずかに 0.3％ にすぎない。

書くことにおいては，4 年生も正答率はまさに $\frac{1}{3}$ にすぎないのであって，B クラスよりも少ない数字である。

この結果によって，今までにローマ字教科書を使用して，年間 40 時間行なってきたローマ字指導を，年間 20 時間で，特別なローマ字教科書を使わないでも，だいたい今までと同じ程度には，じゅうぶん，やれそうだという見込みがつきそうである。

最終テストにおいて，A クラスで 16 人，B クラスで 11 人，合わせて，27 人の満点を取った者があったことは，30.7％ の児童が，この問題に対して，完全な答案を書いてくれたことになる。実験を終わるにあたって，このことは，たいへんうれしいことであった。

IV　教　材　教　具

1　A クラス

(1)　カード（語形カード）

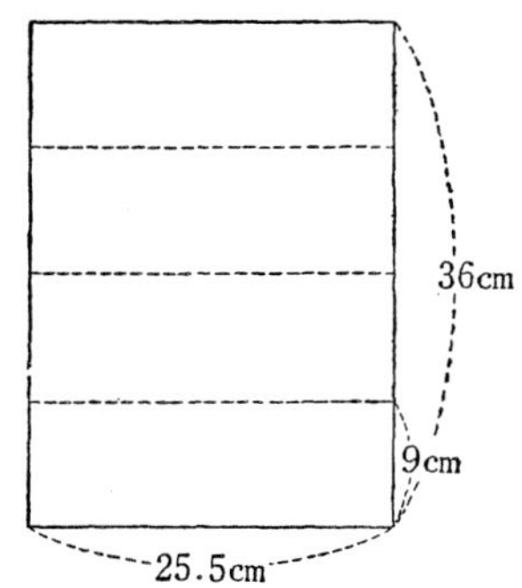

第2回から第8回までは，カードだけによって指導した。カードの大きさは，画用紙を左図のように四つ切りにしたものである。

横……………… 25.5 cm
縦……………… 9.0 cm

マジックインキを使って，それぞれの語を書いた。横の線は引かなかった。カードの裏にえんぴつで番号と，その読みを書いておいた。

第7回までに使用したカードは 25 枚である。それ以後も，読解教材とともに，カードも用いて指導した。カードによって指導した語は全部で 78 語である。第 24 回以後は（第 14 時間目以降）カードを新しくふやさなかった。

児童にはカードを持たせなかった。

教師がカードに語を書くときに注意したのは次の諸項である。

① 文字はマヌスクリプト体を用いた。

すなわち a・*a* は ɑ，t は t，g は g とした。

② 語のつづりの長短に関係なく字と字の間隔は一定にして書いた。

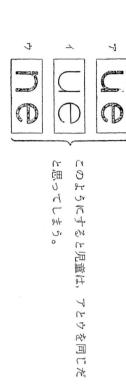

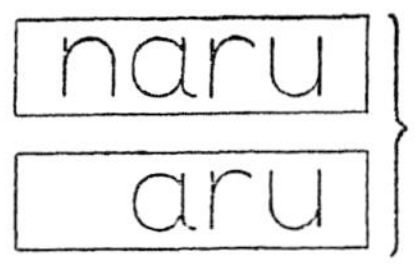

のようにする。

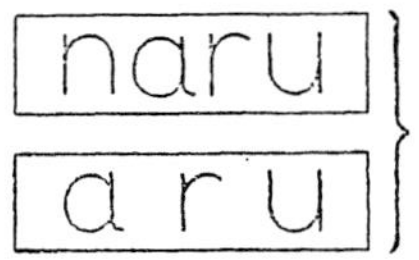

のようなのはいけない。

③ 文字はできるだけ同じ太さにする。

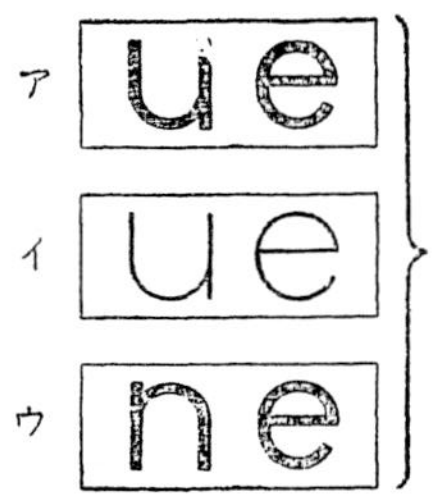

このようにすると児童は，アとウを同じだと思ってしまう。

④ 文字の上下の位置を正しくする。

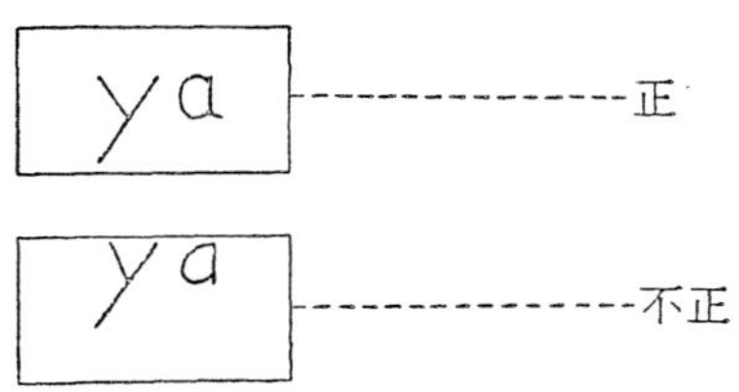

（2） 読解教材

教科書にあたるものとして，教材を謄写印刷して児童に与えた。第12回

以後に使用した。毎回1枚ずつ渡したので，児童はそれを「1 枚教科書」と呼び，「次はなんですか。」と楽しみにしている様子が見えた。

教材（1）から教材（7）までのものは，5 mm 幅のけい（4 本けい）を引いた。

教材 (8) と教材 (9) 教材 (10) は，けいを印刷せずに文字だけ印刷した。

教材 (11) は，1 cm 幅けい（2 本けい）を印刷し，一段おきに書いたものを与えた。

教材（12）は，ふたたび，けいを引かなかった。

以上の（1）から (12) までは，全部児童に書かせる文字の大きさと全く同じ形にした。

補充，発展の教材として与えた，教材（13）はこれまでの半分の大きさの字，すなわち，1cm 幅けいの各行に書いたもので，応用的に読ませることをねらった。

以下に印刷物を掲載する。

(1) kiku no hana

Kiku ga saku.

Hana ga saku.

Kiku no hana ga saku.

大文字と小文字

Kiku　　kiku

Hana　　hana

K　　k

H　　h

, とめ

(2) kiku no hana to ha

kiku to susuki

susuki to kiku

Ame ga huru, ame ga huru.

Kiku ga. tiru.

Hana ga tiru.

Ha ga tiru.

Kiku no hana ya ha ga tiru.

Aとa　　, くぎり

(3) samui huyu

samui huyu

huyu no yoru

samui huyu no yoru

Huyu wa samui.

Huyu no yoru wa samui.

Samui huyu da.

Samui yoru da.

なになには、なになに wa,

S と s

(4) Nengazyô

Omedetô
1959.1.1.
Miyama-Muneo

Akemasite
omedetô
gozaimasu.
Tasiro-
Kimiko

O o N n ＾やまがた

(5) Karuta de asobu

Karuta o maku,
boku ga maku.
Karuta o yomu,
watasi ga yomu.
Karuta o toru,
minna ga toru.
Heya wa atatakai.
Karuta de asobu no wa
tanosii. Minna ga wa ni
natte karuta o toru. M=m

(6) Huyu no asa

Huyu no asa, hayaku okite,
omote o haite iruto,
gyûnyûya-san ya sinbun'ya-san
ga tôru.
Minna genkini hataraite
iru.
Tonari no Poti ga kakine
kara nozoite iru.
Samui huyu no asa, boku
wa genkini omote o haku.
(T=t, P=p) (n'ya, nya)

(7) HUYU NO SI

Pyûpyû huku kaze,
samui kaze.
Kita kara huku kaze,
kogarasi da.
Boku wa genki de
gakkô e.

(B=b)

gakkô gakki
pyûpyû gyûgyû hyû

(8) Tako

Dare ka ga doko ka de tako o agete iru.
Edako ka na?
Sore tomo zidako ka na?
Takaku takaku agatte iru.

(9) Tôri

Yûbinkyoku no kado o magatte, hiroi tôri ni deruto, densya, zidôsya, ôkina basu, iroiro no kuruma ga tôru.

(D d) (E e) (Y y)

(10) Rômazi no zikan

Atatakai kyôsitu, sutôbu ga akaaka to moete iru.

Patipati to maki ga haneru oto ga suru.

Rômazi no zikan, Ryôzi San ga surasura to zyôzu ni rômazi no bun o yonda.

(R r)

(11) Rômazi nikki

2-gatu 10-niti. Hare.

Tenki wa yokatta ga, kaze ga samukatta.

Kyûsyû kara oziisan to obâsan ga dete irassyatta.

Omiyage ni, boku wa denti de ugoku zidôsya, imôto wa kâru-ningyô o itadaita. Ban no gohan wa, nêsan ga issyôkenmei ni tukutta gotisô ga takusan atta.

(12) Kiiroi Nezumi to Aoi Me no Neko

① Mukasi, mukasi, aru tiisana kuni ni, kiiroi ôkina nezumi ga imasita. Sono nezumi wa, ôsama no kura no naka ni sunde ite, sakanni abarete imasita.

② Ôsama kara, "Nezumi o taizi seyo," to iu meirei ga atta node, yakunintati wa iroiro yatte mimasita ga, dô

sitemo taiziru koto ga dekimasen desita.

③ Soko de, kunizyû no neko o atumete taizi sasetara yokarô, to iu koto ni nari, neko ga atumeraremasita. Sono kazu wa 500-piki nimo narimasita. Ôsama no osiro no naka wa, "nyânyâ," "nyâgoro," to urusai koto desita.

④ 10-piki zutu o hitokumi ni site, kura no naka e iremasita ga, honno 1-pun mo tatanai uti ni, 10-piki tomo, "gya'" to iu sakebigoe to tomo ni tobidasite kimasu. Miruto, 10-piki tomo zenbu me o yararete, tidarake ni natte imasu. Hoka no kumi mo zenbu onazi koto desita.

⑤ Ôsama wa taisô gosinpai desita. Tokoro de, doko kara tomo naku, sono kuni no minami no hanarezima ni, husigina tikara o motta neko ga iru to iu uwasa ga tuta-

watte kimasita.

⑥ Ôsama no gomeirei de, sono husigina neko ga kai-nusi to issyoni turete korare-masita. Sono neko wa, tyotto mita tokoro dewa, hutû no mike-neko desu ga, me kara aoi hikari o dasite ite, sono me de niramareruto, ningen demo omowazu mibu-rui ga deru hodo desita.

⑦ Sono husigina neko wa, sugu ni ôsama no kura no

naka ni ireraremasita.

Nanno monooto mo simasen.

2-3-pun tatuto, sono neko wa, zibun yori mo ôkina kiiroi nezumi o kuwaete, yûyû to kura kara dete kimasita.

⑧ "Appare zya, dekasita zo!" "Subarasii neko zya!"

Ôsama no oyorokobi wa taihenna mono desita.

Yakunintati mo te o tataite yorokobimasita. Hitobito

wa ho' to ansin simasita.

Husigina neko no kainusi wa, takusan no gohôbi o itadaite, minami no sima ni kaeri, masumasu husigina neko o kawaigatte, sizukani kurasita to iu koto desu.

（3）　学習帳

ローマ字学習帳は，従来から使っているもので，大学ノートと呼ばれるものと同じ大きさとていさいのノートである。B 5（18.2 cm×25.7 cm）(他の学習帳もすべてこの大きさ）ローマ字帳は，縦長の左開きで，5mm 幅の４本けいが引いてあり，基本になる基底線はうすい赤色で，その他はうすい青色である。

いわゆる英習字帳と呼ばれる中学生が用いる小型の横長のノートは，けい幅がせまくて，小学生には不向きである。

Aクラスでは，学習帳の使用は，第 12 回に，はじめて教科書に相当するプリント教材を与えた時から開始した。

できるだけ文を書かせるように指導し，音節を単独に書くことはさせなかった。教材として与えたプリントを見て，家庭で書写をすることを，家庭学習（復習になる）としてすすめた。

2　Bクラス

（1）　カード（五十音カード）

Bクラスは，第3回から，第12回までの間，音節カードを用いて指導をした。カードは，いわゆる五十音（ア，カ，サ，タ，ナ，ハ，マ，ヤ，ラ，ワの各行とン）の45音節の45枚である。カードは小さいので，画用紙では弱いため，板目紙（帳簿の表紙にする紙）を用いた。

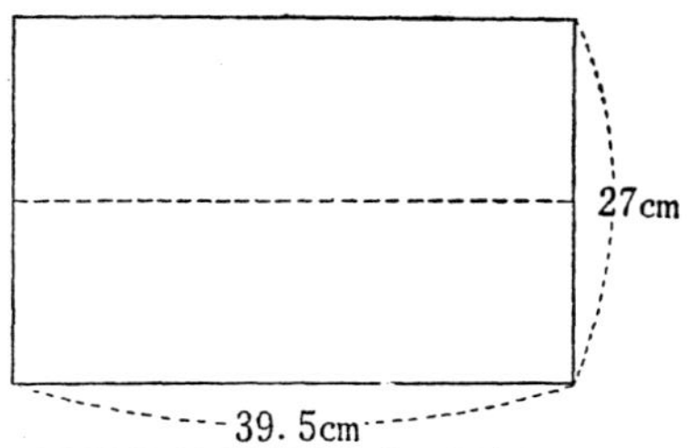

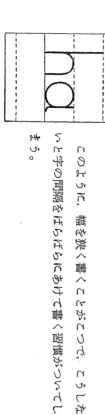

←左図のように二つに切った紙を用いる。

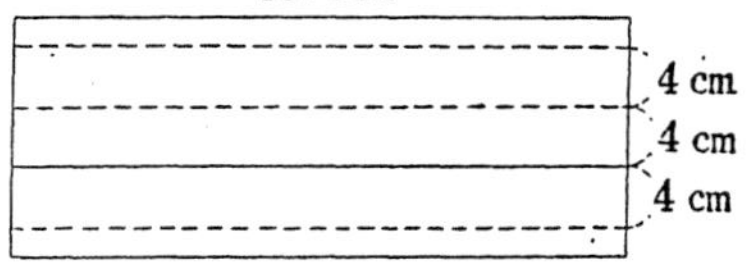

←左図のように4 cm 間隔の線を引く。

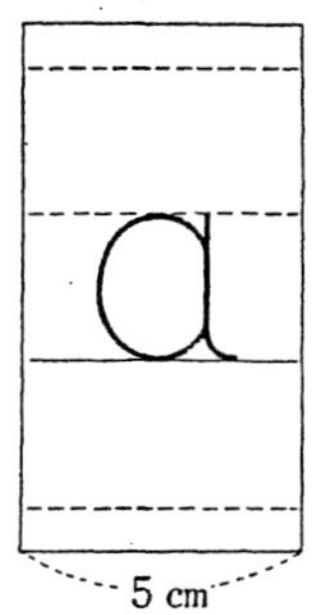

母音のa，i，u，e，oは右上図のように5 cmの幅の中に書く。その他，高さの高い字と子音と母音の2字から成る音節は，9 cm幅の中に書く。

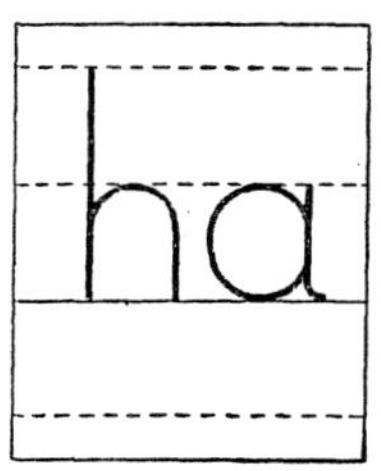

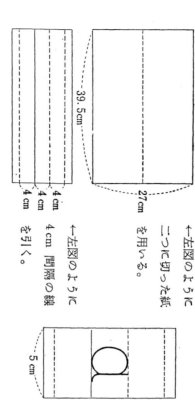

このように，幅を狭く書くことがこつで，こうしないと字の間隔をばらばらにあけて書く習慣がついてしまう。

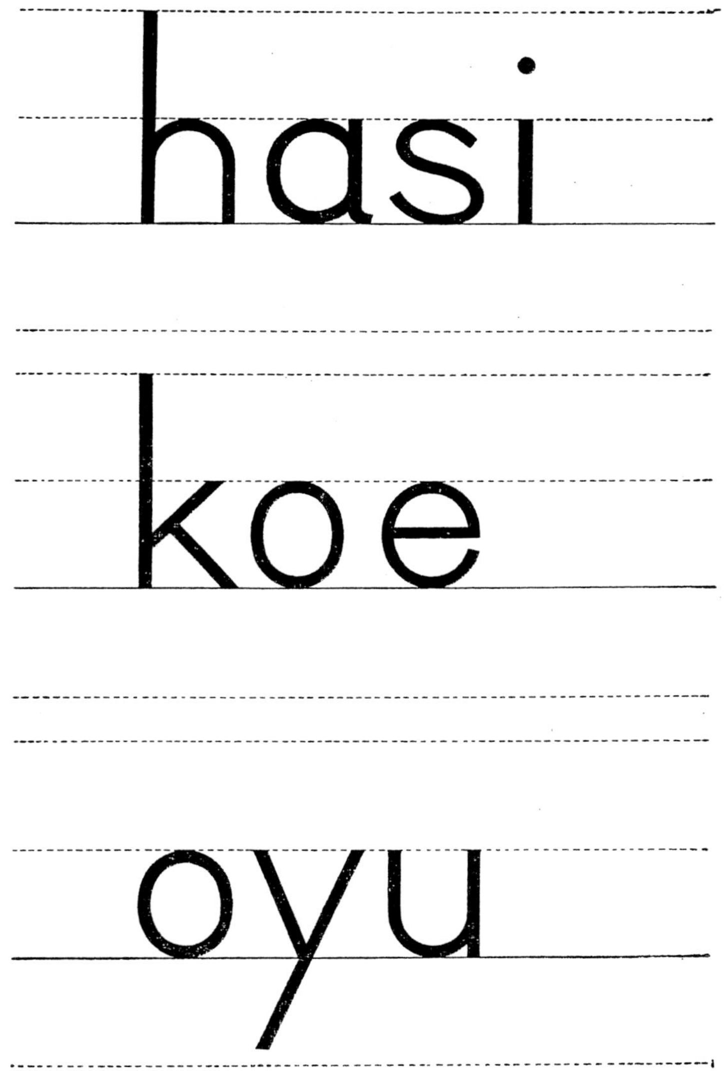

カードは，黒板のところに針金を渡して，それに物干しばさみを通し，それにはさんで使ってもよいが，これは，はさむのに時間がかかり，速く読む練習には適しない。

固い紙でカードを作っておいて，立てかけるだけのほうが手早くできる。

カードは，a なら a を1枚だけでなく，余分に作っておくと，いろいろに使える。

カードを組み合わせるときに，

1 枚 [o]
2 枚 [o | to]
3 枚 [o | to | na]
4 枚 [o | to | na | si]
5 枚 [o | to | na | si | i] のようにふやしていき，
5 枚と1枚 [o | to | na | si | i] [ko] で，離すことをわからせることもよい。

（2）　**黒板**

ga 行以後は，学習のピッチがあがり，カード作りが間に合わなくなってしまったので，黒板を利用して指導した。

小黒板に，あらかじめ，赤と青のチョークで線を引いておき，

「ga　gi　gu　ge　go　はこう書きます。」と言いながら g を書く。

「自分で考えて，ga, gi, gu, ge, go を書いてごらんなさい。わからない人は，先生も黒板に書きますから，見てもよろしい。」

教師は黒板に（小黒板ではない。）

ga	gaikoku	kore	ga	ii
gi	gikai	kagi		
gu	gumi	uguisu		
ge	geta	mageru		
go	gogo	garasugosi		

縦に書く。

「ことば集めをしましょう。」と言って，それぞれの音節が頭になる語を考えさせ，右に書かせる。次には，まん中に入れたり，あとにつけたりさせる。

za 行も初めの z を小黒板に書き，あとは ga 行と同様に黒板を使って線なしで書く。

z と s は，まがりかたが左右反対で，曲線と直線の差はあるが似ているし，d, b, p, は非常によく似ている。また，g, p, は下に長い文字として特徴がある。そのようなわけで，ガ，ザ，ダ，バ，パ行の字形の理解は板書によって，じゅうぶんに念を入れて行なう。

早読みの練習のためには，小黒板の裏面にまえもって，いくつかのことばを書いておいて，読ませることをしてみた。

（3）　**学習帳**

Bクラスにおいては，Aクラスよりも早く，初めから学習帳を使用した。

学習帳は，Aクラスのものと全く同じものである。

Aクラスが，文を主として書いたのに対し，Bクラスのほうは，音節および，語をおもに書いた。

	a	i	u	e	o
a	aa	ai	au	ae	ao
i		ii	iu	ie	
u				ue	uo
e		ei		ee	
o		oi	ou		oo

のようなこともやらせてみた。

音節習得が進むにつれて，その音節で始まることば，その音節で終わることば，その音節が間にはさまることばをいろいろ考えさせて見つけて書かせた。家庭学習でも，いくつか数を決めて書いてこさせることにした。

（4） 読解教材

第 16 回，および第 21 回以後に，読解教材を使用した。

読解教材は，Ａクラスに使用したのと同様のもので，(1)，(2)，(3)，(6)をのぞき，他は全部取り扱った。(6) は gyûnyûya-san，(○○やさんなどの長いことばのつなぎ) Poti，(固有名詞) n' などを含む重要な教材であるが，長い教材であるため，時間の関係で省かなければならなかったのは残念であった。

（お茶の水女子大付属小学校）
大 橋 富 貴 子

第　2　部

「ローマ字文の書き方」解説

「ローマ字文の書き方」解説

義務教育の期間中に，いわゆるローマ字教育が採り入れられたのは，昭和 22 年 4 月からであった。さきごろ学習指導要領が改定され，昭和 36 年度からローマ字教育は必修となった。

これまで，ローマ字文の学習指導におけるローマ字文の書き方（つづり方・わかち書き・符号の使い方）の基準とされていたものは，昭和 22 年 2 月に文部省から発表された「ローマ字文の書き方」であった。

これまでの「教科用図書検定基準」で「ローマ字文の書き方」は一つのよりどころとはなっていたが，必ずしも，それ以外の書き方を認めないというわけではなかったので，実際にローマ字文の学習指導(教科書を含む。)において用いられていたローマ字文の書き方は，細かくみれば，いくとおりかが行なわれていた。

ところで，その後，つづり方については，その単一化が実施され，また，前述のように，学習指導要領が改定されたのに伴って，新しく「教科用図書検定基準」が定められた。しかし，のちに述べるように，わかち書きに関するきまりは特に定められていない。このようにして，ローマ字文の学習指導において用いられるローマ字文の書き方は，一面においては単一化され，一面においては自由となったのである。

そこで，以下，指導上の参考として，「ローマ字文の書き方」を引用しつつ，その後の移り変わりを述べ，必要に応じて，あわせて解説を加えていくこととした。

注 1: 「ローマ字文の書き方」から引用した部分は，わくで囲んである。
注 2: 引用にあたって，用字は，原文との同一性をそこねないかぎり，現行

の用字法に改めた。
注 3: 解説の便宜上，引用文であることも示すわくの外に，つづり方・わかち書きのしかた・符号の使い方ごとに，たとえば〔I〕のように番号をつけ，また，必要に応じ，わく内の文にも（例 1）のように番号をつけてある。

§1 つづり方

〔I〕

1 直 音

a ア	i イ(ヰ)	u ウ	e エ(ヱ)	o オ(ヲ)					
ka カ	ki キ	ku ク	ke ケ	ko コ	ga ガ	gi ギ	gu グ	ge ゲ	go ゴ
sa サ	si シ	su ス	se セ	so ソ	za ザ	zi ジ(ヂ)	zu ズ(ヅ)	ze ゼ	zo ゾ
ta タ	ti チ	tu ツ	te テ	to ト	da ダ			de デ	do ド
na ナ	ni ニ	nu ヌ	ne ネ	no ノ					
ha ハ	hi ヒ	hu フ	he ヘ	ho ホ	ba バ	bi ビ	bu ブ	be ベ	bo ボ
ma マ	mi ミ	mu ム	me メ	mo モ	pa パ	pi ピ	pu プ	pe ペ	po ポ
ya ヤ		yu ユ		yo ヨ					
ra ラ	ri リ	ru ル	re レ	ro ロ					
wa ワ									

「ヰ」「ヱ」は，現代かなづかいの実施以来，現代口語文を書く場合には使われないが，「ヲ」は，現代かなづかいにおいても，助詞として，また，「ヂ」

「ヅ」は，いわゆる連濁・連呼の場合に用いられている。しかし，ローマ字で，語や文を書く場合に，書き表わされているかな文字の各音節ごとに，上に掲げたつづり方の表に従って翻字すればよいとはかぎらない。

ローマ字による語・文の書き表わし方と，現代かなづかいによる語・文の書き表わし方とは，ともに，それぞれ独自の体系に基づいて定まっているので，それぞれにその体系に従って書き表わすことが必要である。このことについては，「ローマ字文の書き方」においても，よう音・長音・つまる音・その他について，以下順次触れているが，次のように，助詞の書き表わし方も，現代かなづかいと，ローマ字とで異なっている。

○「じ・ぢ，ず・づ」の書き表わし方

じしん（地震）	zisin
ちぢむ（縮む）	tizimu
はなぢ（鼻血）	hanazi
ずが（図画）	zuga
つづく（続く）	tuzuku
みかづき（三日月）	mikazuki

○助詞の書き表わし方

いぬがおをふる。（犬が尾を振る。）

Inu ga o o huru.

それはわになっている。（それは輪になっている。）

Sore wa wa ni natte iru.

にわにはいない。（庭にはいない。）

Niwa niwa inai.

つりばりへえをつける。（つり針へえをつける。）

Turibari e e o tukeru.

〔II〕

2 よう音（拗音）

kya キャ	kyu キュ	kyo キョ		gya ギャ	gyu ギュ	gyo ギョ
sya シャ	syu シュ	syo ショ		zya ジャ(ヂャ)	zyu ジュ(ヂュ)	ryo ジョ(ヂョ)
tya チャ	tyu チュ	tyo チョ				
nya ニャ	nyu ニュ	nyo ニョ				
hya ヒャ	hyu ヒュ	hyo ヒョ		hya ビャ	hyu ビュ	hyo ビョ
mya ミャ	myu ミュ	myo ミョ		pya ピャ	pyu ピュ	pyo ピョ
rya リャ	ryu リュ	ryo リョ				

よう音は，現代かなづかいでは，ャ，ュ，ョを右下に小さく書くが，ローマ字では，直音を示すつづり字の間に，y をはさんで書くことになっている。したがって，たとえば，「キャ」を「kiya」と，「ミュ」を「miyu」などと書くのは誤りである。

さきに〔I〕において述べた「じ・ぢ，ず・づ」および，助詞の書き表わし方とともに，よう音の書き表わし方も，指導の初期において，じゅうぶんに徹底させることが望ましい。

〔III〕

〔備考 1〕 以上は，現代語で標準的と認められる音を，ローマ字で書き表わす場合と，かなで書き表わす場合とを対応して示したものである。

以上，〔I〕〔II〕に掲げられたつづり方は，昭和 12 年 9 月 21 日，内閣訓令第 3 号で公布されたつづり方と，実質的には同じもので，一般には，「訓令式」と呼ばれているものであり，また，これは，昭和 29 年 12 月 9 日、内閣告示第 1 号「ローマ字のつづり方」の「第 1 表」に掲げられているつづり方とも実質的に同じものである。

〔IV〕

〔備考 2〕 次のようなつづり方も必要に応じて習わせる。
shi (シ), chi (チ), tsu (ツ), fu (フ), ji (ジ，ヂ),
sha (シャ), shu (シュ), sho (ショ), cha (チャ), chu (チュ)
cho (チョ), ja (ジャ，ヂャ) ju (ジュ，ヂュ), jo (ジョ，ヂョ),
di (ヂ). du (ヅ) dya (ヂャ), dyu (ヂュ), dyo (ヂョ),
wo (ヲ. 助詞「を」にかぎる。), kwa (クヮ), gwa (グヮ)

ここに掲げられたつづり方は，いわゆる，「標準式(ヘボン式)」，および，「日本式」と呼ばれているつづり方である。このうち，「shi」から「jo」までが標準式 (ヘボン式) つづり方で，「di」から「gwa」までが日本式つづり方である。もっとも，そのすべてではなく，各音節のつづり方のうち，訓令式 (すなわち，〔I〕〔II〕に掲げられているつづり方。) と同じつづり方のものは省略してある。つまり，直音・よう音の各音節のうち，ここに掲げ

られていない音節のつづり方は，標準式 (ヘボン式)・日本式においても，訓令式と全く同じである。またここに掲げたつづり方は，昭和 29 年 12 月 9 日，内閣告示第 1 号「ローマ字のつづり方」の「第 2 表」に掲げられているつづり方と実質的に同じものである。

なお，訓令式 (すなわち，「第 1 表」) のつづり方にしてもそうであるが，標準式，あるいは，日本式 (すなわち，「第 2 表」) のつづり方によって，語・文を書く場合には，それぞれの方式によって，約束・習慣が定まっている。そこで，単に音節のつづりだけを，順次変えて並べても，語・文が正しく書き表わされるとはかぎらない。しかし，小学校においては，第 2 表によるものは，必要に応じて読めればよい程度であるから，指導に際しては，すべて教科書に従って書けばよいと思われるので，細かい点については，解説を省略する。

ここで，学習指導において用いられるローマ字のつづり方について簡単に述べてみよう。

ローマ字教育の発足にあたって，教科書は昭和 23 年から文部省著作のものが用いられ，同一内容のものが，訓令式，および，標準式のつづり方によって編集・発行された。ついで，検定教科書が使われるようになってから，同一内容のものが，訓令式，および，標準式，あるいは，日本式，および，標準式のつづり方によって発行され，各学校において，3 式のうちから自由に採択することができるようになった。そして，どの式によるとしても，他の 2 式についての知識もあわせて得させるようになっていた。その後，同一内容のものをふたとおりのつづり方によって編集・発行しなくてもよいことになった。

ついで，昭和 28 年 3 月 12 日，国語審議会から，「ローマ字つづり方の単一化について」が建議され，同年 8 月 31 日付け，文初初第 568 号

をもって，関係方面に「小中学校のローマ字学習について」(通達) が発せられ，昭和 30 年度から，「第 1 表」をよりどころとし，「第 2 表」についての知識もあわせて学習させることとなった。さらに，このたびの学習指導要領の改定に伴い，検定規準の内規において，ローマ字のつづり方は，小学校においては，「特別の必要のないかぎり，昭和 29 年 12 月 9 日内閣告示第１号の『第１表』(そえがきを含む。) による。」とされ，中学校・高等学校においては，「昭和 29 年 12 月 9 日内閣告示第 1 号の『第 1 表』(そえがきを含む。) による。ただし，外国語教科書その他において，特に必要のある場合は同じく『第 2 表』によることができる。」とされた。

なお，内閣告示第 1 号は次のとおりである。

内閣告示第一号　　(原文は「ローマ字のつづり方」以下以外は縦書き。)

国語を書き表わすに用いるローマ字のつづり方を次のように定める。

昭和二十九年十二月九日

内閣総理大臣　吉 田　茂

ローマ字のつづり方

まえがき

1　一般に国語を書き表わす場合は，第１表に掲げたつづり方によるものとする。

2　国際的関係その他従来の慣例をにわかに改めがたい事情にある場合に限り，第 2 表に掲げたつづり方によつてもさしつかえない。

3　前二項のいずれの場合においても，おおむねそえがきを適用する。

第 1 表 〔(　) は重出を示す。〕

a	i	u	e	o			
ka	ki	ku	ke	ko	kya	kyu	kyo
sa	si	su	se	so	sya	syu	syo
ta	ti	tu	te	to	tya	tyu	tyo
na	ni	nu	ne	no	nya	nyu	nyo
ha	hi	hu	he	ho	hya	hyu	hyo
ma	mi	mu	me	mo	mya	myu	myo
ya	(i)	yu	(e)	yo			
ra	ri	ru	re	ro	rya	ryu	ryo
wa	(i)	(u)	(e)	(o)			
ga	gi	gu	ge	go	gya	gyu	gyo
za	zi	zu	ze	zo	zya	zyu	zyo
da	(zi)	(zu)	de	do	(zya)	(zyu)	(zyo)
ba	bi	bu	be	bo	bya	byu	byo
pa	pi	pu	pe	po	pya	pyu	pyo

第 2 表

sha	shi	shu	sho	
		tsu		
cha	chi	chu	cho	
		fu		
ja	ji	ju	jo	
di	du	dya	dyu	dyo
kwa				
gwa				
			wo	

そえがき

前表に定めたもののほか、おおむね次の各項による。

1 はねる音「ン」はすべて n と書く。

2 はねる音を表わす n と次にくる母音字または y とを切り離す必要がある場合には，n の次に ' を入れる。

3 つまる音は，最初の子音字を重ねて表わす。

4 長音は母音字の上に ^ をつけて表わす。なお、大文字の場合は母音字を並べてもよい。

5 特殊音の書き表わし方は自由とする。

6 文の書きはじめ、および固有名詞は語頭を大文字で書く。なお，固有名詞以外の名詞の語頭を大文字で書いてもよい。

〔V〕

〔備考 3〕 特殊な音の書き表わし方については自由とする。

自由とはいうものの，全くの自由ではなく，やはり，従来からの習慣的な書き表わし方がほぼ定まっている。これらは外来語や外国の地名・人名また、方言やくずれた言い方を書く場合などに使われる場合が多い。第1表のつづり方による場合，特殊音はだいたい次のように書き表わされるのが普通である。

			ye（イェ）	
kwa（クヮ）				
	s'i（スィ）		sye（シェ）	
	t'i（ティ）	t'u（トゥ）	tye（チェ）	
twa（ツァ）			twe（ツェ）	two（ツォ）
hwa / fa（ファ）	hwi / fi（フィ）		hwe / fe（フェ）	hwo / fo（フォ）

	wi（ウィ）		we（ウェ）	wo（ウォ）
gwa（グヮ）				
			zye（ジェ）	
	di（ディ）	du（ドゥ）		
va（ヴァ）	vi（ヴィ）	vu（ヴ）	ve（ヴェ）	vo（ヴォ）

〔VI〕

3 いわゆる長母音は，その文字の上にやまがた［^］をつけて表わすか，または母音字を重ねて表わす。ただし「ていねい」「命令」などの「エイ」は ei とする。

obâsan	おばあさん	nêsan	ねえさん
Tôkyô	東京	ryôri	料理
kûki	空気	tyûi	注意
ôkii, ookii	大きい	tiisai	小さい
teinei	ていねい	meirei	命令

［^］をつけるか，母音字を重ねて表わすとあるが，［^］をつけるのが一般的であり，母音字を重ねるのは，表題などで，また，地名・人名，あるいは，物品名などを大文字ばかりで書く場合，あるいは，文の初めや固有名詞など，語頭を大文字で書く場合に使われる。しかしこれらの場合にも［^］をつけて表わしていることも多い。なお，「ア・ウ・エ・オ」の長音には［^］をつけるが，「イ」の長音だけは，習慣的に「ii」で表わし，「î」，または，「ī」はほとんど行なわれていない。

なお，「第2表」のつづり方のうち，標準式のつづり方による場合は，［^］でなく，「ぼう［¯］」をつけるのが普通である。

〔VII〕

4 はねる音は，すべて n で表わす。

sannin	三人	sinbun	新聞
denpô	電報	kantoku	監督
tenki	天気		

これも，標準式のつづり方による場合には，原則として n で表わすが，はねる音「ン」が b, m, p の前にくる場合には，次に示すように，m で表わすのが普通である。

shimbun 〔sinbun〕 新聞

temmongaku 〔tenmongaku〕 天文学

pompu 〔ponpu〕 ポンプ

（上の例の〔 〕内は，第１表のつづり方による書き方である。）

〔VIII〕

〔注意〕 はねる音を表わす n の次にすぐに母音字または y が続く場合には，n のあとに切るしるし［ ’ ］を入れる。

gen’in	原因	kin’yôbi	金曜日

切るしるしを入れなければ，genin は「ゲニン」と，kinyôbi は「キニョウビ」と読むことになる。「単位」などは，必ず「tan’i」と書かなければ，「谷」(tani) と読まれることになる。音を切るしるしとしては，教科書ではだいたい［ ’ ］が使われているが，社会一般では，「つなぎ」［ - ］を使って，「gen-in」，「kin-yôbi」のように書かれていることもある。

〔IX〕

5 つまる音は，次にくる子音字を重ねて表わす。

Nippon	日本	gakkô	学校
kitte	切手	zassi	雑誌
ossyaru	おっしゃる	syuppatu	出発
tyotto	ちょっと		

ただし次のような場合はアポストロフ［ ’ ］を使って示す。

“A’” to sakebu. 「あっ」と叫ぶ。

つまる音の次によう音がくる場合には，次のように，よう音を表わす最初の子音字を重ねて表わす。

issyô	一生	hattyaku	発着
tekkyô	鉄橋	happyô	発表

なお，標準式では，だいたいにおいて，次にくる子音字を重ねて表わすが，「sh」，および「ts」の前では，「sh」，「ts」を重ねずに，「s」，「t」だけを重ねて表わし，「ch」の前では，「ch」，または「c」を重ねず，「t」を用いて表わす。

ossharu〔ossyaru〕 おっしゃる

yottsu〔yottu〕 四つ

matchi〔matti〕 マッチ

hatchaku〔hattyaku〕 発着

（上の例の〔 〕内は，第１表のつづり方による書き方である。）

アポストロフを使って示す場合には，引用例のほか，次のような場合もある。

Inu no na wa “Poti” ’te iu no da.

いぬの名はポチっていうのだ。

〔X〕

6 文の最初の単語や固有名詞やその他必要のある場合には，その語頭に大文字を用いる。

Kyô wa kin'yôbi desu.

きょうは金曜日です。

Tôkyô 東京 Huzisan 富士山

この表わし方が最も一般的であるが，第1表のつづり方による場合，文中の普通名詞も，その語頭を大文字で書く書き方もある。また，第2表のうち，日本式のつづり方による場合には，次の例に示したように，文中の普通名詞の語頭も必ず大文字で書くことが習慣となっている。

Kireina Midu no nagarete iru Kawa ga atta.

きれいな水の流れている川があった。

Tugi wa Syakwaikwa no Zikan desu.

次は社会科の時間です。

〔XI〕

〔付記 1〕 外来語は国語音のつづり方に従って書く。

inki	インキ	naihu	ナイフ
tabako	たばこ	ranpu	ランプ

要するに，原語のつづり字や発音にこだわらずに書けばよいのである。

〔XII〕

〔付記 2〕 外国語（地名・人名を含む。）のローマ字つづりは，原則として原語に従って書く。ただし日本語ふうに呼びならわした地名・人名は外来語なみに扱う。

原語に従って書いただけでは，児童に読めないおそれがあるから，次に示すように，（　）内に日本語ふうの読みを入れるとか，まず，日本語ふうに書き，（　）内に原語のつづりを示すとかの方法が行なわれている。なお，原語のつづりはイタリック体などが使われる。しかし，原語のつづりを全く省略してある場合も多い。

Röntgen (Rentyen)
Rentyen (*Röntgen*)
Rentyen
} レンチェン

§2 わかち書きのしかた

ローマ字文の学習指導（教科書を含む。）において用いるわかち書きについては，これまでは，教科用図書検定基準に，「ローマ字文のわかち書き，符号の使い方は，おおむねローマ字教育実施要項の『ローマ字文の書き方』に準拠したものであるか。（わかち書きが『ローマ字文の書き方』の示すところと違う場合は，その理論的根拠を別冊として添付すること。）」とあって，いちおうは「ローマ字文の書き方」（昭和22年2月，文部省発表）を，そのよりどころとしていたが，必ずしもこれによる必要はなく，いわば自由であった。（しかし，自由というのは，全くの自由というのではなく，おのずからある程度の範囲のものでなければならないだろうし，また，統一がとれていることが必要であろうと思われる。）

ところで，学習指導要項の改定に伴って，新しく定められた教科用図書検定基準においては，その内規において，ローマ字文のわかち書きについての条項は特に設けられていない。したがって，かわち書きについては，何の拘束もなく，全くの自由となったとも考えられるが，やはり，約束・習慣にひどくはずれたようなわかち書き（全くわかち書きをしないような場合も含む。）や，統一がとれていないようなものは許されるべきではないと思う。

要するに，ローマ字文は，適当な箇所でくぎって（すなわち，わかち書きをして）書かなければならない。ところで，この適当な箇所というのが，どんな場合でも，だれが書いても，同じ文の場合には，同じ箇所しか考えられないというのであれば，しごくつごうよい。しかし実際には，語の働きを重くみるか，読みやすさを重くみるか，書きやすさ（すなわち，だれでも迷わずに，まちがえずに書けること。）を重くみるか，などによって，（あるいは，単にそのときの感じで，という場合もありうる。）人により，また，時と場合によって，適当と思われる箇所が違ってくる場合がある。このために，約束・習慣にひどくはずれない範囲内でのわかち書きのしかたに，いくらかの違いが生ずることになる。

もちろん，明治以来，ローマ字文のわかち書きについては，個人や団体によって，多くの研究が行なわれ，成果が発表され，かつ，実際に使われているものもある。しかし，世間一般の慣用となるまでにはいたっていない。文部省においても，前述のように，ローマ字教育の実施にさきだって，「ローマ字文の書き方」を発表し，わかち書きのしかたについて，いちおうのよりどころを定めてあるが，検定教科書のわかち書きは，必ずしもこれによっているわけでなく，ある範囲で，すなわち，ある程度の幅をもって，いくとおりかのわかち書きが認められている。

そこで，以下，「ローマ字文の書き方」を中心として，それ以外のわかち書きで，従来の検定教科書に行なわれていたわかち書きのうちから，そのおもなものを掲げて説明していくこととする。

これは，どのわかち書きが最も望ましいかということを示そうとしたものではなく，また，ここに掲げたわかち書き以外のわかち書きは，すべて

不適当なものだとか，誤ったわかち書きだという意味でもない。

以上述べたように，国語をローマ字で書き表わす場合のわかち書きのしかたは，現在のところでは，ある程度の幅をもって認められており，絶対的な標準が確立されるまでには至っていない。そこで，学習指導にあたっては，教師としては，わかち書きについてのこのような現状を，ある程度わきまえていることは望ましいが，2様，3様のわかち書きのしかたのあることを児童に教える必要はなく，すべて使用する教科書のわかち書きに従っておくべきであろう。

〔I〕

1　原則として単語はそれぞれ一続きに書き，他の単語から離して書く。

（例 1）　Suzusii kaze ga soyosoyo huku.
　　涼しい風がそよそよ吹く。

（例 2）　Kyô wa watakusi no tanzyôbi desu.
　　きょうはわたくしの誕生日です。

（例 3）　Kare wa eigo mo deki, sono ue Huransugo mo zyôzu da.
　　かれは英語もでき，そのうえフランス語もじょうずだ。

（例 4）　Iya, sonna kimoti wa nai.
　　いや，そんな気持ちはない。

まず，「原則として単語はそれぞれ一続きに書き，他の単語から離して書く。」とあるが，「単語」とは何かということを厳密に定義することは，なかなかむずかしいことである。したがって，具体的に，あることばが単語であるかどうかの認定がむずかしい場合があり，また，同じことばでも，人によって違う場合もあるし，あるいは考え方によって（一つの）単語とも，二つ，もしくは，二つ以上の単語が結びついたものとも考えられるも

のもある。さらに，実際にわかち書きをするにあたっては，理論だけで処置しようとすると，かえって読みにくくなったり，書くのに迷いやすくなったりすることもある。すなわち，現実には，理論をふまえながらも，読みやすさとか，書きやすさをも考慮して決め，また，たいそうばく然としてはいるが，ごく，そぼくな言語意識において一まとまりと認められるものを，一つの単語とする場合もあって，あらゆる場合に通じる明確な基準をたてて律することは，きわめてむずかしいことである。

したがって，実際には，「単語」というものの規定のしかたによっては，多くの例外が生じてくるのであるが，上述のような原則に基づいてわかち書きをすればよいのである。

〔漢字・かなまじり文のわかち書きと，ローマ字文のわかち書きについて〕

今日，社会一般で最も普通に使われている漢字・かなまじり文では，わかち書きをしないのが普通である。しかし，ごく少数の漢字をまじえた漢字・かなまじり文（小学校の低学年用の教科書の表記にみられる。）や，かなばかりの文においては，やはり，わかち書きをしなければ，きわめて読みにくいので，わかち書きをしてあるのが普通である。

ところで，この漢字・かなまじり文（かな文）におけるわかち書きは，ローマ字文のわかち書きとは，少し違っている。すなわち，現在においては，ローマ字文のわかち書きは，さきに述べたように，原則として，「単語」ごとにくぎって書かれるのが一般的なならわしとなっているのに対し，漢字・かなまじり文では，原則として「文節」ごとにくぎって書かれるのが一般的なならわしとなっているのである。

したがって，ローマ字文において，原則として「文節」ごとにくぎって

わかち書きをしたのでは，現在においては，一般のならわしに反することになる。

もっとも，文のなかには，文節と単語とが合致している場合もあり，このような場合は，両者のわかち書きの単位が合致するわけである。

たとえば，「花咲き，鳥歌う。」という文は，「花」「咲き」「鳥」「歌う」という四つの文節からできていると同時に，「花」「咲き」「鳥」「歌う」という四つの単語からできているとみることができる。

しかし，「花が咲き，鳥が歌う。」という文は，「花が」「咲き」「鳥が」「歌う」という四つの文節からできているが，「花が」および「鳥が」という文節は，それぞれ，「花」と「が」，および，「鳥」と「が」の二つの単語からできているとみられるので，全体としては，六つの単語からできていることになる。

したがって，以上の文例を，それぞれにわかち書きをして示すと，次のようになる。

漢字・かなまじり文 ｛花　咲き，　鳥　歌う。
花が　咲き，　鳥が　歌う。

ローマ字文 ｛Hana saki, tori utau.
Hana ga saki, tori ga utau.

また，たとえば，「山へ行きました。」というような場合に，文節ごとにくぎって書けば，

Yamae ikimasita.

となる。また，前記の原則にできるだけ忠実に機械的に従って，単語ごとにくぎって書けば，

Yama e iki masi ta.

というふうにもなるが，これでは，かえって不自然に感ぜられ，したがっ

て読みにくい（意味がとりにくい）ので，原則からはずれているとみることもできようが，ローマ字文では，

Yama e ikimasita.

と書くのが普通である。

以上のように，現在では特殊な場合のほかは，漢字・かなまじり文のわかち書きと，ローマ字文のわかち書きとは，合致していないのが普通である。同じ日本語を書き表わすのであるから，使用する文字のいかんにかかわらず，わかち書きは，常に同一であるべきだとの説もあるが，現在では，そうなっていない。

さて，ローマ字文のわかち書きは，以上のように，単語ごとにくぎって書くことを原則としているのであり，〔I〕に掲げられている四つの文例は，おおむね原則に従って書かれているが，（例3）の文，「かれは英語もでき，そのうえフランス語もじょうずだ。」における「そのうえ」と「じょうずだ」の2語は見方によっては，原則からはずれているとみることもできる。

すなわち，「そのうえ」は，これ自体一つの接続詞とみることもできるから，sonoue と一続きに書くべきだとの説もなりたつわけであり，事実，一続きに書くことも行なわれている。すなわち，「そのうえ」は接続詞として，1語とみることもできるが，その一方，「その」と「うえ」とは，それぞれ比較的独立性が強いと考えることもできる。なぜなら，「その」は他の語と結びついて「そのまま」「そのはず」「そのとおり」「その後」「そのくせ」「その節」などの語を構成することができるからである。さらに，「本はそのうえに置いてある。」というような場合のそのうえは明らかに，「その」と「うえ」との別々の語であるとみられ，したがって一続きに書くことは不適当であるということもあるので，全体としては接続詞の働きをしている「そのうえ」という語も例文のように sono ue と分けて書くことも考えられる。つまり，「そのうえ」という語は，それぞれに独立性の強い「その」と「うえ」とが，たまたま結びついた語であるとみれば，sono ue と書くことになるし，文における「そのうえ」という語の働きから考えれば，sonoue と書くことになる。

同様な例は，ほかにもあり，次のような語は，それぞれに二とおりの書き方が行なわれている。

それから	sore kara, sorekara
それで	sore de, sorede
それゆえ	sore yue, soreyue
それでは	sore dewa, soredewa
だから	da kara, dakara
だが	da ga, daga
ですが	desu ga, desuga
ところが	tokoro ga, tokoroga
そこで	soko de, sokode

しかし，「および」「しかし」「もしくは」などは，常に1語として，oyobi, sikasi, mosikuwa と書くべきである。

「じょうずだ」については，後述する。

〔II〕

〔注意 1〕 いわゆる形容動詞と認められる語は，「だ」を離して書く。
kirei da きれいだ　　zyôzu da じょうずだ

『「だ」を離して書く。』というのであるから，同じ形容動詞でも，「きれ

いな」「きれいに」などの連体形・連用形などは，〔I〕に引用した原則に従って，「な」「に」を離さずに，kireina，kireini と一続きに書くのである。

「きれいだ」という場合の「だ」は，「ねこは動物だ。」という場合の「だ」によく似た働きをもっているとも考えられ，形式的にわかち書を合致させるという意味をも含めて，「だ」を離して書くのが普通である。理論的には「きれいな」「きれいに」を一続きに書くのであれば，同じ形容動詞であるのだから「きれいだ」も kireida と一続きに書くべきだということになるが，このようなわかち書きは一般に行なわれていない。

これに反して，一方においては，形容動詞の終止形の書き方に合わせて，連体形・連用形も，kirei na，kirei ni と離して書くべきだとの説もあり，実際にも行なわれている。

なお，連体形・連用形の場合は一続きに書く方式においても，連用形に「する」「なる」が続く場合には，「に」を離して書くことも行なわれている。たとえば，

Heya o kirei ni suru.　　Heya ga kirei ni natta.

などのようである。

〔III〕

〔注意 2〕 複合語で１語としてまだじゅうぶんに熟していないものには，つなぎ［-］を入れる。

rigai-kankei　　利害関係
hanasi-tuzukeru　　話し続ける

ただし，１語としてじゅうぶんに熟したものには［-］を用いない。

hinoki　ひのき　　amagasa　あまがさ　　miokuru　見送る

つづりがあまり長くなると，語として読みにくいし，意味がとりにくいので，語構成を考えて，適宜，つなぎ［-］を入れるのであるが，ある語につなぎを入れたほうがよいか，入れずに一続きに書いたほうがよいか，もしくは，入れずに，間をはなして２語のようにして（２語と考えて）書いたほうがよいかということを，すべての語について，決め，それを実行することは至難のわざである。

同じ語でも，その人の慣れの程度によって，１語とも，２語とも考えられ，また，つなぎを入れるとかえって読みにくい，意味がとりにくいと考えられるようなものもあり，また，語み手の年齢・学力・知識などを考慮して，適宜処理されるような場合もあって，一律に定めるわけにはいかない。

たとえば，「ひのき」などは，まず，だれでも，いつでも，hinoki と書き，また，この書き方が無難であろうと思われるが，これが「松の木」とか「梅の木」とかになり，さらに，「りんごの木」とか「さるすべりの木」となると，一概に一続きに書くべきだとはいえないであろう。動詞にしても，「ふるえあがる」「荒れ果てる」「つけあがる」「飾りたてる」「笑いころげる」「引きずりまわす」などは，一続きに書くべきか，［-］を入れるべきか，時と場合により，人によって，判断が異なるであろう。

要するに，この条項に関しては，現段階においては，画一的にどちらかに決めるわけにもいかないし，また，たとえ，あらゆる語について語ごとに書き表わし方が決められたとしても，実際にそのとおりに実行されるとは考えがたいのであるから，ある程度のゆとりをもって考え，非常識な書き方でなければ許されるべきであろうと思われる。

〔IV〕

〔注意 3〕 接頭語・接尾語は続けて書く。

otera	お寺	massakini	まっ先に
anatagata	あなたがた	ronriteki	論理的
dorodarake	どろだらけ		

「ローマ字文の書き方」では，以上のように接頭語・接尾語は，それがついている語とともに1語のように取り扱い，一続きに書くことになっているが，このほかに，接頭語・接尾語の種類によって，また，それがついている語によっても異なり，一概にはいえないが，間につなぎ［-］を入れて書く書き方や，離して2語として（つまり，接頭語・接尾語を独立した1語のように取り扱って）書く書き方も行なわれており，必ずしも一致していないのが現状である。

たとえば，「どろだらけ」などは，上記のように，dorodarake のほか，doro-darake，あるいは，doro darake と書かれている。

〔V〕

ただし，接尾語で上の語に続けて書くと，意味のまぎれやすい場合には，離して書く。

Hanako San	花子さん	Tarô Kun	太郎君
Itô-Zirô Sama	伊藤次郎様		

ここでは，姓・名のあとに添える敬語（接尾語）の書き方を取り扱っているが，姓・名の書き方も実例をもって示してある。

姓・名の書き方は，引用例でも明らかなように，名だけの場合は，語頭

を大文字で書き始め，姓・名の場合は，姓をさきに，名をあとにして，両方とも語頭を大文字で書き始め，姓と名との間につなぎ［-］を入れるのが最も普通の書き方である。姓だけの場合も，もちろん語頭を大文字で書く。

以上のほか，

（1） Itô Zirô （つなぎ［-］を入れない。）

（2） ITÔ Zirô （姓をすべて大文字で書く。姓と名の間にくぎり［,］を入れる場合もある。）

（3） Itô, Zirô （間へくぎり［,］を入れる。）

などの書き方もみられるが，ローマ字教育においては，(1) 以外は用いられていないようである。なお，西洋式に，「Zirô Itô」「Zirô, ITÔ」（この場合には，つなぎ［-］を入れない。）と書くことは，英語，その他の外国語の文中に日本人の姓名を書く場合には広く行なわれているが，国語教育の一環として行なわれるローマ字文では用いるべきではないとされている。

姓・名を略して書く場合には，Itô-Z. あるいは，I.-Z.，もしくは，Itô Z. あるいは I. Z. が最も普通であり，これを逆にして，Z. I. と書くことは，前に述べたように，英語，その他の外国語の文のなかに用いる場合に行なわれる書き方である。（略して書いた場合には，ことばを略したしるしの［.］をつけることを忘れてはならない。）

姓・名のあとに添える敬語は，引用例の「さん・君・様」のように，語頭を大文字にし，離して書くのが最も普通であるが，なかには語頭に大文字を使わない書き方も行なわれている。以上のほか，「殿・氏」なども，Itô-Zirô Dono，Itô-Zirô Si のように，離して大文字で書き始めるのが普通である。

ただし，愛称としての「……ちゃん」は，たとえば，Makototyan, Settyan, Yamada-Taekotyan などのように，一続きに書くのが普通である。

また，普通名詞に「さん」がついたもの，たとえば「パン屋さん」「牛乳屋さん」などは，「さん」の語頭を大文字にしないが，これをつけるか離すかについては，次のような書き方が並び行なわれている。

pan'yasan	gyûnyûyasan
pan'ya-san	gyûnyûya-san
pan'ya san	gyûnyûya san

しかし，「奥さん」「おとうさん」「おかあさん」「お嬢さん」「神様」「仏様」などは，okusan, otôsan, okâsan, ozyôsan, kamisama, hotokesama などと一続きに書くのが一般的である。

このほか，固有名詞につく「先生」「委員」「部長」「会長」などは，語頭を小文字で書き，離すか，あるいは，つなぎ［-］を入れて書くのが普通であるが，あて名として書くような場合には，たとえば，Itô-Zirô Sensei, Itô Sensei のように，「先生」の語頭を大文字で書くことも多い。

〔VI〕

〔注意 4〕 固有名詞は次のように書く。

Nippon Ginkô	日本銀行	Sumidagawa	すみだ川
Sakurazima	桜島	Tôkyôwan	東京湾
Tôkyô-to	東京都	Tiba-ken	千葉県

固有名詞の書き方について，「ローマ字文の書き方」には，ここに引用したように，6例が掲げられている。この6例だけから，他のすべてを類推することはむずかしいが，だいたい次のように考えればよいと思う。

（1）「日本銀行」などの書き方。

これは，銀行・会社・団体・施設などの名まえで，これらはなりたちか

ら考えて，成分語に従って分け，それぞれの語頭を大文字で書くのが最も普通である。

Nippon Hôsô Kyôkai	日本放送協会
Senbai Kôsya	専売公社
Kokuritu Kagaku Hakubutukan	国立科学博物館

ただし，成分語（接頭語・接尾語をも含む。）の一つが，社，党，会，所，省，部，局，課，中，小などのように，漢字1字で書き表わされ，2音節までのものは，一続きに書くことが多く行なわれている。

Sekaisya	世界社	Nippondô	日本堂
Monbusyô	文部省	Yûbinkyoku	郵便局
Zinzika	人事課	Tyûgakkô	中学校
Syôgakkô	小学校		

また，学校，公園，鉄道，駅などの名まえは，次のようにいくつかの書き方が並び行なわれている。

Tôkyô Daigaku / Tôkyô-daigaku / Tôkyô daigaku	東京大学	Nagoya Eki / Nagoya-eki / Nagooaeki	名古屋駅
Daiiti Syôgakkô / Daiiti-syôgakkô / Daiiti syôgakkô	第1小学校	Ueno Dôbutuen / Ueno-dôbutuen / Ueno dôbutuen	上野動物園

（2）「すみだ川」「桜島」「東京湾」などの書き方。

これは，地理上の名まえの書き方である。地理上の名まえには，単独では清音のものが，固有名詞につくと「……川(がわ)」「……島(じま)」などのように連濁を生ずる場合の多いこともあるせいか，一続きに書かれるのが普通であるが，普通名詞の部分を離して，あるいは，つなぎを入れて書く書き方も行

なわれている。なお,「半島」「海峡」「山脈」などのように,音節数の多い普通名詞の場合は,つなぎ[-]を入れるか,または,離して書くのが普通である。

Huzisan	富士山	Arakawa	荒川
Enosima	江の島	Ariakekai	有明海
Inubôsaki	犬吠崎	Biwako	琵琶湖
Taiheiyô	太平洋		

Simokita-hantô / Simokita hantô } 下北半島　　Mikuni-sanmyaku / Mikuni sanmyaku } 三国山脈

Tusima-kaikyô / Tusima kaikyo } 対島海峡

(3)「東京都」「千葉県」などの書き方。

これは行政区画名の書き方である。引用例に掲げたものに準じて,府,市,区,町,村などのつくものには,つなぎ[-]を入れて書くのが最も普通であるが,「北海道」は一続きに書き,また,町,村を伴わなくては地名として用いられないようなものは一続きに書く。

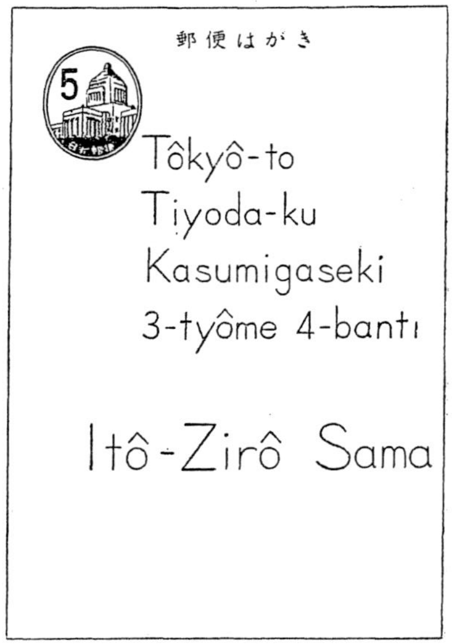

郵便はがき
5
Tôkyô-to
Tiyoda-ku
Kasumigaseki
3-tyôme 4-banti
Itô-Zirô Sama

— 164 —

Kyôto-hu	京都府	Ôsaka-si	大阪市
Tiyoda-ku	千代田区		
Sibutami-mura	渋民村		
Hokkaidô	北海道	Sakanamati	肴町
Motomura	元村		

なお,はがき・手紙などのあて名(住所)は,前ページに掲げたように書くのが,ローマ字文としては普通である。

〔VII〕

2 助動詞は続けて書くのを原則とする。

kikaseru	聞かせる	misaseru	見させる
yorokobareru	喜ばれる	tasukerareru	助けられる
kakanai	書かない	tabeyô	たべよう
ikitai	いきたい	hanasimasu	話します
okita	起きた	moratta	もらった
yonda	読んだ	mimai	見まい
ikumai	行くまい		

これについては,ほかの書き方は,ほとんど行なわれていない。しいていえば,「ます」「ました」「ましょう」「ません」等は,使われる回数が多く,続けて書くと語形が長くなることもあるので,初歩的な読み物では,前の語のつづりが長い(だいたい3音節以上。)場合などには,「ます」等を離して(あるいは,つなぎ[-]を入れて)書く書き方も一部にはある。たとえば,itadaki masu, hataraki-masyô など。なお,〔IX〕,〔X〕,〔XI〕を参照。)

— 165 —

〔VIII〕

〔注意 1〕 助動詞「う」は，接続する動詞・助動詞などによって，それぞれの行のオ段長音となる。

kakô	書こう	sasô	差そう	utô	打とう
utaô	歌おう	yomô	読もう	urô	売ろう
kogô	こごう	yobô	呼ぼう		
desyô	でしょう	masyô	ましょう		

「う」だけでなく，「よう」も同様で，たとえば，「miyô（見よう）」「okiyô（起きよう）」などと書く。なお，かなでは，同じ，「う」で書き表わす動詞の「会う」「沿う」など，また，「食う」「吸う」「縫う」などは，それぞれ，au, sou：kuu, suu, nuu などと書くことはいうまでもない。（ô, sô；kû, sû, nû などとは書かない。）

〔IX〕

〔注意 2〕 助動詞「そうだ」「ようだ」は，sô da，yô da のように，それぞれ「だ」を離して書く。

「ような」「ように」の場合には，yôna，yôni と一続きに書く書き方と，yô na, yô ni と離して書く書き方とのふたとおりが行なわれている。

〔X〕

〔注意 3〕 助動詞「そうだ」は，様子・ありさまなどの意味を表わすものは，「そう」を前の語に続けて書くが，伝え聞く意味を表わすものは前の語から離して書く。（次項参照。）

arisô da	有りそうだ	aru sô da	有るそうだ
suzusisô da	涼しそうだ	suzusii sô da	涼しいそうだ

〔XI〕

3 助動詞のうちで，「だ」「です」「らしい」「ようだ」および伝え聞く意味を表わす場合の「そうだ」などは，離して書く。

（例 1） Are wa Huzisan da.
あれは富士山だ。

（例 2） Huzisan wa utukusii yama desu.
富士山は美しい山です。

（例 3） Mô minna kaetta yô da.
もうみんな帰ったようだ。

（例 4） Kon'ya wa ame ga huru rasii.
今夜は雨が降るらしい。

（例 5） Kono hon wa Yamada Kun no rasii.
この本は山田君のらしい。

（例 6） Asoko wa taihen atui sô da.
あそこはたいへん暑いそうだ。

〔XII〕

〔注意〕 接尾語の「らしい」は続けて書く。

Ano otoko wa itu made tattemo kodomorasii ne.
あの男はいつまでたってもこどもらしいね。

この接尾語の「らしい」も，助動詞の「らしい」（〔XI〕の（例 4）（例 5）参照。）と同じように離して書く書き方がある。ただし，「愛らしい」「かわいらしい」などとは一続きに書く。なお，「tattemo」については，〔XVII〕を参照のこと。

〔XIII〕

> 4 助詞は，離して書くのを原則とする。
> (例 1) Kore wa watakusi no hon desu.
> これはわたくしの本です。
> (例 2) Koko wa, natu wa suzusii si, huyu wa atatakai.
> ここは，夏は涼しいし，冬は暖かい。
> (例 3) Kare wa, natu demo huyu demo zyôbu da.
> かれは，夏でも冬でもじょうぶだ。
> (例 4) Tenki ga kuzureru na to omowareru no ga kono kumo da.
> 天気がくずれるなと思わせるのがこの雲だ。

以上のうち，「の」については，文の意味，語の用法によっては，前の語に続けて書く書き方も行なわれている。

たとえば，「これは大きな木の箱です。」という場合に，「木製の大きな箱」という意味を表わそうという場合には，

Kore wa ôkina kino hako desu.

〔Kore wa ôkina kino Hako desu.〕

と書き，「大きな木から製材した板で作った箱」という意味を表わそうという場合には，

Kore wa ôkina ki no hako desu.

〔Kore wa ôkina Ki no Hako desu.〕

と書こうというのである。

このことを逆に説明すれば，

Kore wa omoi kinno kusari da.

〔Kore wa omoi kinno Kusari da.〕

とあれば，「金で作った重い鎖，つまり，鎖そのものが重い」意味を表わし

ており，

Kore wa omoi kin no kusari da.

〔Kore wa omoi Kin no Kusari da.〕

とあれば，「重い金属である金で作った鎖で，鎖そのものは軽いかもしれない」意味を表わしているというのである。

同様な例としては，

3-ninno oya 〔sanninno Oya〕	親が３人。 (生れたこどもの有無・人数は問わない。)
3-nin no oya 〔sannin no Oya〕	こどもを３人(生んで)もっている(ひとりの)親。
subeteno gen'in 〔subeteno Gen'in〕	いくつかある原因のすべて。
subete no gen'in 〔subete no Gen'in〕	すべての事がらの原因。

などのように，意味によって書き分けようとするものである。すなわち，たとえば，「の」を含めた「木の」という形を，その働きからみて，一つの語と同じように取り扱おうとするわけである。

なお，以上の書き分けは，文中の普通名詞の語頭をも大文字で書く書き方をとる場合に用られている。したがって実際には，例示した文・句のすぐあとに添えた〔　〕内のような形で書き表わされているわけである。

〔XIV〕

> 〔注意 1〕 助詞「は」「も」が助詞「に」「で」に重なった場合には続けて書く。
> Ue niwa ue ga aru.
> 上には上がある。
> Dare nimo dekinai.
> だれにもできない。

Tegami dewa osoku naru.
手紙ではおそくなる。
Kiku dake demo yoi.
聞くだけでもよい。

〔I〕に掲げたように，「原則として単語は……他の単語から離して書く。」をどこまでも貫けば，これらの場合も，ni wa, ni mo, de wa, de mo と分けて書くべきだと考えることができるが，これらは，使用度数も多く，不自然でもないので，このように続けて書く書き方が一般に行なわれている。このほかに，「とは」「とも」も一続きに書く方式があり，さらに，〔XIII〕で述べたところとも関係するが，語の意味・用法を重くみると書き方では，omo（……をも），bakarino（五つばかりの……），deno（東京での……），eno（東京への……），kano（いくつかの……），karaniwa（そういったからには……），saemo（それさえも……），yorimo（それよりも……）などまでも，意味・用法によって一続きに書くことが行なわれている。

〔XV〕

〔注意 2〕 接続の「と」は続けて書く。
Haru ni naruto, tubame ga kuru.
春になると，つばめが来る。

この，接続の「と」も，格助詞の「と」と同様に，離して書く書き方も行なわれている。

〔XVI〕

〔注意 3〕 禁止の「な」は続けて書く。
Ikuna. yo. 行くなよ。

〔XIII〕の（例 4）で示されているように，「天気がくずれるな……。」，あるいは，「うれしいな。」などように，咏嘆・感動の意を表わす場合には，「な」を離して書くのであるが，これに合わせて，禁止の「な」の場合も離して書く書き方も行なわれている。

〔XVII〕

5 用言につく助詞のうちで，「ば」「ても」（「でも」）「て」（「で」）「ながら」「たり」（「だり」）などは続けて書く。

（例 1） Yomeba wakaru
読めばわかる。
（例 2） Mitemo wakarumai
見てもわかるまい。
（例 3） Kusuri o nondemo naoranakatta.
くすりをのんでもなおらなかった。
（例 4） Dôzo mite kudasi.
どうぞ見てください。
（例 5） Ugokanaide kudasai.
動かないでください。
（例 6） Nakinagara utatta.
泣きながら歌った。
（例 7） Kodomotati ga detari haittari site asonde iru.
こどもたちが出たりはいったりして遊んでいる。
（例 8） Tondari hanetari suru.
とんだりはねたりする。

だいたい，上のように書かれているが，「で」および「ながら」については，離して書く書き方も並び行なわれている。すなわち，（例5）の「動かないで」のように，助動詞「ない」の次にくる「で」（「て」の変化した形。）は，ugokanai de, yomanai de, yasumanai de のように離して書く書き方があり，（ただし，「ない」を伴っていなければ，ugoite, yonde, yasunde などと続けて書くのである。）また，（例 6）で取り扱った「ながら」は，naki nagara, mi nagara, hataraki nagara のように，動詞の音節数に関係なく，常に離して書く書き方もある。

また，「ても」（「でも」）については，これを分けることのできない一つの助詞とはみなさず，助詞「て」（「で」）の次に助詞「も」がきたものとみて，「て」（「で」）は，前の語に続けて書き，「も」を離して書く書き方も行なわれている。たとえば，

mite mo,　　nonde mo

などのようにである。

なお，助詞の問題ではないが，参考までにしるすと，（例 5）「動かないでください。」で明らかなように，（また，〔VII〕の「書かない」を参照。）助動詞の「ない」は，前の語に続けて書くのが普通であるが，形容詞の「ない」は，前の語から離して書くのが普通である。

数例をあげれば次のようである。

minai	見ない	yoku nai	よくない
ikanai	行かない	waruku nai	悪くない
dekinai	できない	osoku nai	おそくない
tabenai	食べない	karuku nai	軽くない

これらの簡単な見分け方としては，次のような方法がある。すなわち，助動詞の場合には，前の語と「ない」との間に他の語を入れることができ

ないのに，形容詞の「ない」の場合には，その前に「は（wa）」「も（mo）」などの語を入れて，yoku wa nai, waruku mo nai などのようにいうこともできる。

*　　*　　*

「ローマ字文の書き方」で取り扱っているわかち書きに関する事項は以上で終わっているが，これ以外に並び行なわれている異なったわかち書きで，すぐ目につくのは，たとえば，「運動する」「勉強する」「正比例する」「びっくりする」「お手つだいする」など，漢字2字以上で書き表わされる漢字，もしくは，3音節以上の和語に「する」のついた語の書き方である。すなわち，これらには，

undô suru,	undôsuru
benkyô suru,	benkyôsuru
seihirei suru,	seihireisuru
bikkuri suru,	bikkurisuru
otetudai suru,	otetudaisuru

のように，「する」を前の語から離して書く書き方と，「する」を前の語に続けて書く書き方とのふたとおりが行なわれている。また，原則としては，一続きに書くが，前の語によっては，たとえば omoitigai-suru とか，otetudai suru とかのように，「する」の前に つなぎ［-］を入れたり，「する」を離して書いたりしようという説もある。

なお，同じく「する」のつく語であるが，「魅する」「愛する」「関する」「適する」「信ずる（信じる）」「重んずる（重んじる）」などのように，漢字1字で書き表わされる語に「する」がつく語は，misuru, aisuru, kansuru, tekisuru, sinzuru (sinziru), omonzuru (omonziru) などのように，一続きに書くのが普通である。

このほか、わかち書きには直接の関係はないが，数詞（助数詞を伴ったものを含む。）の書き方にも，ふたとおりが行なわれている。すなわち，「1本」「2回」「3人」「4枚」「5度目」「100倍」「第1」「第2号」などは，

1-pon / ippon	1本	2-kai / nikai	2回	3-nin / sannin	3人
4-mai / yomai (yonmai)	4枚	5-dome / godome	5度目	100-bai / hyakubai	100倍
dai-1 / daiiti	第1	dai(-)2-gô / dainigô	第2号		

などのように，算用数字で数量を表わし，かつ，一般には，つなぎを［-］入れて助数詞を書く書き方と，算用数字を使わず，つづり字で表わす書き方とが行なわれている。ただし，「一つ」「一面に」「ふたり」「ふたたび（再び）」「百貨店」などは，算用数字を使わず，それぞれ，hitotu, itimen ni (itimenni), hutari, hutatabi, hyakkaten などと書くのである。

なお，このことに関しては，詳しく述べれば多くのことがあるが，紙幅の関係上省略する。

*　　　*　　　*

以上，「ローマ字文の書き方」を基準として，それと異なったわかち書きが行なわれているもののうち，主として従来の検定教科書において行なわれていたわかち書きのなかから，そのおもなものを採り上げて解説してきた。もちろん，ローマ字文のわかち書きは，ここで取り扱った事がらだけですべてを尽くしているわけではなく，また，従来の検定教科書におけるわかち書きにしても，ここに掲げたもの以外に問題がないというわけではなく，1語1語について詳しく採り上げてみれば，なお，いくつかの問題はあろうかと思う。しかし，主要な事がらについては，いちおうふれた

つもりであり，また，わかち書きについて，微に入り，細にわたって余すところなく採り上げ，解説することは，きわめてむずかしいことであるし，紙幅もじゅうぶんでないのですべて省略する。

要するに，ローマ字文のわかち書きは，原則として単語はそれぞれ一続きに書き，他の単語から離して書けばよいのであるが，この「単語」を国文法でいうように，文節をくぎって得られる最小単位で，一つの品詞に属するものというふうに考えないで，前にも述べたように，ごく，そぼくな言語意識で判断して，一まとまりであると認められるようなものを単位として考えなければならない。

さらに，そのような単位を定めるにあたって，

（1） 語の形を重くみて，文のなかにおける語の働きという面からは不合理にならない範囲で，できるだけいつでも同じ形で書き表わそうという考えから一続きに書く単位を決めていこうとする立場。と，

（2） 語の形（とくに語末の部分）が多少変わっても，その語の文のなかにおける働きを重くみて，その面からできるだけ合理的に一続きに書く単位を決めていこうとする立場。

との二つの立場があり，このどちらの立場をとるかによって，わかち書きのしかたが違ってくる場合がある。すなわち，(1) の立場にたてば，ある語について，文のなかにおける働きという面からみれば確かに一まとまりであるとみられるが，そのなりたちからみると，二つ，もしくは，二つ以上のまとまりが結びついたものとみられる点を重視し，それぞれのまとまりごとに分けて書くのが妥当なことになり，(2) の立場にたてば，同じ語について，そのなりたちからみれば，二つ，もしくは，二つ以上のまとまりに分けて考えることができるが，文のなかにおける働きという面からみると，全体をまとめたものが，一つの単位とみられる点を重視し，全体を

一まとめにして書くことが妥当なことになるわけである。

しかも，実際にあたっては，上記の二つの立場は，だいたいにおいて体系的に適用されるのが普通であるが，細かい点になってくると，語によって，人によって，また，同じ語でも，時と場合とによって，(1) の立場で考えたり，(2) の立場で考えたりする場合があるし，また，どちらの立場でも考えられるという場合もあって，具体的に書き表わされたローマ字文には，いろいろのわかち書きが行なわれているということになるのである。

以上のようなわけであるから，たとえば，「花が咲いた。」というような，だれが考えても，また，(1) の立場で考えても，(2) の立場で考えても，一まとめにすべき単位が常に一致するような簡単な文においては，Hana ga saita. と書き表わされ，これ以外のわかち書きは，約束・習慣を無視しない範囲内では考えられないが，「花がきれいに咲いた。」という文になると，(1) の立場で考えれば，たとえば，

Hana ga kirei ni saita.

と書くことが妥当であり，(2) の立場で考えれば.

Hana ga kireini saita.

と書くことが妥当である，ということになる。

さらに，「花がきれいに咲いたので，ゆっくりと歩きながらながめよう。」という文になると，

Hana ga {kirei ni / kireini} saita {no de / node}, {yukkuri to / yukkurito} {aruki nagara / arukinagara} nagameyô.

という書き方が考えられる。この { } のなかは，ある語については上の書き方を採り，ある語については，下の書き方を採ることができるので，

数学的に組み合わせると，文全体としては，16 とおりもの異なったわかち書きが考えられることになるが，これは可能性を示したものであって，実際には，このうちのいくつかのわかち書きが採られることになるであろう。要するに，読み手にとって読みやすく，わかりやすく（つまり，まちがいや誤解をおこさせないように）書けばよいということになる。

ローマ字文のわかち書きのしかたは，だいたい以上のような状態であるので，これをただ一つのわかち書きに統一することは，現状においては不可能であるといってもよい。

そこで，指導にあたっては，わかち書きは，すべて教科書のわかち書きに従っておけばよく，教科書にない文を書く際には，原則に従って，また，使用教科書に準じて，一まとまりと認められるものを一続きに書き，他の一まとまりから離して書けばよい。そして，もしも，続けようか，離そうかと迷ったような場合には，だいたいは，離して書いておけばよいといわれている。もっとも，離して書けばよいとはいっても，語のなりたちや働きを全く無視してはならないことはいうまでもない。やはり，少なくともこれまでに述べた程度のことは，わきまえたうえで決定すべきである。

§3 符号の使い方

〔I〕

1 ローマ字文の中に用いる符号のおもなものは，次のとおりである。

.	,	;	:	?
とめ	くぎり（コンマ）	おおくぎり（セミコロン）	ふたつてん（コロン）	といのしるし

!
つよめるしるし

( )	〔 〕	“ ”	‘ ’	—
かっこ	かくがっこ	引用のしるし	ひとえの引用のしるし	ぼう
-	’	^		
つなぎ	きるしるし（アポストロフ）	やまがた		

「ローマ字文の書き方」に示されている符号の種類と，その名まえは，上のとおりである。符号の名まえは，上記以外の別の名で呼ばれることもある。たとえば，[“ ”] を「お話のしるし」，[-] を「ハイフン」，[?] を「疑いのしるし」，[!] を「呼びかけのしるし」などである。

なお，これ以外に，比較的多く使われるものとしては，語や句・文を省略したしるしとして使う [...]（てんてん）がある。

〔II〕

> 2 [.] は文の終わりに用いる。
> Kyô wa ii tenki desu.
> きょうはいい天気です。

語や句などのあとには [.] をつける必要はないが，どんな短い文でも，文である場合には必ず [.] をつけなければならない。

“Iya da.”　　「いやだ。」

“Hai.”　　「はい。」

〔III〕

> 〔注意〕 [.] は，また略語を示す場合にも用いる。
> N. H. K. (Nippon Hôsô Kyôkai)
> 日本放送協会

ことばを略して書くことは，ローマ字文においてもしばしば行なわれる。そのうち，教材に比較的多く現われ，また，児童・生徒が実用面で使うことが多いと思われるものは，年号・年月日・丁目・番地・氏名などであり，これらは，次のように書く。

略さない書き方	略した書き方	
Syôwa 36-nen	Syw. 36 n.	昭和 36 年
4-gatu 21-niti	4 gt. 21 nt.	4 月 21 日
2-tyôme	2 tym.	2 丁目
394-banti	394 bt.	394 番地
Itô-Zirô	I.-Z.	伊藤次郎

すなわち，「昭和」は「Syw.」と，「年」は「n.」と，「月」は「gt.」と，「日」は「nt.」と，「丁目」は「tym.」と，「番地」は「bt.」と書き，氏名は，「姓」および「名」のかしら文字をそれぞれにとればよいのであるが，この場合には，必ず「とめ」[.] をつけなければならない。また，算用数字との間につなぎ [-] を入れない。

なお，「メートル」を「m」，「グラム」を「g」と書き表わすのは，漢字・かなまじり文においても用いられており，ローマ字で，mêtoru, guramu と書くのを略して書いたものとして取り扱わない。このような場合には，略したしるしとしての [.] をつけないのが普通である。（「リットル」を

「l」,「センチメートル」を「cm」,「キログラム」を「kg」と書き表わすのも同様である。

〔IV〕

3 [;] は，一つの文の中で，語句の切れめに用いる。
Hai, sô desu.　　はい，そうです。
Amari tenki ga ii node, dekakete ikimashita.
あまり天気がいいので，出かけて行きました。

なお，人のことばや，他の文を引用し，[“ ”] で包んで，「と」で受ける場合には，[“ ”] 内の文の終わりに，[.] でなく，[,] をつけるのが普通である。

Tarô wa, “Boku mo iku yo,” to itte, tuite kita.

太郎は「ぼくも行くよ。」と言って，ついてきた。

“Sô desu,” to kare wa unazuita.

「そうです。」とかれはうなずいた。

もっとも，[“ ”] 内の文が，疑問文や感嘆文の場合には，終わりに [?] [!] をつける。

“Dô sita no darô?” to itte, nozokikonda.

「どうしたのだろう。」と言って，のぞきこんだ。

“Watasi mo sansei desu!” to Hanako ga itta.

「わたしも賛成です。」と花子が言った。

〔V〕

4 [;] は [,] よりも大きな区分を示す場合に用いる.
Watakusi, anata, anokata; kore, sore, are; koko, soko, asoko nado wa mina daimeisi desu.

わたくし，あなた，あのかた；これ，それ，あれ：ここ，そこ，あそこなどはみな代名詞です。

〔VI〕

5 [:] は，[;] で示す区分より意味の連絡のいっそう少ない区分を示す場合に用いる。
Kotowaza nimo iu: Saru mo ki kara otiru.
ことわざにもいう：さるも木から落ちる。

符号としては，[;] も [:] も，かなり程度の高いものであり，初期の教材には，ほとんど使われていないようである。また，これらを巧みに適切に使いこなすことはかなりむずかしいと思われるが，教材に使われている場合には，その意味を理解して文を読みとることは必要なことである。

〔VII〕

6 [?] は，問いや疑いの文の終わりに用いる。
Kore wa anata no desu ka?
これはあなたのですか。
Are wa nan darô?
あれはなんだろう。

〔VIII〕

7 [!] は，感動や命令の意味を特に強く表わす必要のある場合に用いる。
Mâ, kirei da koto!
まあ，きれいだこと。
Hanako San, hayaku irassyai!
花子さん，早くいらっしゃい。

1 語文の場合や，引用文の場合（〔IV〕の解説を参照。）にも用いられる。

Nani?　　Hayaku!

〔IX〕

8 [(　)] [〔　〕] は，説明のための語句や補いの語句をそえる場合などに用いる。

Sensyû no nitiyôbi (3-gatu 17-niti), watakusi wa Yokohama e ikimasita.

先週の日曜日（3 月 17 日），わたくしは横浜へ行きました。

Kare wa sairen 〔no oto〕 ni bikkuri sita.

かれはサイレン〔の音〕にびっくりした。

「かっこ」と「かくがっこ」との使い分けは，厳密に決まっているわけではない。これらは，だいたいにおいて，漢字・かなりまじり文における使い方と同じようにすればよい。

〔X〕

9 [“　”] は，語句を引用する場合や人のいうことばをそのままうつす場合などに用いる。

“Masao San, uguisu ga naite imasu, yo,” to itte, nêsan wa mado o akemasita.

「正男さん，うぐいすが鳴いていますよ。」といって，ねえさんは窓をあけました。

Seisyo niwa, “Kami wa ai nari,” to aru.

聖書には，「神は愛なり。」とある。

〔注意〕 引用文の中にさらに語句を引用する場合に，[‘　’] を用いることがある。

だいたいにおいて，漢字・かなまじりの文の [「　」] にあたるものと考えてよい。使い方としては，以上のほか，文中で特に目だたせる必要のある語句などにつける場合もある。

Kudamono no “kaki” to, umi ni iru “kaki” to wa, on wa onazi desu ga, akusento ga tigaimasu.

くだものの「かき」と，海にいる「かき」とは，音は同じですが，アクセントが違います。

Sakubun no dai wa “Umi” desu.

作文の題は「海」です。

「ひとえの印用のしるし [‘　’]」は，漢字・かなまじり文における [『　』] にあたるものとみてよい。

Ozisan ga, “Sôiu koto o ne, ‘Isogaba maware,’ to iu no da yo,” to osiete kudasaimasita.

おじさんが，「そういうことをね，『急がば回れ。』というんだよ。」と教えてくださいました。

なお，「ローマ字文の書き方」に示されているいろいろの符号の形は，すべて普通の印刷体の活字とともに用いられるごく一般的な形を示したものである。したがって使用する活字の字体が異なる場合には，それに伴って符号によっては，その形がいくぶん異なったものが使われていることもある。たとえば，「くぎり [,]」としては，[,] が，「引用のしるし [“　”]」としては，[“　”]，あるいは ["　"]，などのような形の符号が用いられている。また，[!] も [!] のような形のもあるし，イタリック体の場合には，符号も斜めにして［?］［/］［;］などのようなものが使われている。いずれにしろ，これらの形の違いは，文字にいろいろの字体があるように，単にデザインの違いであり，本質的な違いではない。

〔XI〕

> 10 ［——］は，説明の語句をそえる場合などに用いる。
> Itiban atarasii yôhuku —— kono aida tukutta bakari no o kite dekaketa.
> いちばん新しい洋服 —— この間つくったばかりのを着てでかけた。

［——］と［(　)］および［〔　〕］との間に，厳密な使い分けがあるわけではない。これも，漢字・かなまじり文の場合と同様に考えてよい。

〔XII〕

> 11 ［-］は，複合語で，まだ1語としてじゅうぶんに熟していない場合や，1語が2行にまたがるときに，その語が次の行に続くことを示す場合などに用いる。
> rigai-kankei　利害関係　　hanasi-tuzukeru　話し続ける
> Mukasi, mukasi, aru tokoro ni ozii-
> san to obâsan ga arimasita.
> むかし，むかし，あるところにおじいさんとおばあさんがありました。
> 〔注意〕 1語で2行にまたがる場合に，一つの音節の中途やはねる音の前では切らない。また，つまる音は必ず重なった字の間で切る。なお，切る場合は意味のとりやすいように扱う。

つなぎ［-］の使い方については，このほかに，「§2 わかち書きのしか

た〔III〕」の解説でかなり詳しく述べ，また，それに続く，〔IV〕，〔V〕，〔VI〕，その他の項においてもふれてあるから参照してほしい。

1語を2行に分けて書く場合には，それぞれの場合に応じて，上記の「〔注意〕」のように取り扱うことが必要であるが，「意味のとりやすいように扱う。」とは，語のなりたちを考えて，その語を構成している成分語と成分語との間で切るようにするということである。たとえば，「持ち上げる」という語は，「持ち」+「上げる」と考えられるので，分ける場合には，moti-ageru とするのが妥当であり，mo-tiageru, motia-geru などは，誤りではないが，不適切である。その他，数例を示せば，次のとおりである。

例は便宜上，1行に書いてあるが，実際は［-］までが前の行で，それ以下が次の行になるのである。

語	正しい（望ましい切り方）	誤りではないが，望ましくない切り方の例	誤った切り方の例
aruku(歩く)	aru-ku	a-ruku	ar-uku
rômazi(ローマ字)	rôma-zi	rô-mazi	rôm-azi
minna(みんな)	min-na		mi-nna
sentaku(洗たく)	sen-taku	senta-ku	se-ntaku
gakkô(学校)	gak-kô		ga-kkô
issyôkenmei (いっしょうけんめい)	issyô-kenmei	is-syôkenmei issyôken-mei	iss-yôkenmei issyôke-nmei i-ssyôkenmei

〔XIII〕

> 12 ［'］は，はねる音 n とその次にくる母音字または y とを切り離す必要のある場合に用いる。(I. 4. 注意参照。)

「I. 4.」は，本書では，「§1 つづり方 〔VIII〕」の項にあたる。すなわち，gen'in（原因），kin'yôbi（金曜日）などの語には，n の次に［'］を入れて書かなければならない。

〔XIV〕

> 13 ［^］は，母音字の上につけて，その母音が長音であることを示す場合に用いる。（I. 3. 参照。）

「I. 3.」は，本書では，「§1 つづり方 〔VI〕」の項にあたる。詳しくは，その項を参照されたい。

ローマ字文に使われる符号の種類，および，その使い方は，だいたい上に述べたとおりである。

どの符号を，どの時期に指導するかということについては，学習指導要領に準拠して取り扱いを考えるとともに，やはり，使用教科書に即して取り扱うのがよく，符号だけを単独に取り出して，その意味や使い方を抽象的に説明することは望ましくない。

すなわち，教科書を読むに際して，そこに使われている符号に注目させ，それが使われている意味を理解させるようにするとともに，板書の場合や謄写版刷りの教材を作る場合などにも，必要な符号を必ずつけるようにし，（といっても，むりに提出することは，原則として必要でない。）また，児童がノートに文を書く場合にも必要に応じて，必要な符号を必ずつける習慣を養うよう指導すべきである。特に，指導の初期においては，［.］および［,］を，さらに進んでは，［?］［!］［“ ”］［-］の程度は，意味を理解

するとともに，自由に使えるようにすることが望ましい。

なお，音をのばすしるしの「やまがた［^］」と，音を切るしるしの「きるしるし［'］」は，特にとりたてて符号として取り扱うよりも，むしろ，いわば，かな文字における濁点「゛」のようなものと考えて取り扱っていったほうがよいと思われる。

以上，「ローマ字文の書き方」の本文を引用し，それを中心として解説を試みたのであるが，ここに述べたことは，つづり方についても，わかち書きについても，符号の使い方についても，あらゆる書き表わし方をすべてもれなく掲げたものではない。

くり返していうが，この解説は，だいたいにおいて，これまでの検定教科書にみられた書き表わし方のうちから，おもなものをとりだしてみたもので，教科書においてみられるものでも，細かい点や，大同小異の現象は省略してある。しかし，その反面，教科書にはみられないが，一般にかなり広く行なわれていると思われるような現象は，必要に応じて適宜ふれたつもりである。

したがって，広く社会一般について細かくみれば，これ以外のつづり方が用いられ，これ以外のわかち書きが行なわれており，符号の使い方としても，本書ではふれなかったような使い方も存在するわけである。しかし，これらのことは，特別にその目的をもって研究するのならばともかく，学校におけるローマ字文の学習指導においては，まず必要ではない。

付録 マヌスクリプト体

ローマ字文の学習指導においては，書く字体としてはマヌスクリプト体（「手写体，手書き体」ともいう）が広く用いられている。このマヌスクリプト体の基準としては，昭和 25 年に文部省から発表された「改訂ローマ字教育の指針」に収載されたものがあるが，参考までに，文字の高さを示す

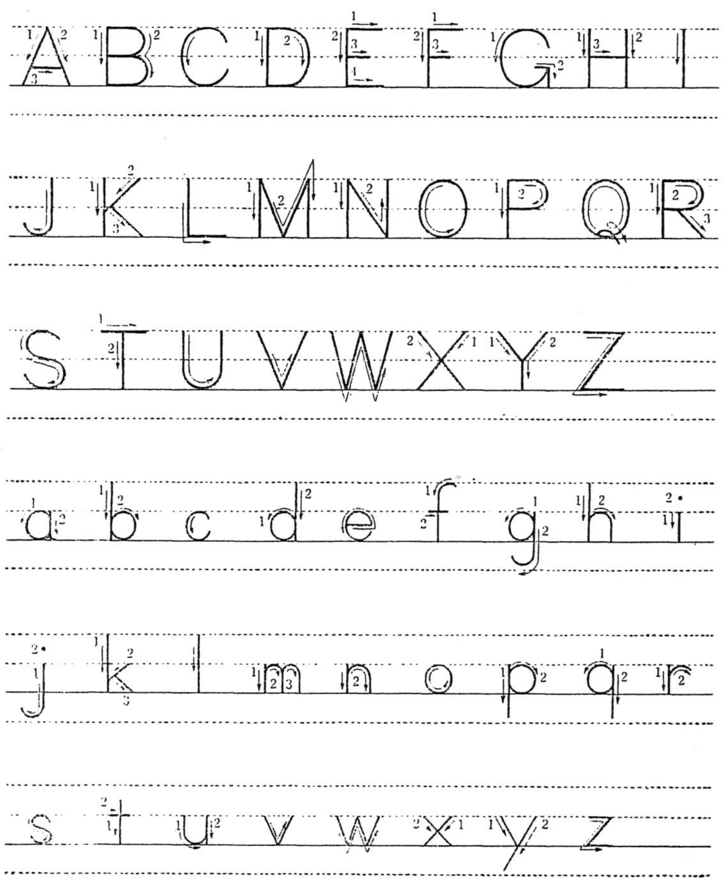

線と，筆順の１例を添えて，参考までに掲げておく。

ローマ字で語・文を書く場合には，単に１字１字の字形が正しく整っていてもだめで，語として，文としてまとまったものにおいても，大文字と小文字との大きさのつりあい，また，特に小文字における各文字の高さと幅との調和がうまく保たれていなければならない。そうでないと，全体として著しく見苦しいものになってしまう。

各文字の筆順はいちおうの基準と考えられるものを矢印，および，番号で示した。矢印だけで番号のないものは，ひと筆で書くのである。

ここに示した字形・筆順は一つの例であり，このほかの字形・筆順はすべて誤りであるというわけではない。これらについても，教科書に示されている場合には，それに従って指導すればよいのである。

（調査局国語課　天沼　寧）

初等教育研究資料　第24集
小学校ローマ字指導資料

MEJ 2819

昭和35年7月1日　初版発行
昭和35年7月15日　再版発行

著作権所有　文部省

発行者　東京都千代田区神田神保町2の10
教育出版株式会社
代表者　小坂佐久馬

印刷者　東京都新宿区市ケ谷加賀町1の12
大日本印刷株式会社
代表者　北島織衛

発行所　東京都千代田区神田神保町2の10
教育出版株式会社
電話　東京(331)代表0191　振替東京107340

定価　130円

教育出版株式会社

定価　130円

初等教育研究資料第25集

構成学習における指導内容の範囲と系列

――図画工作実験学校の研究報告――

1 9 6 1

文 部 省

ま え が き

この図画工作実験学校の研究報告は，昭和32年，33年，34年度の3か年にわたり文部省初等教育実験学校として，東京教育大学付属小学校において研究されたその成果をまとめたものである。

図画工作科の教育活動は，いうまでもなく絵をかいたりものを作ったりする造形活動を通して行なわれるわけであり，そしてこの造形活動においては，色や形，機能や構造などさまざまな要素が有機的に結合されている。したがって有機的に結合されているだけに，その内容を分析して考える場合には，いろいろな立場ないしは類型を考えることができると思われる。

このような意味で本研究の「構成学習における指導内容の範囲と系列」も，図画工作科教育における内容を考える一つの立場として考えられたものであり，一つの試みであるといえるのである。

本研究においては、実態調査の面と理論的な研究の二面から綿密な計画をたてて行なわれている。この研究報告を手がかりとし，今後さらに各地の学校でも図画工作科教育における研究の資料として本書を御利用いただければ幸いである。

最後にこの研究をまとめるにあたってご尽力くださった東京教育大学付属小学校の関係職員の各位，またこの実験研究にご協力くださったかたがたに対しても，厚く感謝と敬意を表したい。

昭和36年7月

文部省初等中等教育局初等教育課長

上 野 芳 太 郎

目　次

構成学習における指導内容の範囲と系列

東京教育大学付属小学校
図画工作教育研究部

研究の概略

1 研究の概略

本校はこの研究主題について調査研究する前，約３か年間「色彩学習における指導内容の範囲と系統」についての実験学校であって，その研究について一応のまとまりをつけたので，昭和32年４月，新たに「構成学習における指導内容の範囲と系列」という研究問題について引き続き文部省の実験学校の指定を受けた。

当時は，ちょうど昭和36年度から改訂される小学校図画工作科学習指導要領の編集が開始される時期にあったので、そのための一つの研究資料にするという意味をもっていた。

しかし実際には，この主題による調査研究が開始されたのが，学習指導要領編集とほとんど同一時期のため，研究調査の成果をじゅうぶんおりこんで編集するということにはならなかったのである。しかし両方の仕事，つまり編集と調査研究のそれぞれの討議には、ここで取り上げられた主題に関する事がらが生かされていたと思うのである。

当時の図画工作科学習内容は、昭和26年度の学習指導要領が一般に実施されており，そこで取り上げていた学習内容のおもな項目は，1.描画，2.色彩，3.図案，4.工作，5.鑑賞というものであった。

これら項目のおもな内容は、次のような割合で組織されていたのである。

項目＼学年	1	2	3	4	5	6
描　画	40%	40%	35%	35%	30%	30%
色　彩	5%	5%	10%	10%	10%	10%
図　案	10%	10%	15%	15%	20%	20%
工　作	40%	40%	35%	35%	30%	30%
鑑　賞	5%	5%	5%	5%	10%	10%

そして，特に研究主題になっている構成学習ということを，仮に狭く平面構成という立場で考えるとするならば，これと密接な関係をもつ「色彩，図案」というものは，次のような意味から内容が編成されていたのである。

○色彩について

第1学年	主要な有色彩および無色彩の名まえを覚え，実際に色を扱うことによって，色に対する感覚を発達させる。
第2学年	前学年の継続。
第3学年	色の明るさについて理解させ、実習をして配色の効果が色あい，色の明るさに関係があることを理解し，色を扱うことの興味を増大する。
第4学年	色の明るさについての理解を増し，色彩感覚を発達させる。有彩色の純色，明色，暗色の理解，目だつ配色，目だたない配色を理解し，初歩的な配色の技能を養う。

第5学年	色のあざやかさについて理解し、色彩感覚を発達させる。有彩色の清色，濁色，色の寒暖などについて理解し，色あい、色の明るさ，色のあざやかさの別を配色の上に有効に使ういくらかの技能を養う。
第6学年	前学年に準じ，配色の技能を増大する。

○図案について

第1学年	自由に線や色を使って模様ふうのものをかいたり，手近にあるものを美しく並べたり，整理したりするようなことを通して，装飾的な欲求を満足させ，生活経験を豊富にする。
第2学年	前学年に準じ、経験の巾を広くする。
第3学年	配列の美しさ、対称の美しさについて初歩的な理解をし，それを実際の図案に適用する技能を養う。 身辺にあるものを美しく配置したり，装飾したりするいくらかの経験をする。
第4学年	色あい，色の明るさ，形，面積の従属対立，つりあい，調和の美しさについて，初歩的な理解をし，それを実際の図案に適用する技能を養う。 身辺にあるものを美しく配置したり，配合したり，装飾したりする初歩的な技能を養う。
第5学年	第4学年に準じ，やや程度を高める。 第4学年に準じ、その範囲をいくらか広めたり，程度を少しあげて指導する。

第6学年	線の方向．線のくり返し，形の面積の大きさの級数的配列，色の連続と反復による運動の感じや，リズムの感じについての初歩的な理解をし，それを実際の図案に適用する技能を養う。 第５学年に準じ，さらにその範囲を広め，程度をあげて指導する。

というように示されている。

この二つの項目で示されている観点のどこにも，研究主題になっている「構成」という語句が使用されていなかったので，われわれはこの「構成」という語句をどのような意味で受け取り，調査研究の方向としていくかという点については迷ってしまったのである。

色彩とか図案の学習内容項目が，比較的構成ということに関連が深いと考えて，構成ということを，画用紙の上で形や色についての組み合わせによる効果について理解する分野の学習という意味で取り上げたのであるが，「構成」というのは、そのようなわくの中で、あるいは限定された造形の分野だけのものであるかどうかは，もっと研究すべきものであるというように考え，調査研究を進めながらも，絶えずこの問題について討議を行なっていたのである。

こんなわけであるから，初めの研究としては，研究主題をどう理解するかということで，かなり議論を行なったが、結局「構成学習」というものを図画工作の学習で次のような位置づけをし，また性格づけられるという了解のもとに，一応のスタートをしたのである。

2　研究の方向と位置づけ

図画工作科の学習内容は，大きく分類すると，絵のように描くという作業を通して表現されるものと，曲げたり取り付けたり組み立てたりする，いわゆる作るということで表現されるものとに考えることができる。

厳密にいえば，そのどちらにも属しかねないものや，両方の表現方法が総合されているものもあるわけで，具体的な事例では，その解釈をどうみるかで違ってくるものも想像されるけれども，大まかに考えれば，この二つの作業形態で考えることができると思う。

もうすこし別の言い方をすれば，画用紙のような平面的なものに，色や形を作って表現することを主とするものがその第一で，あとの一つは，たとえば木とか粘土などでものを作っていく表現方法で，ここでは切ったり，削ったり，曲げたり，接着したりして一つの立体的なものに作り上げていくような方法で表現するタイプである。

画用紙に，色紙や布切れなどをのりではりつけていくのは，やや立体的であるけれども，これを観賞したりする場合は，一つの絵とか図柄などでながめる場合が多く，どちらかといえば平面的なものである。

しかし，粘土でレリーフのようにやや浮き上がらせたような感じで表現するものや，実物，たとえば貝がらとか木の葉などを並べて模様のようにするものなどは，立体的扱いにしていいのか，平面的な扱いにしていいのか，はっきりしないものも出てくる。これらも，観賞の立場に立って，それが立体構成的なものをねらいとしているか，平面的構成的なねらいをもって表現しようとしているかによっておのずから決まってくるものではあろうが，このように一見その区別に困るようなものもあるわけである。

従来図画工作科の学習として取扱われてきたものを，以上のように，平面的な扱いのもの，立体的な扱いものというように，学習指導や，内容を検討する立場から，一応仮説的に分類を試みることは可能である。

すなわち次のようなものを，その一つの考え方として整理したのである。

◉平面的な表現に属するもの

• 画用紙に描画材料で描くこと。
• 画用紙に色紙や布切れなどをはりつけて，図板を作ったり絵にすること。
• 画用紙にいろいろの版を絵の具，墨などで印刷するようにしたもの。
• 版画にして表わすこと。
• ポスターや模様を画用紙のようなものに描くこと。
• 図面を作ること。
• いろいろのものを並べてはりつけること。
• その他これらの表わし方から推して考えられるものなど。

◉立体的な表現に属するもの

• 粘土で動物や器などを作ること。
• 紙や木その他の材料で箱やこれに類する形のものを作ること。
• ものを積み上げたり組み合わせて立体的な空間を作ること。
• いろいろの材料を削ったりつけたりして，立体的な空間を作ること。
• 型に入れて成型したり，プレスにして立体的な空間を作り上げること。
• その他これらの表わし方から推して考えられるものなど。

図画工作科の学習の具体的な活動から考えると，一応以上のように平面的な扱いを主とするもの，立体的な扱いを主とするものというように大別することができる。

そして以前の考え方では，平面的なものは図画科という教科の中で扱い，立体的なものは工作科という教科で扱う傾向が強かったのである。

この考え方は相当強く，粘土でものを作るものは，それがたとえ芸術的なおもしろさをねらいとしたものでも，その作り方や技法上の問題を主として，技法伝授の様相で指導されたものである。

つまり学習する児童に，何を教育の目標として扱うかということよりも，どんなことをどんな方法でやらせるかがおもな問題点であったのである。

しかしよく考えてみると，同じ粘土でも器やアクセサリーなどのように，何かその作品に使用する目的をもたせるものを作る時と，自由な作り方をさせて，とにかく児童たちが自分の心の中に育てた表現への想というものを赤裸々に表わすことを目的に作らせる時とでは，気持ちや考え方の上でだいぶ異なった方向のものがあるわけである。

一つには，使いやすいとか役に立つとかということばで総称されるもので，主としてそれが用いられる機能を考えての活動になるものであり，より客観的な立場から製作が進められる性質のものである。

今一つは，これに対して主観性の強いもので，個人個人の心の中に育てられた想の強弱や，好み，あるいは，印象の範囲，強弱，などによって，現われ方が異なり，個人を尊重するところに主体をおくもので，方向としては芸術的なかおりの強いものに向かって進められる性質のものである。

このことは，あらゆる材料や方法上にも考えられることで，粘土の材料だけにいえることではない。

画用紙に絵の具で描くといっても，第一の考え方や態度で描く絵があると同時に，人に催し物のお知らせをするようなポスターなどを描く分野がある。

ポスターなどは，自分よがりに描いたのではその用をなさない。

ポスターとしての効用を発揮させるためには，やはり，粘土で器を作る時に考えられるように，そのものの使い道で人にわかりやすくするための客観的な表わし方が必要である。

以上のように考えてみると，図画工作科で学習する内容を，活動の姿が平面的か立体的かによって決めるだけでは，その学習の指導目標が本質的にならないように思われるのである。

それで第二の分類の考え方としては，その活動がどのような内容のものであるか，そしてその指導の目やすとして考えておくものは何かという点からながめて整理する必要があると思うのである。

つまり，すでに述べたとおり，その活動が特に児童の心に訴え，感情に直接つながった形で進められる内容（芸術的な活動の母体として考えられるものと見てよい）と，役だつとか，そのことによってどんなことが働きとして考えられるかとの条件に対決して，その条件を満たすためめの造形的な営み（工芸的な活動の母体と見てよい）をする内容とに分けて考えることができる。

図画工作科の研究を進めている人たちの間では，これを心象による表現活動，機能的な表現活動と呼んだり，あるいは感性に基づく表現活動，知性に基づく表現活動と呼んだりしているが，その意味するものは，以上述べたような事がらをいっているのである。

図画工作科の内容を平面と立体という活動の具体的な姿からながめる角度と，今ここに考えられる内容の本質的な考えからながめる角度とを取り上げてみたが，これは一つの学習内容をいくつかの角度からながめてみようとする試みにすぎない。実際には，このながめ方以外にもいろいろの角度があるわけで，ここに述べたものが決定的というものではない。しかし内容を理解し，全体の骨組みや，指導の姿を頭の中に思い浮かべるのには便利なことと思うので，一応以上の諸点を関係的に図示すると，次のような関係で学習内容というものを考えることができるのである。

立体（工作）	彫　塑	工　芸
平面（図画）	絵　画	図　案
	・心象表現 ・感性による表現 ・自由表現 ・感情を主体とする表現 ・個性的	・機能表現 ・知性による表現 ・条件による表現 ・合理性を主とする表現 ・客観性を帯びる表現

以上のように造形的な活動の姿を考えてみると，「構成」ということは，これらとどのような関係位置を占めたらよいかがだいたいわかってくると思う。

「構成」という事がらは，平面構成，立体構成などのことばがあるように，組み合わせたり，配置したりすることによって，全体や部分との関係を視覚的に秩序だてることを，平面や立体的な分野で行なうという意味をもっているのである。

このように考えられる構成というものは，学習活動で考えた平面的扱いや，立体的扱いなどの分野にわたってあることを考えておかなければならない。

つまり「構成」は画用紙の上に色を塗ったり，模様ふうのものを作ったりすることに主なる活動があるとの印象を与えるものではなく，いろいろの造形的な活動の中に浸透した姿で位置づけられるものであるということでなければならない。

もう一つのながめ方からの関係では，やはり芸術的表現の場合，機能を軸としての表現の場合の両方の分野にわたってつながりをもつという立場で考えられることがよいと思う。

つまり，自由に描く絵の場合でも，視覚的な方法で，自分の感情を画面に表わす手段として，色や形の組み合わせによる効果を考えなければならない。

たとえそれが自分よがりのものであるにせよ，自分の心や考えを満たす手がかりとなるのは，自分が表現の手段として用いた，色や形の組み合わせ，そしてそれによって感じる心理的な影響によるものである。

構成という仕事はそこに存在すると考えてよいと思う。

ましてある条件を設定して，その条件に合うようにいろいろの手段を造形的に試みることは，構成についての働きを深める以外の何ものでもないのである。

ただその条件に対して，造形的な方法で表現にまで高め，答え，解決していくことをわれわれは一つの構成によって解決したといっているので，一般的には条件に対決した姿で解決されることすべてを，構成という言い方で呼んでいないのはもちろんである。

造形的な活動を以上のように考え，構成ということの意味を関連させてみたのであるが，その影響し合う姿を一つの図に示すと，ほぼ右図のような姿になるのではないかと思う。もちろんここで示す線は，はっきりその

活動が区別されるものではなく，考え方の上での区別であるから，実際の活動では，お互いが重なり合って存在する場合が少なくない。

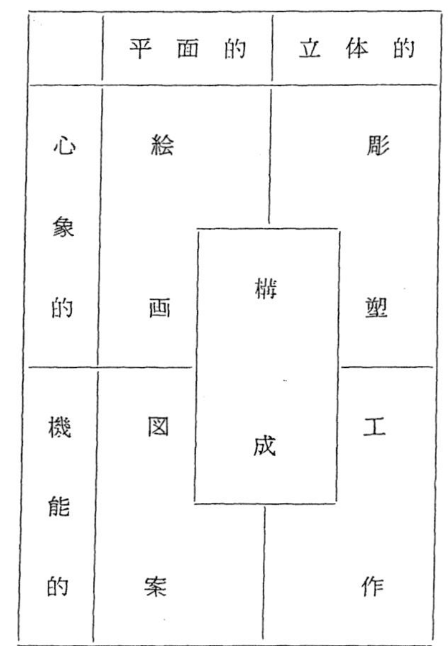

平面的
立体的
心象的
機能的
絵画
彫塑
図案
工作
構成

したがって構成という分野では，その実態は表現の表われ方としての「絵画」「彫塑」「図案」「工作」の中に含まれて効果を発揮するものである。

つまり構成する実態は，絵をかいたり，ものを作ったり，並べたりする活動それ自体に含まれたものとなっているので，構成自身に帰納される活動というものは，また絵をかいたり，ものを作ったり並べたりすることによってなされるものであると解釈される。

構成するということは，以上のような姿で現実の活動に展開されているのであるから，その内容となるものは，「秩序だてる」ということ自身であり，それがための手段としての「色」「形」「材質」「量」「視覚的効果としての変化の統一の感覚」が問題にされるものであり，また「機能に対する調和」をも含められるものである。

これらはすべて「調和」という姿において個性的に，あるいは客観的な姿として示されるものである。

だいたい以上のような考え方で，お互いが理解し，研究部員がさらに自己の研究につごうがよいと思われる角度から研究の小テーマを設定して掘り下げてみようということにしたのである。先にも述べたように，構成学

習ということ自身をどのようにとらえるかについては，まだふじゅうぶんな点があると思われるが，一応各自の研究を掘り下げることによって，常に本筋の問題と結びつけながら，検討し，持ち寄って，建設的に積み上げていこうという姿で出発したのである。

3 調査研究の実際

この研究は，昭和32年4月から昭和35年3月までを研究期間として始めたのであるが，その間に，調査研究した結果を中間で報告した。

中間報告を行なった時のテーマは，次のようなものである。

（昭和34年5月，東京学芸大学世田谷付属小学校構堂）

- 構成学習の性格と内容の系列について

長谷　喜久一
松本　巌

（この報告については松本巌教諭が発表，長谷喜久一教諭は沖縄派遣教育指導委員のため約半か年不在した。）

- 構成学習における児童の表現能力について

森　市松

- 構成学習における材料・構造について

宮脇　理

- 構成学習における感覚について

京野　一

そのあと引き続いて調査研究を行ない，昭和35年5月に，東京教育大学講堂で一応のまとめの報告を行なった。

この時のおもな報告題目は，次のようなものであった。

- 研究の概略について
- 構成学習の性格について

長谷　喜久一

- 構成活動における材料の活用能力について

森　市松

- 機能と構造の関係について

宮脇　理

- 構成学習における感覚について

（図版発表につき本書に掲載できなかった）

京野　一

- 構成学習における表現の方法について

松本　巌

◎ 研究報告

1 構成学習の性格について

(1) 構成学習の理念

構成学習が図画工作科の教育内容とどんな関係にあるか，そしてその性格はどのようなものであるかについては，この研究を進めていく上に重要な問題である。

このことについては，すでに大まかではあるが構成学習をどう考えるかのところである程度の理解について述べた。

つまり構成学習については，図画工作科の活動全体に関係して考える場合と，もう一つは構成ということを小範囲に限り，特に平面構成に主点をおいて考える場合とあるが，構成の本質的な意味からは，平面的なものも立体的なものも含めて，色や形あるいは空間の秩序や機能を考えて構成するものであると思われるので，初めに述べたように，ここでは教科の学習内容の全体に関係する意味で構成というものを考えていきたいと思うのである。

改訂学習指導要領では，学習内容として，(1)絵をかく。(2)版画を作る。(3)粘土を主材料として，いろいろなものを作る。(4)模様を作る。(5)いろいろなもを作る。というのが第1学年の項目として考えられているが，このいずれについても構成という意味の事がらが含まれている。

つまり，構成ということは，表現ということと同じ方向をもった性格のものであり，構成する目標をそれぞれ設定し，それらのいろいろな場合を総合すると，表現学習のすべてであるとも考えられるのである。

ただ構成学習というものの特質とも考えられる点は，平易なことばでいわれる「組み合わせ」ということにかなりの重みを持つものである。

したがって，このような立場から構成というものを性格づけるおもなものは，次の諸点である。

(a) **何かの意図のもとに活動が展開されるということ。**

構成学習では，自由構成とか，条件による構成とか，構成のしかたや姿はいろいろあるがいずれの場合でも，具体的なものに作り上げることを考えにおいた活動である。自由構成といっても，その活動自身の瞬間の一こま一こまは，それ相応に，変化や興味を満たすことの効果や，目標に向かっての活動になっている。つまりなんらかの意図がなされているのである。

役にたつということが，ある場合は，いわゆる実用的な意味をもつということで考えられる場合もあるし，またその効果が美しさや，快い感じを人に与えるためのものである場合もある。

いわゆる実用的な役だちということでなくても，その効果が倒れないように組み立てるとか，じょうぶにするための構造にするとか，あるいは，色や形の変化のおもしろさに興味をもってなされる場合もある。

もっと極端にいえば，いろいろなものを描き，作り出す働き自身の興味を満たすことを意図として活動が展開されることもある。

このことは，特に小学校の低学年では造形意欲を一つの本能（造形本能）としてながめ，その意欲を満たす活動をじゅうぶんに行なうことが，造形活動を通しての教育では重要な意味をもつものと考えられている。

何かの意図によって活動が展開されるけれども，この何かの意図をそれ

ぞれに分類することによって，構成の具体的な姿や質的な違いも生じてくるわけである。すなわち芸術的な構成活動というようにいわれたり，あるいは，合理的なものへ向っての構成活動というようにいわれたりするのである。

(b) **構成学習というのは，構成のための知識や技能を身につけるというよりは，特に小学校の教育では，構成するための態度を身につけることが望ましい。**

小学校における構成学習というのは，そのことをさらに専門化して，一つの技術を身につけるということではない。つまり構成的な仕事を，一つの職業として成り立つように児童を教育することではないから，この場合の考え方も，やはり社会の生活につながるよりよき人間としての成長に役だつ面から考えなければならない。

この意味から，小学校の構成学習は，構成するための基礎訓練のシステムを作るというよりは，いろいろな造形活動を行なう中でそれぞれに影響し合う形において，構成的な意図なりその展開なりに児童がどのような働きかけをしていくようになるかをしっかり見ていかなければならない。

そのためには，もちろん教師としては，構成学習における基礎訓練についてのシステムについても，あるいは造形活動全般にどう影響するかの点についても，よく理解していなければならない。

しかし，だからといって，児童に対して教師の理解していることそのままを，いわゆるおとなの考え方，分類，訓練というものを，くぎるような形で扱っていくのはよくない。

児童たちがはたして，おとなが理解し行なっていることそのままの姿で（程度を下げたとしても）興味をもって受け入れるかどうかは疑問である。

受け入れたとしても，それは，単なる技術的な興味，扱うことの興味に

終わってしまって，構成的な扱いや展開に関する自分のものを打ち出すような姿にはならないだろうと思う。

要するに構成学習では，もちろん表わし方や知識についての理解をじゅうぶんさせて，いろいろな経験をもたせることは必要であるが，それが第一義的に扱われて，児童がどのような点から興味を発展させて，構成的な活動を支えていく基本的な考え方を身につけるかどうかを忘れてしまうおそれがある。

小学校の教育が普通教育であり，人間としての教育を軸にして回転しているとすれば構成学習だけが，そのらち外に出て，職業的な傾向の強い扱い方をしたのでは，そのこと自身，あるいは図画工作科の教育自体の考え方や意味を危くするものであるとも考えられるのである。

(c)　**造形的な活動と切り離して，知的理解だけではいけないということ。**

構成という仕事は，それ自体目的のために効果を高めようとすることであるが，図画工作でいう構成は，形とか色とかの視覚的，触覚的な媒介によってなされるため，一つの概念や知的理解だけでは成り立たない。

造形的に形成されるものは，一つ一つの視覚を通し，触覚を通して感じられること，その具体的な形成の中に含まれる理解とを調和するような形で，全体として味わうものであるだけに，多くの経験によって育てられる感覚的な面は，これを切り離して扱うことはむずかしい。

専門的な訓練の場では，これらの関係をある程度分離したような扱い方で研究される場合もあるけれど，それにしても，直接，具体的なものを目の前にして構成を進めていくことのほうがはるかに有意義である。

仮にリズミカルな構成をする場合のことを考えてみると，学習指導要領では「くり返しによってリズムを知る」とあるけれども，このことばだけをいくら児童に説明しても，造形的に理解されるリズム感というものと，

くり返しの意味とを結びつけて理解することは困難である。

視覚に訴え，触覚によって得た経験の上で理解されるものでない限り，われわれが日常あらゆる機会に遭遇する造形的な生活での働きに対して，その適応を考えたり，実際の操作や観賞に役だつようにはならない。

そして，造形的な文化財に対して，これを駆使する人間としての自主性が失なわれる危険におちいることすら考えなくてはならない。

造形文化財に人が逆に駆使されるというのは，造形文化はいかにも進んだように見えるかもしれないが，人間的成長は退歩した姿になってしまいはしないだろうか。

造形的な活動の具体的な経験，感覚に訴える経験の上に積み上げられる理解があってこそ，その理解も有効な働きをもつようになるのであるから，特に人間的な働きの完成を目ざす普通教育の時代では，この点の扱い方を教育的な方法として考えなければならないと思うのである。

(2)　構成学習の展開事例

構成活動を進めていくために，どのような点に力を入れてやったらよいかの大まかなことがらについて以上述べたのであるが，どのように具体的な仕事として結びつけていったらよいかについて考えてみようと思う。

すでに，現在多くの学校で，多くの先生や児童の間に，いろいろの構成学習が展開されているし，またその一つ一つの事例については，取り上げられた教材内容にふさわしい考え方，発展のさせ方が行なわれていると思う。

わたくしはわたくしなりに，構成学習で結果において当然育てられなければならない「創作へ進む道」のようなものを，児童に感覚を通して味わ

わせ，高めていきたいと思って，一つの試みとして次のような考え方，発展のさせ方を取り上げてみたいと思う。

問題としたのは，創作ということは，どんな形で具体的な作品として進めていったらよいだろうかということである。

まったく新しいもの，今まで人の作らなかったものというのは，いったいその生まれる過程というものは，いわゆる万能とか特殊の人だけにしか理解されないものであるかという疑問に対して，児童のだれもが興味をもって，創作への一つの手がかりとなるようなものをもたせたい。自信をもち，創作への態度を育てていく要素の一つを身につけさせることができないかという点から，考え方，発展のさせ方の試みをしてみたのである。

試みた材料は，色や形，材料などの変化のさせ方についての，平面構成の事例研究である。

＜長谷喜久一＞

＜アート紙，口絵写真参照＞

1 黒…a	a	a	b	b	c	c
白…b	b	c	a	c	a	b
灰…c	c	b	c	a	b	a
				No. 1 * ↓		

2 無彩色…a	a	a	b	b	c	c
有彩色…b	b	c	a	c	a	b
材　質…c	c	b	c	a	b	a
					No. 2 * ↓	

3 Form大…a	a	a	b	b	c	c
Form中…b	b	c	a	c	a	b
Form小…c	c	b	c	a	b	a
						No. 3 * ↓

4 線の太…a	a	a	b	b	c	c
線の中…b	b	c	a	c	a	b
線の細…c	c	b	c	a	b	a
	*		No. 4 * ↓			

5 Texture…a	a	a	b	b	c	c
Pattern…b	b	c	a	c	a	b
Collage…c	c	b	c	a	b	a
				*	*	*No. 5

6 Form 1 の傾き…a	a	a	b	b	c	c
Form 2 の傾き…b	b	c	a	c	a	b
Form 3 の傾き…c	c	b	c	a	b	a
	*					

１のグループの中のｂｃａ（No.１）の作品

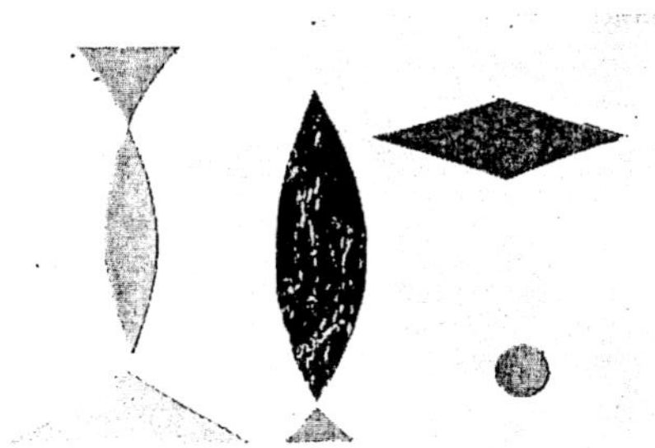

２のグループの中のｃａｂ（No.２）の作品

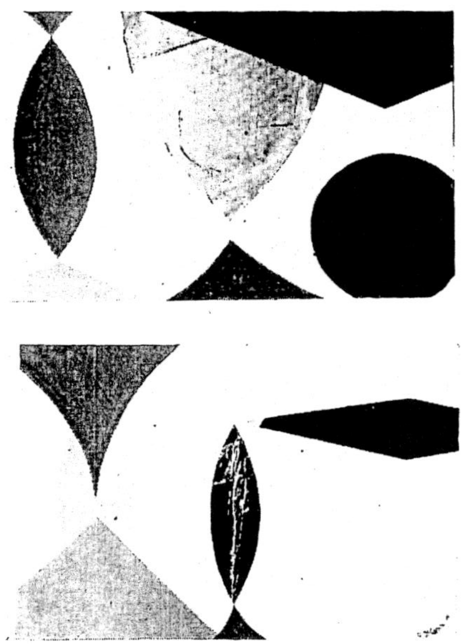

３のグループのａｃｂおよびｃａｂ（No.３）の作品

４のグループのａｂｃおよびｂａｃ（No.４）の作品

５のグループのａｂｃの作品

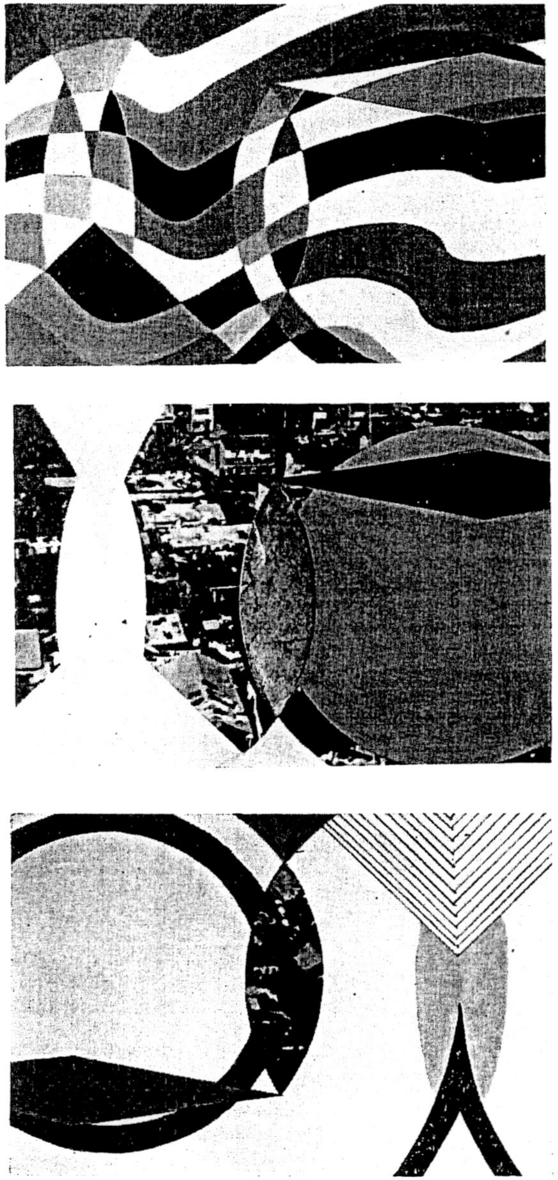

5のグループのbca，cab，cba（No.5）の作品

2　構成学習の内容系列について

(1)　構成学習の内容

図画工作科の学習では，絵をかいたり，いろいろなものを作る活動が主となって，はじめてその内容が児童の身についたものとなると考えられるが，絵をかく場合でも，ものを作る場合でも，それぞれの学習の内容の中での目標のちがいによって，絵をかく活動の姿だから，ものを作る活動の姿だからといって，必ずしも同一な活動の姿ばかりだとは言いきれないのである。

したがって，絵をかく場合についてみれば，心の中にあることを絵にかき表わす場合と，ものを見てかく場合とに分け，つまり心象表現と写生的表現とに区別し，ものを作る場合においては諸材料で自由な構成を試みる場合と，用途の目的をもったものを作る場合の，つまり自由な表現と役にたつ表現とに区別する，といったようなことが考えられるのである。

つまり，絵をかくこととか，ものを作るとかいったことのそれぞれが，かくとか作るとかいったそれぞれの活動の形式的な見方からすれば，同じようなことではあっても，教育的にその内容となるものを選んだり，指導の方法を考えるためには，まず教科の全体構造といったものについての理解を明確にしてかからなければならないと思うのである。

またそれは，ここで問題とする構成学習が，造形教育の領域において，いかなる位置づけをもち，その中でのいろいろな領域の面と，どのような関連をもっているか，というようなことを明らかにするためにも必要なことである。また，教科の全体構造を考え，構成学習の位置づけを明らかにするということは，構成学習の内容となるものを考え，それを系統だてて考え，それによって構成学習の効果をあげようとするためにも，きわめてたいせつなことであろう。

「図１」で示したように，図画工作と呼んでいる教科名の，従来における解釈としては，図画的と称するものの中に「絵画」と「図案」を含ませ，工作的と称するものの中に「彫塑」と「工作」とを含めて，図に示すように，ＣＤ線でくぎったような考え方が強かったと思われる。

しかしながら，すでに改訂された学習指導要領にも考え方として明らかに示されているように，絵画と図案とでは，また彫塑と工作とでは，両者の間には質的にかなりの距離があると考えられるから，これを主として感情に基づいた美術的表現と，機能や構造に基づいた工芸的表現とに区別するところの，図に示せば，ＡＢ線でくぎられるような立場が考えられるのである。

むしろＣＤ線による区別は，活動の姿からいって，絵画や図案といった平面的な表現の活動と，彫塑や工作といった立体的な表現の活動とに分け

図　１

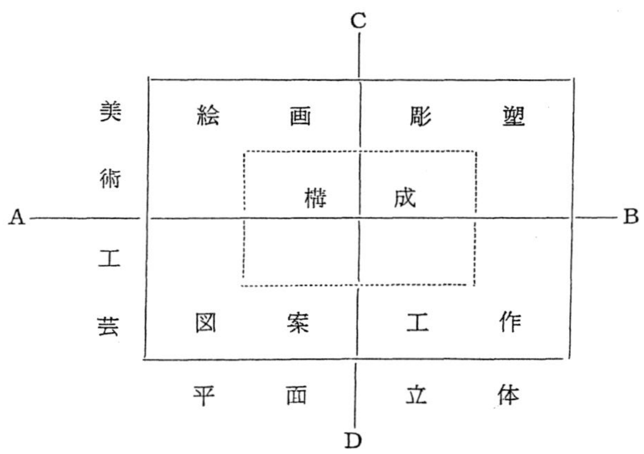

たものと考えることができる。

このように，平面構成と，立体構成とが考えられるところから，図にも示したように，これらの領域の中間のところに，一連の構成学習としての位置づけを考えることができるのである。

また，これを文化財的に，活動の形式的な面からとらえた平面と立体の区別によらずに，内容の質的な面から美術的表現としては絵画と彫塑を，工芸的表現としては図案と工作というように区別した場合にも，絵画と彫塑にまたがって美的構成を，図案と工作にまたがるものとしては機能的構成を考えることができるのであって，やはりこれらの領域の中間に構成学習の位置づけを考えることができるのである。

しかし，これらはいずれも互いに影響しあうものであって，その中にあるものが他のひとつに影響して，さらに他の領域に対しては無関係であるということは考えられないのである。

その関係，あるいは関連といったものについて考えてみたことを，図に示してみたものが，「図２」である。先に述べた教科の全体構造の考え方によって，領域的に構成学習と領域学習との関係をみたわけである。

まず次頁の(a)図でみるとおり，絵画における学習経験といったものは，彫塑，デザイン，そして構成における経験と直接的な関係があって，工作学習とは，構成学習を通しての間接的関係にあるとみるわけである。つまり隣りあった領域として，彫塑とは感情に基づく自由表現の面，美術的表現としてつながりがあるのであり，デザインとは平面構成における色や形の処理といった面で関連し，これらの共通した根底によこたわる構成学習を通して，工作学習とのつながりが考えられるのである。

また，彫塑学習では(b)図で示すように，絵画，工作，そして構成のそれぞれと直接した関連が考えられ，デザインとは構成学習を通しての関連が

考えられるといったことである。

図 2

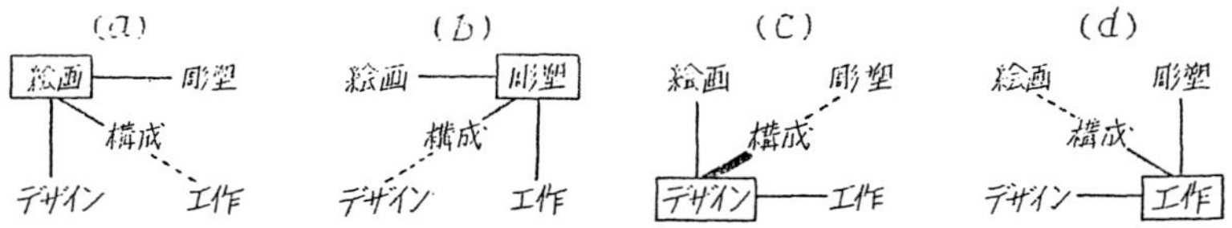

さらにたいせつなことは，ひとりデザイン学習のみは，(c)図で構成学習との関係を太い線で示したように，ここで明らかなことは，構成学習のねらいは，デザインのもとになるような，構成する態度や構成する能力を高めることであるということである。したがってデザイン学習は，絵画，工作，そして構成のそれぞれで学習経験したこととの関連が考えられ，構成学習を通して彫塑学習とのつながりが考えられるということになるが，中でも構成学習とは，先に述べたようなことから，最も強い結びつきが考えられる，ということになるわけである。

また，(d)図に示した工作学習について考えると，図では彫塑，デザイン，そして構成と，同じような線で関係させているが，すでに学習指導要領でも明らかにされているとおり，工作学習の中に立体構成をすることなどのあるように，デザイン学習の分野とのかなりの関連ある内容をもっているのであって，したがって彫塑学習との関連よりは，工作学習はデザイン学習との関連を重くみるということが，あるいは太い線で示せるほどにも心組みとしては考えられるのではないかと思う。同じようなことは，彫塑学習においては，工作学習との関連よりも，絵画学習との関連を重くみるということにも通じるのではないかと思うのである。

さて，構成学習のねらいは，デザインのもとになるような構成する態度や，構成する能力を高めることであったが，構成学習で行なったことが，他の領域において効果をあげるとともに，他の領域で経験された構成への

関心は，循環して構成学習でまとめられるといった関係にあると考えてもよいであろう。「構成学習の位置と関連」といったことを，以上のようにまとめてみたわけである。

(2) 構成学習の系列

これまでに述べたところで明らかにした四つの領域のそれぞれにおいて，構成学習の内容をどのような系列を立ててとらえていったらよいか，ということが次の問題になるのである。

現在の中間的な段階としては，そうした内容といったものを，にわかにこれこれこうであるとして，断定的に示すということは，とてもできないことであるが，やがて，われわれのこのような研究や調査をもとにしたもので考えをまとめていけば，たとえば別表で示したような表わし方でもって，各学年についての構成学習の内容といったものを，きわめて要素的なものになるかとは思うが，詳しく示すことができるようになるかと思うのである。

別表に示したところのものは，あくまでもわたくしたちの調査研究の結果から出てくる内容の示し方といったものを予想したところの，単なる表示の一例にしかすぎないのである。

しかし，この「予想される表示の例」の内容として掲げたのは，わたくしのこれまでに得たところの，種々の実証的な考察や実際の経験にもとづいて，それらの内容といったものを考えてできるだけ整理し，要約して，調査研究の方向のひとつの参考となるようなものをねらって示すものである。

この表に表わしたように，絵画，彫塑，デザイン，工作といった四つの

領域を学習の姿として，これを構成学習の系統を押える観点からながめて，そこにとらえられる内容といったものを示してみたのである。

その観点を表わす項目としては，ここでは，色，形，感覚，用具，材料，機能，構造，表現方法の八つで示しているが，果していくつの項目にしぼられ，またどういうことばで表わしたらよいかは，まだ今後の研究にまたなければならないと思う。いうまでもなくこれらのひとつひとつが内容を押えてその筋となっている要素をなすものであり，色彩，形体はいうまでもなく，感覚は造形的な面での好ましい処理のできる感覚の育成が考えられ，用具，材料はまた造形表現におけるいわゆるものを通しての活動として欠くことのできないものである。また作るものによって，その機能，しくみやはたらきを考えさせ，構造，組み立てについてよく考えてさせることがたいせつである。またこれらの観点は広くとらえた表現方法の中に含まれた一過程あるいは一断面に現われ，あるいは相互に関連しあうものであるが，指導においては児童の発想から具体的な活動を通して完成に至るまでの一般的な姿として，どのような無理のない過程を踏ませることができ，あるいはどのような考え方とか，いくつもある手だて方法といったものから，何を取り上げて指導すべきかということについてまとめるために，表現方法という観点の項を設けたものである。

このように吟味して立てた系列の観点によってながめながら，各学年の児童の関心や能力の発達にあわせつつ，重要と思われる内容を要素的にとらえて表わすことがたいせつと思うのである。

くり返して述べるが，最後に特に述べたいことは，構成学習をこのように，描画，彫塑，デザイン，工作，という四つの領域にまたがったものとして考えたものであるが，根本的にはデザイン学習を中心として，そのもとになるような構成する力を養っていくことが，構成学習のねらいである

ということである。

描画のための，彫塑のための，工作のためのといったように，全領域のすべてにわたって重点をおくということでもなければ，それらの学習のための単なる手だてを考えることでもない。かといって構成学習がデザイン学習とともにだけあるのではなくて――もしそのように考えるとすれば，あまりにも大学専門コース的な考えにかたよることになる――構成学習はデザイン学習を中心として，各領域における学習経験によってもまとめられるところの能力といったものをつちかうものである。というようなところまで広げるのが本質であろうと思うのである。

このようにあまり広げすぎない，かといってあまりせばめすぎもしないといった中くらいの考え方でもって，構成学習と言いたいのである。

要するに，描画，彫塑，デザイン，工作といった領域概念と，色，形，感覚，用具，材料，機能，構造，表現方法などといった機能概念と，この二つの概念の統合されたところに，構成学習を考えていくということが，小学校での指導としては妥当なところであろうと考えるものである。

予想される表示の例（第１学年）

観点／学習の姿	描　画	彫　塑	デザイン	工　作
色	○好きな色で自由にかく。 ・となりあった色のちがいに気づいてする。	・色の明るさ，暗さに気づく。	○好きな色で模様を作る。 ・色あいによる模様。 ・色の明るさ，暗さによる模様。 ・色集めをする。 ・色合せをする。 ・色並べをする。	○作ったものに自由に配色する。 ・簡単な美化のためにするなど。

形	○好きな形で自由にかく。 ・となりあう形の関係に気づいてする。	○作りたいものを自由に形づくる。 ・大まかな形の特徴でする。 ・大まかな形のおうとつで表わす。	○好きな形で模様を作る。 ・自由な線がきでする。 ・ごく簡単なもとになる形でする。 ・形並べをする。 ・形合わせをする。 ・形集めをする。	○作りたいものの形を自由に作る。 ・ごくやさしい程度で初めに予想して形を作る。
感覚	○自分の感じたままに自由にかく。 ・絵から感じとる気持ちを育てる。	○手ざわりを通してものの形を好きなように表わす。	○いろいろな模様について，配色の好き，きらいをみる。 ・目だつ色 ・目立たぬ色 ・美しい色。 ○形のよしあしをみる。 ・好きな形 ・ものの形 ・すわりのよい形。	○ごくやさしい程度で作る目あてにてらして，作りあげた時のものを感じ取ってすることができる。 ・美しいもの。 ・しっかりしたもの。
用具	○必要があれば描画の用具を使い分けてかく。 ・水彩における筆や画板の使用など。	○必要があれば身のまわりから用具を選んで使い分けて作る。 ・穴をあけるために棒きれを使ったり，すじをつけるためにとがったものを使うようなこと。	○自由に使用可能な用具を使って模様を作る。 ・はさみその他簡易な工具。 ・身のまわりのものを用具に使う。たとえば形をとる場合など。	○使う材料にあわせてやさしい用具を選んで，作ろうとするものにあわせてつくる。 ・色紙，中厚紙を使う時のはさみの使用。

材料	○自由に材料を使ってかく。 ・画用紙の種類における紙の大きさ，色，形。 ・絵の具の種類のいくつか。	○可塑的な材料を使って，自由に立体的な形を作る。 ・粘土や自然物の利用。	○使いやすい身近な材料を利用して自由に模様を作る。 ・木の葉並べ，貝集めのような自然物の材料でする。 ・ぼたん，おはじき，毛糸，布などの人工物の材料でする。 ・竹ひご，細い針金，などの線材でする。 ・中厚紙などの面材でする。 ・色紙，絵の具などの色材料でする。	○ごくやさしい程度で作る目あてにあわせて，使いやすい身近な材料を使用して自由に作る。 ・紙材料のいろいろな種類によって。 ・自然物のいろいろな種類によって。 ・身近な人工物のいろいろなものによって。
機能	○目だたせるところに関心をもたせて自由にかく。	○はたらきをもったものの形に気づかせて自由に作る。	○ごくやさしい程度で目あてや，役目をもった模様を作る。 ・飾りのための模様。 ・使う目あてにあわせて形を決める。	○遊びや行事に使うものを，使う目あてにもとづいた簡単なはたらきに気づかせて作る。 ・動くおもちゃとかお面作りなどにおいて。

構成学習における指導内容の範囲と系列

構造	○ごくやさしい程度で画面の組み立てに関心をもつ。	○ごくやさしい程度で全体の形に対する部分の形の組み立てに関心をもつ。	○作り進める広がりや方向性といったやさしい組み立てに関心をもつ。 ・高く高く。 ・長く長く。 ・大きく。 ・広がる。 ・次々に。 ・くり返す。	○遊びに役だつものの簡単なしくみや材質を生かしたやさしいしくみに関心をもつ。 ・平面のもの。 ・半立体のもの。 ・立体的なもの。
表現方法	○いくつかのやさしいかき表わし方に気づかせて自由にかく。 ・パスと水彩。 ・色紙と絵の具。 ・ひっかき絵 ・ゆび絵	○主となる粘土の手びねりにおいて，いくつかのしかたによって，自由に作らせる。 ・伸ばす。 ・固める。 ・積み重ね。 ・押しつぶす。 ・ひもを作る。	○いくつかの表わし方の種類に気づかせて自由に模様を作らせる。 ・こすりだし模様。 ・かたがみ模様。 ・切りぬき模様。 ・押印模様。 ・ちぎりばり模様。	○簡単な作り進め方の見通しをもたせてそれぞれの場合に作ることができる。 ・折る ・切る ・曲げる ・はる ・ちぎる ・つなぐ ・さしこむ ・組み合わせる

<長谷喜久一>

3　構成学習における児童の表現能力について

(1)　研究のねらい

小学校の構成学習では，具体的なものを使って作ることが中心になって行なわれることになるが，児童の表現能力を問題にする時には，当然その過程，および作る以前の思考のあり方，理解や感覚の度合いなども考慮しなければならない。

しかし，児童の表現能力を全般にわたって，研究調査を進めることは，定められた期間においてまとめることは不可能に近いと思われたので，児童の具体的な製作の活動を通して見られる材料処理に関する発達過程を中心に調査し，研究のまとめをしてみたいと考えたのである。

このような考えから，主題は次の二段階に分けて研究をまとめることにした。

(1)　工具の使用経験と技能の関係を中心にして材料処理の実態と，思考過程について，調査研究をする。

(2)　構成目的に合わせた材料活用の傾向を明らかにし，指導の手がかりをつかむ。

次に，この主題を取り上げた理由については，まず構成学習というものの位置づけが，デザインを中心にし，工作的学習および描画，彫塑などの他の学習と，密接に関連したものであり，特にデザインと工作の中間にある，平面的・立体的構成の内容を考えようとするものであるから，その基礎としての児童の表現能力をいろいろ検討する必要があると考えたのである。

また，デザイン学習というものを考えた時，児童のデザイン活動の流れを考えてみると，児童が作品を形成するにいたるまでには，頭の中で考えた構想を練り，これを目的に適合するように，いろいろの角度から検討を加え，これらの計画に従って作る。そして作ったものを，うまく活用するという一連の学習の流れをもっていると考えることができるのである。

このデザイン活動の中で，作ることの意味は，小学校の児童にとって，たいせつな一過程であるとともに，作ることによってデザインを理解するという特色をもつものと思われるので，児童がよりよく作るための前提として，児童の工作的表現能力を明らかにする必要があると考えたからである。

以上がこの題目を取り上げたおもな理由になったものである。

(2) 児童の表現能力について

構成学習において考えられる児童の表現能力がどうであるかを考えるにあたって，まず問題として考えておきたいことは，児童がもつアイデアを，物を通して形成する造形処理に関する技能であり，さらにその技能であり，さらにその技能を総合的に活用するデザイン能力についてである。

児童の造形処理技能については，色や形，地はだなどの構成，目的をもった構造と組み立て，機能を考えた組み立てなどをするにあたっての材料，用具そのものに関した児童の処理技能に関する研究が考えられるし，デザイン能力については，いろいろな構成上の要素的な面についての，感覚の帰結と考えられる判断力や，要素的なものの総合的活用能力に関する研究が考えられると思うのである。

(3) 工具の使用経験と技能の関係について

まず児童の造形処理能力に関するものとして，材料・用具の使用処理について，児童がどのような発達の過程にあるか，それを中心に研究を進めることになったが，この点については，多くの教師は主として長い間の経験から，おおよその勘によって行なわれてきたものが多く，はっきりとした資料とその研究が少なかったように思うのである。

それは，児童の技能の発達というものが複雑に形成され，とらえにくいということがあったと思うのである。

そこで児童の造形処理能力を調べる手がかりを得るための調査として，児童がよく使用する工具を中心に，どんな時代に，どんな道具を，どの程度使用しているか，使用の経験調査をし，それらの経験と，それらの工具を，実際に使用しての技能調査を行ないたいと考えたのである。

① 使用経験について

• 調査の項目を，児童が工作学習に使用される工具の中から，33種類を選び，どんな工具が，どのくらいの時期に使われるようになるか，だいたいの傾向を調べてみたものである。

• 調査の結果によると，最も早くから，最も多く使用されているものは金づちで，2年生で88%，次に，のこぎり，70%，

工具の使用経験の調査

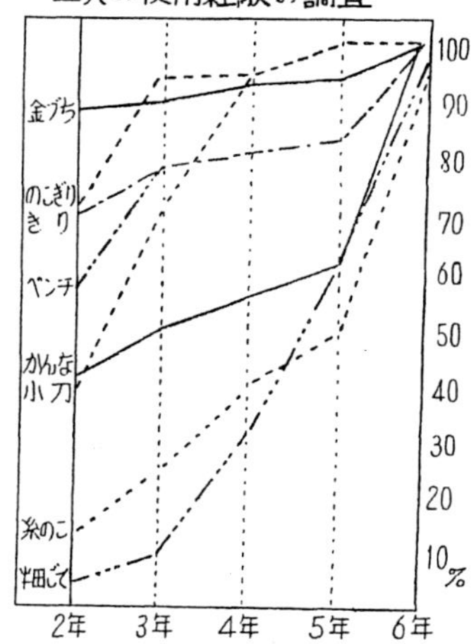

ねじまわし68%，ペンチ56%

の順になっている。表によってもわかるように，特に注目されるのは，3年と6年において，著しい変化が見られることである。変化の原因については，3年生では，材料の範囲が広められたことも考えられるが，その他にも理由が何かあるのか。

また6年生では，5年生で工具をある程度個人もちにしたことに関して，何か原因があったのか，なお深く考えるところもあると思われる。

この調査にあたって考えられることは児童が工具に対する使用経験率が高いから，あるいは，ある時期に急激に経験率が増したから，それによって児童の製作能力が発達していると即断してよいかは疑問であると思われるし，製作に関する能力の発達については，経験そのものより，むしろ経験のしかたがどうであったかがたいせつなものと思われる。

すなわち児童が新しい経験をもった時の知識，理解の程度を考慮しなければ，本当の能力化の度合いを言い表わすことはできないと思う。

しかし，いずれにしても程度の差こそあれ，工具の使用経験をもち，また工具材料の理解知識を持つとして，実際に製作させた場合は，はたしてどのような仕事ができるものか，次の問題になるかと考え，製作を伴う調査をすることにした。

②　製作について

調査の実施にあたって考えたことは，どんな工具を選ぶか，どんな材料を使うかということであった。

今回の調査では，工具については，前の調査で示された児童が最も早くそして最も使用経験の高い，金づち，きり，のこぎり，ペンチを選び，材料については，それらの工具の機能として，大事なポイントを押えることができ，しかも児童にとって，多少の抵抗をを持つ材料と考えて，木材，

くぎおよび竹ひごを選ぶことにした。

木材は，すぎのぬき板であるが，条件を統一する意味で，裏表が板目になるように切断したものを与え，さらに節の部分は除外することにした。針金は児童が学校や家庭で最も多く使用すると思われる20，16，14番の中で16番を選ぶことにした。

くぎは，木材のすぎのぬき板の厚さを考慮し，1寸くぎを使用することにした。

③　調査の方法と観点

調査の時期は，各学年とも新学年のはじまりとし，対象児童は，身体条件をある程度考慮し，身長が学年ごとに男女計40名をとることにした。

材料は，さきのすぎのぬきを半裂きにし，長さ13cm 幅3.5cmの長方形を正しくとり，児童がのこぎりでひく線を，長さの一端から4cmのところに，幅と平行に点線を鉛筆で印したものを一個，長さ15cmに切ったまっすぐな針金16番を1本，長さ10cmの竹ひごを2本，くぎ1寸を2本，それぞれ机の上に並べ，工具は金づち，のこぎり，きり，ペンチを各1個ずつ用意した。

製作の方法と順序は，組み立ての完成した作品を示しながら，工作の順序と方法を作る過程の図解によって，児童に納得させてから，製作にとりかからせた。

調査の観点としては，児童が使用する主要な工具について，児童がどのくらい工具を使いこなすことができるかということが調査のねらいであるから，仕事は次の四つの過程に分けてみた。

1，のこぎりで板を切る。

2，金づちでくぎを打つ。

3，きりで穴をあける。

4，ペンチで針金を曲げる。

の4項目について，次の観点から考察を進めることにした。

(1) のこぎりで切るでは，

- 児童が自分で意図した線（直線）を，どれだけ正しくひくことができるか。
- 切り口の予定線から，どの程度垂直にひき下すことができるか。
- ひいた跡（あさりの状態を含めて）がどの程度きれいになっているか。

などをおもな観点としたのであるが，ここでは単に仕事の結果だけを見るのではなく，できるだけ実施の過程において，どのように仕事を進めようとしているか，児童の内面的な働きもできるだけとらえようと考えた。

(2) 金づちでくぎを打つでは，

- 児童が意図したとおり，材料を結合させる目的が，どれだけうまく果たせるか。
- くぎが予定した角度でどれだけ打ち込めたか。
- 打った跡がどの程度きれいにいったか。

(3) きりで穴をあけるでは，

- 単に穴をあけることが目的ではなく，穴に物をさし込むことを予想させるようにした。
- きりで開けた穴が，目的を達するのにじゅうぶんなだけの深さになっているか。
- きり穴の方向が，予定どおりになっているか。
- きり穴がきれいにあいているか。

などを考えた。

(4) ペンチで針金を曲げるでは，

- 目的にあわせて，どれだけ正しく曲げられるか。

- 曲げる点で，どれだけ小さな半径に曲げられるか。
- 曲げた跡が，どのくらいきちんとしているか。

以上4項目についての，それぞれのおもな観点を設けて，実際の調査に移すことにした。

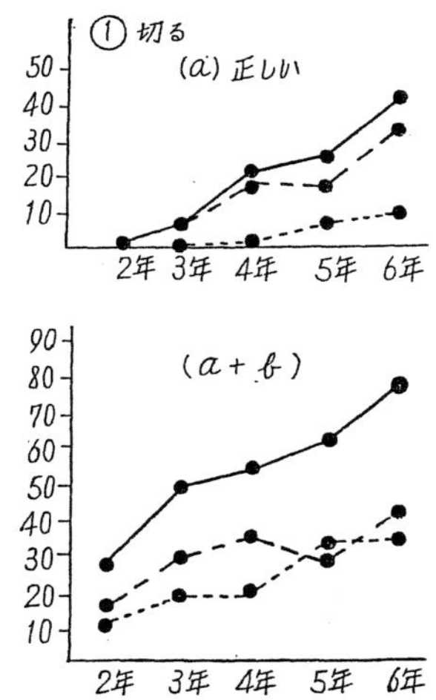

①のこぎりで切断した断面を尺度を用いて調べた結果

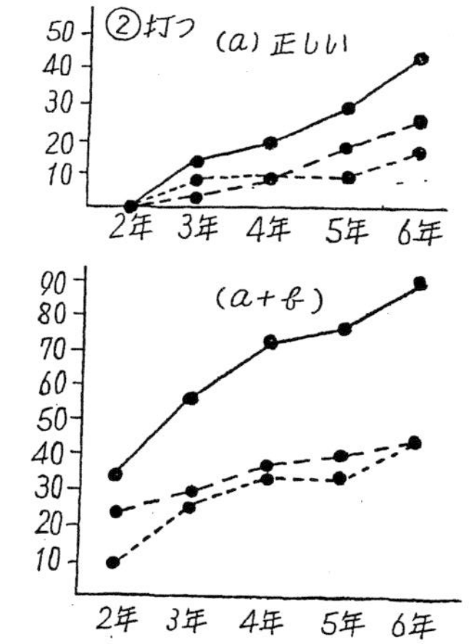

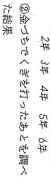

②金づちでくぎを打ったあとを調べた結果

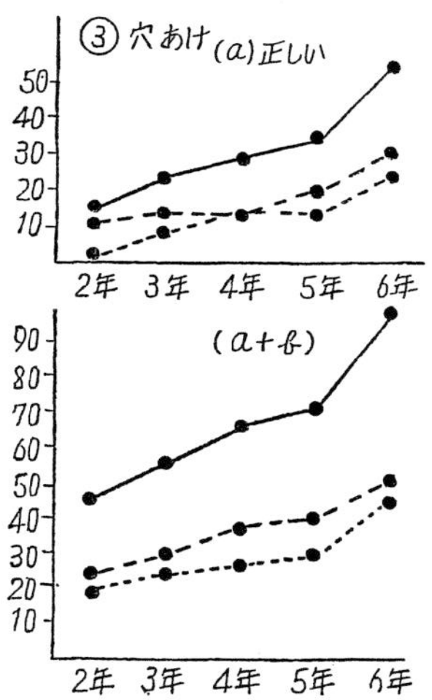

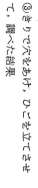

③きりで穴をあけ，ひごを立てさせて，調べた結果

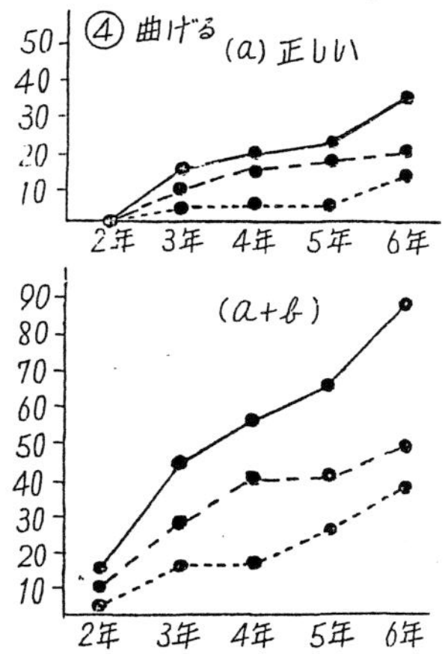

④ペンチで針金を曲げさせ，調べた結果

⑷ 調査の結果

グラフの実線は，男女合計，太い点線は男子のみ，細い点線は女子のみになっている。

評価は，それぞれの項目について，a，b，cの3段階とし，aは正しいもの，bはやや正しいもの，cは不正とした。

aの正しいものだけを見ると，のこぎりで切ること，ペンチで曲げることでは，はっきりと男女差が認められるがa+b，すなわち正しいものと，それにやや正しいものを加えると，表のようになり，男女の差が接近している。

男女の差が，高学年に進むに従って開いていくと，よくいわれているが，この点については，もう少し考え直してみたいと思う。

なお，この表は，結果を正確さという観点からみたものであるから，児

童がどのように仕事を進めようと考えたかについては，製作時間と考え合わせて，さらに考察を進めたいと思う。

⑸ 調査の結果に現われた学年の特色

児童が製作中にとった構成法および工作処理の実態をメモによってまとめてみると，次のようなことがいえると思う。

☆切るの項目については

・2年，3年においては，材料を固定させるようなくふうや，切りやすい位置，方向に安定させることを，あまり考えないで仕事をしている。

特に2年生では，材料を押える左手の力があまり発達していないため，力を入れればのこぎりの刃にとられ，あるいは反対に力が足りなければのこぎりの刃が浮いて，切れないでいる児童がほとんどで，正確さの要求は無理であるし，時間も非常にかかる。

・3年生でも，のこぎりの運び方，力の入れ方のバランスがとれない。

また材料の位置や状態，のこぎりのひく角度を考えず，力まかせにのこぎりを使う児童があるので，この点考えさせられる。

・4年，5年においては，ひき始め，ひき方（角度と力の入れ方）を気にするようになることが目についた。

・6年生では，のこぎりの扱いにもなれて，正確であり，確かめながら仕事を進めている。

☆くぎを打つについては

・2年生では，ねらいをつけるのにやっとで，力がはいらないものが多い。

・3年生では，くぎを打つ角度を考えないで，力まかせに打つ児童が多くなるのが目だつ。

・4年生では，仕事が慎重になり，うまくいかないとすぐやりなおしたがり，したがって仕事のあとはかえってきたなく，時間もかかるようになる。

・5年，6年では，打ち込む角度を考え，かなりうまく正確な仕事をするし，特に6年生は，自信をもって仕事を進めるようになる。

☆きりで穴をあけるについては

・2年生では，きりを回しているというだけで力がはいっていない。

・3年生では，力を入れようとするが，頭が大きくゆれて，穴を必要以上に大きくあけ，しかも平気でいる児童が多い。

・4年生では竹ひごや針金などの太さに合わせようと考えて仕事はするが，一ぺんにはいかず，何度も何度も穴のあけなおしをする。

・5，6年は，穴の大きさ角度など総合的に考えて仕事をするし，6年生では，ほとんど完全な仕事をする。

☆針金を曲げるについては

・2年生では，ペンチを使うより，手を使いたがる。これは針金に対しペンチをどう食えるかがわからず，このため組み立てまで進めないのである。

・3年生では，角度をきちんと曲げようとするが，やはりペンチの食え方が不安定である。

・4年生では，角度をきちんとしようと気にし，うまくいかないとやり直すので，結果的にはきれいにできず，時間がかかる。

・5，6年では，ペンチの扱い方になれ，手の力のいれ方など考えて仕事をするようになる。

以上製作実施中に，メモした学年ごとのおもな傾向のものだけを取り上げてみたものであるが，なおこの製作にかかった時間については，2年生，3年生では20分以上かかる者が，全体の$\frac{1}{4}$を数え，4年生では$\frac{1}{6}$の者が数えられた。特に注目されるのは，6年生になると，4分以内の者がかなりでて急激に速度を増していることがわかる。

この調査をする前に，われわれ教師が実験した時の平均タイムは2分30

秒であったことを考えると，6年生にとって，この程度の仕事の抵抗の度合いがどんなものであるかがわかると思うのである。

なお2年生が，3年生に比べて短時間に提出されたのは，のこぎりでひく所で，取り扱いの危険なもの，あまりにも抵抗が大きいものに，特に教師が手伝ったためと，さらに正確に仕事をしようとする点に，関心が薄いため早く提出されたとも思われる。

この調査の結果をどのように使うかということについては，おもな工具を使っての処理能力が，学年ごとにほぼ捕えることができたと思うことから，構成学習の指導計画および実際指導にあたって，基礎資料として，有効に活用したいと考えているが，特に

・工作的処理能力を向上させる手がかりとしたり

・構成学習における児童の立体的な表現活動を内容的に検討する際の，児童の表現能力の一端として，判断材料としたり

・児童が主要工具を使用しての製作活動において，学年的な特色を指導上の留意点として，実際指導に役だたせることができると思っている。

以上が，工具の使用経験と技能の関係について，材料処理の実態と，思考過程について，調査と考察をしたものであるが，これはさきにも述べてあるように，第1段階の調査で，与えられた材料条件に対する一般的処理に関する能力傾向を主として取り上げたものである。

これに対して，実際に児童の学習活動を想定する場合には，どうしても合目的な材料処理に関する，児童の傾向を明らかにすることが必要であると考えられる。そこで，

学習における材料経験を効果的に身につけさせるためには，今後の指導にどのような問題点が残されているか，問題点があればそれについて明らかにしたいと考えたのが，第二の構成目的に合わせた材料活用の傾向調査

研究を進めようとしたおもな理由である。

すなわち，デザイン学習などにおいては，単一材料を多角的に活用を考えたり，あるいは，各種の材料を総合的に活用を考えたりする場合は，つねに，使用する材料の特質を考え，その上でいろいろ活用の道をくふうさせるものである。

また，工作的な学習においても，材料の特質を考え，それを生かした表現のくふうや目的や条件に合わせた材料選択といった児童の活動がくり返し行なわれているのであるが，いったい児童はこのような活用や選択にあたって，材料の活用をどう考えているか，その実体を捕えるために，次のようなことを少しでも明らかにしたいと思ったのである。

第1に，材料についてのこれまでの既得経験をどの程度生かしているか，あるいはどのように生かそうとしているか。

第2に，材料についての認識の度合いはどうか。

第3に，適切な処理法を考えての活用態度であるか，どうかなど。

この三点について発達の上からも考察を加えたいと考えたのである。

(4) 構成目的に合わせた材料活用について

① 材料活用について

この研究を進めるにあたって，まず第一に考えておきたいのは，児童の材料活用に関する力は，どのようにして深まっていくか，ということである。

児童の材料活用能力がいかに深められるかを考える時，一つには，材料を実際に手にし，使用した際の直接経験，あるいはその際の間接経験が問題になると思うのである。

そして，さらにその際の扱われた対象材料の価値的な度合い，経験された範囲などが考えられるし，それがくり返されたひん度にも関係をもつものと思われるが，いずれも，その活動を通して考えられるなんらかの活用意図をもった経験によって深められるものと思う。

二つには，児童が材料を使用する経験を通して，直接間接に材料およびその処理について，いかなる認識をもったか，普偏性，合理性をもった認識の確かさについて考えることができる。

すなわち，活用能力の深まりは，主としてこの二つの関係にあって，合理的に思考され，意図的に活用の方法を実践することによって，得られるものではないかと思うので，そこで以上の観点に立って研究調査を進める方向として，次の二点を考えた。

- 第一は，経験をもとにした活用意図についてである。

  児童は，既得経験を目的や条件に対して，どのようにあてはめようとするか，その傾向を確かめ，活用意図の実態と問題点を明らかにしたいと考える。

- 第二は，活用材料の認識の度合いについてであるが，活用意図が，正しい認識において，合理的に考えているか，調査によって，そこにあらわれた結果の範囲内において，材料処理法に考察を加え，材料認識の実態を明らかにしたいと考えている。

このような研究の方向から，次のような調査を行なった。

② 調査のねらいと方法

- 第一に，構成にあたって具体的な目的を示された時，児童はそれの構成にいかなる材料を選択するか，選択のあり方によって，経験の生かし方の実態をとらえ，さらに選んだ材料について，構成法，処理法を関係的に考察することにより，認識の度合いを明らかにして，確かな材料活用ができているかどうか考察を加えることにしたのである。

・第二に装飾目的に対する，児童の材料活用の傾向とその際の活用方法を関係的に考察することにより，装飾的な場合の材料活用傾向を明らかにしたいと考えたのである。

以上のねらいから調査は次の方法で行なったのである。

◉ 調査方法

（A）カード

ざいりょうのなまえ	いるどうぐ	つくりかた
1 たけ		
2 がようし		
3 ボールがみ		
4 ほそぎ		
5 マッチぼう		
6 ブリキ		
7 こいし		
8 だんボール		
9 きのえだ		
10 すな		
11 わた		
12 わらばんし		
13 けいと		
14 ぬのきれ		
15 セメント		
16 はりがね		
17 ガラス		

（E）カード

ざいりょうのなまえ	いろがみ	つつみがみ	だんボール	マッチぼう	けいと	たけひご	ぬのきれ	そのほかのもの
かざりかた								

・調査の第一のねらいに対しては，構成目的をできるだけ具体的なものとして，塔の形を絵に描いて児童に見せることにした。

・調査カードをめいめいの児童に与え，材質，形態の異なった17項目の材料を示して，さきの塔を作る場合，それぞれの材料を主にして作るとしたら，どの材料が最もうまく作れるか，まず考えさせ，自分が実際に作るとしたら，どの材料を選ぶか選択させた。

・次に，選んだ材料で作る場合，どんな方法で作るか組み立てる時に必要なものを，カードに記入させることにした。

以上は第一の調査に関する方法である。

◉ 調査の第二のねらい

厚紙で作った六角形と長方形の箱を見せて，無地の箱の外がわに，なにか材料をはりつけることによって，箱を美しく装飾をするという意図で，材料の選択と方法を考えさせることにした。

- 調査のカードには7項目の装飾材料をあげ，児童には，美しく飾る時にうまく使えると思うもの……その材料と飾る方法をカードに記入させた。
- また，7項目の材料のほかに，その箱の飾りとして使えるものがあれば，別に材料名と方法を記入させることにした。

◉ 調査の方法は以上のようであるが，この調査の対象は，1年—6年まで各学年80名計 480 名について実施することにした。

③ 調 査 の 結 果

(イ) 児童の材料の選択の傾向では，構成目的が塔であったことから，塔と線材といった関係的な結びつきが特に目だった。線材による組み立てを考えたものが非常に多く，細木，マッチ棒，針金の選択の合計は，それぞれの学年で50%—60%を示している。

(ロ) 板材では，ボール紙が各学年とも平均して最も多く，次いで画用紙，ブリキの順になっている。画用紙はやや低学年に多く，ブリキが高学年に多くみられるようである。

(ハ) 軟質材では，セメントが最も多く，しかも低学年おいて最も多く選ばれているのが注目される。

以上の選択材料(イ)(ロ)(ハ)について，必要な道具と，方法的なものとの関係についての考察を進めると，次のようなことが考えられたのである。

その中で特に

◉ 針金での組み立てと，その接着，接合方法では

- 合成樹脂接着剤による方法をとっているものが，1，2，3年では，30%—50%のものが可能と考え
- 糸，輪ゴムによって結ぶ方法で組み立てを考えるものは，各学年にわたって25%—15%あった。

- 5，6年では80%近くのものが，はんだによる接合を考えているのである。

すなわち低学年では，目的物との類似材料に関連的に連想される傾向が強く，材料そのものの認識に欠けていることが考えられるし，また高学年では，経験材料の認識が増し，針金に関しては，確かな材料活用への傾向を認めることができると思うのである。

◉ 板材による組み立てと，材料の加工については

- この調査で，意外に思われるのは，板材の中で画用紙とボール紙で構成を考えたものが少なかったことである。

ことに画用紙による組み立ては，低学年，中学年において，さらに多くのものが経験を生かし，活用を考えてもよいはずであった。

- 紙板材については，裁断，加工などによって組み立てを容易にする考慮がなかったのではないかと思われる。

それについて，板材の組み立てを方法的な面から調べてみると，低学年では，筒形あるいは平板のままで組み立てを考えたものが大部分で，材料の特質を生かしたくふうがほとんどみられないようである。

高学年においても，ブリキの加工についていえることは，低学年と同様に平板のままの組み立てがほとんどで，ブリキをL字形に曲げ，角をつけることによって，しっかりした組み立てを考えるといった，いわゆるアングレーションを考えるものがほとんどないのである。

平板による構成意図で，材料加工を考慮する点に関心が薄いことは，今後特に注意を要することであると思うのである。

以上は第一の調査から考えられた結果であるが，第二の調査では，色紙，包紙，布きれなどのように，直接はりつけやすいものでは，低学年のころから比較的に活用度が高いのは，当然考えられることである。

（A）調 査 表 ①

学年別 / 項目	1年 男	1年 女	1年 合	2年 男	2年 女	2年 合	3年 男	3年 女	3年 合	4年 男	4年 女	4年 合	5年 男	5年 女	5年 合	6年 男	6年 女	6年 合
1 たけ	3	7	10	3	1	4	3	2	5	3	2	5	4		4	1	5	6
[2] 画用紙	0	2	2		3	3	1	5	6	2		2	1	2	3	4		4
[3] ボール紙	3	7	10	6	3	9	8	6	14	4	4	8	6	1	7	5	2	7
④ 細木	3	2	5	4	5	9	1	5	6	14	17	31	13	13	26	7	6	13
⑤ マッチ棒	10	9	19	5	7	12	6	6	12	10	11	21	3	4	7	11	9	20
[6] ブリキ							1		1	2		2	5	4	9	2	1	3
7 こいし																		
8 段ボール				1	1	2												
9 木の枝	2		2															
10 砂	3		3		1	1												
11 わた																		
12 わら半紙																		
13 毛糸																		
14 布きれ																		
15 セメント	9	2	11	8	5	13	1	7	8	2		2	1	2	3		2	2
⑯ 針金	5	7	12	10	10	20	14	3	17	1	2	3	8	9	17	10	9	19
17 ガラス	1	0	1					1	1				2		2			
無解答	1	2	3	2	3	5	4	5	9	2	4	6	2		2		5	5

（B）調査の整理

学年別 / 項目	1年 男	1年 女	1年 合	2年 男	2年 女	2年 合	3年 男	3年 女	3年 合	4年 男	4年 女	4年 合	5年 男	5年 女	5年 合	6年 男	6年 女	6年 合
1 いろがみ	35	36	71	39	35	74	35	39	74	39	38	77	40	40	80	40	39	79
2 つつみがみ	19	28	47	35	29	64	25	36	61	39	39	78	40	40	80	40	39	79
3 だんボール	11	8	19	5	2	7	23	27	50	32	28	60	32	29	61	28	21	49
4 マッチ	8	16	24	5	8	13	16	20	36	33	28	61	26	13	39	39	28	67
5 毛糸	25	29	54	27	32	59	30	36	66	40	40	80	40	40	80	39	35	74
6 竹ひご	6	3	9	1	2	3	12	11	23	21	11	32	14	7	21	32	35	67
7 布きれ	23	25	48	34	33	67	31	39	70	40	40	80	40	40	80	40	39	79

しかし，直接はりつけにくいものについては，竹ひご，段ボール，マッチ棒のように低学年特に2年生では活用度が低く，高学年においてもじゅうぶんに活用しきれないことがわかるのである。

◉ 一方，方法的な特徴についてみると

・普通ののりによる接着を考えるものは，1年生の80%を最高として，5年生，6年生の15%と漸次使用が減っている。

・合成樹脂接着剤の利用を考えるものは，4年生から急激にふえて，70%ー80%のものが使用を考えている。

・しかるに，3年生の35%，2年生の45%のものが，セロハンテープ，紙帯で押えるなどの方法で，接合を考えている点は，なお研究したいと思う。

・また，4年以上の学年で，特に注目されるのは，直接材料をはりつけるほかに，版の応用，フロッタージュの利用，レリーフなど，材料の間接的な活用を考えるものが多く，またそれらの活用方法も合理的に考えていることである。

以上のことから考えられることは，直接はりつけるのに抵抗の少ないものについては，低学年，高学年に差はないが，応用的な使い方は，4年以降に急激に発達するように思われる。

直接はりにくいものについては，2年，3年において，材料処理にくふうがみられる点から，それが合理的であるかどうかは別として，材料についての認識の傾向が見られるといえるのではないかと思う。

以上の調査結果およびその考察から，材料の活用傾向から見た問題点と対策について，次の三点が特に考えさせられる。

◉ 材料の使用経験が，どれだけ幅広く与えられたかということより，経験の深かまりを考えた活用の指導が，たいせつであるということが反省

されるのである。

すなわち，構成目的に対して，材料の特質を考えさせ，特質を生かした利用のしかたをじゅうぶんに考えさせるというような指導に，今後さらにくふうをしなければならないと思う。

◉ 次に，材料処理にあたって，難易に関心をもって方法を考えるのが2年ー3年であることから，材料の特質に理解を与えたり，方法的な考察で意図性をもたせる指導に重点をおくようにしたいこと。

◉ 材料の認識と，意図的活用については，4年生ぐらいから，合理的になることから，材料の総合的活用にあたっては，自発的，意図的に考察をさせるように指導を進めていきたいと思う。

＜森　市松＞

4　構成学習における材料・構造について

(1)　材料・構造について

構成学習における材料あるいは構造という機能概念が，造形活動の領域概念の中で，特にデザイン学習とそこから発展して続く工作学習という密接なものを中心として，さらに彫刻，絵画と結びつく学習の中で，どのように関係づけられ，発展するか予想を立てた構成学習の内容を要素的に示す基礎的な調査を考えてみたいと思う。

それについてはまず構成学習における「デザイン」や「工作学習」との結びつきの上では，材料と構造についての一般的な概念とはどんなものであろうか，ということを考えてみなければならない。

①　材　　料

材料について普通小学校の段階では，主として自然材料ないしは人工的なもので,取り扱いやすいもの,木材，中厚紙，厚紙のようなものが主であったが，また現在でもちろん自然材料については活用されることが多いことはたしかであるが，科学の進歩の度合いからみてしだいに変形，変化されたものを使用するようになることは当然のことであろう。しかし小学校の段階では材料の外形からみて判断しやすいものは楽であるが，その生産工程において複雑なものや，見きわめがたいものは一応困難と思える点が多い。しかもその材料の種類の使用内容については，低学年から高学年に多くの段階があるから本質的な材料の複雑性と関連して，その困難性が倍加するものである。しかしそれは具体的によく考えた姿であろうか。材料というものに対してデザインとか，外形的なものの変化に関連して多分に

習慣的なものがあるのではあるまいか。材料についての考えは，したがってよほど細心の注意や考えをもってそのつど，現在そこになされている方向をまた完全に表示すべき条件をそなえているかどうか，常に見分けなければならないと考えられる。

これは教育の例とは異なるけれども，先人のグロイヤーが従来の風習を破って，木製のいすから金属性のパイプいすへと発想を起こし，材料の飛躍を試みたことは，当時の人間がそのいすを評して，金属の材料からくる合理性とか，便利性とか，あるいは量産とか，近代の産業にきわめて密接な特色をもつさまざまな条件を肯定するよりも，むしろ金属からくる不慣れな圧迫感，けんお感，ちょうどそれが手術に使用する回転いすが金属でできていることから連想して，材料そのもののよさや発展性を認めず，手術台という観念から合理性さえも，それは冷たいとか非情であるとかいすらしくないとかいう感情を与えたということである。

このことは人間の習性の根強さを語っていると考えられる。また材料に対する取り扱いの例をとれば，塗料の使用の際，平面的なものと曲面とは，使用の性質を変化させており，かってならばすべてそれが最上の効果を出すために，それがたとえ平面であろうと曲面であろうと，その塗装の方法や材料には手技という一つの線で結びつけられる点が確かにみられた。しかし現在では，ものを塗るということには，たいへんに材料や手法の点の違いがでてきた。曲面では依然として習慣的な材料や手法を使用することがあるかもしれないが，平面的なものにはその手法は不必要かもしれない，それは時代の推移に従って，材料のもつ性格が一変して平らな所に塗るということよりむしろ平らな所には塗料の性質をおきかえた生産工程ででき上がったもの一同一の厚さに整形されたもので被覆されればよい。

このように，材料や取り扱いの変形によって塗るということの分野でも，

平面や曲面では相当の相違が起こりつつあるといえよう。またさらに曲面的なものにも時代の推移とともに，それが平面的な手段と同じように，変革をきたす場合が今後もあるだろう。

同様にわれわれの身近なものについて取り上げてみるなら，低学年では厚紙を使用し，それが主として接着剤によって構成されている。かわって高学年をみるならば，その接着剤で構成するものから進んでくぎとか木ねじとかを利用する段階を示されているが，そして，ここでは少なくともくぎとか木ねじとかが，その低，中，高を比較した場合，何か材料の変化の上で進んでいるように見受けられるが，現在のように本格的な接着剤の進歩がとげられている場合には，くぎや木ねじを使わずに接着剤で物を緊結するということははたして低いといいきれない。むしろ高学年においてもくぎや木ねじを使わないで，接着剤にだけたよる場合がくることも予想できる。

材料の進歩は従来の観念を破壊し，いろいろな製作活動の習慣的な製作，秩序を再編成する立場をもっていると思われる。

ここにおいて構成学習の材料についての考えは，材料の進歩を考えた上で，そのものの適正な姿を進みゆく時代の中に正しく取り上げてみる必要がある。加えて近年の各種工業の発達にともなって，いろいろの材料が年々生産されているが，使用の経験の浅いことからさきほどのように目的に合い，効果的な使用がなされているとはいいきれない。新しい材料も自然材料や従来生産されている材料と同様に，本質的な材料の性格と効果的な使用法を考えるときに，その組成とか内容を観念的に理解するのではなくて，作ることを前提とした態度で取り扱うことが必要であり，それを，よく知る手段としては，触覚的，または触覚，視覚を兼ねた方法で扱い，具体的な経験をともなった形で理解されることが必要であろうと考えられ

る。

② 構　　造

材料の理解（それは作られるものの条件を考えての問題であるが）と同時に考えられる構造は，構成学習の材料との具体的経験の上で具体的に組み合わせた上で築かれたものとしてみるときに，構造の本来の意義があると思われる。このことは材料の本質的な性質を見いだし，理解するのに，材料の推移を考え，それと具体的な学年との組み合わせを考えた上で，触覚的な方法で扱いながら，作ることを前提として理解を推し進めてきたのであるが，構造についても構造それ自体を理解するということは今述べたように作ることを前提とした条件の中で材料との関係において産出されるものであるから，その材料が異なればあるいは目的が異なれば，その構造の内容も異なってくる。構造のそれぞれの種類や方法については，たとえば紙類を接着してこれを組み立てる，その中には児童によって完全な結合のままにしておく児童と，中にはそれがとりはずしや折りたたみのできる，そうした問題に発展する児童もいる。したがってあるものを構成する場合に，無放任の状態ではその構造の方法においてもきわめて自由性があるかわりに，とらえようとする観点に不鮮明なものが出てくる。構造のようにこれを比較的客観的に理解させる観点がはっきりしているものには，条件の設定をしてやらなくては効果はうすい。

児童の考えは自由であるが，構造についての最終的な分類は，おとながあらかじめ予想することができるものも多いのであるから適当な方向づけをもった条件の中で進めていくことがむだのないものであろう。

構造は材料に付随して変化をもたらすものであり，一般社会でもたとえば，木材の緊結などについても接着剤で固定させるものや，その条件によってとりはずしのできるためには，さまざまな緊結工具が登場してきてい

る。

こうした推移する問題が児童にもすぐ反映し，同じ歩みをもつ技術性を，その児童の構造を理解する力の中に織り込みたい。したがって造形活動の効果的な構造は，いくつかの定められた条件に向かって，その条件がみたされたときに，そこで用いられる材料と結びついて，構造を考えることが重要であると思われる。

③ 材 料 と 構 造

(1) 材料は知的理解だけではいけないこと。

このことは，さきの項でも述べたが理論としては理解されやすいのであるが，実例としては具体的なものはつかみにくいものである。その例としては，さきほど述べた一般社会における例として先人の試みたいすの問題があったが，材料は知的な理解だけでなくて触覚的または視覚的なものを理解させるということで，さらに一般的な具体例としてはそれが直接教育の世界から飛躍した社会での現象ではあるが，地はだをそのまま見せたコンクリートの建造物にそれが見られる。かっての建築では，外面的な装飾にはタイルをはめるとか，モルタルをぬるとか，その表面の効果を削減してその下にかくされている素材のもつ美しさとか，それがそのまま使える性能を無視してその上に人間の考えに観念でしゃへいし，おきかえていたのであるが，あらためてそのコンクリートの材質をながめてみるとき，それが周囲の環境とあわせて独自の効果をもっていることを発見した事実がある。このことは，コンクリートという材料が地はだで表現することが，ことばで説明しても納得いかなかったであろうものを，そうした意欲的設計者たちが次々と同職業やあるいは一般的な人たちの観念を是正して，それのもつ特質を公共の場所，たとえば銀行，デパート，公園，家屋等の所に推し進めたということは，観念的な無理解を視覚的に訴えて説得したも

のであろう。それのきっかけを作った7，8年前，専門家たちの間でもいろいろ論争があったであろうし，また一般の人もそれをさわったり，ながめたりしながら，不審の念や不可解な感じを最初のうち起こしたであろう。そうした考えもしかるべき所に行なわれたいちばんよい条件から成り立った結果をみたときに，疑問を持ちながらもしだいに納得がいったにちがいない。

これらのことは，一般の社会での一つのでき上がった通念（建物の材料）を打ち破るところにあった現象であるけれども，こうしたものを小学校の児童の立場で早くから経験させるということは，材料自身に対する触覚的，視覚的な抵抗を少なくし，次にそうした材料に対する発展性を伸ばすものとなろう。

児童たちに与える素材としては，社会に使用されている普通の材料は，使用上の概念はもちろんこの材料を使ってどんなものができるであろうという社会の通念から離れて，さわったり，握ったりし，白地に基づくことが望ましい。

このように習慣的に固定した材料を，使用目的の立場からふりだしにもどって考える立場と，もう一つ変化していく材料を考えてみる（たとえば接着材料，緊結接着材料があるが)。こうしたものに対して児童の中にはいろいろと進んでいくものに対して興味を示すが，使いこなせないという児童も見受けられるが，そういう材料に対しては，これも今のと同様な立場で触覚，視覚的にいろいろと研究させることが必要である。緊結材料の中で接着剤のように多くの種類や常に変わる性質をもっているものに対しては，その材料は常に一定の性質にとどまっているものでなく，刻々と改良されているものであるから，いつまでも一つの性質にこだわっていないので，それが漸次飛躍しているということを前記の方法で理解させることも必要

である。しかもそれは経験することによって問題が解決されるであろう。

しかしこの経験という問題は，概念的な形式の投入であってはならないところに小学校での困難さがある。材料経験そのものは，おとなの場合には分析的に系列的に習得すること経験することができるが，児童の場合にはこうした経験では形式的な概念に終わってしまうと考えられる。児童の創作の中で現われて出たものをどのようにまとめて視覚的な言語として児童に伝えるか，伝える過程での教師の経験のさせかたが問題となってくる。

(2) 構造についての方法や形式だけを覚えることだけではいけないということ。

構造についての考えは前にも述べたとおりその方法や形式ということは，材料をもとにしてそれがいかなるものになしうるか，あるいはいかなるものを作ったらよいか，という一つの条件の設定のもとに行なわれるときに，その構造についての考えが生きてくる。

構造そのものについて，あらゆる場合を想定してマッチの軸などを使用してまとめていくことも安易な方法である。けれどもそれは，構造の多種類のものを会得したという事実があるだけで，ある条件の設定のもとに必然的に構造について学びとったという関係がうすいのである。

ここでいう構造については児童の立場に立った製作物の中に現われて，そこから発展したものが整理されて構造の本質につながれることを意味している。こうした立場をもちながらさらに，

(3) 構造と材料とは密接な関係で考案しなければならないという立場を強調し，考察を進める。

(4) 材料を軸として，構造に発展する考え方があること。

(1)(2)(3)の考察を深く考慮に入れてそこから発展した考え方であって，材料というものを一方の軸と考え，つまり一定の材料を取り扱わせて条件を

設定して，その目標に合ったものを作らせながら，その工程において構造がどのように発展していくか，個人的な創意を発見し整理する立場。

(5) 構造を軸として材料の効果的な扱いに発展する考えがあること。

材料と構造と密接な関係があることはいうまでもないが，この場合の立場では，一つの条件を吟味して，構造的ということを全面的に立ててその条件を吟味させながら，この目標のためにはどの構造が主体になるかを設定させそこから発展する。つまり適合した材料というものを見つけ出させる，考え出させるという点を特に考慮に入れる。したがってここでの考察の立場としては，材料構造とそのもの自体の立場を深く考えながらかつそれがお互いに密接した場合には，どのような立場で整理したらよいかということが，(4)(5)の立場で発展的に考察されるわけである。

前項のことは，いわばこの問題に対しての考え方の根本の方法であって一般社会にも通用する立場をとっているが，ここでは小学校の段階において普通分けられる。材料構造に対してどんな考え方をもっているかを分けて一応考えてみる。

(1) 低学年の児童は，材料構造についてどのような考えをもっているか。（材料は，色紙，中厚紙など）

(2) 中学年の児童は材料（色紙，中厚紙，粘土，竹，その他）構造についてどのような関心をもっているか。

(3) 高学年の児童は材料（木材，金属，針金，その他）構造についてどのような関心をもっているか。

(1)(2)(3)の問題については，その最初の過程の中において作る目標があり，その中で児童が考え，ある発見するプロセス，種類，方法を考察する。

(2) 調 査 研 究

この調査の問題を造形活動（この意味は非常に広範な問題を含んでいる）それは，児童のこの問題に対する考え方が，提出された教師の問題との間で複数的に展開されるから，この項では問題を整理するためにあるいは分類するために構成的な立場をずっと要約して，調査研究の小テーマを設定していく必要があると思われる。

(1) 限定された材料をどのように発展させたらよいかという調査。

ここでは材料の質，種類，枚数などを限定し，そこからこれに条件を与えて構造に発展させていく方法であり，単一の素材がこれを構成し，安定度の構造を保つには，どんな条件のもとに種々の結論が出るであろうか。それが一般の造形活動の中でどのような立場で整理されるだろうか。

(2) 複数的な材料をどのように発展させたらよいかという調査。

(1)では一つの定まった材料の処理とその構造との関係が問題となったが，ここでは複数的に扱ってみる。したがって条件としては同一の紙の複数か，異質のものの複数か，また副示的な材料（接着剤とか，くぎとか，緊結材料，工具）また使用するための補助具，主として製作活動に必要な工具のたぐいなどがはいってくる。それを一般の造形活動の中からどのような点を抽出してまとめあげていくか。

(3) 児童が構造について自分たちが発見するという態度に向けるには，教師がどのようなヒントを与えればよいかの資料を見いだす調査。

製作物を児童が構成している場合に，ある段階にくると息づまるようなところがある。これは材料の取り上げ方にも構造の問題についても同じような問題であるが，製作上の息づまりのプロセスでどのような点でヒント

を与えればその問題が解決するか。ヒントによって発展する内容の問題，したがって(1)(2)のように，児童の趣向や発想をかれらの能力の進むままにいく内容を考案するのではなくて，ゆきどまりを仮定して，こうした場合にはどのような発問でそうしたあい路を解決できるかという問題が含まれる。

(4) 材料と構造とがどのような関係にあって児童の学習活動に現われるか。

これはいろいろの条件を考えてでなく，児童の造形活動の中でどんな形で材料とか構造とかの関係が自然にかれらの学習活動の中に流れこんでくるか，非常に幅の広い調査を目的としたものである。かれらの作品について一般社会で見たり知ったりしているもの，たとえば，児童たちは東京タワー，勝鬨橋等そうした種類を見聞しているが，それらがどんな形で作品の中にそう入されてくるか，またおとなも知っている材料に対して児童たちは児童なりにどのように取り入れたがるかという問題，もう一つは，立場を変えていろいろと授業の立場でヒントを与えた知識が作る活動の中で，どんなに生かされ，発展するかという問題が含まれる。

以上の四問であり，まだ多くの小テーマとしての考え方もあるが，この点に限って一つを取り上げてみよう。

① の 調 査

これはBとでも書かれているが，材料，構造の関係にしても，取り上げ方に幾多の方法があるし道具を使っての問題も出てくるので，問題の設定が困難なところもあるB・Cが，の意味を懸案して次のように実際の調査を推し進めてみた。またこれは中間報告でもあるので，その点1，2の発問だけをここに述べることにする。

(1) 1枚の画用紙を児童に与えてできるだけ安定させて立たせる。（こ

の場合にのりを使う場合と使わない場合があるが，ここでははさみを使わずホルムに変化をもたせるためにのりは使用させた。）（調査例削除）

2枚折り三角柱，四角柱，五角柱，六角柱その他の多角柱の円柱のような種類のものができたが，どれが最も先の条件の中で物を安定させるかという問題であるから，構成的な手技としては，2枚折りにして立たせるというものからはじまって，円までの間にその安定という物に対するさまざまな解釈がみられる。これを1年から6年までに例を推し進めて，それを集計する手はじめとした。

(2)　1枚の画用紙とはさみを与えてできるだけ高く積み立てる。はさみを与えて1枚の画用紙を好きなように使用させ，高く積み上げるということと，構造の条件を考えるということを強調する。つまり高くても倒れるものは意味がなく，高く，強くという条件をよく理解させた結果，要点を集約すると次ページの図のようである。

限定された材料（画用紙四つ切り）を使用しての構成（40名）

——高くじょうぶに作る条件——

	基本になる紙の断面の形	構成されたものの平均の断面	数	備　考
A	—		1	
B	＜	△ しだいに細く	9	補強のために横斜めに紙をはる
C	＜	□ しだいに細く	3	補強のために横斜めに紙をはる
D	＜	＜ 同一の太さ	1	途中で差し込んでいく，のりで接着
E	＜	×× しだいに細く	10	接合部はのりで接着
F	＜	×× 同一の太さ	2	接合部はのりで接着
G	＜	×× しだいに太く	0	接合部はのりで接着
H	□	しだいに細く	4	安定のための台を考えている
I	□	同一の太さ	2	安定のため台を考えている
J	□	しだいに太く	0	
K	△	しだいに細く	4	安定のため台を考えている
L	△	同一の太さ	2	安定のため台を考えている
M	△	しだいに太く	0	
N	○	大きさ　大—小	1	シエルの数しだいに減る
O	○	大きさ　同じ	1	シエルの数しだいに減る
P	○	大きさ　同じ	1	シエルの数同じ
Q	その他の断面		0	

。前に述べた一般社会で使用している構造を取り入れているものが著しい。形態の上からも東京タワー等の様式がみられる。それらに興味を持続させて積み上げるものが四角すい，三角すいの形を問わずにみられる。（図ＡＢＣ）

○習慣的なものに左右されないが，２枚に折り上下のものをさしこんで高くする方法が比較的多い。これは角柱によるよりも，紙が節約されるために力を入れたものであろう。

しかし中には同じ太さで積み上げたものも（図Ｄ・Ｆ）のようにみられる。

断面が四角または正三角形であるが，じょうぶにということを意識しすぎて，四角柱や三角柱が比較的多い。これは，工作上の困難さも原因しているとみられるものである。しかし，大半はまがりなりにも角すいの形をとっている。

全般的にみて上部ほど太くする傾向の児童はいない。

○わずかではあるが（図Ｏ・Ｐ・Ｑ）のようにシェル構造を利用したものもいる。

これらは３年生の40名を対象とした条件設定の上での一つの調査であるが，かれらが自分自身の構想や，社会からのに従って条件を満足させようとする傾向がある。それでこうした材料とか構造とかの問題を比較的要素的に調査して，調査研究の小テーマをおし広めていきたい。今回は中間的なものであり，最初に述べたように構成学習における材料とか，構造についての一般概念と，調査を推し進める方向やその一端を述べたものであり次回でそれの具体的な範囲や系列についてまとめたいと思う。

＜宮　脇　　理＞

５　構成学習におけ機能・構造について

中間発表では，材料と構造との関係を要素的に抽出して，学習の姿にまでおし広めていったのであるが，材料と構造との考えのうち材料をのぞいて，機能と構造との関係について調査を進めたものである。

(1)　機能と構造について

①　機　　能

機能とは，物を製作する場合の用途に関係する意味あいをもつことが多い。しかし，児童を対象としたときは，一般に使われる用途の意味とは多少異なる面が多いと思われる。もちろん物との直接的な用途の意味も多いが，児童にとっての用とは，児童の生活から出発したものであり，その中には遊びやそれに必要な立場が含まれているのであって，おとなの見方から引きおろされた「用」の類型的な意味だけではない。

さらにまた機能の問題は，また観念の上だけで取り扱うものではなくて，ここではいろいろな具体例の中で，構造，材料とともに，関係づけながら考えることが必要であると思われる。

②　構　　造

構成学習における構造の問題は，そこに要求される機能との関係において，具体的になされるのが当然であって，構造独自の検討や進め方は，児童の立場から意味の少ないものである。

したがって，造形活動における効果的な構造とは，いくつかの設定された条件に対決したときに，そこに用いられる材料とか，機能などと結びつけて考えることが重要であって，それとの深い関係があってこそはじめて意味がもたれるのである。

(2) 調査研究

① 調査研究のねらい

機能とか構造とかの問題は，児童の生活から出発しながら，またそれだけでなく一般社会の内容にも直接関係しているものが多いのであるが，ここでは児童たちが，物を計画して作ろうとする創意の中で，または自然発生的にどれだけその主題の意味をつかみ，計画をなそうとしているか，また作ろうとするものの内容が変化するについて，それをどうとらえるかによって，かれらの創意の範囲がどう変化するかを知ろうとするものである。

この範囲の中には，おとな自身が予想できるものも多く含まれているが，ある児童は，創意の方法や動機をこのように考えているのかとあらためて発見し，考えさせられる場合も多いのである。したがって，ここでは，ある一つの方法を選び，そのつくり出される意図やその態度について，調べようと思うのであるが，造形活動が具体的な経験や計画を通して，処理され，考察し発展させる経路があることを考えるときに，これらの調査研究も一つの意義があるものと思われる。

② 調査研究の実際

機能と構造との単なる関係や学習上の問題を調査研究するだけでなくて，予想される各学年の構成学習における学習の姿と観点との関係を表にまとめるためであるから，特に調査だけに終始するのではない。

調査研究の小テーマの設定と方法を次のように考えた。

① 小テーマの設定には，いろいろな方法があると思うが，ここでは作品の上から，機能構造をどのように考えているか，分析的に調査し，そこから導きだしてくるもの。

② 機能，構造との関係について，各学年ごとに仮設をたてて，どの程度まで理解されるかまたどんな所が理解しにくいか等の点について，種々の試問（作ることも含まれる）が考えられる。

次に①②の方法を検討し，ここで取り扱えるものを選んでみると，①の場合より可能なものとして，次のことが考えられると思われる。

ⓐ 児童のすでに作った作品を，学年別に，機能・構造との関係をみながら整理し，一つの層を見いだす方法。

次に

ⓑ 同一の問題を1年から6年までに与えてできる範囲内で作らせ，その関係を見いだす。

②の試問を与えて調査する方法からは，次のことが考えられる。

ⓐ 予想をたてた問題を各学年ごとに，あるいは低，中，高学年に分けて試問し，機能，構造との関係を要素的にまとめる。

ⓑ 教師が予想した同一の試問紙で，中，高，あるいは1年から6年まで各学年に与えて，創意の関係をみるなどがある。

ⓒ ヒントを与えないで，一つの題材を作らせて，そこから関係を見いだす方法。

反対に

ⓓ ヒントを与えて，どの程度，それによって与えない場合よりも，それらの問題を取り扱う創意に変化がみられたか。

等，作品上から調べる方法がある。

以上の点からみて，①のⓐつまり作品上から分析しまとめることと，②

ⓑ各学年共通の試問の結果から問題の内容を，児童が，どのように創意的に分析するか。どんな面を習慣的に考えているか。意識して考えている面はどんなところか，などの観点からみることにした。

C　小テーマの調査を実施することとして。

Ⓑ①ⓐの作品の分析については，ここでは省略することにする。（作品からの分析は，教科の中で定められた題材例からのものや，夏休みやその他の期間に作ったものなどは，児童の経験から割り出すものとして，きわめて理想的であるが，その範囲が広すぎるのでここでは略す。）

B②のⓑについて，その調査の内容の要点を述べると

題材記号	題材名	3年 38名 男(20) 女(18) 男女	女	男女%	4年 39名 男(19) 女(20) 男女	女	男女%	5年 42名 男(20) 女(22) 男女	女	男女%	6年 43名 男(22) 女(21) 男女	女	男女%	順序別記号
A	西川紙ですきな形に紙をくみたてる	22	(11)	58%	25	12	67%	27	(14)	64%	33	(16)	77%	A I
		9	(2)	25%	10	5	23%	11	(6)	26%	7	(4)	16%	A II
		7	(5)	16%	4	3	10%	4	(2)	10%	3	(1)	7%	A III
B	マッチの軸木で建物をくみたてる	19	(11)	50%	23	11	59%	25	(11)	59%	28	(15)	65%	B I
		12	(4)	34%	12	7	31%	13	(10)	31%	13	(6)	30%	B II
		7	(3)	16%	4	2	10%	4	(1)	10%	2	(0)	5%	B III
C	針金で鳥の置き物をつくる	13	(6)	34%	16	6	41%	18	(7)	43%	20	(10)	47%	C I
		3	(1)	8%	3	2	8%	9	(3)	21%	13	(5)	30%	C II
		22	(11)	58%	20	(12)	51%	15	(12)	36%	10	(6)	23%	C III
D	紙で自動車のおもちゃを作る	20	(10)	53%	22	13	56%	23	(17)	54%	24	(18)	56%	D I
		7	(4)	16%	8	5	21%	15	(4)	36%	15	(2)	35%	D II
		11	(4)	31%	9	2	23%	4	(1)	10%	4	(1)	9%	D III

E	紙で状差しを作る	8	(5)	19%	20	8	51%	21	(8)	50%	23	(10)	53%	E I
		18	(6)	47%	15	9	39%	17	(11)	40%	17	(10)	40%	E II
		12	(7)	34%	4	3	10%	4	(3)	10%	3	(1)	7%	E III
F	木で本箱を作る	32	(15)	85%	34	18	87%	40	(20)	95%	40	(19)	93%	F I
		0	(0)	0	0	0	0	0	(0)	0	1	(0)	2%	F II
		6	(3)	15%	5	2	13%	2	(1)	5%	2	(2)	5%	F III
G	電気スタンドを作る	13	(4)	37%	22	13	56%	27	(16)	64%	30	(16)	70%	G I
		7	(4)	16%	7	4	18%	10	(4)	24%	9	(3)	21%	G II
		18	(10)	47%	10	3	26%	5	(2)	12%	4	(2)	9%	G III
H	都市の模型を作る	23	(7)	61%	33	16	85%	36	(20)	86%	41	(20)	95%	H I
		15	(11)	39%	6	4	15%	6	(2)	14%	2	(1)	5%	H III

①すきなものを考える。②美しい形を考える。③どのようにしたらうまくくみたてられるかくふうする。

①すきなものを考える。②どのようにしたらうまくくみたてられるかくふうする。③美しい形を考える。

その他概略的にみていくならば，題材Aのようなせまい意味の構成（くみたて）では美しい形を考えることが目的であるような傾向がみられる。

①自分の作るたてものをきめる。

①自分の作るたてものをきめる。②たてもののくみたてをくふうする。③美しい形を考える。

その他，題材Bのようなものになると，建物という感じからか，題材Aと同様せまい意味での構成であるのに（くみたてる）力点をおくものが多い。

①どんな所におくかを考える。②形を考える。③立たせるにはどうしたらよいかくふうする。

①どんな所におくかを考える。②立たせるにはどうしたらよいかくふうする。

③形を考える。

その他

①紙でできる自動車を考える。②美しい形を考える。③動くくふうする。④くふうして仕上げる。

①紙でできる自動車を考える。②動くくふうする。③美しい形を考える。④くふうして仕上げる。

その他、また女子では題材Dのような機構的なものでも美しいことを機能をとおして考えている傾向が大きい。

①はがき，手紙の大きさを考える。②美しい形を考える。③作り方やくみたてを考える。

①はがき，手紙の大きさを考える。②作り方くみたてを考える。③美しい形を考える。

その他，題材Eでは，はがきの機能という点が強く，その創意にくいこんでいるためか，3年では，その「作り方や，くみたて」に製作の順序を考えている場合が多い。

①本の大きさ，入れるものを考える。②美しい形を考える。③仕上げをする。

①美しい形を考える。②本の大きさや入れものを考える。③仕上げをする。

その他，題材Fでは，本箱の機能ということが大半その計画の順位をしめて高学年では特にその実用性を強調している。

①どんなスタンドが使いやすいか考える。②材料をととのえて美しい形を考える。③作り方をくふうする。④美しく仕上げる。

①どんなスタンドが使いやすいかを考える。②作り方をくふうする。③材料をととのえ美しい形を考える。④美しく仕上げる。

その他

①都市の計画を考える。②材料をあつめて作り方をくふうする。③きれいに仕上げる。

その他の題材Hのように発問の明確にできるものは，高学年ではちゅうちょせずに問題の内容をつかんでいる。

④ここで設定した題材の種類は，いろいろな物を作ることについてであって，その中には，工芸的なもの，せまい意味の構成的なもの，動くおもちゃなどの機構的なもの，家具のような比較的合理的な処理を必要とするものなど，題材例の項目をあげて，その中に

。発想の条件，機能，構造，仕上げ等，物を計画し，完成するまでに，どのように考えているかその態度を調べた。題材によっては児童にわかりやすくするため，発問のニュアンスをかえたが，例は次のとおりである。

ⓧ　工芸的なものの例（針金で鳥の置き物を作る）

発問の種類としては

。形を考える。

。どんな所に飾るか。

。立つにはどのようにしたらよいか。

ⓨ　機構的なものの例（紙で自動車のおもちゃを作る）

発問の種類としては

。くふうして仕上げる。

。紙でできる自動車を考える。

。美しい形を考える。

。動くくふうをする。

等であって，物を作る場合の考え方とその関係を示したものである。

試問の形式の問題点としては，たとえば，発問の種類を示さないで，自由に製作の工程を考え出す方法もよいわけであるが，ここではあらかじめ中学年にも理解できるように，ことばを用意しておいたわけである。このようにして，中，高学年に調査を試みたのである。（表1参照）

D調査の結果の一例をみると次のとおりである。

(1) 題材号記号C（針金で鳥の置き物を作る）（表1）で条件はこれだけであり，順序としては

㋑ 順序別記号Ⅰ「どんな所に置くか」

㋺ 「形を考える」

㋩ 「立たせるにはどうしたらよいかくふうする」とか

順序別記号Ⅱ ㋑「どんな所に置くか」は前と同じで ㋺「立たせるくふう」— ㋩「形を考える」が児童たちの計画するだいたいの順であることがわかるし，その反面置き物としての機能と構造以外に，たとえば，まず順序別記号Ⅳ「形を考え」「立たせることを考え」「置くことを考える」などの順序別の場合などが多いことは，単なる計画以外の個人の感情によって左右される内容が多いことを示していると思われる。

しかし，表Ⅱのグラフをみるとわかるが，個人の趣味的な欲求も，その製作の条件が文章で表わされてくると，奔放な創意を発散させていた中学年に比べて，高学年ではしだいにその比率が低くなってくる。その反対に条件を意識しすぎるためか，立たせるくふうなどについては，上昇線が出ているのは興味深い。

次に

②題材別記号D（表Ⅱグラフについてみる）紙でおもちゃの自動車を作るについてみると，ここではまず

①「紙でできる自動車を考え」— ②「美しい形を考える」— ③「動くくふうをする」— ④「くふうして仕上げる」（順序別記号Ⅰ）

というように，美しい形を条件の②においているのに対して，順序別記号Ⅱでは，

①「動くくふうをする」ということを中学年より多く第2にもってきている

ることからみて，こうした機構的なものには，内容や題材を児童自身が吟味していることがわかると思われるし，また順序別記号DⅢについてみると，高学年になるに従って，%が少なくなっているのがみられるように，自分の感情のままに進めているのは少なくなっている。

題材Cでは，中学年はもちろん，高学年になっても，CⅢが多いことは，題材が，個人感情によって大きく左右されるものであるからだと思うが，逆に題材Dのようなものは，4年を峠として，しだいに少なくなってきていることは，個人的な感情をおさえて，内容的な計画に創意がみられる。

その他

題材Aでは（画用紙で好きな形に組み立てる）その主題の意味から児童たちは，美しい形を考えることが目的で，組み立てることのくふうは二番目に考えようとしているのがみられ，好きなものに結びつけている。

題材B（マッチの軸木で建物を組み立てる）では，題材Aとは異なって建物という感じからか「組み立てる」ことに重点をおくものが多い。

題材E（紙で状差しを作る）ここでは，一見状差しというものが，ある程度装飾的な意味を含むという解釈をしているようであるが，3年，4年あたりでは展開図の学習などで図示的な方法を身につけたためか，「作り方や組み立て」に多くの比重をかけているものが多い。

題材例Fでは，本箱という機能を実によく理解しているためか，ほとんどが「本の大きさ，入れるものを考える」「美しい形を考える」「仕上げをする」の順序で答えているものが多い。

題材例G（電気スタンドを作る）では，高学年ではスタンドの意味をよく理解し，頭の中で計画し実行にうつそうという意図がみられるが，中学年では一見はあくしやすい内容をおとなの常識では考えられない計画で表現している。

最後に題材例H（都市の模型を作る）のように，内容の意味から明確にはあくできる高学年では，ちゅうちょせずに問題の内容をつかんでいる。

このように，例C，例Dの上からや，その他のいろいろなものを作るの題材例の上からみて，感情を多く含んでいる題材群，計画性を多く含んでいる題材群などの種別によって，また同一の題材の中でも学年によって，広い意味の機能の範囲―それは美しいことが児童にとって機能といえる場合もあると思われるし，切実に使用するための用の意味もあると思うのであるが，―における それぞれの考え方や計画の傾向があらわされているから，さらにこれらの作られた作品を，それぞれの題材の立場から細かく分析してみて，構成学習の学習の場にある創意の範囲を，さらに深めていきたいと思う。

表Ⅱ

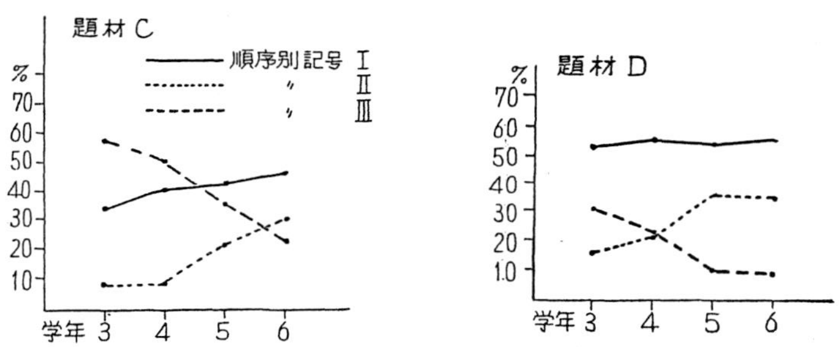

6　構成学習における表現の方法について

(1)　調査研究のねらい

まず，ごく簡単にこの調査研究のきっかけといったものを述べてみよう。

その動機は，構成学習の内容として考えられる実に豊富な中身を，学年進行にともなって，児童にとっても無理のない系列立てのもとにおけるように，そのような系列立てのための「尺度」とでもいおうか，基盤となるものを考えてみたいと思ったことにはじまる。

そのためには，児童の構成活動そのものの実態を通して，――それは児童の能力をうんぬんするよりも，活動そのものを観察し，あるいは作品そのものを通して――児童の進める表現のすがたはどんなものか，どのような範囲の考え方なり，作り方といったものが，児童にとってはふさわしいものなのか，といったことを見つめることからはじめたいと考えたのである。

したがって，調査研究のねらいの第1は，構成学習の範囲と系列を考える場合の，要素的な観点としては，児童のとらえる表現の方法，その表現の方法の内容となるものを考えてみたいということである。

第2は，その表現の方法についての内容を，ごく要素的にではあるが，学年の発達，児童の発達段階にあわせて，配分，配列してみたいと思ったのである。

第3に，学習のすがたとしては，児童の「粘土で作る」学習と，「彫塑」学習の実態についての調査研究を主としこころみたいと考えたのである。

(2) 調査研究の方向

このようなねらいのもとに，調査研究の方向としては，これを命題的に一口にいうならば，「構成学習において，児童の創造性を高めながら，すぐれた技能をつちかうことによって，豊かな構成力を伸ばしていくような方法というものはどうあるべきか。」ということになろう。

その第1には，児童のとらえる表現方法といったものの内容や，その段階の程度はどの程度が望ましいのか。第2に，構成のための要素的な技法といったものを，学年に応じてどのように設定していったらよいだろうか。第3に，低学年での高く積み重ねていくというわかりやすい方向性から，高学年になってバランスや変化をもたせていくという構成の原理となり基本となるだいじなことがらを，どのように織り込んでいくかということ。第4に，児童の構成活動の実態に照らして，教師の側からとしても，表現方法をどのように取り上げていけばよいかということ

などというような調査研究の方向づけが考えられたのである。

(3) 調査研究の実際

以上のようなねらいと方向づけに基づいて，調査研究の実際は，各学年における「粘土で作る学習」，「彫塑」学習の実際を通して，

一つには，児童の構成活動の実際のすがたをながめ，

二つには，その構成活動の結果としての児童の作品を，いろいろな角度から類別的に研究する，

という二つの面から進めたのである。

なお，表示した数は，調査対象としての児童数を，各学年男子20名，女子20名ずつについて行なったものであることを示している。

(4) 調査研究の結果

① 児童のとらえる表現方法のすがた

さて，このような現場での調査研究を通して得られた結果として，まず児童自身のとる，児童のとらえる表現方法というもののすがたを考察してみたいと思う。

その傾向として示したのが表1である。それに示したように，各学年を通してそれぞれに粘土による自由表現を行なわせた結果に基づいて，そこにあらわれた構成の傾向というものをまとめてみたものである。

その整理の角度の第一として，

aは，粘土の構成における児童の題材のとらえ方というものを，大きく具象形と，抽象形とに区別してみたものであるが，そこにあらわれた数の示すとおり，やはり全学年を通して，人物・動物・建物・乗り物など身のまわりにある具体物から題材をとらえたものが圧倒的に多いのである。つまり総数ではほぼ6対1の割合で，逆に抽象的な形を作ったものは少ないのである。しかしまた，思っていたようなはげしい数の変わり方ではないが，高学年になるにつれて，この抽象形がふえるという傾向が，はっきりと見られるのである。だが，その抽象形でも，低学年の場合や，女子の場合では，装飾的あるいは遊戯的な意図でもって，円，三角，あるいは球，円すいなどの単純な幾何形体のような形を並列したり，組み合わせていることが目だったのである。

bは，平面的な構成をしたものと立体的な構成をこころみたものとに区

（表1）

自由表現における粘土構成の傾向

	観点	学年＼男女	1	2	3	4	5	6	計		
a	具象	男	18	16	17	16	15	14	96	186	215
		女	17	15	16	15	14	13	90		
	抽象	男	1	2	1	2	3	4	13	29	
		女	0	3	3	2	2	6	16		
b	平面	男	5	3	2	1	4	3	18	44	231
		女	7	5	5	3	2	4	26		
	立体	男	15	15	17	16	16	17	96	187	
		女	11	15	15	16	18	16	91		
c	均正	男	3	4	6	10	7	8	38	76	
		女	2	5	3	7	9	12	38		
d	変化	男	4	5	7	9	8	10	43	87	
		女	5	3	3	6	10	11	44		
e	個数平均	男	8	8	9	10	11	10			
		女	8	9	8	11	11	10			
	段階平均	男	3	3	3	4	4	3.5			
		女	3.5	3	3.5	3.5	4	4			

（a～d項までは人数を表らわす）

別して，その傾向をみると，粘土で立つように作ったかどうかは，もともと粘土という素材そのものが，立体構成向きのものであるから，平面的な作り方をしたものは，総数において，ほぼ4対1という割合で少ないのである。これもまた，数の上では目だたないが，やはり高学年になるにつれ

て，しっかりした立体構成をするものがふえていく傾向を示している。しかしその平面的な構成の場合についてみると，低学年では，人物でも動物でも，もともと立体的に作るはずのものが，技能の未熟さから立つようには作れなかった例が多く，それが高学年では，初めから意図的に浮き彫りなどの平面的表現をこころみるという，内容的にはかなりの違いがあることを認めざるを得ないのである。

また，以上の具象と抽象，そして平面と立体の合計が，必ずしも240という数にならなかったのは，わずかではあるが，どちらともはっきり区別しにくいものがあったからである。

cの，形のつりあいがとれたかどうかについてみると，これは厳密な視覚的な正確さというものをもとにして，どれもこれも同一に見たわけのものではなく，低学年から高学年まで，それぞれの程度なりに形のつりあいのまとまったものを見たものであるが，やはり高学年になるにつれて，形のつりあいを考えて作れるようになっている傾向が目だつのである。特に4年生ごろから形のつりあいのとれた作り方が高まり，また中学年では男子のほうが，高学年では逆に女子のほうに形のつりあいのとれた作り方が多いという傾向が目だったのである。また，このことは，男女の心身発達の時期的ないくぶんのずれをあらわしているのではなかろうかと思われたのである。

bの，形の変化の傾向についてみると，形の変化をくふうしながら効果をあげる表現をこころみたものは，やはり高学年になるにつれて高まっている。

つまりひとつの例を図に示したように，建物のような四角体の粘土の形を積み重ねて作ったものを見ると，低学年ではその三辺がほぼ同じ長さの立方体を，ただ上へ上へと重ねただけのきわめてわかりやすい単純な作り

方であるが，それが高学年に進むにつれて，厚さ，長さ，形のそれぞれ違ったものを，その配置のしかたも変化させて表現するようになるというような傾向をみせているのである。

つまり図示したところで単的にわかるように，低学年では上へ上への一方向だけだったのが，中学年では上と前の二方向となり，高学年では，上と前との方向に加えて，その両者の「ずれ」が加わって三方向のものとなるというような移行がみられるのである。

eの製作段階を分けてみた傾向についてみると，これは表現の技法ともつながりがあることになるが，粘土で構成した製作部分のひとつひとつを，人物ならば頭，手，胴，足，そして顔の中の目，鼻，口というように，そっくりそのまま数にあらわしてみると，その一人当たりの個数平均は，高学年になるにつれてふえている。また4年生での増加が目だつのである。

さらに見方を変えて，児童が考えたのであろうと思われる大づかみな製作段階で分けてみると，動物ならば胴に頭をくっつけたものを，4本の足の上につせればよいと考えたとして，頭，胴，足の三つの段階でしたと考えて，数の上では一人当たりの段階平均でみると，やはり高学年になるにつれて，段階の多くなるという傾向がわかるのである。

さて，このような結果をまとめて，内容的に言語，文字の上で，この傾向の推移をまとめたのが次の表2である。

すなわち，これらの児童の表現方法の傾向を各観点ごとに，学年の段階では低，中，高学年に分けてみると，まず，その着想のしかたとしては，低学年ではきわめて遊戯的，観念的である。つまり動物を作ってもその顔がきわめて人間的であったり，ひとつの思いつきを次々にくり返したりする。それが中学年になると，動物の顔もとがった顔はとがった顔らしく，遊びもよほど少なくなって，客観的なあらわし方がみられるようになる。

（表 2）

観点＼学年		低	中	高
着想		遊戯的 観念的	やや客観的	客観的
観察		平面的 説明的	立体的 具体的	多角的 知的
内容		少ない	やや多い	多い
技能		形のつりあいがとれず 部分的	やや正確 まだ部分的	正確 全体と部分のつり合いをとる
効果		男女差なし	男子のほうが力強い	女子のほうが力強い
傾向	男	主観的 遊戯的 部分的	やや客観的 活動的 具体的	客観的 知的 総合的
	女	装飾的 情緒的	観念的 装飾的	積極的 情緒的
態度		作ること自体	もっとも活発	慎重になる 物によっては 消極的

それが高学年ではきわめて写実的にさえつとめるほど客観的になる。

だから観察も低学年でのものの見方，とらえ方は平面的，説明的なものである。それが中学年ではかなり具体物に近づき，また立体的にもはあくするようになる。たとえばそれが船なら，男子は低学年ではやたらに同じようなマストを立てたがり，煙突を立てたがり，大砲をくっつけたがる。だがそれがどういう船の種類だかは定かではない。ところが中学年では船種の違いをある程度あらわすようになる。また高学年ではきわめて知的，多角的に船首・船尾などのいろいろな方向からみつめて作るようになるといったふうである。

だから低学年での内容といったものは，ごく単純だし，数多いものではない。それが中学年，高学年になるにつれてしだいに細かいところまで，内容の多いものになっていくのである。

表現の技能の面でも，低学年では頭の大きな人物，平べったい家など，形のつりあいがとれず，部分にとらわれ，平面的な表現が目だつ。それが中学年になると，かなり正確さをともなって，もう立つように作ることぐらいでは困らないが，まだ部分的なこと，見方が平面的なことは残る。高学年では視覚的な正確さがそなわるとともに，全体と部分を考え，つりあいのとれた立体を心がけるようになる。次にそれら児童の作品から受ける効果についてみると，低学年では男女によってその差は認められないが，中学年になると女子よりは男子のほうが目だって力強い表現をみせていた。それが高学年になると，今度は女子のほうがむしろ男子以上に迫力のある表現をみせるのである。

これらの男女別の傾向というものを対照させてみると，低学年では男子は遊戯的，主観的，部分的なことが特徴であり，女子は装飾的，情緒的であるのが特徴である。また中学年では男子が具体的，やや客観的になり，きわめて活動的であるのに対して，女子は装飾的ではあるがまだ観念的である。それが高学年では知的，総合的，客観的であるが，一方女子は積極的になるとともに，情緒的でもあるという特徴を示すのである。

これを態度としてみると，低学年では要するに作るという活動自体を大いに楽しんでいるというすがたであるし，高学年になると，かなり考えつつすることから，慎重さも見られるようになり，物によってはあるいは興味をそがれ，またはちゅうちょしゅんじゅんして表現が消極的になることすらみかけるのである。

②　表現方法における指導上の留意点

以上，児童の実態と作品を通してとらえたこれらの傾向にてらして，その結果を教師の側からみた表現方法の系列的なはあくの立場からにおきかえてみると，ほぼ表3に示したようなことになると思う。

わくぐみは児童の側からとらえた表2と同じものとして，すなわち，その着想については低学年ではつとめて興味のおもむく遊びを中心としながら，中学年ではしだいに具体にもとづくあらわし方を図りつつ，高学年ではその知的な発達に合わせた創作を中心に表現させることがだいじであり，観察の面では，低学年はその心情的なはあくを図ること，また中学年では具体的な観察に導くこと，そして高学年では知的にとらえる見方を伸ばすことに着眼することがだいじであると思う。

次に内容的には，それぞれの内容のおぎないをつける面を重視して，低学年では内容的に具体化，多角化を図ること，中学年では自由な想像を豊かにすることによって，創作する面の多角化を図り，高学年では知的な想像をめぐらすことと，構成の基本を生かした応用的な表現の面でも，その多角化を図らねばならぬと思うのである。

さらに技能の面では低学年では構成活動，活動させるということ自体を重視し，中学年ではその表現意図というものに重きをおき，高学年では，計画的，段階的に表現を推し進めるといった点に重点をおくことを心がけねばならないと思う。

これを男女別にみると，低学年の男子にはまず豊富な経験をもたせるということ，女子には内容の具体的なはあくを図るということ。そして中学年の男子には豊富な意図のもち方ができるようにすること，女子では具体的，知的なはあくを図ること。そして高学年の男子では意欲的，積極的に表現できるということ，また女子には各種の表現経験をもたせるということが肝要なことであろう。

（表3）

指導上の留意点

学年／観点	低	中	高
着想	遊び中心	具体中心	知的創作中心
観察	心情的	具体的	知的
内容	具体化 多角化	想像的創作の多角化	知的想像と応用的な表現多角化
技能	活動本位	意図中心	計画的 段階的
男	経験を豊富にする	意図を豊富にする	意欲的 積極的
女	内容の具体的はあく	具体的，知的はあく	各種の表現 経験
態度	作ること自体	作りこなせるように	知的，内容的はあく

次に態度としては，低学年では作ること自体の喜びをしっかりともたせることであり，中学年ではいろいろなものを作り上げるということの満足感なり意欲といったものを常にともなわせること。そして高学年ではその知的内容的なはあくの要求にマッチした充足を考えなければならないなどといったことがいえるであろう。

これらの内容が，いわばこの調査研究から導きだされた結果の整理のまとめともいえるのではなかろうか，そして，これをさらに具体的な学習内容の系列だてへの基盤として，さらに深めることを考えていきたいと思う。

<松本　巌>

MEJ 2847

初等教育研究資料 25 集

構成学習における
指導内容の範囲と系列
—図画工作実験学校の研究報告—

昭和36年8月30日

著作権所有　文部省

東京都千代田区神田淡路町2の13
発行者　株式会社 東洋館出版社
代表 錦織登美夫

新潟県新津市本町3
印刷所　株式会社 東洋館印刷所
代表 錦織豊松

東京都千代田区神田淡路町2の13
発行所　株式会社 東洋館出版社
電話・(251) 3442．8822
振替口座・東京 96823

定価 80円

株式会社　東洋館出版社　発行

¥80

昭和28年度

文部省初等教育実験学校

研究発表要項

昭和29年5月

文部省初等中等教育局
初等教育課

昭和28年度

文部省初等教育実験学校

研究発表要項

昭和29年5月

文部省初等中等教育局
初等教育課

はしがき

文部省が実験学校を設けて，実験研究に着手したのは，昭和21年度に，「教科書局実験学校」として発足したことにはじまる。

その後，初等中等教育局が設けられるにおよび，初等教育課においては，実験研究の内容およびその運営方針等にも検討を加え，初等教育上，実験研究を必要とする問題を取りあげるという方針に基き，「初等教育実験学校」を指定してきた。

これらの実験研究が，文部省の必要に応じて行われているとはいえ，その成果について一般に公開することは，初等教育向上のために役立て得るとの見解から，ここ数年来定期的に発表会を開催してきた。

昭和28年度の実験研究の概要を記したものが，この発表要項である。

昭和29年5月

文部省初等中等教育局
初等教育課長　大島文義

目次

教　育　課　程

単元学習と教科外活動の連関より学習の全体計画をみる

実験校　**神奈川県足柄上郡福沢小学校**

1　実験期間　昭和27年4月〜29年3月

2　研究のねらい

1　子どもの実力の検討

民主的社会における有能な社会的実践人としての子どもの実力の究明と実力のつけ方の研究

2　学習計画のたて方の吟味

子どもの実力のつけ方としての主体的必然性に即しての学習計画をどうたてたらよいかの研究（単元学習と教科学習の止揚と位置づけ）

3　実践的研究　以上の2点を学校の常時指導の中にさぐっていこうとする。

3　研究計画

第1期　実践にもとづき，実践をとおして単元学習の難点の究明，教科以外の活動との連関の究明

第2期　基礎学習の位置づけと連関にたつ学習類型の究明

第3期　児童の発達段階の究明と，これにもとづく全体計画の作成

第4期　全体計画の実践と修正

（この計画は一応の区切りであって1年次，2年次といくものでなく，相互にからみあって研究が行われるが，一応のピークをあげたものである。）

4　昭和27年度の研究

1　実力の検討

①　目的論からみて

民主的社会の有能な社会的実践人としての立場から子どもを考えて，

② 方法論からみて

イ 子どもそれ自身の立場から出発し，主体的に子どもの力が伸されること。

ロ 子ども自体の学習の中にも，学習の対象となる事象にも必然性をもたせること。

ハ いかなる知識も，平均値指導という一齊指導にも，それが子ども自体に統一性をもち，構造づけ，位置づけられなければならない。

2 単元学習と教科以外の活動の連関の究明

① 統一的方向をもつこと。

② 同一の方法原理にたつこと～主体的必然性。

③ 学習の場よりみての連関

イ 日常生活の場より単元学習に連関するもの

ロ 単元学習の終末から教科以外の活動へ連関するもの

ハ 単元学習の中途より教科以外の活動へ連関するもの

ニ 教科以外の活動より単元学習へ連関してくるもの

④ 一人の子どもの実力からみた連関

理解・態度・能力の面から具体的に連関をみる。

3 学習計画の吟味

単元課程・基礎課程・生活律動課程を指導の計画として再吟味した。

以上実力の検討は主として実践性に力が注がれ，学習計画については単元学習と教科以外の活動の連関の究明であって，さらに知識の究明を迫られ，基礎学習のあり方をさぐる要を感じた。

5 昭和28年度の研究

1 研究のねらい

単元学習と教科以外の活動における知識と実践の具体的究明より，その連関をみきわめ，基礎学習における知識をはっきりさせ，学習計画における位置を求める。

2 研究問題とその成果

① 単元学習

イ 単元の実際指導の上から，知識と問題のあり方をさぐる。単元学習で求めている知識とは，どんなものであるだろうか。

○知識は，それ自身一つの方向を内にもっていなければならない。

この方向というのは，人間の幸福をめざし，よりよい社会の建設をめざしていくということである。過去から現在へ，そしてさらに未来へとつながっている知識，いわゆる歴史的知識である。

○豊かな経験を，知識はその裏にもっていなければならない。

真の知識は．数多くの具体的な状態の中から，生れでたものであり，独断的に結論としてきめてしまうものでなしに，ある条件を前提として生れでた姿の，科学的知識でなければならない。

○知識は，必ず前後の関連の上に位置づけられたものでなければならない。

方向をもっているという面からの関連はもちろんのこと，その知識が発見され構成され，理解されるための段階上の連関を含んでいなければならない。

以上三つの条件を満たす知識は，常に自ら成長しようとする力をもち，一つの事態に必ず動きだす性格をもっていると考えられる。こうした知識であればこそ，一方において，判断し思考する力を必要とし，またそうした力が自ら育っていくのである。

かような知識は，どのようにすれば生みだされ，組織化されるかが，単元構成および指導上の問題である。方向をもち，豊かな経験をもち，関連の上にあるとするならば，それは一すじに貫くものによって組織されなければならないし，必要があって求められ，生みだされる姿をとらなければならない。すなわち，自らの生活を向上させようとする意欲が原動力でなければならない。自分たちの問題を解決しようとする努力の道が，知識が作られるもとである。だから問題と知識は共にあり，切り離されては存在しないと考えられる。かくて知識は，はじめて自ら実践へと結びつくことができる。

ロ 単元の実際指導からみて，知識の社会性自然性はどうだろうか。

○社会性をもった知識は，それ自身具体的であるが，自然性をもった知識は，抽象的である。

自然性の知識は，自然的環境を対象としているから，実験によってたしかめられ，原理として，法則として結論づけられる。社会性の知識は，さまざまの要因の上に成り立っているから，実験を困難にし，むしろ事例として，数多くの具体的姿の中からみいだされてくるものである。したがって知識が構成されてくる過程を異にし，また知識そのものの姿を異にしているといえる。

○社会性の知識は，意味を強くもっているが，自然性の知識は主として原因をもっている。

これは前者が直接人間生活それ自体であるのに，後者が人間生活の外にあって，人間生活に影響をおよぼしてくるものであるからである。社会性の知識が，さまざまの現象が人間生活にとって，如何なる意味をもっているかを中心として，そのために原因を考えるという形になるのに対して，一つの現象がなぜ起きたか，その原因を主とし，あわせて人間生活に対する意味を考えるのが自然性の知識である。

したがって，意味と原因とがからみあった中に知識があるとすれば，当然社会性自然性を両極とするものの中に，知識は位置をもっているといえる。実際の学習においては，社会性を主とするものと，自然性を主とするもののちがいが生れてはくるが，共にその中に他のものをもたなければ，知識の面からみて不充分であるといわなければならない。

② 教科以外の活動

経営活動の具体的指導より知識と実践の関係を見る。

イ 教科外活動の考える知識

教科外活動の考える知識とは，生活の上に有効に使われる実践的知識であり，生活の事象を正しく判断し，処理することのできる具体に即し，しかも機能をもつ知識でなければならない。

正しく判断するには，その正しさの基準を示す内容がはっきりしなければならない。それは，今後の生活をどのように向上させていくべきか，また，いかなるものを人世の願いとするか，大衆社会の幸福，大衆の文化水準の昂揚という，主として社会科のねらいである知識が考えられる。

しかし，正しく判断するだけでなく処理する能力が考えられなければならない。この能力（身体的・言語的・数理的・科学的・芸術的能力）の根底としての基礎的知識は，各教科の学習において養われるわけである。

これらの内容的知識や，基礎的知識がこどもの心の中で組み立てられ，一つの構造をもって解決に当ることのできる知識，これが教科外活動の考える知識である。

ロ 実践に当っての望ましい性格の形成

知識が行動と結びつくに当っては，行動を起そうとする主体としてのこどもの感情や意志が問題となってくる。感情と意志は，知識によって形成されるが，また実践の場合のささえとなるものであり，これらが綜合されて，性格が形成されるわけである。

実践人としての望ましい性格

(1) 考え方と行動が連続し，体制化し，一貫性のあるこども——安定したこども

(2) 自己統制力をもち，社会に適応する行動をとることができるとともに，社会の矛盾をのりこえていくこども——立場のはっきりしたこども

(3) 常に生活目標をもち，自己の能力をしり，向上の理想をもち実現していくこども——発動するこども

(4) 豊かな感情の持主であるこども。

情緒的に鈍いこどもは，新しい問題をもつこともできず，新しい世界観をきずくこともできない——新しい見方をするこども。

ハ 知識と実践の関係を具体的に見る角度

こどもたちの行動が，どのような知識の裏付けのもとに実践されているかの分析は，その実践が価値高いものであるか，いなかをみる上に重要なカギである。知識と実践の関係を究明した結果，つぎのように実践の様相がはっきりした。

(1) 同一事態にそのまま適応して実践する場合

(2) 異質事態であるが同一条件であると類推して適応して実践する場合

(3) 事態に直面して既有の知識や方法を選択して実践する場合——いろいろある知識・方法の中から，一ばんよいものを選んで実践する場合

(4) 事態に直面して，多くの異質の知識を統一して実践する場合——諸種の知識を綜合して解決実践していく場合

(5) 事実を分析し整理して実践する場合——一つの事態を分析してその条件や原因をさぐって実践する場合

③ 基礎学習

イ 基礎学習において取扱われている内容は現在の社会に生きていくための用具として，きびしく要求されている。私たちは，その内容を自己の身につけなければならない運命の中にあるのである。したがって，それは自己の好みに応じて選択が許されるというものでなしに一定の内容は外から規定されているといえる。その規定された内容に対して自己はどの位置にあるかを見定め，そのへだたりを縮めるための努力が学習となってあらわれるのである。したがって，その学習は，いきおい個人的であり，機械的であり，練習的である。

ロ 用具に対する理解は，その方法だけでなく，その発生も，その特質もその有用性も共に理解されなければならない。こうした各分野からの理解によって，はじめて基礎学習における内容の理解が深められたといえる。すなわち理解と技能とは一体の姿をとらなければならない。

ハ さらに生活との結びつきが充分に考慮されなければならない。生活の場でつかいこなせなければ何の価値もない。そのためには少なくとも二つの方法が考えられる。

できる限り単元学習や教科以外の活動との連関が考えられなければならない。これには同時的なものと，時間的隔りのある場合とがある。同時にするためには，計画上のくふうが問題とされ，時間的な隔りの場合は指導上のくふうが必要とされる。

数多くの生活状況を仮定し，その場で使いこなす練習がなされなければならない。数多くの生活状況は同種類のものでなしに異なった状況が仮定されなければならない。

＝　さらに生活の進歩のために，この用具はどう変らなければならないかをも考えなければならない。それには，現実の生活における不都合な点を見出しておかなければならない。

いわば発達からみた能率の問題である。

④　知識と実践の究明からする基礎学習の位置づけ

単元学習と教科以外の活動とは同一平面的延長にあり，基礎学習はその基盤的な層をなしている。

基礎学習は単元学習，教科以外の活動に比して一見分離したかに見えるが，主体的必然性に即して「知識の働き」の面でおさえれば共通している。しかし基礎課程では主として普遍的知識が，教科外では主として具体的知識が，単元学習では主として個性的知識が獲得される。この三つの知識はそのままでは完全であり得ない。基礎・教科外・単元のそれぞれの場を踏むことによって，はじめて確実になり生きて働く知識となることができる。したがって学習の上では三つが相関的に学習される。

6　今後に残された問題

以上今年度は主として知識と実践の究明から学習の全体計画を究めようとして前年度よりやや明確なものを画くことができるようになったが，今後教科外と基礎，単元と基礎との連関をさらに解明して基礎学習の位置づけをよりはっきりさせたい。なお，進んで学習類型を究明し児童の発達段階を明らかにしてこれにもとづいて全体計画を構成し，その全体計画を実践しつつ修正することは今後に残された問題である。

全体計画をどのようにたてるのが，こどもの学習に有効か

実験校　**東京学芸大学付属世田谷小学校**

1　実験期間　昭和27年4月～29年3月

（第2年次研究主題　問題解決の学習を計画するには，どのような考慮を必要とするか。）

2　この研究のねらい

教育の効果は，教育計画・指導法・施設環境・教師並びにこどもの人格などの諸条件によって差異が生じる。このうち，教育計画の内容となる教育課程の形態，教育目標のたて方，学習経験の組織排列のしかた，年間または週・日計画のたて方などが，教育効果に及ぼす影響を明らかにする。

3　研究内容

1　第1年次（昭和27年度）の研究概要

教育効果を左右する諸条件，全体計画の内容となる諸分野の分析を行い，こどもの経験統合に及ぼす諸条件を予備実験を通して具体的につかみ，研究段階を次のように確立した。

a　問題解決の活動の分析と組織

b　問題解決以外の活動の分析と組織

c　総合的学校生活活動の分析と組織

2　第2年次（昭和28年度）の研究

(1)　研究のねらいと研究経過の概要

問題解決の学習における問題及び解決の意義，問題の類型を明らかにし，問題の類型によって，どのような学習活動が多くとられ，その結果，どのような能力が高められるかを明らかにして，全体計画をたてるに当っては，問題の類型をどのように組織配列しなければならないかを求めた。そのために，

a　一カ年にわたって，全学級からこどものつかんだ問題を集め，それから類型を求めた。

b　問題類型の中から，代表的な問題の型を選び，その問題について学習

指導を行い，問題の類型と高められる能力の関係を求めた。

c　このために，「問題解決学習の評価基準とその方法」・「単元学習の評価基準」を設定した。

(2)　問題解決の学習における問題及び解決の意味

問題解決の学習ということをとりあげるに当っては，まず，「問題とは何であるか」，また，「解決とはどういうことか」が問題となる。

当校のこの研究を進めるに当っては，これを一応次のように考えて，研究を展開してきた。

こどもの毎日の生活とは，環境に制約をうけながら，しかも環境にはたらきかけて，生活を更新して行く過程である。この「制約をうける」とか，「はたらきかける」とかいうことを，具体的にいうならば，こどもが，行動したり，作業をしたり，説明をしようとしたりすることなどである。この行動しようとしたり，説明しようとしたりするときに，その障碍となるもの，こどもがその障碍をとりのけて，より安定した状態に進むことを望み，進んでとりのけたがる障碍となっているもの，これを問題と考える。

従って，問題は，こどもが漠然としていてつかむものではなく，行動とか，作業，説明など，何らかの「反ぱつ」「はたらきかけ」を前提とする。であるから，こどもの既有経験や知識の量や質・能力・興味・おかれている環境の如何などによって，いろいろな程度や大きさの問題が生れるものと考える。

解決されたとは，行動や作業ができるようになることであり，こどもが納得し満足感を持てるような説明ができるようになったことであり，心理的に見るならば，再び安定した状態にもどることであると考える。

そして，ひとつの解決は直ちに，次の問題を生むわけであり，そうなることが望ましい解決であると考えるわけである。

(3)　問題の類型

a　問題の調査のしかた

教育計画にあるとないとにかかわらず，学習指導を進めたとき，こどもがつかんだ問題，及び学習指導の対象として取上げられた問題すべてにわたって集めた。

次のような調査用紙を毎月各学級担任に配布し，学級担任が記録して，係に提出して整理するようにした。

総合的というのは，教科的色彩がはっきりしていないものをいい，教科学習時間と教科外活動の時間に分けて，問題発生の所在を明らかにした。

○調査用紙（わら半紙１枚）

問題の調査　第　学年　組　担任氏名　（月）

	総合的（○印＝とりあげた問題　◎＝よかった問題）	教科	国語的	社会的	算数的	理科的	音楽的	図画工作的	体育的
発生した問題（○印＝とりあげた問題　◎印＝よかった問題）									
教科外（生活）の問題（○印＝とりあげた問題　◎印＝よかった問題）									

b　問題の類型

一ケ年にわたって，全学級から集めた問題を，問題意識の観点から次のように分類した。

①　欲求・希望・不満・興味などを単的に表現したもの。

例　……しよう。……したい。……ほしい。……みたい。……かきたい。……作りたい。……こまる。……できない。

この類型に属するものは，実現したり，実践したりするだけで満足するもので，いわば問題意識以前の状態にあるが，その実現をはかるためには，当然問題につき当り，実践を望む問題の一部と考えられる。

②　方法を求めているもの。

例　……どのようにしたらよいか。……どうしたらよいか。……どのようにするか。

この類型に属するものは，実際生活上の矛盾を解決して，よりよい生活ができることを目的とする場合と，解決の方法が理解されればよい場合と，技術を体得することを目的とする場合などがあって，実践型の問題と考えられる。

③　理由を求めているもの。

例．……なぜか。……どうして。……なんのために。……どういうわけか。……どんなか。

この類型に属するものは，事象の理由を探究しようとするもので，主として実験・実証・観察・測定などによって問題が解決される。

④　事象の内容の説明を求めているもの。

例　どんなものか。どの。どんなこと。どのような。どういうふうに。
いくつか。いつか。なにか。なにを。どんなに。

この類型に属するものは，事象の内容を理解しようとするもので，講義・調査・読書・観察など，いわば説明によって解決される。

以上を大別すると，①と②は実践型問題とみられ，③と④は説明型問題と見られる。

(4)　問題解決の学習における問題の類型と能力

a　実験の方法

①　予備実験

全学級の実験にさきだち，10 人の文部省実験学校委員会の委員の手により，予備実験を行って，

実験のテーマ・問題の型による解決過程の相違と能力の関係の見通し・実験結果の整理方法・結果の考察

などを行い，全校実験の準備をした。

②　実験方法

実験テーマを「問題解決の学習において，問題の型によってどのような学習活動が多くとられ，その結果，どのような能力が高められるか」という点にしぼって考えた。

学習活動については，次のような記号によって整理用紙に記入し，同時にそれにかけた時間数を測定して，問題解決の全時間数に対する百分率を求めた。

高められる能力については，同じく整理用紙に 10 項目に分けられた能力についての予想をたて，実験の結果の評価を記録することにした。

◇学習活動の型の記入の略号　（次ページ図参照）

◇10 項目の問題解決能力

能　　　　力
1　問題をつかむ力 ○問題意識の発生　○一貫したものとしてつかむ　○主体的に切実なものとしてつかむ　○客観的に社会生活の課題としてつかむ。
2　問題の構造を明らかにする力 ○問題のもつ意義を知る　○他の問題との関係を知る　○分析して内容を明らかにする　○分析したものを体制化する。
3　結果を見通す力 ○既有の知識経験を再生する　○合理的に関係づける　○知識原理の選択　○原因や結果を推理してみる。
4　学習計画組織をつくる力 ○すすんで計画に参加する　○資料のほかよりどころを考える　○新しい解決の方法を考える　○資料を多方面から集める計画　○グループを構成する。
5　文化財としてある資料をあつめ選択する力 ○経験知識を資料として生かす　○資料をうまく熱心にあつめる　○資料を地域的ひろがりからうる　○資料を時間的経過からも考える　○資料の信頼度を判断する　○資料をいろいろな面からみる。
6　研究や作業する力 ○研究のし方をととのえる　○広い視野との関係において理解　○新しい技能や知識をうる　○創造的な構成力　○資料•材料をうまく使う　○理解を常に反省する　○責任を果し協力する。
7　整理する力 ○資料をよみとる　○資料の傾向•特質をたしかめる　○比較できる　○共通要因の抽象　○資料を概括保存する　○資料•作品を効果的に累積する。
8　把握内容を交換する力 ○内容を研究の焦点に合わせる　○よくわかつて発表する　○適切に発表する技術　○他の発表を消化して自分のものとする。
9　結論を下す力 ○十分な資料・判断により見通す　○たしかな原理知識を適用する　○関係ある重要原理を広く用いる　○一貫した原理で結論を下す　○事実でうらづけられた原理を用いる。
10　活用する力 ○創造的な表現を通して活動できる　○到達した結果を実践する　○他の人々の生活の反省資料に供する　○新しい問題解決に得た力を活用する。

記入用紙の1目盛　5分
一斉学習　————
グループ学習　＝＝＝＝
個別学習　～～～～
◇学習活動は，次の類型にはいらぬものは，あとで分るように適宜書いておく。

(話)し合い　(問)答　聴(講)　(報)告　(研)究発表　(見)学　(面)接　(調)査
(参)考資料の利用　(教)科書の利用　(幻)燈　画　(放)送の利用　(劇)的活動　｛(ご)っこ遊び　(子)供芝居　(人)形芝居　(紙)芝居｝
(説)明図　(表)　(地)図　(年)表　(構)成活動　(鑑)賞｛(文)章　(音)楽　(美)術｝
(グ)ラフ　(示)モンストレーション　｛(発)表会　(展)覧会　(劇)　(公)開実験　実(演)｝　(練)習　作(文)　(書)く
（以 下 省 略）

b　実験の経過

①　経　　過

第1回の実験には，説明型をとりあげた。これは，最も実験しやすいと考えたからであり，また一つの型に限定したのは，学年による変化がどのようにあらわれるかを見たいためであった。

第2回，3回の実験には，実践型をとりあげた。この型は，特に生活環境の混乱の中から生れた実践的なものであり，また行動的な問題であるので，問題把握から，実験には，よりよい場を得るために，時間的余裕が必要であった。

②　過　　程

Ⓐ　問題の提出

数時限で解決されると思われる小問題を各学校から二・三提出してもらい，これをできるだけ多くの領域にわたりたいとの考えから，委員会の方で調整した。

Ⓑ　実験計画一覧表の作成

全校実験のため，場所や資料の重複をさけるために，一覧表に各担任が，日・時限・問題・場所・資料を記入し，教官室に貼布した。

Ⓒ　実験整理用紙に記入

委員会で研究した記録用紙に，指導計画・予想される活動および能力を記入し，実験の経過に従って，実際の経過を記入することにした。

Ⓓ　事前・事後の調査

- 児童の興味・関心の調査
- 評価・テスト
- 行動の変化調査（父兄調査や行動の観察）
- 問題の発展

これらの項目について事前・事後の調査を行って，資料を得ることにした。

Ⓔ　実　　験

期間を一定にして実験を行い，終了後記録整理，学習活動の時間集計，考察などを行った。

③　実験記録の例

◇実験整理用紙の記入例

「おさかなは，どのようにしておうちまでくるか。）（14, 15ページ図参照）

◇実験を通して，高められた能力の考察例（前記2年3組の場合）

1　問題を把握して，これを実験したり作業したりする能力。

2　系統的にものを考えたり，分析的に考えたり，さらにこれを統合する能力。

3　資料による比較検討，これから結論を見通したり，下したりする能力。

4　事実にもとづいて結論を下す能力。

5　新しい事実を発見したり，さらによい考えを生み出していこうとする意欲や能力。

◇問題が解決されたと考える状態をどこにおくかの考察例（前記2年3組の場合）

1　問題の主題についての理解や興味・関心が明確になったり，高まっている。

2　一つの事象と他の事象について，比較や批判ができるようになった。

3　学習した事実から，さらに高度の問題へ学習興味が発展している。

4　実験や実測・現場学習による解決を要求した問題については，その理解からさらにそれを行う技能を全員身につけている。

c　実験の結論

①　説明型による問題解決の学習の実験の結果，学習活動としては，やはり話し合いが全体的に多い。しかしその学習内容の結論を下すについても，資料によって批判検討したり，現場学習を行ったり，実験を行った結果を話し合い，その結果をまとめ，活用する努力が見えている。

能力の点においては，問題の仮説設定やその確定・研究方法の討議・計画により資料収集，およびその批判，分析から統合への能力が全般的に高められている。

②　実践型においては，その型の特質により，問題を把握するという共通的な基盤が，全体的にはっきりとつかまれており，学習の途中においても実践可能なものは，どんどん実践しようとする意欲と態度が，きわめてはっきりあらわれている。また，解決した時より，より高度のものへ発展しようとする傾向が強い。要するにこの型においては，児童相互において問題意識がはっきりしており，問題の分析・総合が説明型より比較的容易に行われ，解決した結論をすぐに自己の生活に適応したり，また適応しようとする態度がはっきりみられる。

4　今後に残された問題

1　問題解決の学習活動と，他の学習活動との関係を考慮した効果的な経験の組織化

2　総合的な学校生活の効果的な組織

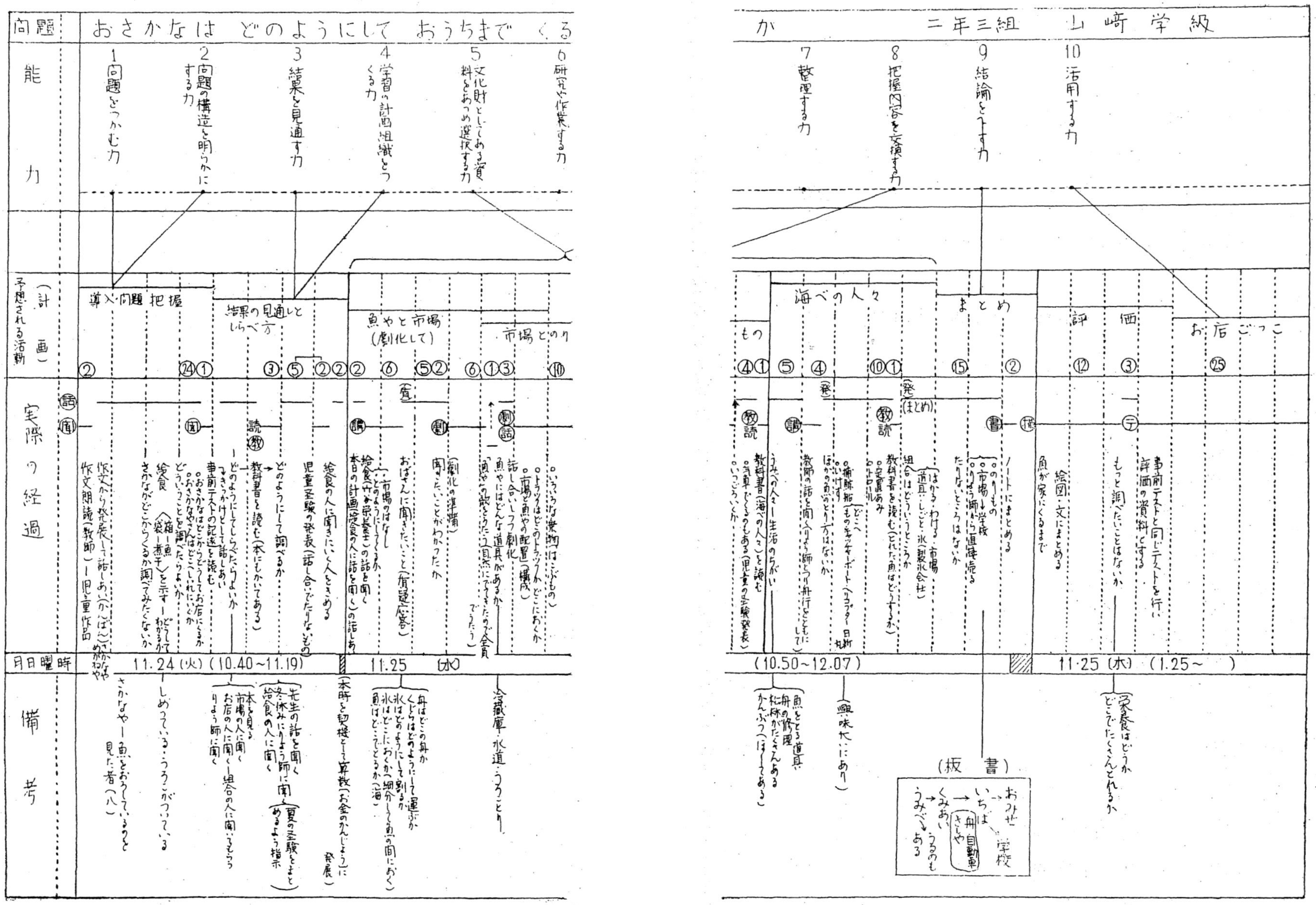
問題
おさかなは　どのようにして　おうちまで　くるか
二年三組　山崎学級
能力
1 問題をつかむ力
2 問題の構造を明らかにする力
3 結果を見通す力
4 学習の計画組織をつくる力
5 文化財としてある資料をあつめ選択する力
6 研究作業する力
7 整理する力
8 把握内容を交換する力
9 結論を下す力
10 活用する力
予想される活動（計画）
導入・問題把握
結果の見通しとしらべ方
魚やと市場（劇化して）
市場とのり
海べの人々
まとめ
評価
お店ごっこ
実際の経過
月日曜時
11.24（火）（10.40~11.19）
11.25（水）
（10.50~12.07）
11.25（木）（1.25~　）
備考
（板書）
おみせ
いちば
学校
うみべ

国　　　語

I　国語の学習指導において能力別グループ指導を効果的に進めるにはどうしたらよいか

── 読みの能力別指導はどのようにしたらよいか ──

実験校　千葉県市川市眞間小学校

1　実験期間　昭和26年4月～29年3月（3か年）

2　実験経過

A (1)　昭和26年度

目標　グループ指導を進めるためにどんな指導法をとればよいかについておおよその見通しをつける。

年度末の報告の項目

①　学習指導を進める4通りの型
②　個人差を見るために作成したリストとそれを使った調査・評価の例
③　グループ指導に対する児童や父兄の反応

(2)　昭和27年度

目標　児童の実態をできるだけ分析し，その結果にもとづいて適切な指導法を見いだす。

年度末の報告の項目

①　読みとりかたのタイプの抽出とそれにもとづく指導計画
②　音読の障害の分析と指導の計画
③　レディネスの調査と指導の計画

B　昭和28年(本年度）の実験経過

目標　これまでの実験の結果を評価するために資料をまとめる。

内容と方法

(1)　クラスごとに実践した経過と，それに対する評価の記録を作る。
(2)　遅れがちな子どもの代表的なケースについて診断と指導の事例をまとめる。
(3)　学習指導の前後に標準テストを実施して学習の効果を判定する。
(4)　評価によって見出した指導法の改善点をまとめる。

全体にわたって述べる紙数がないので，以下，その重点の一，二を例示する。

3　学習指導の経過と評価の記録の例

──読み取り方の違いを中心として──

1　取り出された場面

(1)　題材　夏の研究
(2)　対象　4年2組
(3)　指導者　百瀬澄雄
(4)　学習活動　説明文を読んで要約する。
(5)　目標　段落ごとに要約できる。
(6)　資料　「あぶらぜみ」文部省著作教科書　国語4年上
(7)　日時　1954．7．13，14

なお，この学習の前には，研究のまとめ方についての話し合い，「あぶらぜみ」の読みの準備など，後には，参考書の利用，研究のまとめと発表などの学習がつづいている。

2　記録Ⅰ　予備調査

7月13日

読んだものをまとめることのだいじなことを話しあったあと，「あぶらぜみ」を読ませ，そのはじめの方を段落ごとに要約させてみた。次のようなさまざまなタイプを見いだすことができた。

本文　「あぶらぜみ」　第3段落

> 春がきても，たまごはそのままでした。暑い夏がやってくると，たまごは；はじめてかえりました。二ミリほどある，白いうじのようなようちゅうが，はいだして，まつのふといみきをつたって，地面に向かって，すべったりころがったりしておりていきました。

要約の仕方のさまざまなタイプ

表 1

児童番号・性・知能偏差値	児童の要約の実際	タイプ
25 男	おりたからたすかった。	I ほとんど読めない。（段落の細部および前後の段落との関係が読み取れていないために要約できない。）
45（女）指数 18	春がきてもたまごはそのままです。なつがやってくるとたまごがかえりました。二ミリほどある白いうじのようなようちゅうがはいだして，まつの木つたわって地面に向かってすべったりころがったりしておりていく。	II (1) 要約の仕方を知らない。（重要な部分とそうでない部分とを見分ける力が弱いために，それほど重要でない部分を残してしまう。）
36（女）58	春がきてもそのままで，暑いなつにたまごはかえった。	II (2) 要約の仕方を知らない。（段落の小部分だけに注意がうばわれてしまう。）
49（女）67	夏になると白い二ミリぐらいのよう虫になって地面におりていく。	III 要約できる。

3　記録II　展開と評価

7月14日

a　学習指導の経過（抄録）

グループ（タイプ）	A I	B II	C III
指	●新しいグループと座席，グループごとの学習の進め方のあらましを話してやる。 ○グループごとに学習にはいる。		
導	●せみの生態についての写真・絵を見る。 ●問いを与えながら一部分ずつ読ませる。 ○読んだところを読みかえす。 ○かわるがわる読んでともだちに聞いてもらう。	○要約の仕方の見本が出ている手引きを参考にして，要約をする。 ●要約の仕方を見て，評価しておく。	○自分で要約していく。 ●要約のしぐあいを評価する。

b　評　価

(1)　Aグループはどの子もかなり良く作業を進めた。

例えば，児童49（表1）は次にあげる第六段落の要約のような調子で，時間の終りには，この文の終りに近いところまで要約することができた。

本文　「あぶらぜみ」　第6段落

> しかし虫たちは，においで知るのか，なんで知るのか，手ごろな皮のうすい，しるの多い木の根をさがしてあるきます。虫は小さいけれど，親ぜみによくにて，ほそいとがった口をもっています。その口のさきを根の中につきさして木のしるをすいはじめます。

児童49（表1）の要約

> 虫たちはにおいで知るのか，皮のうすい，しるの多い根をさがして，とがった口で木のしるをすう。

(2)　Bグループの子どものうちには手引きを与えるだけで，要約の仕方がいちじるしく進歩したものがいた。

たとえば児童36（表1）に手引きをあたえて，前記の第3段落を要約させたところが次のように要約のしかたが変った。

> 夏がくるとたまごがかえり，二ミリほどあるうじがまつの木から地面におりた。

なお，このときの手引きは，次のようなものである。

> だいじなことを書きぬくしかた
>
> だいじなことばだけのこして，いくつかの文を一つにまとめると，うまくいくことがあります。
>
> （もとの文）
>
> 地上には，一本のくわの木がはえていました。せみは，さっそく，ぶさいくなかっこうをして，それにはいあがっていきました。
>
> （まとめた答）
>
> せみは，くわの木にはいあがっていきました。

(3)　Bグループの中に進歩の十分でないものがいる。

児童37の要約　第3段落

指導前　7月13日（予備調査）

> たまごは，はじめてかえりました。二ミリほどあるうじのようなようちゅうがはいだした。

指導後　7月14日

> 玉子ははじめてかえりました。ようちゅうが松のふといみきをつたっておりてきました。

かなり要約力があるが，この場合落さない方がいいと思われる条件のひとつである「時」などを落してしまうという傾向を持っていたわけである。指導後にもその欠陥が残り，また，いくつかの文の要点だけ残して，一つの文につなぐという手引きのねらいが達せられていない。

このような子どもには，前後の段落に注意を向ける指導をあわせて加える必要があることがはっきりしてきた。

c　読みの学習が遅れがちな子どもの診断と指導

読みの遅れがちな子ども，たとえば前項でのべたタイプⅠのように，要約しようにも，要約すべき文が読みこなせないような子どもたちには，遅れたことの原因について診断し，長期の指導計画を立てて基礎的な技能から指導した。次にその一例をかかげる。

1　音読の分析を中心にした診断の例

児童 20 （男）　知能偏差値 44

児童 20 の読みぶり　　28.4.21

資料　「汽車の中」

> 本　文　　汽車の中は人でいっぱいでした。
> （はいれ，はいれ，れませんか）
> 「もうすこし，中へはいれませんか。」
> （それ，そんなに）
> 「そんなにおしたって，だめですよ。」
> （わりこま，わりこもうとする）（おとこのこ）（もあり，もあり）
> むりにわりこもうとする男の人もあり，足をふまれて，おこっている
> （おんなのこ）
> 女の人もありました。
> （だい）（さぶろうくんは）×　　　×　（ことさ，動くことさ，えでしました）
> 私と弟のさぶろうは，乗るには乗ったもの動くことさえできません。
> （さぶろうくんの）　（にぎって）（さぶろうくんは）（わたくしたち，ん，私たちから，だすに，からだにすがっついていました）
> 私は，さぶろうの手をしっかりにぎり，さぶろうは，私のからだにすがりついていました。

（注　（はいれ，はいれ，れませんか）とあるのは，児童の読み誤りをそのまま示したもの。×＝まったく読めず，教師に聞いたもの。）

これは，はじめの1ページだけであるが，これを見ても，この子どもの障害のいちじるしいことがわかる。（障害の分析は表2参照）

その原因の調査の中から，重要な要因と思われるものを書き抜いてみる。

(1)　読みの経験が乏しい。

父は，日傭で，6人の子があるため，生活が苦しい。学校では，準保護児童の扱いをして，学用品などを支給している。家庭には，本らしい本がない。

(2)　語いが乏しい。

読み違い，読み返しのようすに出ている。

(3)　文意を考えずに読んでいる。

「私の弟の……」を「私のだいの……」と読んで平気ですませてしまうようなところにそれが表われている。

(4)　注意が集中できない。

学籍簿に，次のような記述があった。以下〔　〕の中は，学籍簿のうつしである。

〔気力なく，常にぼう然としている。〕（1年）

〔学習中は，ただ，ぼう然としているが，休み時間になると一散に外へ飛び出していく。〕（3年）

(5)　学級生活に適応していない。

〔内気で他人と交わることを好まない。他人のことに無関心〕〔ふざけて隣りの女の子をはさみでつついたりした。〕（1年）

〔人の顔色をうかがう。〕〔陰険なり。〕

(6)　学習準備を無視して，入門期の指導が行われた。

4月はじめに，自分の名の武を旋と書いていた。4年になってこうなのだから，字形の認知と記憶が入学当時どんなに不十分だったかが推察できる。

2　指　　導

前記の児童 20 および，これと同じような障害を持つ子どもたちのグループには，次のような基本的な方針で指導を行った。

(1)　学年の教科書だけでは困難なので，他の会社の3年の教科書をも教材として利用した。

(2)　学年の教科書を読ませるときは，次のような配慮をした。

a　読みの準備の指導をていねいに行う。

b　読みへの興味をまし，基礎的な理解力をのばすために，やさしい質問を口頭または，手引きの形で多く出す。

(3)　遅滞の原因が特殊な場合には，それに応じた特別の配慮をする。

児童 20 の場合は，学級への適応をたすけるために，責任を持ったク

ラス内の役割を与えたりする処置をとった。

3　効　果

音読に表われた障害は，3ヶ月後の再診断では，かなり軽減していることがわかった。（表2参照）理解力の面での進歩は，表3に明らかである。

ほかに，このような過程を通じて，生活面でも明るさと，自信を増していった。清掃のリーダーに選ばれたり，多いときは，年間 35 日にまでおよんだ事故欠席が，年間を通じて3日にへるなどの効果を生んだ。

ただし，作業の粗雑さなどはまだ残っている。

児童1の音読に表われた障害の変化

資料「汽車の中」第1，2頁

表 2

	具体的な障害の種類	1954 4.21	7.11
1	似かよった文字・発音のときにちがった語音に読みちがえる。	2	
2	同じ文字単語をくりかえして読む。	13	7
3	あともどりして読む。	1	
4	別の単語や句で読みちがえる。（全く別のもの）		
5	行・文字・単語をとばして読む。	5	3
6	活用する語尾を読みちがえる。		
7	意味を無視して音節や単語できる。		
8	むずかしい語句を読もうとして，その前でためらう。	1	
9	句読点を無視して読む。		
10	語句のはじめや終りがはっきりしない。		1
11	余分な単語をつけ加える。	6	1
12	部分的に読む調子が速くなったり遅くなったりする。	2	3
13	アクセントのはっきりしたあやまり。	1	2
14	ひろい読みをする。		
15	はじめ読みちがい，くり返し読みで正しく読む。	3	3
16	読めなかった文字語句（漢字）	2	2
17	〃　（ひらがな）		
18	似かよった単語や語句で読みちがえる。	8	2
19	格助詞を読みちがえる。		
20	全く別の語音で読みちがえる。	1	1
21	むずかしい発音の語句を読みちがえる。	2	
22	漢字を他の音，または訓で読む。		
23	何度も読みちがえ，最後に正しく読む。	1	

（項目は国立国語研究所第3研究室の資料による。）

D　学年末の評価

指導の評価のために，学年末には，次のようなことをした。

読書力診断テストの結果　表 3

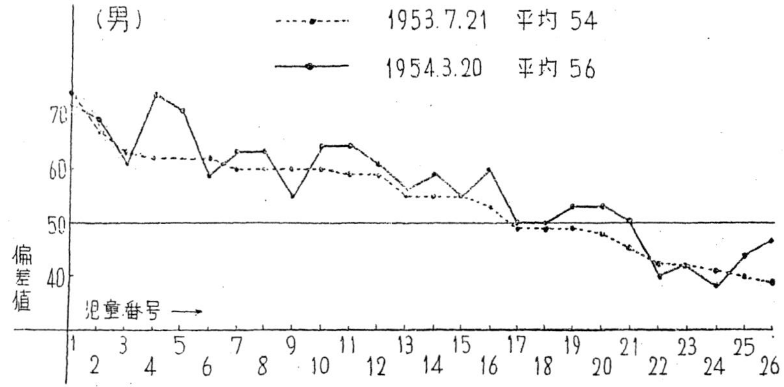

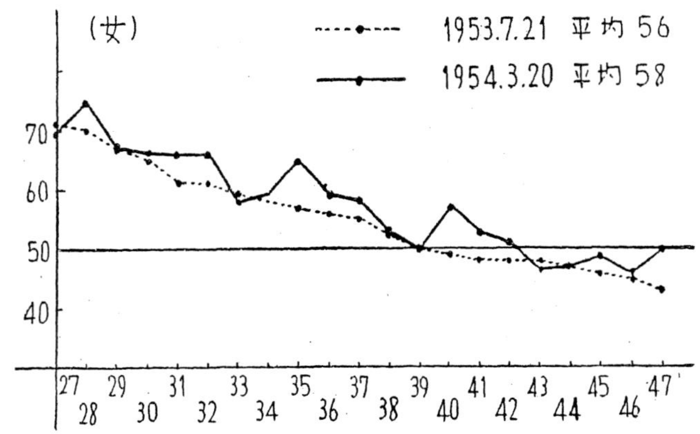

注　1．試験のどちらかのとき，長期欠席していたもの，および途中入学者をのぞく全員である。
　　2．テストは阪本一郎「読書力診断テスト」Cによる。

(1)　国語の標準学力テストの実施

(2)　標準読書力テストの実施

(3)　他の教科の標準学力テストの実施

実験的な指導法を進めてきたので，その評価のためである。(3)などは，他の教科と調和のとれた発達をしているかどうかを考えるために実施したわけである。

ここでは，2の結果の一部をのせることにした。これによって，Cまでに事例としてあげた個々の児童のクラスにおける位置および，進歩の状況などを知ってもらいたかったからである。

児童 49 は第1回のテスト当時病気で欠席を続けていたのでこの表にはいっていない。

ま　と　め

はじめに述べたように，この一年はクラスごとに，実践を見つめ，評価し，そこからさらに学習指導を個別化する方法を見いだすことにつとめてきた。

ここに取り出したのは，一つの断面にすぎないが，私たちの考え方，実践・分析・結果などのすべてがそこに集約されているはずである。なお，全体について，いっそうくわしい報告を整理中である。　　　1954.3.31

Ⅱ　かなの学習指導をどのようにしたらよいか

1　1語の構成要素として習得したかなが1文字として分解してゆくのにはどのような過程をとるか

2　かたかなを1年生の3学期ごろからことばとして学習させた場合にどのような成果を示すか

3　かたかなを2年生で習熟させるにはどのような指導をしたらよいか

実験校　神奈川県津久井郡串川村中央小学校

1　実験期間　昭和27年4月～29年3月（2か年）

2　実験経過　**その(1)**　1年生のひらがな指導

①　目　的

昨年度にひき続き1年生の児童がどのようにひらがなを習得していくかの状態を調査し，あわせて指導上の問題を研究した。

②　方　法

A　学習指導要領ならびに本校のカリキュラムに準拠して指導をする。

B　指導の反応と今後の指針を得るために，文部省のひらがな調査の要領によって随時調査集計をする。

C　実際指導のメモと調査の結果とを比較して，指導の反応と，今後の問題点を発見する。

D　一文字への分解が遅れている者について特に指導をする。

③　指導の概要

A　指導の方法（一般的）

a　入学当初

○全員が幼稚園教育を受けていないので環境を整備し，読みの準備をととのえてやる。（4月から5月の上旬まで）

○絵本・掛図・写真等によって話すことの指導をし，経験をゆたかにしてやる。（5月中旬）

○文字板・経験図表によって経験と文字とを結びつける。（入門期の終り5月下旬から6月の上旬まで）

○拾い読みの是正（ことばとして読ませる。

b　一学期中ごろ以後の指導

○能力別学習指導より個別的な指導をする。（7月のはじめ）

○文の大要をとらえることや，それを動作化することをさせる。

○多読・多作の指導をする。

○絵ばなしから絵日記を書かせる指導。

○不正形文字・脱字・誤字の是正。

○読みの速度が少しずつ増す指導。

○助詞の指導（ことばとしての指導から）

B　指導の進度

指導の進度と調査との関連を示すと次のような図になる。

ひらがなの調査（清音・濁音・半濁音の71文字を書くこと）

調査番号	No. 1	No. 4	No. 5	No. 6	No. 8	No. 10	No. 11
調査年月日	28.6.29	7.3	7.13	9.7	10.17	12.2	12.23
調査人員	51	45	51	51	53	53	50
それまでの国語の時間数	64	68	76	98	133	163	181
題材名	おはなし おともだち おうちごっこ 一年生	ことばあつめ	えにっき ことばあつめ	どうわ ことばあそび えにっき	ちたのしい どうわ おう	おてつだい えんそく うんどうかい	お正月 しんるい

資料	東書	東書	東二書葉	東二書葉	東教書出	東書	東二書葉
主たる学校行事	農遠休足		夏休み		運動会	農遠休足	
未提出文字	むそへゆねほ	むそゆほ	む				

④ ひらがな習得過程の調査と指導法の反省

調査は文部省のかな調査の要領によって，清音 46，濁音 20，半濁音 5 および拗音の例 3 について行った。なお，調査は読み書きについて行ったが，今回は書くことを中心に考察する。

A 清音（46 文字）の習得

第 1 図はそれを示そうとしたものである。すなわち斜線は児童が習得していく巾を示すものである。6 月に最高と最低で 57% の差があったものが，12 月には 19% になっている。文字毎の難易の差が縮少されている。これは当然のことであるが，二学期末が特にこの傾向が著しい。

次に第 2 図は第 1 図の内容を分析したものである。

第 1 図

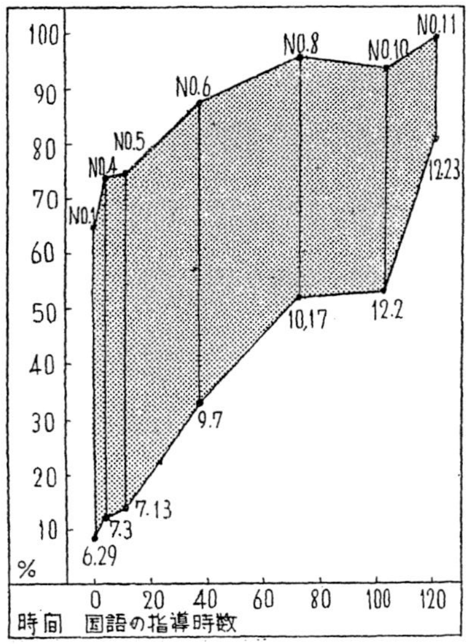

第 2 図

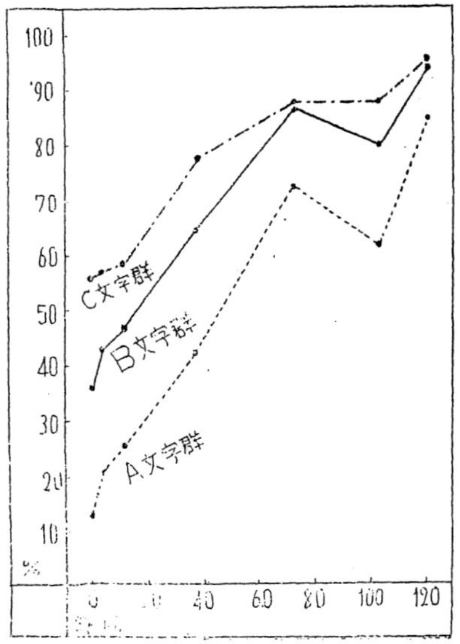

図中のA文字群とは第 1 回調査の時に全児童の 20% 以下の習得率であった文字（そ，へ，ね，ぬ，ほ，を）をさす。

また，C文字群とは 50% 以上の良い習得率であった文字（お，は，ま，よ，く，ん，せ，か，る，つ，こ，い）をさす。

B文字群とはそれ以外の中位の習得率を示す 31 の文字群をさしている。点線や折線はその文字群を平均した習得率である。

この文字群の特徴は，C文字群は上昇が他に比して緩慢ではあるが，11 月の農休で他が下降する時も，少量の上昇を示す。A文字群は運動会や農繁休業があって比較的文字学習の機会から遠ざかると著しく下降する。完全な習得がなされていないものである。指導上特に留意しなければならないことは，6 月ごろの調査の結果にこのように中央位を占める文字群からはなれて，低い習得率を示す文字群がある場合には，文字板学習やドリル学習によって中央位まで上昇させるように努力することが必要である。

B めいめいの児童がそれぞれかな文字の習得においてどんな曲線を描きながら上昇するかに対する考察。（第 2′ 図）

第 2′ 図

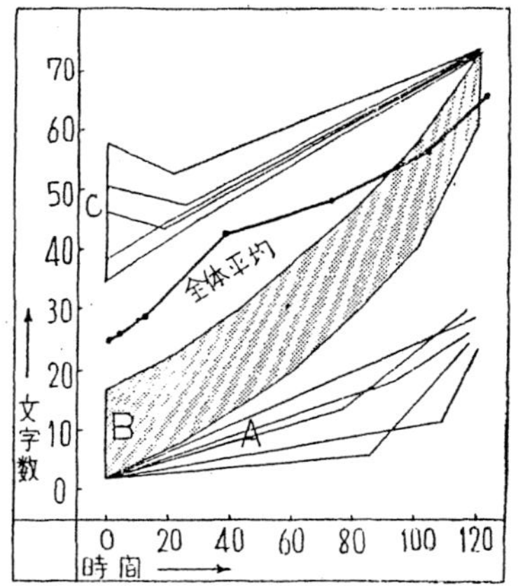

Cは第 1 回の調査において習得率の比較的すぐれた児童群の習得過程であり，Aは 12 月になっても習得率のよくない児童の群である。そしてBは大多数の児童の通った過程を示している。それぞれ進歩に異った線を示しているから，指導上たいせつなことは，平均線だけを見て指導計画を立てるのでなく，このような個人別の上昇線の多数の通る場と上，下の少数者の関係を考えなければならないことである。

第 3 図

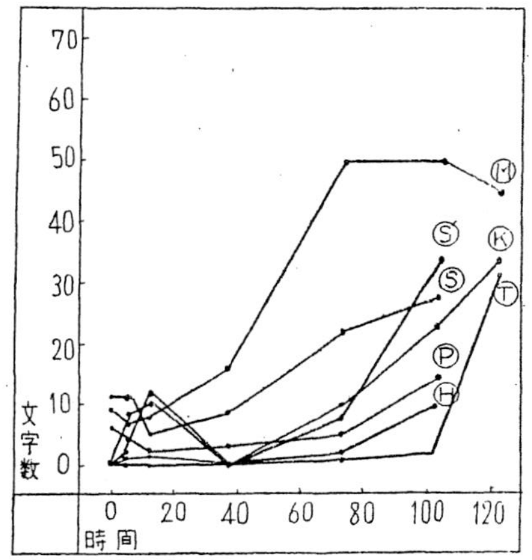

次に各グループごとに内訳をみる。第3図は12月末現在でなお50文字以下の習得率である児童のたどる過程である。二学期になるとこれ等の児童にも著しい個人差が出てくる。特別に個人指導を必要とする遅進児である。

6月の調査に20文字以下の習得率であった児童の個人ごとの折線を見ると大多数の児童が対角線に上昇するのに，前述の第3図の児童だけは常に下位で横ばいをしている。

また，6月に50文字以上の習得をした児童の個人線では，7月上旬に下降することと，最後に70文字以上の習得をするのが特徴的である。

この児童たちは家庭学習をよくし，またさせられるのである。入学当初は一字拾い読みの傾向が相当に強い。

C　清音・濁音・半濁音・拗音の関係

一般的な平均線によって各音字の関係（習得の差）を示したのが，第4図である。

第 4 図

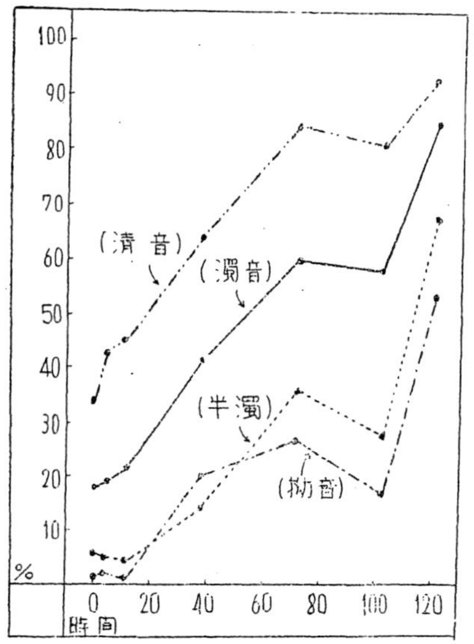

3　結論と今後の問題点

A　ひらがなの習得は一学期の末から二学期にかけて急激に上昇する。

B　一学期半ばで読み書きの成績が悪いと思っても，単純な読字・書字指導だけに専念することは，危険である，

C　二学期末でもなお読字・書字の著しく劣る者の発見は，6月ごろの調査において，大多数のものから離れたものを見ることによって発見できる。

D　入学当初にことば読みの指導をすると，二，三学期にははや読みになり，助詞の誤使用も少いが，一文字への分解が遅れるので，資料を相当豊富にしてやる必要がある。

E　今後の問題としては，習得率をもっと早い時期に上昇させるための有効な指導法の研究ということになる。

実験経過その(2)　一年生のかたかな指導

1　目　　的

一年生において，ひらがなの学習をさせると同時にかたかなの学習指導を行うことが有効であるかどうか。

その抵抗・障害・困難度はどうか。

2　方　　法

A　10月にかたかなについての実態調査を行う。

B　11月末の題材にかたかな語い，五単語をそう入して指導する。（拗音はのぞく。）

C　Bの反応を検討して，12月の題材にかたかな語い，7単語をそう入して指導する。

D　さらに3月の題材に7単語をそう入して指導する。

E　3月末にかたかなの74文字の実態調査を行って実態をみる。

3　指導の概要

A　指導の具体例「えんそく」

a　一般的な指導法

- 題材に必要な絵を用意しその絵について話し合う。
- 事物を準備しその絵の中に入れ，かたかなカードと結びつける。
- 事物以外のものにはその情景を話しながらレコードなどをきかせカードを示す。（例，ヒューヒュー）．カサコソは理解させるに困難であった。
- かたかな語を二つ組合せて（ポケットの中でザクザク）
- 教科書を読み，かたかなで表記すべきところを発見できるように指導し，印をつけさせる。
- かたかな語を使って，それに関した話をする。
- 教科書の中で印をつけた所へ，プリントしたかたかなのカードをはり付けさせる。
- 日常使用しているかたかな語いをできるだけ使う。（クレヨン）
- 国語の時間の前にかたかな語のカードの読みをし，その語を用いた短文を発表させる。（ドリル）

b　使用したカード

ポケット　カラカラ　ザクザク　カサコソ　マッチ

ヒューヒュー　クレヨン

c　児童の反応

- マッチをマチと読む者が多い。
- かたかなの筆順指導でチを次のように書く者が多い。（ナーチ）

- ザクザクやカラカラのようにくりかえしのものは他のくりかえし語ととりちがえやすい。
- クレヨンは日常生活でクレオンと発音しているので，発音どおり書いている。
- 本にかたかなをはりつけする時に一つの「ものおと」を他の「ものおと」と間違える。また，カードをさかさにはるものもある。

B　指導の進度と調査との関係

調査番号	No. 1	No. 2	No. 3	No. 4	No. 5	N o.6
調査年月日	28.11.24	28.11.28	28.12.10	28.12.24	29.3.21	29.3.23
調査人員	52	51	49	53	54	52
調査事項	単語書き	単語読み	単語読み	単語書き	単語書き	単語読み
題材名	うんどうかい		えんそく		もうすぐ二年生	
資料	東書	東書	東書	東書	東書	東書
提出単語	・リレー ・ドン ・ビー ・マイク ・ラジオ	左に同じ	・ポケット ・ザクザク ・マッチ ・クレヨン ・カラカラ ・カサコソ ・ヒューヒュー	左に同じ	・ランドセル ・ハンカチ ・セーター ・スリッパ ・ボタン ・ポチ ・ベル	左に同じ

4　考　　察

10月24日　74文字の1文字読みを行ってみると，11.34％であった。1割の者がやっと読めるということである。

これはかたかな環境にめぐまれないということと家庭の指導のないことによる。

11月末より指導を行い，各題材ごとに指導後既習単語について読み書きのテストを行った。その結果を図表を追って考察してみる。

A　第一回そう入の結果

題材「うんどうかい」にそう入した5単語の結果は第9図と第10図である。

テストは既習単語をカードにして個人別に読ませた。

一字でも読めないものは全部×にした。

書く場合は教師が読み，一せいにプリントの□の中に書き入れさせた。第1回だけに限って，絵をプリントに入れて，書くことを助けてやった。読みの平均は89.8％，書き35.77％で相当のひらきがある。第5図は5点を満点とした正答者の分布図であり，第6図は問題別（単語別）の

第5図

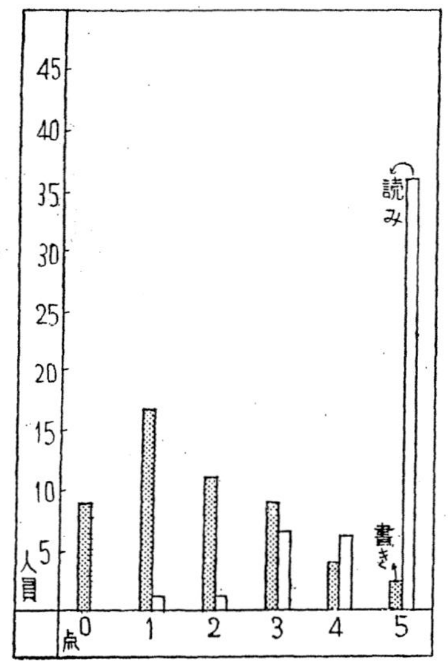

第6図

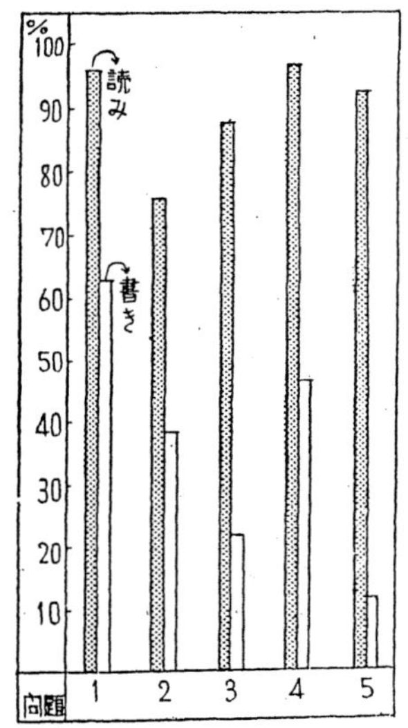

第6図〔注〕問題　1. ビー　2. ドン　3. リレー　4. ラジオ　5. マイク

正答者の率である。これでみると形を持った単語は児童には覚えやすく，経験の裏付のある単語の提出が望ましいことになる。

B　第二回そう入の結果

題材「えんそく」にそう入した7単語の結果は第7図と第8図である。

第一回のそう入の結果をみて，資料（教科書）中かたかなで表記する習慣になっているものと日常生活で使用しているかたかな語いとをそう入した。

読み平均　83.96％

書き平均　26.09％

である。

書きは第一回とどうように非常に悪い。

第7図は正答者の分布図であり，第8図は，問題別の正答者率である。

第7図

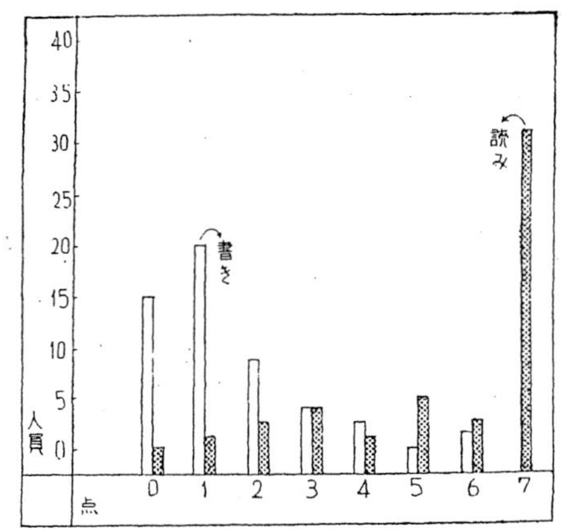

第8図 〔注〕 1. ポケット 2. ザクザク 3. カラカラ 4. カサコソ 5. クレヨン 6. マッチ 7. ヒューヒュー

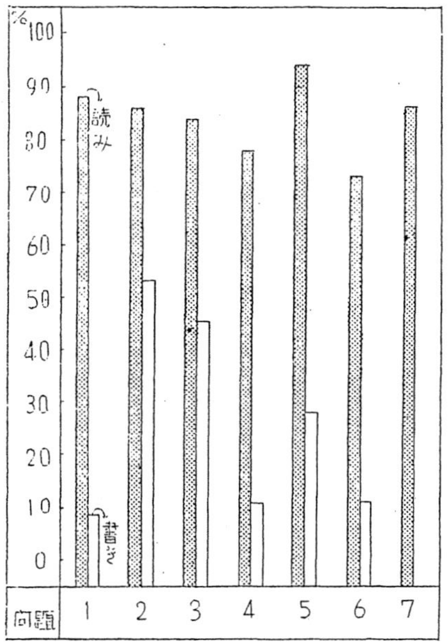

第 9 図

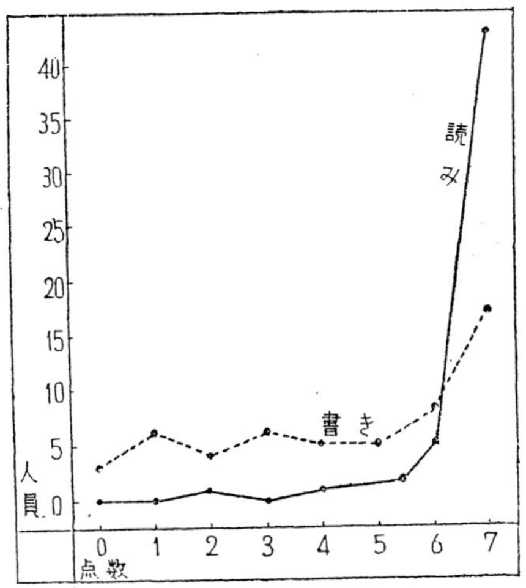

C 第三回そう入の結果

題材「もうすぐ二年生」に7単語をそう入した。この題材は一年生の最終のものである。

その結果は第9図と第10図である。

読みの平均 95.33%

書きの平均 70.37%

である。

第9図は正答者の分布図である，

第10図は問題別の正答率である。

この3月頃になるとかたかなの読み書きの成績は著しく向上している。

D 74文字の読みの結果

一年生の最終日に74文字のかたかなの読みの調査を行った。

調査人員 52名

結　　果 46.02%

の正答率である。

10月の実態より35%上昇している。

実験経過その3 「二年生のかたかな指導について」

二年生で，かたかなの清音・濁音・半濁音の全文字およびむりなく指導できる拗音のいくつかの文字を提出した場合，(1)どのような指導法が効果的であるか。(2)指導の結果どのような習得状況を示すか。

2 指導の過程

A 研究対象の学級について

研究の対象とした学級は男25名，女25名の構成員を持っている。（本校では二年生は一学級編成をしている）図表Ⅰは智能検査の結果を示したものであるが，他校と比較したりする場合，後述の何らかの便になるのではないかと思う，

B 指導の目標

指導要領の能力表に示されている「だいたい」という意味を次のような簡単な目標にしてみた。

(a) 清音・濁音・半濁音の全文字及びいくつかの拗音の読み書きができる。

(b) 促音・長音記号の読み書きができる。

(c) 既習単語は文字生活の中で正しく使用することができる。

(d) 物音・なき声の表記はかたかなですることを理解する。

(e) 身近なかたかなのことばが読み書きできる。

(f) かたかなの語いが増してくる。

C 指導の概要

カリキュラムを構成するに当っては，かたかな指導の体系を一応考えてみて，それを題材の性格・機能・資料の内容に応じてカリキュラムの中に配列していった。つねに反覆練習によって定着をはかるとともに，資料の増補，学習活動の発展等の方法によって提出単語を増すことに努力した。この

第10図 〔注〕 1. ランドセル 2. ハンカチ 3. セーター 4. スリッパ 5. ボタン 6. ポチ 7. ベル

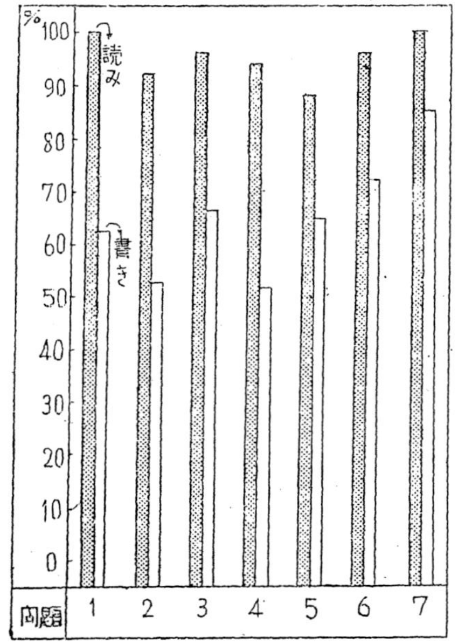

第 11 図

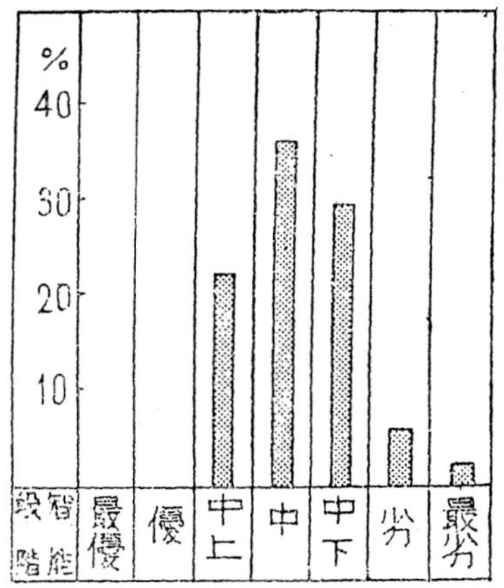

ようにして平均 70% 程度のかたかなを習得するのを待って，かたかな指導を中心にした一題材を設けて集中的に指導を行った。

D 指導記録

月	題材名	かたかな語い数	かたかなに関する指導事項	「かきかた」題材名	かたかな語い数
4	二年生になって	0 ②	o中心資料中の「ぴよぴよ」「くくくく」をかたかなにして指導。（教科書以外の資料，以下同じ） oにわとりの絵となきごえとをかいた文字カードを使用。（教科書，以下同じ）	二年生	0
5	子どもの日	0 ③	o中心資料の「ほう　ほけきょ」「ぴいぼう」「ごうっ」をかたかなにして指導。 o長音記号の指導を発音と結びつけて指導。	こいのぼり えんそくのメモ	3
6	私のた村ち	7 ⑤	oことばとその絵のある文字カードを使用。 o上のカードを使ってドリル。	雨 にじ	2
	私のた作ち文	0 ③	o新出文字を朱でかき明確に印象づける。 o促音の発音指導。	ひばりとからす	
7	もうすぐ夏やすみ	4 ⑤	oかたかな語いを使って短文作りをする。 o筆順を重点的に指導する。 o今までかたかなでかいたことばは何時でもかたかなで書くことを指導する。	たなばたさま しゅくだい きをつけること	0
9	にっき	2 ③	oいたずらにかたかな文字を使う傾向が見えるので注意する。 oかたかなとひらがなの字形の相異を明確に判別するように指導する。	なまえをかきましょう わたしのにっき しんごう	5
10	お話かい	7	o字形のひどくわるい文字は点線のドリルカードを用いてなおす。 o字形の似ているかたかな文字の相異を明確に印象づける。	お月見 お日さまと北風	2
11	のりもの	9 ⑧	o「ジープ」の「プ」はこれまでに学習したことのある「プログラム」の「プ」と同じであることを注意し文字の分解をはかる。 o音，なき声の表記はかたかなでかくことを指導する。	おじさんのうち とけいやさん すきなおかし	5
12	ポスター	10 ②	o習得状況にかなり偏差があるのでおくれている児童に特に注意する。 o身近なもののかたかな語いに注意するよう指導する。	けいじばん 買物のメモ クリスマス	2
1	お手紙	3 ⑤	o清音から濁音，半濁音の指導をしてみる。 o文字カードを使用するのをやめる。 oこの頃には家庭学習や環境等からかたかな語い数が急にます。	ねんがじょう ゆきおさんのてがみ 秋男さんのはがき カレンダー かたかなでかくことば しりとり	0 15 五十音
2	ことばあつめ	41 50音のア，カ，ナ行五十音図表	o平均習得率が 70% ぐらいになったので集中指導をする。 o五十音図表を使って指導する。	五十音図	
	がくげいかい	1 ③	o今までのもののドリル。	プログラム がっきゅうぶんこ かんじのおけいこ	
3	どうわ	2 ⑤	oおくれている児童に特に注意する。		

注１　かたかな語数の欄の数字は中心資料（東書）中の語い数で，○印の中の数字は他の資料や学習活動の中で増補したものである。

注２　かきかたの指導は題材との関係を考慮して取り扱い，正確な文字ということに重点をおいて指導した。

E 題材展開の中でかたかな指導に留意した例

(a)　「お手紙」

この題材は普通の題材であるが，次のような文を教師が作って手紙の模範文として取り扱ったもので，資料を増補して単語及び文字の提出を増す一例を示したものである。

> 「東京のおともだちから」
> はるおくん，おげんきですか。こんどの日よう日に，東京にあそびにきませんか。きみがきたら一ばん先にぎんざをみせたいと思います。ぎんざは東京でも一ばんにぎやかな所で，大きなビルデングがたくさんあります。その中にはデパートといって，ぼくたちのほしいものはなんでもうっている所があります。きっときみが見たら目をまるくしてしまうでしょうね。
> そのつぎにどうぶつえんにあんないします。どうぶつえんにはジラフ・チンパンジー・ペンギンなどめずらしいどうぶつがたくさんいます。たのしみにまっていますからどうかきてください。　さようなら
> 一月十六日　あきら

文中のかたかな語いはいずれも新提出のものであり，デ，バ，フ，ペ，

ギは新出文字である。

(b)　「ことばあつめ」

この単元はかたかな指導を中心にして集中的に指導することを考えたもので，これまで提出することのできなかった文字をここで全部提出できるようにした。

○グループの構成

指導前の実態調査（昭28.12.24）の習得率をもとにして次のような三つの能力別グループを作った。

Aグループ（60% 以下）　11 名
Bグループ（61～98%）　27 名
Cグループ（99% 以上）　12 名

このグループは普通の題材の場合に作る能力別の三グループの構成とほぼ同じ結果になった。なお，上のグループは直接かたかなについての学習をするときのみに編成したものである。

○資　料

資料は東書二下「ことばあつめ」（資料A）二上「いろいろな物音」と五十音図のみにして学習活動の発展を考えた。

○題材展開の概略

図表Ⅱ　題材「ことばあつめ」の学習活動展開の概略図

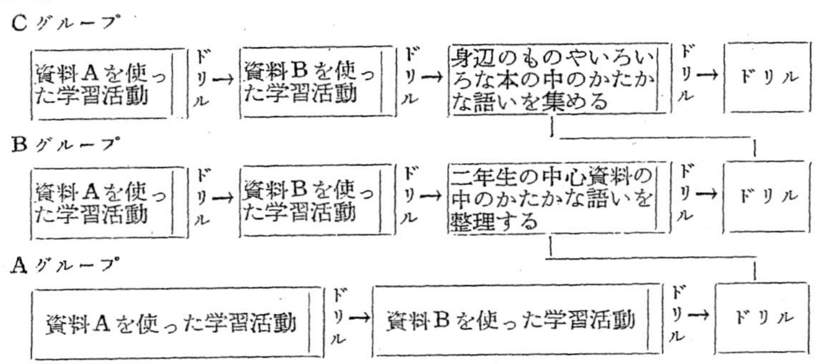

注　一題材二十時間のうち，グループ学習 12 時間。

この後全体で五十音図表の学習をした。その場合，語尾が同母音の文字を集めて整理するような学習活動から導入していった。

3　習得の状況と考察

習得の状況をみるために単語の読み書き，表記法の理解，使用状況の調査等も若干試みたが紙面のつごうで，ここではふれず，文字としてどの程度に

図表Ⅲ　調査経過

71 文字のよみかき

No.	月日	人員	よみ	かき
1	6.29	49		○
2	7. 1	49	○	
3	9. 5	50		○
4	10.20	50	○	
5	10.20	50		○
6	12.24	49	○	
7	12.24	49		○
8	3.18	47	○	
9	3.18	47		○

拗音のよみかき

10	3.20	50	○	
11	3.20	50		○

習得したかということについてのみ次に記述する。

A　調査の経過（図表Ⅲ）

B　調査の方法

清音・濁音・半濁音及び拗音・キャ，ニュ，チョ，74 文字の読み書きと，一度拗音全部について，文部省で行ったかたかな調査の要領に従って行った。

C　調査の結果

(a)　71 文字（上記の 74 文字よりヂ，ヅ，ヲをぬいたもの）の習得状況とその考察

図表Ⅳ

○家庭環境の相異等からかなり偏差を持ってかたかな学習に入ったのであるが，

図表Ⅳ　71 文字の読み書きの習得分布の変化（No. 1, No. 2 については図表参照）

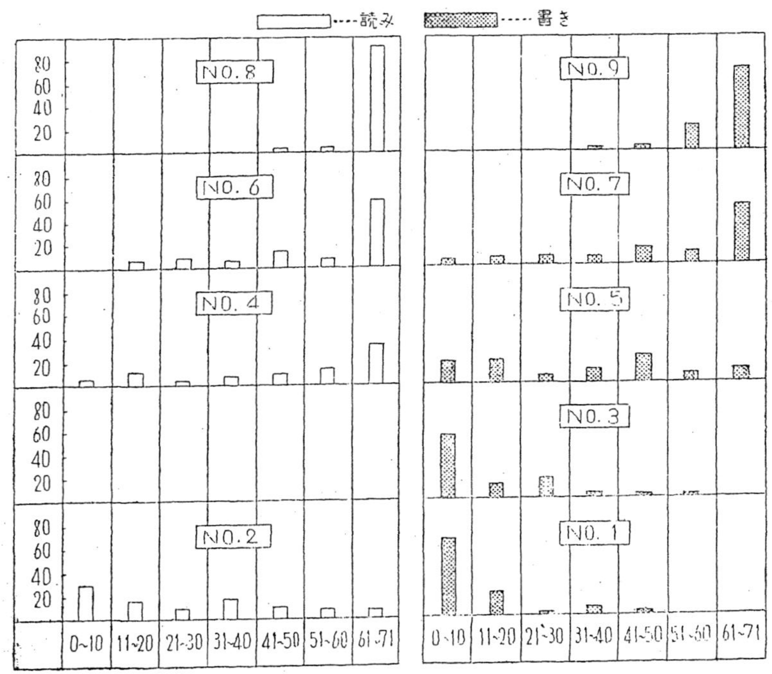

No. 4，No. 5 になると，ある程度平均して分布するようになる。

○ No. 8，9 に至って，なお，未習得のものは，特殊な児童が特殊な文字について，なお，未習得なためで，これに対しては個別的な取り扱いが必要とされる。

○ No. 8 における平均習得率は 97.2%，No. 9 に於ける平均習得率は 91.6% の高率を示している。これは普通の学級で望まれる限界ではないかと思う。参考までに昨年の本校に於ける同時期の二年生の習得率をあげると，読みが 77.7%，書きが 66.4% である。

○ No. 6，7 を No. 4，5 と比較すると 61～71 の最高の区分に入るものが急激に増しているが，これは児童のかたかなに対する関心が増して，自発的な文字認知がなされた結果であると思われる。

○ No. 8，9 は題材「ことばあつめ」の集中的な指導の効果をあらわしていると思われる。

(b) 拗音の習得状況とその考察

図表Ⅴ，拗音 33 文字中，既習のものはシュ，シャ，キャ，チュ，チャ，チョ，ジャのわずか 7 文字である。

図表Ⅴ　拗音の読み書き習得分布

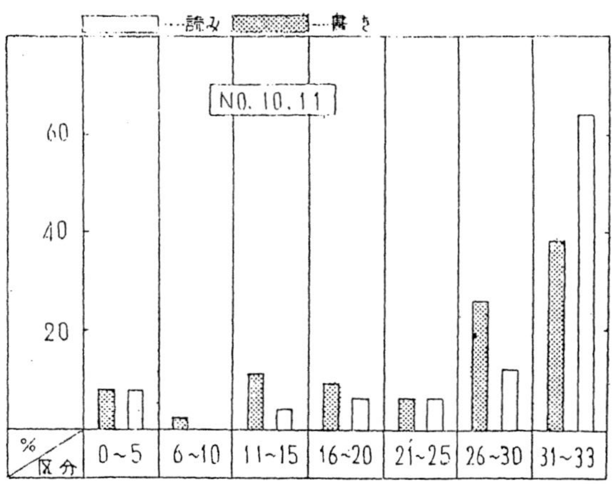

○ 平均習得率は，読み 29.3% 書き 24.2%，となる。その大部分はひらがなとの関係から自然に習得したものであると考えられる。他の文字と較べて，読み書きの差が少ないのが特徴的である。これは拗音の持つ発音のむずかしさに起因しているものと考えられる。

(c) ヲ，ヂ，ヅの習得状況とその考察

○ ヲ，ヂ，ヅはともに一般的には使用されていない文字であるが，なお特殊な使用法を持っているので調査の対象としたものである。

○ ヲ，ヂ，ヅともについていえることは，「ことばあつめ」で五十音図表による学習によって No. 8，9 で常に習得率が高まったということである。

図表Ⅵ　ヲ，ヂ，ヅの習得状況

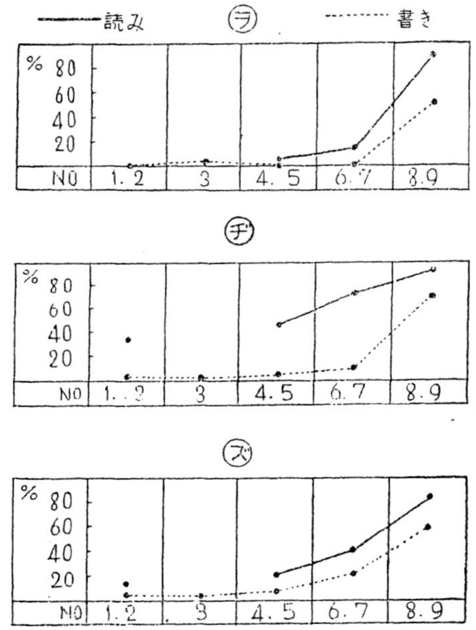

○ No. 4，5，No. 6，7 などからいくらか習得がみられるのは児童の自発的文字認知によるものと考えられる。

4　結論と今後の問題点

上記の習得の結果をもたらした要因を指導法の中から考えてみると。

A　予めかたかなの指導体系をたててカリキュラムを構成して計画的に指導したこと。

B　資料の増補，学習活動の発展等によって提出語いを増していったこと。

C　かたかな指導を中心として，集中的に指導をする題材が非常に効果的であったこと。

D　五十音図表を利用して，普通の題材では提出しにくい文字を認知させたこと。

実験校　茨城県西茨城郡笠間町笠間小学校

1　実験期間　昭和27年4月～29年3月（2か年）

2　実験経過

一　就学前児童の文字力

Ⅰ　目的　昨年度の研究課題「かな文字習得の課程と指導法上の問題（1年生のかたかなを読む力とその生活環境の考察）で知り得たこと。

1　知能差が著しい，上51字，中38字，下21字（平均）

2　職業差がこれに次いで著しい

商工業41字，農業24字，其他38字（平均）

3　地域差は差異が不明瞭

商店街37字，農村部31字，住宅地47字（平均）

以上3つの見方をした結果知能による差が著しいことが分った。そこで昨年度の研究を発展させて，かたかなを中心にして，その早期指導の結果を見ることにした。

二　かたかなの早期指導とその結果

Ⅰ　目　　的

1　かたかなを1年生の2学期乃至3学期から指導してみて，早期指導の可能性，妥当性を検討する。

2　1年生にかたかなを指導する場合の困難点，問題点を考察して，かたかな指導のために有効な示唆を得る。

Ⅱ　指導の方法

1　1年生6学級中，2学級を実験学級Aとし，4学級を実験学級Bとし，実験学級AとBの指導法をちがえる。

2　実験学級Aのかたかな指導

(1)　2学期　文字板による指導

○教科書中の語句（バス。ボチャン。ボール。ポスト）

○生活に身近な語い（例　ミルク。キャラメル。ガラスなど）

(2)　3学期

○教科書中の次の語句を貼紙してかたかなに書き改める（カッチンカッチン。チュウ　チュウ。ポリポリ。チリ　チリ。ドブン。ペリカン。ライオン。チッ　チッ。ポスト。ホーホケキョ。）

○読み・書きともに指導する。

3　実験学級B

(1)　2学期　実験学級Aと同じ

(2)　3学期

○教科書はそのまま，カッチンカッチン以下の10語は文字板によって指導する。

(3)　読みだけを指導する。

Ⅲ　調　査

1　一字一字を読む・書く

(1)　第1回（12月20日）

(2)　第2回（3月5日）

2　単語を読む

(1)　第1類　2学期指導の語い（バス。ボチャン。ボール。キャラメル。）

第2類　3学期指導の語い（ポスト。ライオン。ペリカン。ドブン。チュウ　チュウ）

第3類　2年教科書中の語い（チリン　チリン，コケコッコー。ポケット　1メートル10センチ）

3　単語を書く

第1類・第2類・第3類　単語の読みと同じ語い（短文の聞きとり書きによる）

4　作文・日記に現われた使用状況

Ⅳ　結　　果

1　一字一字を読む力・書く力

(1)　2学期に学習した文字（12月末調査）

書く	実験学級B%	36	44	27	20	23	22	27	13
	実験学級A%	67	69	54	56	58	29	33	12
読む	実験学級B%	56	85	70	64	64	88	64	57
	実験学級A%	88	91	78	90	80	70	84	60
		バ	ス	ボ	ン	ル	キャ	ラ	メ

□内は教科書以外の材料

(2)　3学期に学習した文字（3月5日調）

書く	実験学級B%	45	47	59	61	43	24	27	6
	実験学級A%	84	87	76	89	85	73	88	38
読む	実験学級B%	78	72	78	93	50	51	57	36
	実験学級A%	86	90	84	98	92	64	90	45
		ポ	ト	ペ	リ	ド	ブ	チ	チュ

2　単語を読む力（略）

3　単語を書く力

(1) 第2類（3月5日）

実験学級B％	35	22	28	24	42	22
実験学級A％	76	66	66	73	84	69
	ポスト	ライオン	ペリカン	ドブン	チュウチュウ	チリチリ

(2) 第3類（3月2日）

実験学級B％	11	1	22	4	3
実験学級A％	79	23	67	30	15
	チリンチリン	コケコッコー	ボール	ポケット	1メートル 10センチ

4 使用状況

(1) 混　　用

○ひらがなを書く力の調査によると，実験学級Aの方がやや混用の度が高い。

○作文に現われる混同も，実験学級Aの方がやや高い。

5 書　　体

(1) 縦画・横画は書きやすい。

(2) 斜画・右斜画がより困難である。

(3) 斜画と縦画，横画の関係の認知が困難である。

(4) 画数が少いために，かえって誤認を生じやすい。

(5) ひらがな・漢字との混同が生ずる。

(6) 右の実例（かたかな相互のみ）

イとト・アとマ・ナとメ・タとク・チとケ・ヌとスとメ・ルとレ・ワとク・ソとン・ツとシ・ラとウ・ムとマ・サとセ

Ⅴ 指導上の留意点

1 一字一字の読み・書き

(1) 単語として読み・書きを指導するのがよいが，一字一字の読み書きをそれに平行してなすべきである。

(2) 単語の読み—発音発声を十分にすべきである。

(3) 形態の認知がひらがなよりも容易であるとは言い難い。

(4) 画の長短・角度の関係について注意する必要がある。

(5) 読み・書きは綜合的に指導すべきである。

(6) 漢字とのちがいを明確に認識させることが必要である。

2 使 用 法

(1) 擬音・擬声語の方がわかりよい。但し擬音と擬態語の区別は困難である。

(2) 事物の名については，生活に身近かなものについて，一々具体的な指導が必要である。

何回かの調査やかんさつを通して，混用の度の高いのは実験学級Aの方であり，右にのべた諸点に留意して指導すれば混用は少くなると思われる。この程度の実験では児童の負担は過重とは思われない。

三 ひらがな指導の問題点

Ⅰ 発音発声の問題

1 一字一字は書けても，語として用いる場合に誤りを生ずる。

(1) かな文字の性質の問題——一字一字を発音できても，語として読む場合には誤りを生じやすい。

(2) 方言・訛音の矯正を話すことを指導と結びつけてなすべきである。

(3) ひらがなの機能を（漢字・かたかなと関係させて）高学年に於ては十分理解させるようにする。

Ⅱ 書体の問題

1 実　　態

(1) 児童の書写形態は極めて直線的である

例　は　は　ㄱ　さ　ま　あ

(2) 平行形態をつくる。

例　ま　た　ほ　よ　も　そ　に

(3) 連想による誤りが多い

例　お（よ）　は（お）　ま（お）　な（よ）　を（ちとと）

(4) 字形が複雑なものは千差万別の類似形を作る

例　ぬ＝ぬ　ぬ　そ＝そ　そ　そ　あ＝あ　あ

ふ＝ふ　ふ　ふ　ふ　ふ

(5) 終筆が不明確なもの

例　え＝え　え　え　え

(6) 字形の結合に困難をおぼえるもの

例　を＝を　を　を　を　わ＝わ　わ　れ＝れ

(7) 斜線描写は右下へ下がる＼の方が困難度が高い

(8) 断続による書字の困難度が高い

例　さ　い

(9) 筆順を誤るために書体の不正なものがある。

2 指導上の留意点（略）

Ⅲ 表記上の問題

かな指導の問題は結局表記法の問題に帰着する。

実験校　東京都杉並区第7小学校

1　実験期間　昭和27年3月～29年4月（2か年）

2　実 験 経 過

一　指導の計画

1　かな習得のめあて

本校の1年（ひらがな），2年（かたかな）習得のめあてを，つぎのようにした。

ひらがなの　読み書きを　一年で終える。
かたかなの　読み書きを　二年で終える。

これは，前年度の実験結果から考察して，指導の方法に多少の考究を加えれば達成することができると考えたからである。

2　指導上の一般的留点

(1)　読字・書字力の調査によって，能力別グループ指導の形態をとりいれる。

(2)　学習に興味を持つように，環境の調査，教具の工夫に意を用いる。

(3)　補充の読み物をできるだけ多く与えて，なるべく早く読みになれさせる。

(4)　字形の不正確，まちがい，使用の誤りなどは，時期を設けて重点的に指導し，なお，個別指導によって，その学年の終るまでに徹底させる。

(5)　ことばについては，作文と関連して，使用になれさせる。

3　中心となる資料「新しい国語」

二　指導の経過

A　ひらがなの指導

(一)　ひらがな指導の留意点

1　入学当初に，ひらがなの一字読み書きの調査を行う。
その後，隔月毎に，一字読み書きの調査を行う。

2　単語の読み，文の読みの拾い読みを早くなくする―幼稚園家庭などで，一字読み書きを多く指導している児童が多いため。

3　単語の認知の時期から，書きと併行して，書きの指導を早める。

4　作文の時期を早めて，文字の使用になれさせる。

5　字形の指導，拗音・捉音・あるいは，助詞の使い方などは，時期を限って，重点的に指導する。

(二)　入門期の指導（5月末頃まで）

(1)　環境の調整

○固定文字板による，教室内のものの名前から，文字を認知させる。

○読める文字のカードを作って，さげておく。

(2)　文字板（経験図表）による単語や文の認知

①　うさぎ小屋を見たときのこと。

②　かくれんぼをして遊んだこと。

③　かだんをみたこと。

④　かだんを作ったときのこと。

(3)　発音の指導

①　正しい発音になれる。

②　話しことばの指導。

③　アクセントの著しくまちがえているものの指導。

(4)　教科書による話し方と連関した文字の指導

①　首尾をもった話し方をさせる。

②　想像したことを話させる。

③　自分の生活に関連した話をさせる。

④　簡単な文にして，文字を認知させる。

⑤　つぎの単語のカードで，最も身近いことばの読みを指導する。

はるおさん　よしこさん　おとうさん　おかあさん　せんせい　おはよう　さようなら　わたくし　ぼく

三　作文の指導（7月）

①　身辺のかんたんなことを文にする。

②　自由に作らせる。

③　話す通りに文字にうつす。

④　夏休みの「絵日記」は，絵をかいて，わかる単語を書かせる。

四　字形の指導

①　字形の不正確なものを正す

ノートなどによって，字形が不正確になり勝ちの字を拾い出し，ワークさせる。

②　誤記は個人指導をする。

五　拗音・捉音の指導

① 拗音をもつことばを集めて，書き方の練習をさせる。

② 捉音は，文によって練習させる。

六　助詞のつかい方の指導

① 作文との関係

② 練習問題によって，ワークさせる

③ 教科書の中で，助詞のつく短文をひろい出させて，認知する。

B　かたかなの指導

一　2年生におけるかたかなの指導の方法

a　かたかな書きのことばとして扱う。

○必要に応じて出てきたことばを始めからかたかなのことばとしてはあくさせる。

b　適当な時期に正しく書く指導をする。

単元ことばあそび，ことばあつめをとっていろいろなもの音を学習することにより，音をかたかなで書くことばを集めることにより，かたかな書きのことばをはあくさせる。

1　ことばあそび

- 擬音を使って，それぞれ聞きとった音を表現させる。
- 自然の物音や，動物の鳴き声を口でまねたり，文字で書き表わす。

2　ことばあつめ

- かたかなで書くことば。

イ　教科書の中から，かたかなで書いてあることばを見つけ出す。

ロ　看板あつめをして，その中から，かたかな書きのことばを見つける。

ハ　かるたつくり。

かたかながきのことばを文の始めにつけて文をつくる。

㋐イロンつけっぱなしは，かじのもと。

㋑ンクをこぼして，しかられた。

㋒ォーターシュートはおもしろい。

㋓レベーターでおくじょうへ

㋔リンピックのせんしゅさん

二　児童の集めたことばの中から特に拗音・捉音の入っているものをカードに書いて，時どき書き方をけいこする。

コーヒー　キャッチボール　チューインガム　ビスケット　オリンピック

カスターネット　チューリップ

二年生におけるかたかな指導の結果

かたかな調査

（第一回 5月　第二回 10月　第三回 3月）

	《読字力》			《書字力》		
	第一回	第二回	第三回	第一回	第二回	第三回
ア	80	92	98	58	84	92
イ	82	92	96	74	90	96
ウ	96	88	92	70	80	92
エ	78	86	94	70	70	80
オ	80	88	96	78	82	92
カ	98	100	100	92	100	100
キ	96	98	100	92	94	98
ク	80	90	94	78	82	90
ケ	78	82	92	66	66	78
コ	88	92	100	84	86	94
サ	62	72	98	44	62	88
シ	64	74	86	58	68	88
ス	78	94	98	76	90	94
セ	34	76	98	26	60	74
ソ	46	68	88	36	52	78
タ	74	92	96	68	84	96
チ	68	74	98	54	68	88
ツ	74	84	90	54	70	86
テ	48	68	96	42	48	80
ト	82	92	98	76	88	92
ナ	66	88	94	54	72	92
ニ	88	90	98	62	72	88
ヌ	38	80	92	22	30	72

	《読字力》			《書字力》		
	第一回	第二回	第三回	第一回	第二回	第三回
ネ	44	68	90	34	56	64
ノ	70	86	96	62	78	92
ハ	80	90	98	72	84	96
ヒ	66	70	98	56	56	82
フ	72	86	96	54	58	80
ヘ	66	84	100	58	74	84
ホ	70	74	98	60	68	90
マ	60	88	96	54	74	94
ミ	68	88	98	56	68	80
ム	56	78	93	48	56	78
メ	60	78	82	50	66	82
モ	54	76	96	48	60	82
ヤ	88	92	96	76	86	98
ユ	66	86	100	62	74	90
ヨ	74	84	90	56	56	82
ラ	80	92	98	78	80	94
リ	88	90	96	80	86	92
ル	76	92	96	68	80	90
レ	66	78	94	56	60	80
ロ	66	80	92	40	44	84
ワ	50	68	84	46	54	82
ヲ	34	48	78	20	30	59
ン	88	92	94	74	84	94

Ⅲ　読解のつまずきは，どんなところにあるか。それは，どうしたら救えるか。

実験校　**栃木県日光市清滝小学校**

1　実験期間　28年4月～29年3月

2　研究の目標

読みの学習において，(1) どんな点に，（読解の困難点）(2) なぜつまずくのか。（読解困難の原因）を，診断テストの実施と，その処理によって明確にし，平素の学習指導の中において，(3) どのように指導したならば，その困難点を除くことができるか。を実験的に研究する。さらに，この指導によって，たしかに，困難点が除かれたかどうかを確認するために，(4) 前回と異る診断テスト（学年が1年ずつずれる）を行い，第1回，第2回のテストの結果の比較検討によって，

㋑　つまずきに対する効果的な学習指導が行われたかどうか。

㋺　なお，その学習指導がつまづきに対するものとして妥当であったかどうかを明らかにする。

3　実験研究の経過

(1)　読みのつまずきをとらえるためには，アチーブテストによらず，診断テストを用いなければならない。当校においては，文部省作製の読解診断テストによることを指示された。

イ　実施学年と実施の時期

文部省作製の診断テストは，その学年を修了した学力を対象としたものである点と，テスト実施期とを考慮して，1年生用を2年生に，2年生用を3年生というように，学年を1年ずつずらすことにして，7月8日，2年生以上6年生まで全校一せいに行った。

ロ　実施した児童数

2年生以上6年生までの男女児童全員およそ各学年300名前後で，計1,671名に実施した。

(2)　**ひらがな習得に関する実験研究**

イ　昭和27年3月，文部省が関東一円に実施したと同じ方法によって，入学頭初の1年生に，読み書きテストを実施した。

ロ　この結果によって，A・B二群の実験対照学級を作り，調査結果によって，読み書き能力が平均するように，クラスの編成をした。

ハ　Aクラスには，教科書に提出される順序にしたがって，ひらがなの読み書きを指導した。もちろん文字板学習，カード学習等の興味的な方法は取りあげていく。

ニ　Bクラスには，さきのテスト結果によって，習得率の高い順に，文字を組みあわせて語いを作り，ひらがな学習のためのワークペーパーを作製し，ひらがな語いの読み書きを指導した。

ホ　一学期末に，A・B両クラスに，入学頭初に実施したと同様の方法で，ひらがなの読み書きテストを行い，A・Bクラスのひらがな読み書きに関する学習効果の比較を試みた。

ヘ　この結果によると，児童の日常生活と密着した文字群による学習を通したBクラスの方が，Aクラスより上位にあることがわかった。

ト　この実験研究は，さらに継続中である。

(3)　**漢字学習に対する実験研究**

文章が，漢字まじりひらがな文によって構成されているのであるから，読解の難易の要因として，ひらがなによる語い，漢字による語いが，ある程度影響を及ぼすことが考えられる。読解力にどの程度の影響力を持つかの研究は，学者にまかせられた研究で，学校側における実験研究テーマとしては，取りあげることは困難である。

したがって当校においては，漢字語いを，読解の難易の要因の一として，次の方向に実験を進めている。

イ　文部省指示の881字のテストによって，当校児童の，漢字書写能力の実態をとらえ，その習得の低い漢字を，一応読みの困難な漢字とみなした。これは，漢字は書けるが，何と読むのか，その読みはわからないということは，まずあり得ないと考えたからである。

ロ　さきの1年生における，ひらがな学習の実験から，漢字においても，生活に密着するものが，読み書きとともに容易であるとの見とおしをたて，このことから，教科書の提出漢字とは別に，漢字調査の結果によって当校としての漢字指導の体系を検討した。

以上のようにして，漢字の学年配当を考え，さらに，

ハ　漢字学習において，読み書きともに要求することが，児童の国語学習に困難さをきたしている事実を考え，漢字のすべてについて読み書きをともに要求することは，学習上無理であるとの観点から，

i　その学年で，読み書きともに要求する漢字はどれとどれか。

ii　その学年では読みだけを要求する漢字はどれとどれか。

というように漢字に対する学習の要求度を異にして，読み，書きの要求が異るようにした。

ニ　書くことを要求する漢字についても，調査の結果から，効果的な学習指導法を考え「漢字のワークブック」を作製し，文脈の中において，漢字まじりのことばとして，書くことを学習する体系を実験中である。

4　読解の困難点と，それを除くための学習指導に関する実験研究

(1)　読みのつまずきの発見のための，読解診断テストの実施

イ　実施人員

第2学年以上男女計1,671名に実施した。

第1表　調査人員

性＼学年	II	III	IV	V	VI	計
男	143	189	198	139	184	853
女	145	167	186	147	173	818
計	288	356	384	286	357	1,671

ロ　診断テストのための問題

各学年別に作製された文部省作製のものと同様のものを，活字印刷して，文部省の全国調査の結果と比較できるようにした。

ハ　第1学年に実施しなかったのは，このテスト問題が，その学年の修了時の学力を目標として作製されたものであるため，テスト実施時の7月には，1年生に実施困難とみられたからである。以上の理由は，他の学年にも，あてはまることであるから，それぞれの学年に，1年ずつずらしたもので実施した。たとえば2年生には，1年生用のものを実施したというように行った。

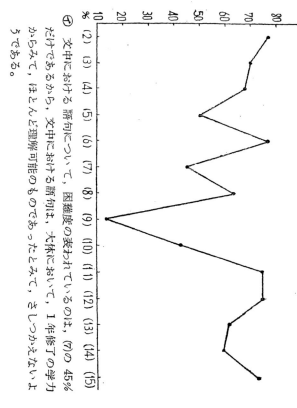

第1図　学年別，漢字・語句・内容，理解度比較

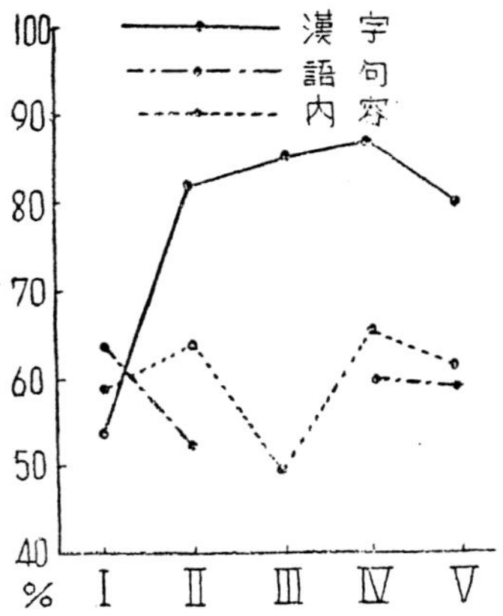

(2)　テスト結果の解釈

（A）　文中における漢字の読みの理解度

㋑　このテストに関する限り，漢字の読みについて，困難を感じているのは，第1学年が特に強いことが目立っている。したがって，読解をさまたげる要因として漢字の読みが作用していると思われるのは，このテストにおいては，第1学年だけと考えられる。（第1図参照）

㋺　漢字の読みと，語句の意味・内容の理解の正答率を比較したものが第1図である。

㋩　1年生の漢字の読みにおいて，具体的に，どのような漢字が，どのように困難であったかを示したものが，第2図である。

第2図　漢字の問題別正答率　（第1学年）

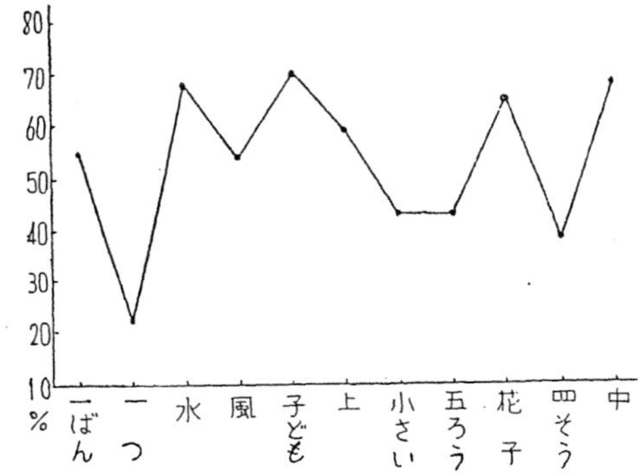

㊁　第2図によってみると，漢字まじりの語いの中で，読みの困難を示しているのは，「一つ」の22%，「四そう」の38%の2語である。なぜこれが困難であるかの分析は，別に作った報告書に述べることにしたい。

（B）　文中における語句内容の理解度

各問題ごとに分析したものが，次に掲げる第3図である。

第3図によってみると，(2)から(7)までが，文中における語句に関する問題であり，(8)から(15)までが，文の内容に関する問題である。

第3図　語句（2～7）・内容（8～15）の問題別正答率　（第1学年）

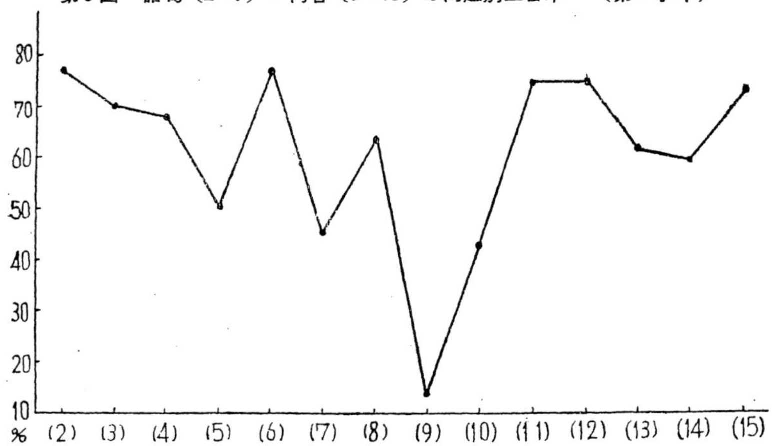

㋑　文中における語句について，困難度の表われているのは，(7)の45%だけであるから，文中における語句は，大体において，1年修了の学力からみて，ほとんど理解可能のものであったとみて，さしつかえないようである。

㈡　(7)は「すすんで，いきます」とはどんなことかと，たずねた問題である。この語句が，どのようなところに，理解困難度があるかの分析は，後に述べることにする。

㈧　文の内容に関する問題で，理解の困難度の表われているものでは，(9)の 13%，(10) 48% の2問である。ことに(9)は，目立って困難の強さを表わしている。

㈢　理解の困難度の表われている(9)は，「ささぶねを　いくつ　こしらえたか」という問であり，(10)は，「なぜ　いけには，ちいさな　なみが，たって　いたか」という問いである。

これについての困難の原因についての分析は別につくった報告書にゆづる。

（C）　**第2学年における読解力**

第1学年と同様に，第2学年について，テスト結果を，各問題別に検討したものが，次に掲げる第4・5図である。

㋑　文中における漢字の読み

第4図が，文中における漢字の読みについて，各問題別に示したものである。

第4図　問題別・漢字の読みの正答率　（第2学年）

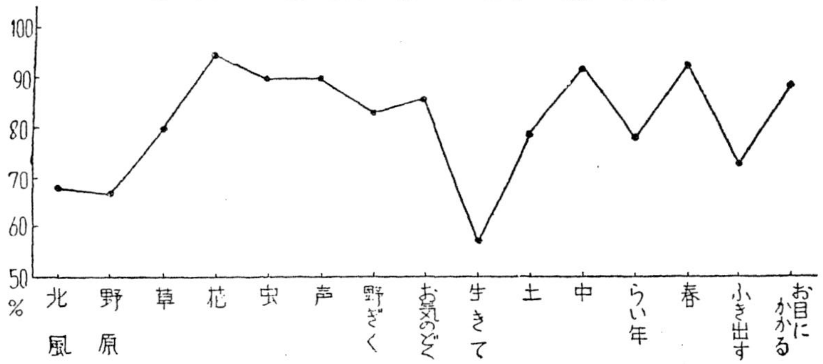

第2学年においては，第1学年ほどの漢字語いの困難さはない。これは，第2表と比較してみると，その点がいっそうはっきりしてくる。

漢字語いの読みは，平均して 82% の正答率を示しているので，読解困難の要因として，漢字語いが作用しているとは考えられない。

㈡　第2表によって，文中における語句・内容についてみると，語句の正答率は 52%，内容の正答率は，64% となって漢字語いの読みとの開きは，語句において 30%，内容において，18% となっている。したがって，第2学年においては，読解困難の要因として，まず第一に語句の理解困難，第2として，内容の理解困難が作用しているとみて，さしつかえないのではあるまいか。

第5図　問題別・語句(2〜6)・内容(7〜16)の正答率　（第2学年）

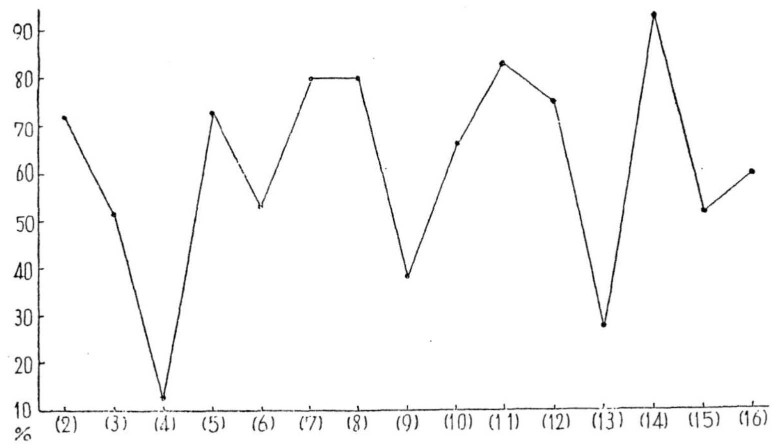

㈧　文中における語句・内容の正答率を，各問題別に分析したものが，上に掲げる第5図である。

語句に関する問題は，(2)から(6)までである。

読解困難の要因として，強く作用していると思われる語句は，(4)の「かれのこるとは，なにが　どう　なって　いる　ことか。」1問である。これは正答率 12% で，クラスのわずか 10% 内外のものが正答しているにすぎない。

語句に関する，他の問題と比較して，正答率の比較的低い(3)の 52% とくらべても40% の開き，(6)の 53% とくらべても 39% の開きとなっている。

これに関する読解困難の原因に関する分析は，別に述べたい。

㈢　内容に関する問題は(7)から(16)までであるが，その中で理解困難の表われているのは，(9)の正答率 38%，(13)の正答率 27% の二問である。

㈭　(9)は，「この　はなしは，いちねんの　いつごろの　ことですか。」という問いである。

正答率の比較的低い(15)とくらべて，(9)はその開きは 13%，(13)は 24% の開きとなって，理解を困難ならしめる要因としては，(13)の方が，より強く作用しているとみられる。語句の 39% という開きにくらべれば，語句の(4)の問いが，理解困難の最も大きい要因とみられるのではあるまいか。このことは，第二表の語句と内容との平均正答率の開きが，12%となっていることからも，意味づけられるように思われる。

(D) **学習指導の反省と改善**

以上のテストの結果から，これがそのまま児童の学力を表わしているとはいいきれない。このようなテスト結果を示す要因の一つとして，

(1) 今までに，学習指導してきた指導方法のあるものが，これらの正答率を低くする要因として，作用していることはないか。

(2) その学年の児童としての，思考過程に対する教師の理解不足が，これらの要因として何らかの形で作用していることはないか。

を，十分に反省してみたい。

以上あげた2つの要因の反省資料としても，正答率の低い問題については，誤答の分析を丹念に行っていきたい。

社　　　会

社会科の学習過程と結びついた評価のしかた

実験校　**東京都文京区立窪町小学校**

1 実験の期間　昭和28年4月～29年3月

2 実験意図

(1) 在来の一般的評価法――たとえば学習終了後における形式的なペーパテストによる方法や漠然とした態度や行動の観察法など――以外に，より社会科学習のねらいに即した評価のしかたを探求すること。

(2) それには，学習の発展に即して児童の社会的理解がどのように質的に深められていくかをできるだけ具体的に把握することが必要と思われるが，その方法について指導計画作成と同時に予想をたて，実施してみること。

(3) このような実験による資料を基礎に社会科における評価の方法論を確立し，ひいてはこの教科における学力の真義を明確にしたり，指導法の改善に資すること。

3 実験方法の概略

a 実験の全体的手順について

(1) 1，3，6学年の3学級を実験学級として指定し，それぞれ2学期における「私たちのうち」(15時間)，「べんりな乗物」(50時間)，「私たちの生活と政治」(60時間)の単元学習時において，この実験を試みた。

(2) 1学期は，この単元学習に必要な指導計画案について関係者の間で協議し，もっとも効果的と思われる評価のしかたについて計画を作成した。この計画に当っては，実験の成果をより明確にするために，単元学習の構造をできるだけ簡素化し（第1表の目標の項参照），学習内容の整理に留意するとともに，児童の活動の発展契機をできるだけ正確に予想しておくことにつとめた。

(3) 実施の経過は，学習活動の記録，評価記録カード，評価法概評という三形式の記録にまとめ（第2表参照），その整理と解釈を第3学期にあてた。

（第１表） 指導計画案の１例

第３学年	単元名	べんりな乗物			時間数	50時間
目標	(1) 私たちの生活は，道路や乗物のはたらきによって他の土地と深く結びついている。 1 私たちは，毎日いろいろな道路や乗物を利用して生活している。 2 道路や乗物のようすは，土地によって違う。 3 道路や乗物は，人々の力によってしだいに便利になり，それによって人々の生活も変ってきた。 (2) 現在の道路や乗物には，まだ不便な危険なことがあるが，人々が協力して安全で便利な交通にすることがたいせつである。					
学習のめやすとなる問題	具体的目標	学習活動（内容）	評価について			
			評価の場	評価すべきことがら	評価のしかた	
1.わたくしたちの毎日使っている道路にはどんなちがいがありどんな状態になっているか	(1) 道路には幅，屈折，傾斜，舗装，交通量等でいろいろな差異がある。 (1)の1 (2) わたくしたちはいろいろな用事でこういう道路を使っている。 (1)の1 (3) ほこり，ぬかるみ，幅のせまいこと，見通しのきかないこと等で人々が困っている道路もある。 (2) (4) いろいろな道路工事が行われて道の様子も変っていく。 (1)の3	1 導入 (1) 毎日使っている道路の図を見て話し合う。 ○便，不便，騒音，危険 ○道のいろいろ ○道路と建物 (2) 町で見られる道路工事にはどんなものがあるか，その工事のようすの作文や絵による発表を中心にして話し合う。 ○新らしい地下鉄 ○電車線路の補修 ○舗装 ○道路をひろげたり埋立てる	1の(1)の話合いの後地図を見て	○道路の特色や状態についての理解が多面的（総合的）につかめるかどうかたしかめる。 予想される反応 1 一つの道路を一つの名称に結びつけたり，知っている道路だけの記入しかできない 2 一つの道路をいくつかの名称に結びつけたり，知らない道路も特色を思い出して記入できる	○黒板にはった地図の中の道路の番号と一枚の用紙にかいた道路の左記の呼名とを結びつけて，プリントに記入させる 電車道路並木道 通学道路 路地 舗装道路 大通り，小道，まっすぐな道，まがった道，坂道，平らな道，デコボコ道，田圃道，田舎道	

（下　　　　略）

（第２表） 記 録 の １ 例

①

月日	時間	学習活動の記録		学習のめやすとする問題の番号	6
		教師の活動	児童の活動		備考
11/28	1 (45)	5 国会見学のレポートをつく	5 国会見学のレポートをつくる a 昨日の見学の様子を話合う（大体の		

		らせる a 昨日の見学の大体の思い出を話合いさせる	ことについて） • 大きいのにおどろいた，立派なのにおどろいた • きれいな部屋が多い，会議場以外に部屋が多い • 各種委員会の部屋が多くあつた • 他人に迷惑にならないように廊下が音のしないように出来ていた • 議長は一番大切なところに席がある • あんな立派なところでけんかをするような人は代議士でない方がよい	

② 評 価 記 録 カ ー ド

単元名	私たちの生活と政治	評価月日	11月27日	テスト番号	7
評価事項	各省の仕事に対する理解が観念的なものでないかどうかたしかめる （毎日の日常生活に出てくる問題と各省の仕事との関係が，どのように判断されるか調べる）		完成法による（ペーパーテスト） 1枚の用紙（主題をプリントにしたもの）を全員に渡して記入させる		

教師の活動	児童の活動（評価）	備考
1 今までしらべた各省の仕事と新聞や家などで問題にしていることをむすびつかせるために1枚の用紙を渡して記入させる a 別紙を渡して記入させる 時間は20分	1 各省の仕事を思い出し毎日の問題とむすびつける作業をする a 別紙に記入する 時間は20分 b 質問なし，記入する	問題添付

③ 評 価 法 概 評

1	学習の流れに対する評価の場の適否	(適　当)	普　通	不　適
2	評価に対する反応（理解）の度合	良　好	(普　通)	不　良
3	評価問題作製に対する難易の度合	(容　易)	普　通	困　難

b 評価のしかたについての考え方

それぞれの実験学級における単元の具体的学習に即して，実験意図にそうような評価法を考えたのであるが，その場合の基本的態度は次のような諸点である。

(1) 学習の発展に即して，児童の理解の深まり方をたしかめるという実験の趣旨からいえば，１時間１時間の指導につねに評価の問題が考えられていなければならない。しかし，実験の初年度でもあるので，学習のおもな発展段階（分節）ごとに重点的に評価のしかたを考えることにした。しかし，この場合，その学習の発展段階として，教師の指導目標が児童の理解した内容やその理解のしかたの上に，もっとも端的に反映さるべき時期をえらぶと同時に，その学習段階としてもっとも本質的な側面から児童の理解のしかたが究明できるような方法のくふうにつとめた。たとえば，政治の単元における導入段階としての「学校その他の公共施設を改善するにはどういう手続きが必要か」という学習においては，８種類のおもな学習活動が発展していくものと予想される（第３表参照）。その中では，学校以外にどんな公共施設があるかという理解や，それら公共施設の現状に関する理解なども，正確な評価法によってたしかめるべきであろう。しかし，この段階の学習としては，(5)の学習活動によって得た公共施設のはたらきに関する理解が，次の学習(6)の施設の改善についての話し合いの内容にどのように生かされているかをたしかめることが，もっとも重要と考えられる。なぜならば，公共施設のはたらきがかなり広い社会的立場から学習されたとしても，改善については個人的要求だけからの発言しかみられないとすれば，公共施設の社会的機能に関する児童の理解は，きわめて不十分であり，身についた深い理解とはなっていないと判断さるべきだからである。

(2)　評価のしかたとしては児童の作文・描図その他質問紙への記入とか，発言行動の観察とか各種の方法が考えられるのであるが，いかなる方法を用いるにしても，教師の評価のために児童に要求される作業が，学習それ自体の発展としても必然的なつながりを持ち，児童によって評価されているという意識を伴わないような方法のくふうにつとめた。すなわち，評価のための作業によって児童の学習そのものも深まり，発展していくような方法，でないまでも少くとも評価によって学習の発展を中断したり，阻止することのないような方法を考えたのである

たとえば，選挙に関する学習によって，民主政治と封建政治の特質に関する理解がどのように深められたかをたしかめる方法として，上杉鷹山の治績に関する感想文を資料として提供し（資料１参照），これに対する児童の反応をみようとしたのである。これは，政治のしくみなどに関する知識を調べるペーパー・テストなどを与えたのでは，前後の学習との連関がつけられないのに反し，この方法によればこの資料そのものが学習をさらに発展させる契機となるからである。

(3)　評価のしかたは，いかに着眼点がよくても，児童の反応のしかたが明確で，しかもこれにある程度段階的差異の現われやすいものでなければならない。この点に留意するとともに，その評価法を適用した場合，児童の理解の深浅がどのような反応の違いとして現われてくるかという教師の予想をたてておいた。第１表の「べんりな乗物」という単元の１例でいえば，「評価すべきことがら」欄中に「予想される反応」として挙げてある(1)と(2)がこれである。

こうした予想のたちにくい評価のしかたは，方法としても問題があり，またある程度の予想がなければ，実施後の処理が困難になると考えたからである。

4　実験の結果について

４のｂ項に述べたような評価を，三つの単元学習において，約20項目にわたって行い，教師の反省を基礎に，所期の目的を果たし得たかどうか検討した。その検討は，第２表の評価法概評にあるように，(1)評価の場（時期）が適切であったかどうか，(2)児童の反応がはっきり，しかも理解の深さをとらえ得るようなかたちで現われたか，どうか，(3)評価を行うための教師の準備や資料の作成が特に困難でなかったかどうか，という諸点を中心に行った。その結果，比較的成功したと思われる評価もあり，十分な成果を挙げるためには，なお改善を要するものもあって，一概には論じられない状況であるが１例として６年の場合の実施結果とその考察をあげておく。

ａ　１例としての６年の導入時における評価についての考察。

その評価の計画は第３表，これを実施した場合の記録は第４表のとおりであった。

（第３表）

学習のめやすとなる問題点	具体的目標	学習活動（内容）	評価について：評価の場	評価について：評価すべきことがら	評価について：評価のしかた
1　学校その他の公共施設を改善するにはどういう手続が必要だろうか	1 (1)　いろいろの公共施設が，私たちの周囲にあって，これらを利用することによって自分たちの生活がなりたっている。② (2)　もっと改善すれば，私たちの生活がより便利になる施設がある。　② (3)　公共施設を設置し，維持しているものに，区，都，国等の違いがある。③ (4)　公共施設を改善するには，みんなの意見をそれぞれの役所に伝えたり役所のする仕事をよく	1　導入 (1)　学校生活や登下校の時困っていることや改善したいことについて話し合う ○登下校時 ○学校生活において (2)　それらの中で，自分らの力で解決できるものについて話し合う (3)　それらの中で自分たちの家庭や近所の人たちの協力によって解決できるものについて話し合う (4)　それらの中で解決できないものをまとめる	1の(6)の話し合いにおける児童の発言をとらえて	1　公共施設の機能に対する理解(5)が，改善の要求の話し合い(6)上にどのように生きているかたしかめる 予想される反応 ①　個人的な要求だけか ②　他の人々のことも考慮しての要求か ③　社会的なことを考慮しての要求か 文京区立図書館　窪町公園　の例のもとに	児童の話し合いの発言をとらえ，追求していく，（言動の観察） ○クラス全員の各層にわたって平均的に発問する ○ここは導入の段階にあるので診断的意味が強くなるであろう

	注意したりしていることが大切である。	(公共施設にしぼる) (5) その他の公共施設で学区域内にあるものをあげどのように利用されているかしらべる (6) このような施設に対する改善の要求は，どういう方法で，だれに伝えたらよいか話し合う，（都，区の政治がでてくる） (7) 区や都，国ではいろいろな施設をしたり改善したりしていることを話し合う (8) 区，都，国ではこれらの公共施設を設置改善する費用をどのようにしているか話し合う（次の学習―税―への契機）			

（第４表）

① 公共施設の機能に対する理解と改善の要求との関連の深さについて

	改善したい点	その理由		
		上の児童	中の児童	下の児童
公園について	o木をふやしたい oブランコなどの設備をよくしたい o屋根のあるベンチを多くしたい o電燈を多くしたい o水呑や運動能力をためすことの出来るようなものがほしい	o木かげを多くしたい（子・幼・中学生） o危険な遊びを少くしたい（大人・中学生・私・幼） o雨の日の利用も考えたい（大・中・私） o夜利用する人のために（大） o運動能力をためすとよい（大・中・私）	o木がないと公園として困る，夏暑いので（子・幼） o楽しく遊べるので（私・中・幼） o夜遊べるようにする（私・中）	o木のぼりが出来ない（私） o楽しく遊びたい（私・幼） o水が不足（私・中）
	oそのほかにありそうであるが	不明	不明	不明
図書館について	o学習の本をもつと多くしてほしい o開館時間をのばしてほしい o建物の使い方を工夫してほしい o設備をよくしてほしい	o少し足りない（中・私） o時間が昼間のため利用が少い（私・中・大） o不便（私・中） o机や腰掛が不足（私・中・大）	o少し足りない（中・私） o夜もしてほしい（私・中） o不便（私・中） o机や腰掛が不足（私・中・大）	

（註）（　）内は幼児，子供，私，中学生，大人などを示し，改善要求をするに当り，その利益を受ける対象である。これによつて，その要求の社会的に拡大されている度合を知ることが出来る。

② 評価法概評

1	学習の流れに対する評価の場の適否	（適当）	普通	不適
2	評価に対する反応（理解）の度合	（良好）	普通	不良
3	評価問題作製に対する難易の度合	（容易）	普通	困難

この評価について，教師は実施後次のような考察をしている。

「学区域の公共施設の利用状況を調べれば，現状に対する不満が浮かび上り，これら施設の改善に着眼することは，学習の必然的発展であり，この際改善の方向を利用者のいろいろな社会的立場の相違と結びつけて考えることは，この学習自体を深めることでもある。また，児童の話し合い中の発言には，記録にみられるような段階的差異がある程度現われた。この評価のために特に準備が必要というわけではない。ただ，教師が児童の発言を追求していく際の技術がやや困難である。しかし，結論的にいえば，診断的意味の強い評価としては，一応所期の目的を達し得たと考える。」

b 実験の結果に対する一般的考察

(1) 方法論的にはなお研究の余地があるとしても，この種の評価のしかたをくふうすることが，社会科という教科の性格から考えて是非必要である。

(2) このような評価を成功させる条件としては，学習の発展に即して教師の目標が，じゅうぶん具体的になっており，学習活動の発展に対する見透しが明確になっていることが必要である。

(3) このような作業によって，教師の単元構成の技術も高まり，学習に対する児童の興味も増大した。

(4) 方法上の問題としては，教師の発問のしかた，児童の発言や行動を観察する技術などによって，結果がある程度左右されることであり，また資料の準備や記録のしかたをもっと能率的にしなければ，一般化し得ない点がある。

(5) こうした理解に関する評価と，技能や態度に関する評価を，どのように結びつけていくかが今後の問題である。

（資料１）

選挙について

ぼくは，社会科で，みんなが選挙で，りっぱな代表をえらんで，よい政治をすることが大切であることを習いました。

しかし，その時，前に本をよんだ，上杉鷹山という殿様の話を思い出しました。鷹山は江戸時代の，米沢の殿様でした。その頃，米沢の藩は大へん貧しくて，その日のくらしにもこまる有様でした。鷹山は，自分が殿様となるや，進んで，すべての事を節約し，藩の人々にも節約をさせ，役所の人には正しい親切な政治をさせました。又産業を盛んにすることにつとめ，荒地のかいたく，農民の救さいなどに力をつくしました。更に，養さんを研究させ，藩の婦人に織物をおることを練習させる一方，藩校（学校）をたてて学問を盛んにしました。そのために米沢の藩は大へん豊かとなり，鷹山は一代の名君とあおがれました。その頃の米沢の人々は，みんな幸福だつたと思います。

ところが，今の選挙は，違反が出たり，いろいろの害があり，金もかかり，手続も面倒のようです。

ぼくは，今のような選挙をするくらいなら，立派な一人の政治家に政治をしてもらつた方が，よいのではないかと思います。

理　　　科

現行学習指導要領にとりあげた理解の目標はこどもの能力の発達に照して妥当であるかどうかの検討

実験校　東京教育大学付属小学校

1. 実験期間　28年４月～29年３月

2. 主題に対する問題の設定

(1) 理解の目標の意義

a　理解の目標は，学習の内容および方向，指導の方法の指標であり，こどもの活動の教育的意義を決めるめやすである。

b　科学的法則の形でとらえられている理解の目標は，その法則性をこどもみずからの思考や処理によって導き出す科学的方法を当然の過程として含む。

(2) 理解の目標を定める上の要件

a　こどもが環境にはたらきかけて，組織的な科学的経験を経て理解に到達する。

b　この経験の意味は，近代社会構成員としての必要および，こどもの生活上の基本的要求，発達に応じての要求の分析による教育目標，最も直接的には理科指導の七つの目標から決定される。

c　はたらきとして考えた場合には，理解は環境とこどものファクターであるといってよい。したがって，理解の目標の是非は次の三点から考えられるべきである。

（a）対象は有意性をもつかどうか。

（b）こどもの能力の発達が，理解のための活動を有効に進めるまでに至っているかどうか。

（c）その際とりあげられるであろう活動が教育目標からみて意義あるも

のかどうか。

(3) 問題の設定

a 環境条件がこどもの行動にどのような影響を及ぼしているかを明らかにする。

① 疑問調査 (1), (2)

② 興味調査 (1), (2)

③ 科学生活調査 (1), (2)

b 科学的能力の中核をなす能力について，その概念をはっきりし，発達を明らかにする。

① 観察能力調査（小鳥の観察）

② 普辺化の能力の調査（磁石の研究）

a・bの調査の結果を基礎とし，理解の目標検討の方法について堀り下げようと考えたのが28年度の目標である。

3. 調査の内容

(1) 疑問調査について

a 疑問調査施行の目的

疑問調査の結果による疑問の量的質的の発達が目標検討にどのような役割を果すか。

b 調査の方法

次のような問を印刷した質問紙を用意し，冬（1月）・春（5月）・夏（7月）・秋（10月）の四回にわたって調査した。

① あなたが平ぜいおかしいとか，ふしぎだとか思い，先生や両親にきいてみたいと思っていることがあったら，つぎにかきなさい。

② あなたが，ふしぎだとか思っていることで，先生や両親などにきいてみたことがあったら，きいてみたこと，きいた人，わかったかわからなかったかをつぎにかきなさい。

c 結果にみる一般的な傾向

(a) こどもの疑問の量や質は，こどもの環境条件の制約を著しく受ける。したがって，集計によって即断するのは早計である。例えば，天体についての疑問の集計の結果は他の地域の調査と著しく異るをみてもわかる。

(b) 疑問調査の結果から導かれる最も信ずべき結論は，ある一つの事象に関する疑問の量や質の学年的な差異からである。

① 天体に関する疑問は，暦を除いては学年の進むにしたがい多くなる。地球に関するものでもこの例にもれない。

② 地球に関する質問の中で，著しく学年の進むにつれて多くなるのは，引力・地球の成因に関するものである。これは，高学年のこどもが分析的に思考する傾向に分化するためであり，さらに読書・指導内容などの条件の影響のためとも考えられる。

③ 天体に関する疑問の質的傾向

低学年	高学年
○地球はどうしてまわるか	○まわっているのに人に感じないのはなぜか
	○きまった時間に動くわけ
○地球の中はなにか	○重さはどのくらいか
	○中心になぜ火があるか
	○地球とは何か
○地球はなぜできたか	○どうして生れたか
	○最後はどうなるか
	○太陽から離れたときなぜもえていたか

〇低学年のこどもについては

(1) 一般になにかという質問が多い。

(2) なぜにという場合でも，条件を自らきめることなく一般的な答を要求する。

(3) どういうものかという場合でも，一つの角度からの答で満足する。

〇高学年のこどもについては

(1) 現象を肯定して因果関係を求めるものが多い。

(2) 自らの感覚をもとにしてその理由を求めるものが多い。

(3) 総合的に解決を求める質問もでてくる。

(4) 地球に関する事象と他の事象を結びつけての質問が多くなる。

④ 実際に父母・先生などにきいてみたものとの関係

学年が増すにつれて，きく機会が多くなってくることがうかがわれるが，一般に実際にきいてみたものと平常もっている疑問の質や量や，了解の程度は，学年の発達につれて差異が認められる。

(c) 疑問調査の結果は，科学生活の多方面的な調査との関係的考察によって現場に生かされる。理解の目標検討に疑問調査一つでいくことは早計である。

(2) 科学生活の調査について

a 科学生活調査の目的

理科教育において，その目的とするところの科学的な理解・能力・態度を児童の身につけさせるには，児童のおかれている環境の中において，児童と児童の直面する対象の間に一種の緊張関係が生まれることに出発点をおき，対象の内にひそむすじみちを掴むことからさらにそのすじみちを他の対象にもあてはめて行く過程を踏まなくてはならない。

対象と児童の緊張関係は，児童の発達の程度に応じてその深さと広さに差異があることは，諸調査にまたなくても経験によってそのだいたいは知ることができるが，小学校理科教育における能力の検討をするにあたっては，調査によって児童の実態を見つめることによって，われわれの持つ既往の帰結を再確認し，さらに半面誤も持っていた帰結を正し，足りなかったところを補って，児童をより客観的に正しく詳しく見て行かなければならない。

このような観点に立脚して，児童は自然環境の中にあって，対象にどのように接しているかを調査するために，児童がどのような対象と取り組んでいるかを調査したのが本調査である。児童が自然物を対象としてそこに一応の緊張関係が成り立っても，それが瞬間的，ないしは短時間の間に解消してしまうものから，長期に亘るものまで無数の段階があると思われるが，児童がみずからの意欲を持続させて後，はじめて解決するものを本調査は対象として取り上げ，それ以外のものは，本調査と平行して行われた疑問調査①②，興味調査①の分野になるわけである。

b　調査の方法

疑問調査①②，興味調査①と共に質問形式にして全校一齊にし，所定用紙に40分間に記述するようにし，これを昭和28年の2月から10月までの間に4回施行した。調査を4回かさねたことは四季の変遷によって児童の対象とするところがどのように変るか。同一対象物に対して季節の変化がどのように影響するかを，なるべく詳細につかむことをねらったからである。

c　調査によって解明されたことがら

(a) 家庭を中心として行われている児童の科学生活の研究対象は，学校における指導と極めて密接な関係にあり，学校の指導の延長である場合に，その頻数は大きい。

(b) 学校で指導されなかった対象に対する緊張関係は，概して高学年において広い対象範囲に分散し，低学年においては家庭環境の特設性によって限定される。

(c) 自然対象を学習指導要領に示された分野によって分けると，児童の対象把握は分野によって著しい差異がある。

(d) 児童の対象把握総数は，季節によって特に影響されることはない。

(e) 対象を分野別に見るときは，把握数は季節によって著しく影響される。

(3)　観察能力の類型とその発達

a　実験目的

一般には，小学校の理科教育で，観察能力をたかめるということが，きわめて困難視されている。その理由は，観察能力の類型や発達がよくわかっていないために，能力をのばそうとする指導の目標から体系化していない。したがって，指導方法や評価技術が混乱しているといえる。

このような実状にかんがみ，観察能力の類型とその発達を明らかにし，学習指導要領の目標を検討することは，理科教育の進歩改善の立場から，きわめて，重要と考えこの問題をとりあげた。

この問題を解決するにあたって，初年度は，次の二つに限定して，実験することとした。

① 静的な対象の観察能力…………材料「雪の結晶」

② 動的な対象の観察能力…………材料「かごに入れた2羽の十姉妹」

b　実験方法

(a)「雪の結晶」を虫めがねで観察させ，その記録を通じて，児童の観察能力をたしかめる。

実験人員……2年生の児童約40名

実験方法……虫めがねで降つてくる雪を黒い紙やフランネルなどで受けとめ，観察し，記録する。

(b) 雪の結晶を観察した児童40名に，1か月半後に「雪の結晶図」を紙に書かせ，記憶的印象として残ったものと，実際に観察した結晶図との相関々係を考察してみる。

実験人員……2年生児童約40名

(c) かごに入れた十姉妹（めす，おす各1羽）を4人組ごとに，15分間観察させ，観察したことを用紙に記録させ，観察内容を分析して，観年の発達能力の類型を考えてみる。

実験人員……1，2，3，4，5，6年各100名

実験方法……広い部屋に4人組にテーブルを置き，かごの小鳥を観察させ記録させる。

c　解明されたこと

① 低学年ほど，観察能力は，知識収得の窓として，重要であること。

② ただ1回の観察経験で，すべてをおしはかってしまう傾向は，低学

年のこどもに非常に多いこと。（2年生で 約29%）

③ 動的な観察は，「小鳥がえさをたべる」という事実の観察に焦点をしぼってどの程度正しく，くわしく，すなおに，とらえるかという学年の発達を，類型的にとらえてみたこと。

その結果

正しく………正しい観察の視点
くわしく……要点をぬかさない観察の実態
すなおに……自分の思想や観念で判断した

の三点が，具体的で，しかも要素的に解明されたこと。

④ これらの結果から，観察能力の類型と発達過程に一応のめどがたてられ，指導上の注意点が明確におさえられるようになった。

(4) 普辺化の能力の発達

a 実験の目的

理科を指導するにあたり，その目標の一つに普遍化する能力がある。この能力はより多くの事実に当てはまる原則を考えだすことである。

このような能力が，小学校の低学年児童にはどのようにあらわれているか。それが高学年に進むにしたがって，どのように変化するかを明かにしようというのが，この実験の目的である。

b 実験の方法

（a）こどもの選択

1年から6年まで各学年とも男女合わせて15名を知能指数により上位5名，中位5名，下位5名を選択する。

（b）準備するもの

棒磁石(2)・U字形磁石(1)・磁石針(1)・水槽(1)・砂鉄（少量）・きびがら(1)糸・木片・ゴム片・鉄くぎ・しんちゅうくぎ・レコード針・もめん針およびまわりを板でかこんだ机15脚。

（c）させ方

15名のこどもを1か所に集めて，

① 机上に準備されたものの名前
② これからすることおよび理由
③ 用紙（別紙）の記録のとりかた
④ 所要時間（約50分）

の四項目について話をする。

c 実験結果の要約

（a）1年生のおもな特色

① 「磁石に砂鉄がいっぱいついた」というようにやったこととわかったこととの区別がない。やったことは即ちわかったことである。だからわかったことは，きわめて具体的で常に行動と結びついている。

② なすことは断片的・興味的で，広がりが大きい。

③ ときに飛躍的・想像的なとんでもない結論を導きだしても決して矛盾を感じない。

（b）2年生のおもな特色

① ごく簡単なことについては優秀なものの中にのみ一般化の現象がみられる。

② わかったことはきわめて具体的で行動と結びつき，やったこととの区別がない。

（c）3年生のおもな特色

① 二つまたはそれ以上のことがらの中から共通するものをぬきだす力は，2年生に比べてやや進んでいる。

② 全体の8割強はやったこと（具体的な事象）を，わかったこととしてあげている。

③ すでに学習したことや本で読んだ知識を一般化に役立てようとする傾向があらわれている。

（d）4年生のおもな特色

① 具体的な事象（やったことのみ）は3年生より少なくなり全体の7割程度に減っている。

② 前後二つのことがら（やったこと）がたがいに関連をもつような傾向があらわれている。

③ 優秀な子供の一般化は非常に進んでいる。

（e）5年生のおもな特色

① 一つの実験から得た結論を，さらに他の場合にあてはまるかどうかをたしかめるために，新しい条件を加えて実験を計画実行し，一般化の正しい過程を進むようになる。

② 低学年に色こく見られた具体的な事象は5年生にも相当多いが，計画的であり，思いつきが少なくなっている。

③ 一般化は上・中・下のこどもを通して広範囲にみられるようになる。

（f）6年生のおもな特色

① 一つのことを深く究明しようとする傾向が強くなり，間口が縮少し，原則をみちびきだそうとすることに一貫していることもが多くなっている。

② したこととわかったこととの区別がはっきりしてくる。

③ 磁石の性質などに興味を持ち，これを一般化しようとする傾向が強い。

算　　数

I　2位数×1位数の計算におけるこどもの誤算とそれをなくすための指導方法の研究

実験校　**千葉市検見川小学校**

1　課　　題　「2位数に基数をかける計算において，子どもは，どんな点に，なぜつまずくか。また，これを救うには，どのようにしたらよいか。」

2　実験期間　昭和25年4月——29年3月（4か年）

3　実験経過　この研究主題を解明するために，子どもを見つめながら，事例研究による方法を根本態度として研究を進めた。

この研究主題を分析してみると，次のようになる。

①	どのようにつまずいたか。	（誤　算　型）
②	その原因は何か。	（理解事項）
③	どのようにしたら，救うことができるか。	（指導計画や指導法の改善）
④	つまずかないようにするには，どのようにしたらよいか。	（治療医学→保健医学）

このような，研究主題をもって，昭和25年度から，本年度で4年連続実験研究を進めてきたわけである。

5 昭和28年度の研究に到るまでの経過（一覧表）

25 年 度	26 年 度	27 年 度
(1) 誤算型（原因）の分類		験証指導 (1)の①
① かけ算の数学的素地 { 数の大きさ 加法九九 乗法九九の意味 乗法九九	○——○—— 験証指導（5月） 失敗	○数学的素地の予備調査 o 数の大きさ o 加 法 九 九 o 乗 法 九 九 o 九九の意味 o 九九の手際 （とびかぞえ） } J型，K型（未）
② かけ算の理解事項 { 数の大きさ かけ算の意味	○——○——	○(1)の② 予備調査 o 意　味
(2) A型の試行指導 ① 数学の解説（一次）（失敗） ↓ ② 数学を発生的に（二次）（成功） o 子ども自身に創らせる	験証指導（12月）成功 ×——○——	(2)の②　（成功） ○子どもの具体的な生活の発達で指導計画を系統立てる （リアルな生活行動の思考を伸す）
(3) 教具の使い方 ① 数学の解説に（一次）（失敗） ↓ ② 理解成立の援助に（成功）（二次） { o 実際に行動させて o 行動によって目に見えない原理や概念を見えるようにする	×——○—— (4)ひとり残らずの子どもに理解できるように… ①発達差で能力を　○————	(3)の②　（成功） ○理解の永続性（浮動状況） 適用性 (4)の① ○能力別学習（成功）
		(5) 算数の学習を意識しない他の生活の場で，算数をうまく使えるように… ① 演算と式と計算の区別 未——

◎ 表から考えられる事項

（これは，本校の実験指導が成功したと考えられる因子であり，本年度の研究を支える柱であるとも考えられる。）

① 乗法の指導においては，数の大きさとかけ算の意味を理解させることが大切である。

② 学習指導を展開する場合には，ひとりひとりの子どもに応じた対策を考えることが必要である。

③ おくれた子どもには，教具を使って，その思考を助けなければならない。

④ ひとりびとりの子どもに，理解を成立させることが必要である。このようにすれば，学習についての永続性と適用性を考えることができる。

（2位数に基数をかける計算ができれば，3位数に基数をかける計算もできるはずである。）

6 昭和28年度の研究

a 研究の目標——本年度の研究は，自校内と協力学校とに分けて行った。

（a）自校内の研究目標

(1) 験 証 実 験

①理解事項は正しいか

● 乗法の理解事項 { o 数の大きさ / o かけ算の意味

● 乗 法 の 素 地 { o 繰り上がりのある加法ができる / o 乗法九九ができる / o 部分積の大きさがわかる / o 加法のとき単位を揃える

② ひとりびとりの子どもを伸す対策としての，能力別指導の方法ははたして適切であるか。

——能力別指導——（能力についての考え方とその対策）

• 1個14円のりんごを3個買いました。
お金をいくら支払えばよいでしょう。

③ 理解の永続性と適用性を考えられるか。

㋑ かけ算を学習した子どもが，その後指導しないで捨てておいたとき，計算能力がどのような浮動状況を示すかについての調査（逆にいえば，理解を成立させるということがいかに大切なことであるかについての検証。）

㋺ 2位数×基数を充分に指導することが，3位数×基数の学習にど

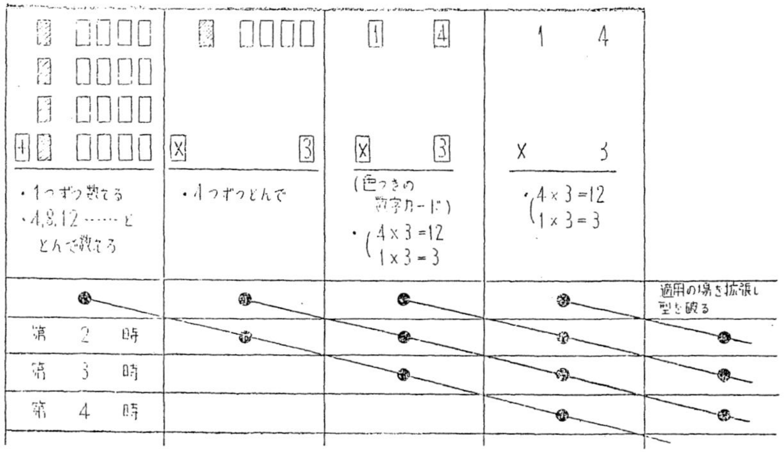

のように響くか。

この永続性は適用性の二つの事柄について，理解が真に成立しているかどうかという観点から調査する。

(2) 新たな実験研究

◎ かけ算指導の能率は，どこまで考えられるか。2位数×基数を学習した子どもが，真に理解が成立すれば，その後の3位数×基数や，2位数×2位数の学習指導に，どこまで能率をあげることができるかについての研究。

(b) 協力学校による研究目標

昨年度までの本校の研究は，一応成功と見られる結果が収められた。

だがこの成果は，本校の職員が，本校の児童を対象としての実験指導で，このことは考えようによっては，特殊現象であり，特殊な研究であるともいえる。そこでこの研究が一般性を持つものであるかどうか，端的に云えば，どこの学校のどの職員でも，この方法で指導すれば，本校と同様の成果をあげることができるかどうかを見るために，本年度は文部省で，実験協力学校を依嘱して研究を進めた。

b 研究の経過

① 自校内の研究内容

2位数×基数（5月）験証実験 { 理解事項 / 指導方法

◎ 13時間の指導

◎ 指導後1日10題ずつ9日間のテスト

○浮動調査（7月 9月 テスト問題は同じ）—理解の永続性
○3位数×基数の指導前の調査と2時限の指導（10月） >理解の適用性
○2位数×2位数の5時限の指導（11月）
} 指導の能率化

② 協力学校の研究内容

㋑ 学級数と児童数

• 千葉県——40 校 / 県 外——49 校 >計89校（学級数200）

• 児童数——8984人

㋺ 2位数 × 基 数 < 実験指導（14時限—6月） / 浮動調査（9月，10月末）

3位数 × 基 数—指導前の調査（11月下旬）

c 指導の結果

① 2位数×基数について

(a) 指導前の能力の実態

（どんな点の素地が不足しているか。）

〔第1表〕 数の大きさとかけ算の意味の調査結果（実験児童数—8,984人）

要項	数の大きさ	かけ算の意味	両方×の子
誤算者数	4,317人	4,295人	3,361人
全員に対する％	50%	50%	37%

〔第2表〕 かけ算九九について

	指導前	指導後
誤答数	50,239（題）	18,931（題）
全児に対する1人当りの誤答数	6（題）	2（題）

〔第3表〕 予備調査の結果から考えられる児童の実態（グループの割合）

能力＼項目	協力校	本校	協力校	本校
A	3,379人	11人	39%	4%
B		37人		13%
C	5,314人	199人	61%	70%
D		36人		13%

（註） ① A・Bの子どもは予備調査の結果乗法の素地が並以上であると思われる子ども。

② C・Dの子どもには，次の子どもがいる ｛・数の大きさだけがわからない ・かけ算の意味だけがわからない ・両方ともわからない｝

全児の6割は，並以下の子どもであり，抽象で処理することの困難なおくれた子どもである。

(b) 指導の結果

〔第4表〕 指導直後の誤算者

児童数		ABグループ中の誤算者		CDグループ中の誤算者		誤算者総数		80題以上の誤算者	
協力校	本校	協力校	本校	協力校	本校	協力校	本校	協力校	本校
8,693人	283人	328人	0人	2,095人	22人	2,423人	22人	43人	2人
全児に対する百分率		4%	0	24%	7.7%	28%	7.7%	0.5%	

〔第5表〕 C・Dの子供の指導結果

◎指導結果がどの程度まであるかをみる表である。

CDグループの児童数		正解者		誤算者	
協力校	本校	協力校	本校	協力校	本校
5,314人	235人	3,218人	213人	2,095人	22人
CD全員に対する百分率		61%	92%	39%	8%

〔第6表〕 どんな誤算の型を示したか

誤答型		A	B	C	D	E	F	G	H	I	J	K	L	M
誤答人員	協	436	352	143	34	578	17	100	97	231	1324	1997	998	130
	本	7	5	4	1	9	0	2	0	0	8	18	8	1
同上再テスト	協	行	わ	な	い									
	本	3	2	2	0	4	0	1	0	0	6	10	3	0

(註) 誤答の多い順から
協力校――K．J．L．E．A
本　校――K．E．J．L．A

② 浮動状況について

項目 / テストの別	誤算者数		全児に対する百分率		誤算数		全体に対する%	
	協力校	本校	協力校	本校	協力校	本校	協力校	本校
指導の直後	647	22	26	7.8	／	395	／	15.5
第二回	769	18	31	6.4	／	268	／	10.6
第三回	646	16	26	5.7	／	116	／	4.55

(註) 協力校の活動調査は2回完全に調査した学校だけを調査の対象とした（24校　2,498人である）

誤算回数	人数	
	協力校	本校
3回	312人	10人
2回	231人	8人
1回	97人	12人

(註) 24校　2,498人についてである

③ 3位数×基数の指導前の調査結果

a 演算の意味

	人数		パーセント	
	協力校	本校	協力校	本校
◎	2,577人	159人	45%	57%
○	1,757人	69人	30%	25%
△	559人	9人	10%	3%
×	887人	41人	15%	15%
合計	5,780人	278人	／	／

(b) 数の大きさ

	人数		パーセント	
	協力校	本校	協力校	本校
◎	4,094人	195人	71%	70%
○	920人	39人	16%	14%
△	411人	25人	7%	9%
×	358人	19人	6%	7%
合計	5,780人	278人	／	／

(c) 数え方（2位数×基数，3位数×基数の比較表）

	2位数×基数				3位数×基数			
	人数		パーセント		人数		パーセント	
	協力校	本校	協力校	本校	協力校	本校	協力校	本校
九九	／	176人	／	63%	4,205人	235人	79%	84%
とび数え	／	66人	／	24%	679人	32人	12%	11%
1つずつ	／	38人	／	13%	503人	13人	9%	5%

(d) 計算について（誤答数別人数）

誤答題数	人数		パーセント	
	協力校	本校	協力校	本校
0	2,598人	182人	52%	65%
1 〜 5	2,094人	73人	42%	27%
6 〜 10	363人	14人	7%	5%
11 〜 15	184人	8人	4%	3%
16 〜 20	62人	1人	1%	0%
20 以上	77人	0人	2%	0%
合計人員	5,015人	278人		

④ 「2位数×2位数」の指導後の結果（本校）

総問題数8820問中から，類型別に問題数に応じて，テスト問題100題を定め，5時限の指導後1日10題ずつ10日間に行った。

誤算型／誤算人員	A	B	E	G	J	K	L	M	N	O	P	Q	R	備考
28 人	人 5	人 2	人 6	人 7	人 20	人 22	人 5	人 3	人 3	人 4	人 3	人 1	人 1	5題以上の誤りを誤算者とした

（註）
- 80題以上の誤算者は2人である。
- N以下は，新しい型，A〜Mまでは2位×基数と同じ型である。
- 指導中の欠席者は除外した。

c 研究の結果

① 結果の考察の観点

(a) 誤算する子どもは，果してC・Dグループの子どもだけであるかどうか。（本校で結論として考えた，数の大きさと，かけ算の意味がわかれば，誤算しないということの験証）

(b) 前記の二つの事項のわかっているABグループの子どもは，誤算しないはずであるが，誤算するとすれば，それは何%位か。またその原因はどうしてか。

(c) 理解の永続性，適用性はどうか。

(d) かけ算指導の能率はどうか。

② 結果の考察

(a) (b) に対しては，指導前ABグループと考えられる，子どもの中から，協力学校から4%ではあるが誤算者が出た。その原因は，予備調査

の際の教師の手落ちかと思われる。または，不注意による誤り（確かめをしないため）ではなかろうかと思われる。

(c) に対しては，真に理解が成立すれば，簡単に忘れないものであり，誤算者の中には，理解はしているが不注意のための誤算が案外多い。

(d) に対しては，「3位数×基数」で2時限，「2位数×2位数」で5時限指導して，別表のような好結果を収めた。特に，「2位数×2位数の指導後のテスト結果は，28人の誤算者である。しかも80題以上の誤算者は2人である。このことを考えると，真に理解を成立させることが必要であり，既習の学習事項と結びつけて，子どもの思考に一貫したすじを通すようにすることが大切である。

4 今後に残された問題

① 本校における過去四年間を通して，誤算者の大半を占めるJ，K型を救うための対策――低学年からの指導の累積――

② 2位数×基数の指導に14時間が必要か。

③ 指導計画の問題は，果して子どもの学習問題として適切かどうか。

④ 進んでいる子どもには，誤算者はでないはずである。

⑤ 遅れている子どもの誤算者をもっとなくしたい。

⑥ 成績のよい学校と悪い学校がある。

⑦ 教具を，考えるためのものにしたい。

⑧ 算数が生活にうまく使えるようにするには，どのようにしたらよいか。

⑨ 進んでいる子どもの指導法はどうするか。

⑩ 学習指導法で考えられたことが他教科にどれほど適用できるか。

Ⅱ 事実問題の把握におけるこどものつまずきの研究

実験校 **東京教育大学付属小学校**

1 **課題** 加法における児童の困難点とその対策

2 **実験期間** 昭和25年4月――29年3月（4か年）

3　実験経過　昭和27年度までの結果の概略

Ⅰ　昭和25年度の研究

• 研究のねらい

加法計算における児童の誤りの箇所とその対策の研究

（a）誤 り の 箇 所

当校二年以上の全児童について調査した結果は，全誤りの

78.6%……くり上りに関するもの
16.0%……部分計算に関するもの
5.4%……計算をとばしたもの

であった。しかるに，これを都内の協力学校に試みた結果は，その過半数が，加法九九の誤りによるものであり，残りの大部分は，くり上りに関するものであった。この結果，加法計算の誤りは，

(イ)　加法九九の誤り

(ロ)　繰上りの誤り）位どりの原理の理解不十分）

によることがわかった。

（b）繰上りに関する指導対策

$$\begin{array}{r} 2'5 \\ +\ 3\ 8 \\ \hline 6\ 3 \end{array}$$

左の如く，繰上った数を記入させることによって，その殆んど全員を救済することが出来た。

Ⅱ　昭和26年度の研究

• 研究のねらい

書かれた問題（加法）の解決において児童のつまづきの箇所とその原因の研究

（a）誤 り の 箇 所

二年以上の全校児童について，数回にわたって，調査した結果，つぎの事があきらかになった。

1　問題の読解力が不十分なために，解答が出来ない者が多い。

(イ)　字が読めないためのもの

(ロ)　字は読めるが，問題の事実や，解決に必要な要素がつかめない。

2　問題が抽象的で生活に縁遠いものは成績が悪い。

（b）指 導 対 策

特に成績の悪い者を選び出して，次の指導をした。

㋑　読解力は単に算数の問題のみならず一般の読物によって読書力を養う。

㋺　作問指導を通して，問題に必要な条件や要素をつかませる。

（c）指導の結果（問題内容省略）

（例）

問　題	調 査 時 の 誤 り	治 療 指 導 後 の 誤 り
(1)	71%	3%
(4)	79%	0%
(6)	13%	7%
(10)	89%	0%

Ⅲ　昭和27年度の研究

• 研究のねらい

26年度に引続いて“書かれた問題の解決におけるつまづきの調査。字がよめるのに加法の解決を誤る原因の調査とその対策。

（a）つまづきの原因

26年度に引続いて，更に児童の誤りの原因を調査して，次の事が明らかになった。

㋑　算数的な用語の理解不十分なため，加法判断を誤るものが多い。

㋺　検証の態度不十分のため，一応解決しながらも，途中の計算のまちがいに気付かなかったり，答の記述に不要のものを入れたり，的確を欠くものがある。

㋩　式に関する理解が不十分である。

（b）指 導 対 策

㋑　に関しては，加法の適用される，「合せて」とか「みんなで」とかいうことばの外，減法，乗法，除法の適用される場合の用語とくらべて事実に即して，具体的に指導した。

㋺　に対しては，問題を熟読する態度を養うと共に，験算の重要性を自覚させて，必ず検証する態度をつくるよう，解題の順序を規定してこれに慣れさせた。

4　昭和28年度の研究

• 研究のねらい

1　加法の適用判断は，次の種類の問題において，どの種類の問題が困難か

㋑　二つのグループの和を求める場合

㋺　グループの個数がいくつか増えた場合その個数を求める。

㋩　もとの位置（順番）とその後のいくつかを示す数を知ってその位置（順番）を知る場合。

㊁　とり去った数と，残りを知って，もとの数を知る場合。

㋭　小さい方の数と，それとの差を知って大きい数を求める場合。

2　問題中の数の大小や種類は，加法の適用判断にどんなに影響するか

3　書かれた問題の表現形式において，こども（特に低学年）はどんな誤りをおかすか

（a）調 査 の 結 果

㋑　研究のねらい1，2を知るために，別紙問題Ⓐについて，三年及び五年生について調査した結果は次の如くであった。

検査人員 ｛ 三年　43名　五年　46名

問題番号	研究のねらいからみた類別	加法を適用すべきに誤ったもの		加法を適用すべからざるに適用したもの	
		三　年	五　年	三　年	五　年
1　（÷）	／	／	／	1	1
②	㊁	4	0	／	／
3　（－）	／	／	／	3	1
④	㋭	2	0	／	／
⑤	㋑	5	1	／	／
6　（×）	／	／	／	14	2
⑦	㋺	1	0	／	／
8　（－）	／	／	／	1	23
9　（－）	／	／	／	0	1
⑩	㊁	6	1		
11　（÷）	／	／	／	0	1
⑫	㋺	3	1	／	／
⑬	㋭	3	0	／	／
14　（－）	／	／	／	0	0
⑮	㋩	30	1	／	／
⑯	㋑	1	2	／	／
17　（×）	／			5	3
⑱	㋩	17	3	／	／
19　（÷）	／	／	／	7	0
20　（×）	／	／	／	9	3
㉑	㋑	16	9	／	／
㉒	㋺	12	1	／	／
23　（－）	／	／	／	1	0
24　（－）	／	／	／	7	0
㉕	㋑	12	2	／	／

• 調査の結果わかったこと

Ⅰ　研究のねらい1からみた類別で，三年五年を通じて，困難の多いと思われるものは，㋩に類するもの即ち，「もとの位置（順番）を知って，その後の位置（順番）を知る問題」で⑮⑱ともに抵抗を示している。これについでは，㊁即ち「とり去った数と残りを知ってもとの数を求める問題は，⑵⑽とも三年生に共通して抵抗を示している。

Ⅱ　加法を適用すべからざるに適用した誤りでは，乗法に関するものが一番多い。問題⑻で減法とすべきを加法とした誤りが五年生に特に多かったのは，早合点による軽率と思われる。

Ⅲ　㋑㋺に類する問題も数範囲が大きかったり，未学習のものでは著しく困難を示している。問題㉑㉒㉕等がそれで，この中㉑は異分母の加法に関するものである。このことから，こどもは，実際の数を離れての抽象的な用語だけでは，判断をあやまることが多いと思われた。

このことは，次に行った，二年生の調査を通して更にはっきりとうかがわれた。すなわち，研究のねらい3，「表現形式における誤り」を知るために行われた調査の結果は次の如くである。

㋺　別紙問題Ⓒ及びⒹの調査結果

検査人員　　二年生　49名

• 別紙問題　Ⓒの結果

答＼問題	1	2	3	4	5	6	7	8	9	10	11	12	13	14	15
正	48	49	49	48	45	47	36	42	44	45	45	45	29	14	16
誤	1	0	0	1	3	2	13	6	5	4	3	3	20	34	22
不	0	0	0	0	1	0	0	1	0	0	1	1	0	1	1

・別紙問題Ⓓの結果

問題＼答	正答	誤答	不答
1	49	0	0
2	46	3	0
3	49	0	0
4	47	2	0
5	41	8	0
6	13	36	0
7	49	0	0
8	17	32	0

・調査の結果からわかったこと

1　問題Ⓒの調査において⒀⒁⒂はその内容が三年生の指導であるため著しく困難を示している。このことは問題Ⓐの調査と一致している。

2　問題⑺はさきの調査分類の㋩に属する位置，順序に関するものである。ここでも，この種問題の抵抗を示している。つぎに，問題Ⓓの調査結果を考察すると，児童がとくに誤ったのは，問題⑹と⑻で，⑹は文中の「おおい」という字句のため　⑻は「あと」という語句のため加法と判断していることである。

3　このことは，関係判断にあたって，用語を単に形式的に理解しただけで，具体に即して考える態度がないと，誤りをおかすことを示すもので，昨年度の研究において，用語の重要性を発見したのとくらべて面白いことである。

さらにⒸ，Ⓓの調査を対比してみると，

○問題Ⓓの⑹は，36名の誤りがあるのに対し同種Ⓒの⑸では，不答も入れて４名である。

○問題Ⓓの⑻の誤り32名に対し，同種の問題Ⓒの⑺では13名，その中両方とも誤ったもの11名。

○他の問題については関連がみられないが，次のようなことが考察される

4　数のはいっていない表現形式で，演算の決定をさせることは数のはいっている問題で練習するより抵抗が大きい。

5　しかし数がはいっていたからといって，必ずしも数がはいらない場合にできなかったものができるとはかぎらない。

ということがある程度わかった。

5　今後に残された問題

書かれた問題の解決に当って，関係判断の指導をどのようにしたら有効か究明する。

予定している対策

(イ)　困難な種類の問題を作問させる。

(ロ)　問題を式と図におきかえて判断を容易にする。

Ⓐ

部	年	なまえ

もんだいをよんで，よせざんでとけるものにだけ○をしなさい。

1　キャラメルが20あります。ふたりでおなじようにわけると，ひとりぶんはいくつになるでしょう。

2　がようしを48人のせいとに，１まいずつくばりましたが，まだあとに，22まいのこっています。がようしは，はじめなんまいあったでしょう。

3　100 円さつ一まいもって，40円のノートをかうと，まだお金はいくらのこっているでしょう。

4　きのうはかったとき，たけのこの高さは35cm でした。きょうはかると，きのうよりも6cmのびていました。たけのこの高さはなんセンチあったでしょう。

5　まさお君の学校のせいとは男314人，女296人です。男・女あわせて何人でしょう。

6　せいとが１れつに18人ずつ，16れつならんでいます。せいとの数はみんなで何人でしょう。

7　たまごが18こあります。きょうにわとりが５こうみました。たまごはいくつになったでしょう。

8　せいとが１れつにならんでいます。はなこさんはひだりからかぞえて17ばんめです。はなこさんのひだり５ばんめは，よしおくんです。よしおくんは，せいとのひだりからかぞえてなんばんめでしょう。

9　おもちを30つくりました。みんなで７つたべました。あとにいくつのこっているでしょう。

10　おまんじゅうがあります。かぞく７人がひとつずつたべましたが，まだ14のこっています。おまんじゅうは，はじめいくつあったでしょう。

11　えんぴつが30本あります。１人に５本ずつあげると，なん人にあげられるでしょう。

12　よし子さんの町の人のかずは，きょねんしらべたときは34,516人でした。それが，ことしのしらべでは，きょねんより1,218 人ふえているそうです。ことしの町のにんずはなん人でしょう。

13　のぶおくんのたいじゅうは 26.5kg です。にいさんのたいじゅうはのぶおくんより，4.5kg おおいそうです。にいさんのたいじゅうはなんキログラムあるでしょう。

14　おかあさんの，せいの高さは157.5cmです。ねえさんはおかあさんより12cmひくいそうです。ねえさんのせいの高さはなんセンチでしょう。

15　まさおくんは，朝の９時40分にべんきょうをはじめて，１時間半だけべんきょうしました。べんきょうのおわったのは，何時何分でしょう。

16　くりひろいにいきました。ねえさんは80，ぼくは65ひろいました。ねえさんと

ぼくとあわせて，いくつひろったでしょう。

17　15kgは4かんです。10かんは何キログラムでしょう。

18　学校の東230mのところに，ゆうびんきょくがあります。ゆうびんきょくから東180mのところに，たけおくんの家があります。たけおくんの家は学校から東何メートルのところにあるでしょう。

19　長方形の土地があります。ひろさは300平方メートルで，たては20mです。よこは何メートルでしょう。

20　1時間5kmのはやさで4時間あるくと，何キロメートルすすむでしょう。

21　学校えんのくさとりをしました。六年生は全体の$\frac{2}{5}$，五年生は$\frac{3}{10}$だけとりました。五年生と六年生では全体のどれだけ，くさとりをしたことになるでしょう。

22　たけしくんのたいおんはふだん36ど6ぶです。きょうは，平熱のときより6ぶたかいそうです。きょうのたけしくんのたいおんは，何ど何ぶでしょう。

23　花子さんはびょうきです。さくやは40どもねつがありましたが，けさはかると37ど5ぶになっていました。さくやよりどれだけさがったでしょう。

24　畑のくさとりをしました。おかあさんは全体の$\frac{3}{6}$，ねえさんは$\frac{2}{6}$だけとりました。おかあさんは，ねえさんよりどれだけおおくとったでしょう。

25　つぎは太郎くんの家から教室まではかった歩数です。

太郎くんの家から――学校の門まで	650歩
学校の門から――げんかんまで	120歩
げんかんから――きょうしつまで	45歩

太郎くんの家から，学校のきょうしつまでは，なん歩でいけるでしょう。

©

部	年	なまえ

つぎのもんだいをしなさい。けいさんのしかたをはっきりかいておきましょう。

1　100円さつで1さつ85円の本をかいました。おつりはいくらでしょう。

2　みちこさんはおはじきを56，はるこさんは47もっています。どちらがいくつ多いでしょう。

3　くみで，こくごのノートを48さつ，さんすうのノートを49さつ，かいいれました。ノートはみんなでなんさつかったことになるでしょう。

4　おとうさんのとしは39さいで，まさおのとしはそれより，28さいすくないそうです。まさおくんのとしはなんさいでしょう。

5　どんぐりひろいでひろしくんは76，みちおくんはそれより17多くひろったそうです。みちおくんのひろったかずはいくつでしよう。

6　チューリップがきのうまでに36さきました。きょうまた8つさきました。きょうまでにいくつさいたでしょう。

7　ふじこさんはまえから23ばんめにならんでいます。みちこさんはふじこさんより8ばんあとにならんでいます。ふじこさんはいちばんまえからかぞえてなんばんめでしょう。

8　みちこさんは，おばさんに50円いただきました。みちこさんはこれで90円になったといっています。はじめにいくらもっていたでしょう。

9　15円のノートを1さつ買ったら，がまぐちに75円のこりました。はじめいくらはいっていたでしょう。

10　100円でみかんを4つかったら，40円おつりがきたそうです。みかんのおかねはいくらだったでしょう。

11　48人で，ずがを1まいずつかくことにしましたが，がようしを，かぞえてみたら39まいしかありません。なんまいたりないでしょう。

12　100円でみかんを40円とりんご50円かいました。おつりはいくらでしょう。

13　おまつりでひろこさんは70円，かずこさんは，50円もらいました。ふたりとも30円ずつつかいました。のこりはどちらがどれだけおおいでしょう。

14　みちおくんの，せいのたかさは，はるおくんより2cmたかいそうです。かずおくんのせいのたかさはみちおくんより3cmたかいそうです。かずおくんははるおくんよりなんセンチたかいでしょう。

15　まさこさんと，ひろこさんはおはじきを35ずつもっていましたが，まさこさんは12，ひろこさんは7つあたらしいのをいただきました。どちらがいくつおおくなったでしょう。

Ⅲ　反復練習の効果的指導についての研究

実験校　**神奈川県鎌倉市御成小学校**

1　課　　題　反復練習の指導を効果的にするために，

a　反復練習をした時どんな練習曲線ができるか。

b　反復練習はどんな時，止めてよいか。

2　実験期間　昭和26年4月――29年3月（3か年）

3　この研究のねらい

(1)　反復練習の意義をいっそう明らかにする

私たちは見たり聞いたりして自分でわかっているつもりでも，いざその事を行おうとするとまごつくことが屡々ある。

これは「理解」という事が自分の経験の内に，定着していないからであろう。

この事は子どもに就いても言えよう。例えば一年生の子どもの数字の書き順の誤りを手をとって訂正してやったからといって，それで今後も正しく書けるとは限らない。又国語で危 $\left\{\begin{array}{l}\text{検}\\\text{険}\\\text{倹}\end{array}\right.$ と出すと，普段は何の抵抗も感じなかった子どもでも迷ったり誤ったりするものである。$4.8+2=\left\{\begin{array}{l}5.0\\6.8\\4.10\end{array}\right.$ に就いても同様なことが言えよう。この事は普段との「場」の違いからくるものであろうが，兎に角理解したことが，何時，どんな場合でも狂いなくすらすらと出来るまでにしておくことが大切である。つまり自分の経験の内に主体化される様に指導することが必要であるということなのである。こうすることに依って，仕事を一層能率化したり，又その力が他に転用されたり，更に新しいアイデアを生む源動力にまでなることであろう。

我々はこの様に考えて，この実験に当り反復練習の意義を一層明らかにしようとするものである。

(2) 反復練習の指導を効果的にするための手がかりを明らかにする

即ち課題のａ，ｂを問題の契機として実験を展開し，有効な指導法を発見しようとするものである。

ａに関しては，一定の条件の下に反復練習を行わせて得た曲線を考察することに依って効果的な指導法の手がかりを見出そうとし，

ｂに関しては，更にその指導を能率的に行おうとするために，研究の起点としたものである。

4 今までの実験でわかつたこと。（26，27年度）

○一般に誤答率４％未満の者には誤答の類型（意識的なもの）は認められない。（４％未満の者は理解していると見ることが出来る）

1 曲線の勾配は，一般に知能段階Ａ，Ｂに属する子どもについては学級平均より急である。

2 一般に10回目頃までは停滞も少く上昇もよい。

3 一般に４，５回で１回休みの断続的練習でも連続的練習の勾配と比べて差はほとんどない。

4

勾配の上昇する場合	下降する場合
1 静　　か	1 うるさい
2 褒　　賞	2 身体の調子がわるい
3 ５～６回練習後１回休んだ直後	3 落着がない
4 停滞期の直後	4 環境の変化

5 適当な緊張	5 ３回以上の連休
	6 暗　　い
	7 しかられた
	8 冷　　寒
	9 緊張しすぎる

5 勾配の低い子どもは一般に学習に対しては消極的である。

6 誤答の多い子どもは一般に学習に対して消極的であり，反射的能力に乏しい。

7 ５分間の練習のうち勾配，誤について比較的よいのは第１分間目であるが，之を除いては３分間目から４分間目にかけてである。

8 停滞期は42回の練習のうち５回見られる。

9 停滞期は10回を前後として周期的に始めは緩かに，次第に急にくる。

10 停滞期には一般に誤は少い。

11 停滞期は一般に２～３回位で解消する。

12 永続効果は12回の練習では10回目頃を中心として降り，それが８週間目位まで続く。42回の練習では毎週降り，１年後には６～13回目頃の成績まで降る。之等は停滞第１期に当る。（つまり10回以上練習する必要がある。）

（10回目頃が練習効果を保つ大きな節をなしている。）

（10回目頃の速度は要求されてよい速度である。）（３位数＋３位数＝和が1000以下の問題で５分間に63題。）

5 28年度の研究

(1) 今年度の研究のねらい

前年度迄にわかった事柄を基にして，これを実際の学習指導に展開し，併わせてその検証をも行おうとした。

(2) 研究問題の設定とその実験計画並びに方法

(3) 実験の結果

Ⅰ どんな時反復練習に入ってよいか。

（実験の結果）

実験の結果は別表１に示してある。

之を見てわかる様に，一般に４％以内のものは，他の％の者より作業量・勾配及び永続効果に於てやや優っているが，誤答数については大差がない。又毎回順調に上昇している者が多いのも４％以内の者である。

問　題（計算の反復練習指導をどの様にしたら効果的か。）

	小問題	学年	と練習問題	実験方法	簡単な説明	期間
Ⅰ	どんな時，反復練習に入ってよいか。	2	• 加法九九の内繰上りのあるもの 例 　6 ＋8	完全理解組 誤答率　(10%)(20%)(30%以上)の3種に分けて夫々12回練習，1回の練習時間は5分間 不完全理解組 誤答率　(4%)未満の組	以上の4つの組に夫々12回の練習を行わせてみて，その効果を比較し，更に子供のもつ基礎条件を比べてみて，何%以上の者はその結果が等しいかを判定し，反復練習に入るにはその程度の理解になったら入ってよいと見做そうとする。	10/19 〜 10/31 (12回) 11/4………12/14 永続 効果 判定
Ⅱ どの様に反復練習を指導したらよいか	1. 特にどんなものを反復練習させたらよいか。	4	• 2位数×2位数 例 　32 ×76	Time の組 Time 2回, Work 1回の組 Time 1回, Work 2回の組 work の組 } の4つの組に分けて5分間12回練習する	同一問題を等質の4つの組の児童に同じ条件で行わせて，誤り易い問題をひろい，更にその原因をも考察して特に練習を要する問題とことがらを見出そうとした。つまり色々の場を通過させてその弱点を暴露させようとした。	10/14 〜 10/27 (12回) 10/29………12/10 効果 判定
	2. 練習の機会をどの様にしたらよいか	3	• 誤り易い乗法九九 • 乗法九九の事実問題 • 6＋6＋6＝6×□ □×3，4×6は4×5より□だけおおい，又はその反対 8，12，□，20，24．	完全理解組 { 時間の始めに ①計算　終りに 事実問題 ②練習しない　計算と問題 不完全理解組 { ③障害点について練習　計算 ④練習しない　障害点と計算	完全理解組は毎回計算問題は50題事実問題は5題。 不完全理解組は2回目毎に計算問題は 20，30，50 と増加し事実問題も同様に3，5，7と増加して行く。	10/15 〜 11/15
	3. どの位練習させたらよいか	3	同　上	同　上	ここでは正確度と速度との2つの観点からより効果的であったという点を見出そうとするものである。 例えば「乗法九九の個々が1秒以内で回答出来るまで練習する必要がある」という様なことを理由をもって見出そうとするものである。	同　上
	4. 個人差をどの様に指導の内に折込んだらよいか（能力と心理）	3	同　上	A組 (予備調査 8問中4問以下) { 練習問題 a 〃 b B組(5問以上) { 練習問題 a 〃 b	練習問題は総て誤りの多いもの或は誤り易いものである。 aとは2，5，4，8，0，の段より20題，その他の段より10題 bとは1，3，6，7，9の段より20題，その他の段より10題のことで毎回の問題は同じ問題で，それを乱数表によって配列を変えたものである。 Work limit で10秒を1単位として記入させた。	同　上
	5. 自己評価をどのようにしたらよいか	4	• 2位数×2位数 例 　32 ×76	特に自己評価を意識しない組 一通り終ってから自己評価をする組 一問毎に自己評価をする組	ここでは特にまちがえない様に行うことを強調して行わせ次に速く行うことを要求した。 問題数は毎回同数で20題，Work limit で行い10秒を1単位として記入させた	10/15 〜 10/28
Ⅲ	評価（効果判定）をどの様にしたらよいか。	5	• 3位数×2位数 例 　236 ×　66	Time組 { 連続12回の組 3日目毎に1回で4回の組 時間配当時8回の組 Work組 {同　上	ここでは前の色々な実験と重複するが特に効果判定という観点を強めて実験計画をたてた。 各種の方法で行わせ，それ等を比較しながら確かに効果があると認められる状態はどんな状態かをつかもうとしたものである	10/15 〜 10/27 (4〜12回) 11/10……… 1/25 効果 判定
Ⅳ	上の実験の結果から計算指導に於ける反復練習指導試案を作成する （この実施は29年度）					3/1 〜 3/20

（実験の結果わかったこと）

これだけの実験でははっきりしたことは言えないが，兎に角理解の程度の高い者は反復練習の効果が一般に良いことはわかるが，同一人の理解の程度を高めた場合反復練習の効果が上がるかについては未だわからない。又理解だけが練習効果を上げる唯一の条件とは限らない様にも考えるので，更に実験を重ね，もう少し詳細に検討してみる必要があろう。

Ⅱ　どの様に反復練習を指導したらよいか。

1　どんなものを反復練習させたらよいか

（a）どんな問題を特に反復練習させたらよいか。

イ　どんな問題に誤りが多いか。

実験人員の10%，即ち20名以上の児童が誤算をしている問題（別表2の1）を見るとその形式から

(1)　誤り易い九九の組合せ

(2)　10の倍数が乗数又は被乗数にある

(3)　乗数と被乗数又は乗数の1位と10位とが同じ

(4)　数字の似ている組合せ

然し(1)と(2)，(3)と(4)はほぼ似た要素を有すると考えられるから結局，九九の誤り易く，而も数字の似ている組合せよりなる問題が誤り易い傾向をもつと云え，この事は同一問題を同じように誤っている問題（別表2の2）の結果とも一致している。

ロ　どのように誤っているか。（別表2の3）

先ず群を抜いて多いのは九九の誤りによるもので，その他，特に重要な誤りの原因となっているものは「繰上り」「位取り」であり，之等については，練習の条件に拘らず誤っているから，正確にできるように理解させておく事が大切である。又理解を深めるためには，之等の理解を十分にした後，誤り易い問題と理解を助ける容易な問題とを混合して練習させる必要があろう。

（b）どの位反復練習させたらよいか

イ　どんな方法がよかったか。

四つの異る方法（条件）による結果を比較すると次のような事が云える。即ち（別表2の4）によると，「毎日5分づつの練習，又は全問の練習より，この両者を混合した方法の方がより効果的である。」

どの位反復練習させたらよいか。（別表2の4）　2位数×2位数の反復練習に於ては，

1　一回の量は最低20題から最高30題位

2　練習時間は5分程度（全問解答の機会を含み）

3　練習回数は最低10回は必要である。

又より多くの問題について解答してきた組の方が永続効果が著しい。

2　練習の機会をどのようにしたらよいか

（A—1）及び（B—1）の練習問題について各組グループの変化の有様を示せば下の表の通りである。（表略）

（a）各組Aグループについて

（別表3の1）によれば練習回数の多い組ほど減少率の低いことを示している

①　期待減少率の比較

各組は練習問題を異にしているのであるから，練習効果を比較しようと思うならば，このことを考慮しなければならない。（別表3の2）によれば1・3組とも実際の減少率は2組に対する期待減少率よりも大である。又1組を標準としたときの3組の場合も同様である。

②　練習問題総数を等しくした場合の比較　1組は8回，3組は6回の練習回数であるから，2組の8回目，6回目の成績をとって1組，3組の最終回の成績と比較すれば問題総数を等しくして而かも間隔時間を異にする場合の影響を知ることが出来る。（別表3の3）によれば間隔時間の小なる程効果が大である。

③　整理法のちがいによる結果（略）

（b）各組，Bグループについて（略）

3　「いつやめたらよいか」について

（別表3の4）によれば70秒を過ぎると完全正解者は急激に減少している。又（A—1）及び（B—1）の問題を同じ早さで完全正解した者の場合も同様である。

（実験の結果わかったこと）

(1)　2・4・5・8・0の段の九九について。

（a）Aグループの子どもが練習間隔を異にして練習した場合

①　毎週4回の組が最も優れ，回数を減ずるに従ってその減少率は大きくなる。

②　練習した問題総数によって比べると，①とまったく逆となる。

③　練習問題総数を等しくした場合では毎週2回の組が最も優れ，3回・4回の組これにつぐ。

④　一定の練習を積んだ後では毎週2回でもさしつかえない。

（b）Bグループの子どもが練習間隔を異にした場合

① 毎週4回及び2回の組については，Aグループと同様のことがいえる。

② 練習の初期に於ては毎週3回，毎回30題の練習では期待減少率に達しない。

(2) 3・6・7・9・1のだんの九九について。

① (1)の場合と同様のことがいえる。

② 練習した問題総数によって比較するときは毎週3回，4回の組が最も優っている。

③ 練習の初期に於ては間隔の小さい組ほど優れている。（各グループ各項に対して）

(3) いつやめたらよいかについて

(a) かけざん九九では1問を解くのに1秒乃至2.5秒の早さで出来るようになるまで練習する必要がある。

(b) どの段の九九を解く早さもみな等しくなるまで練習する必要がある

4 個人差の折込み方について

A group でaの練習を行った児童をA—aと記し，他もそれに従ってA—b，B—a，B—bと記す。実験の結果は各々別表4の1，2，3，4の如くである。別表のSは Speed を意味し10秒を1として表わし，Eは誤答であり，これを百分率に依って統計した。尚別表4の1のB—aの6，7，8回の記録は欠席のため不能である。所要時間のみを考えてその第1回目と第12回目との間の減少率を見ると，A—aは53.2，A—bは59.0，B—aは27.2 B—bは57.0となり，B—aを除き他は大体同じ減少率を現わしている。別表4の1を図表に表わしたのが別表4の2であり，別表4の3を図表に表わしたのが，別表4の4であるが，この別表4の4を中心として以上の実験の結果を考察すると，A—bは1回から2回になることに依って急激にその時間が減少し，4回から12回までは緩やかになっている。B—bは1回から5回までは傾斜が急であるが，6回目からはやはり緩やかになっている。A—aは5回目からゆるやかになり，B—aは始めから既にある程度その限界に近かったために，減少率は他に比して少さく1回と12回との差は少い。

実験前の予想としては，Aにはaを適当の問題とし，Bにはbを適当なものと予想した。結果としては，A—aもB—bも，同程度の減少率を示している（別表4の3）。同じ予備調査の結果に依るB—aとB—bとを比較するのはB—aは当然と考えられB—bは適当であるから異論はない。次にA—aとA—bとを比較してみるとA—aが平均時間は少いが4回から同じ位になって行き，減少率からこれを見ると，12回ではA—bの方が逆に良くなっている。故にかけ算九九の練習に於ては，個人差の別を練習に於て行うことは不要となり，カード学習をする場合も1種類のカードで良く，かけ算九九の段の区別に依る練習も不要となってくる。但し九九を正確に使用して生活・事実問題を解決するということは別問題であるということは明かなことである。かけ算九九の練習に於ては，個人差に依って問題を異らせ練習することは不要である。

Ⅲ 評価（効果判定）をどの様にしたらよいか。

（実験の結果）

これについては別表5に示してある通りであるので，今この表を見ながら考察してみよう。

a タイムリミットに於ける平均解答数及び正答数を調べてみると，練習効果は毎日連続（日曜が2回入る）して12回練習する組が一番よく，次いで，時間割群であり区間群が下位を占めている。連続群は解答数では平均1.5倍，正答数では平均1.7倍（いずれも12回の練習で）の量に達している。

b 次に誤答数の変化の様子を見ると，いずれの群でも1～3題位でコンスタントの状態をしている。

c 上の様な状況を示す子どもは一応効果があったと認められるが，更に，之等の子どもと他の子どもの様子とを比較しながら考察して見ると，

① 初めは固くなっていた

② 目や手がいたかった

③ 思う様に力が出せなかった

などというのが

① 気楽に出来るようになった

② 面白くなってきた

③ あまり考えないでも，すらすら出来るようになった

④ 他の計算の時でも速く出来るようになった様に思われる

等と子ども自身が楽しそうに語った。

前年度の研究の結果につけ加えて以上の様な点から子どもの練習効果を判定することが出来そうである。

Ⅳ　反復練習の効果的指導についての研究

実験校　静岡県浜名郡鷲津小学校

1　課　　題

反復練習の指導を効果的にするために，反復練習をしたとき，どんな練習曲線ができるか。反復練習はどんなときにやめたらよいか。

2　実験期間　昭和26年3月――29年4月（3か年）

3　実験経過　前年度までの実験研究

1　昭和26年度の実験研究

（a）実験のねらい

（i）加法の意味を理解している児童は，加法九九を反復練習したときどんなに上昇するか。

（ii）練習曲線の類型はどんなか。

（b）結　　論

（i）よく理解しているものは，上昇率が高い。

（ii）曲線の類型にはいろいろの型がある。

2　昭和27年度の実験研究

（a）実験のねらい

昭和26年度の実験研究を基礎として

（i）加減九九全部の反復練習は，いつどんな状態になったときやめたらよいか。

（ii）曲線の類型はいろいろあるものではなくて，もっと少い型にならないか。

（iii）練習曲線の上昇率と知能指数との間にどのような関係があるか。

（b）結　　論

（i）よく理解している子供は，3週間～4週間の反復練習（隔週又は連続）によって，著しい進歩を示し，その進歩した技能が中断後1ケ月～4ケ月経過しても，退歩する子供が少いから，無理な速さを要求しない限り，3週間～4週間で中止してよい。

（ii）練習曲線の型は，始に予想したように多くの型は出来なくて，凸状型を示すものが多い。勿論，その形状は個々の児童によって異っている。

（iii）曲線の上昇率と知能指数とは無関係である。

（c）今後の問題

（i）曲線の類型を子供の性格と関聯づけたい。そして，実際の学習指導に役立たせたい。

（ii）果して3週間～4週間の反復練習で進歩した技能が，中断しても退歩しないかどうかたしかめたい。

（iii）曲線の上昇率と知能指数とは無関係であるか。

4　昭和28年度の実験研究

1　研究のねらい

昭和27年度の実験研究を基礎として

（a）加減乗除の九九を連続3週間反復練習し，その後1ケ月毎に1週間反復練習した場合の練習曲線はどの様であるか。

（b）練習曲線の型は子供の性格と関係があるか。

2　研究の経過

（a）計　　画

（i）本年度の実験は昨年度の検証として行い，関係学年全児童に実施した。然し，まとめたのは抽出児童についてである。

（ii）学年・九九及び期間

学年	九　九	連続三週間の反復練習の時期	1ケ月後の時　期	2ケ月後の時　期	3ケ月後の時　期	4ケ月後の時　期
2年	繰上りのない加法九九	9.21～10.9	11.30～12.5	1.18～1.23		
〃	繰下りのない減法九九	10.12～10,31	12.7～12.12	1.25～1.30		
〃	繰上りのある加法九九	1.18～2.6	4月の予定			
〃	繰下りのある減法九九	2.8～2.27	4月の予定			
3年	乗法九九	11.30～12.19	1.18～1.23	2.16～2.20		
4年	除法九九	9.14～10.3	11.9～11.14	12.14～12.19	1.18～1.23	2.16～2.20

(iii) 抽出児童選定の方法

① 担任教師の観察に基づき，児童の性格を次のような3段階に分ける。

㊤

- まじめで根気のいい子供
- しっかりやろうとしている子供
- 受入れ態勢のよい子供
- 従順で口数の少い子供

㊥

- 上と下の中間の性格を持った子供

㊦

- あき易い子供
- 反抗心の強い子供
- 級友のおせっかいする子供
- 短気な子供

② 九九理解の程度

本校制定のテスト問題 $\frac{2}{3}$ 以上できたもの

③ 各学級より上2名，中2名，下2名ずつ計6名選ぶ

(iv) 練習問題

- 繰上り，下りのない加減九九50題 }
- 繰上り，下りのある加減九九50題 }
- 乗法九九100題 }
- 除法九九100題 }

以上それぞれ6種類作製

(v) 練習方法

- ペーパーテストのみ実施
- 実施前のフラッシュカードとか口問口答，口問筆答による練習はしない。
- 主として第1時に行う。（ストップウオッチの関係で，第2時に行うことあり。）

(b) 処　　理

(i) 曲線の類型を判定するために3日間の移動平均を用いた。

(ii) 進歩の実態を知るために，最小自乗法の連立2次方程式を用いた。

(iii) 性格に応じて，上のグラフ・中のグラフ・下のグラフをまとめた。

(c) 結　　果

(i) 如何なる曲線を描いたか

- 曲線選定の基準

グラフは3日間の移動平均を用い，第1週の第1日と第3週の最終日とを直線で結び曲線を選定した。

- 曲線の型

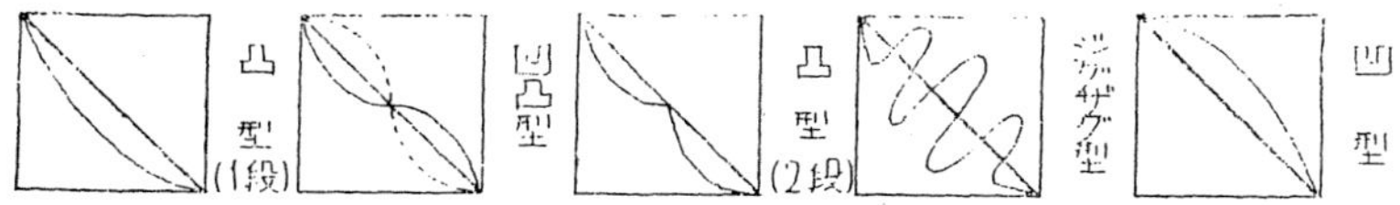

今之を仮に凸型，凹凸型，凹型，ジグザグ型に分け凸型を一段，二段に分ける。

学年	九　九	類型 凸型(一段)	凸型(二段)	凹凸型	ジグザグ型	凹型	計
2年	加法(繰上りなし)	11	1	3	3		18
〃	減法(繰下りなし)	8	4	4	2		18
〃	加法(繰上りあり)	12	4	2			18
〃	減法(繰下りあり)	13	4	1			18
3年	乗法	12	5	2	2	3	24
4年	除法	20	2	2			24
全体に対する割合		$\frac{76}{120}$	$\frac{20}{120}$	$\frac{14}{120}$	$\frac{7}{120}$	$\frac{3}{120}$	120
%		63.3	16.7	11.7	5.8	2.5	

上の表により，2年加減法，3年乗法，4年除法を通じて凸状型が多いことがわかった。

(ii) 性格について

各学年のグラフは別表の通り

このグラフにより，上の性格及び中の性格のものは，大体同じ類型を示している。

特に，上の性格のものは最後の週にはまとまっている。

中の性格の者は，始は個人差に応じてはば広く離れているが，最後の週にはまとまっている。

下の者は順序良く曲線を描かないで，殆どジグザク型である。

(iii) いつやめたらよいか。

・中断後の状況はどのようであったか

学年	九　九	中断1ヶ月後	中断2ヶ月後	中断3ヶ月後	中断4ヶ月後
2年	加　法（繰上りなし）	$\frac{11}{18}$ 61.1%	$\frac{6}{18}$ 33.3%		
〃	減　法（繰下りなし）	$\frac{11}{18}$ 61.1	$\frac{4}{18}$ 22.2		
3年	乗　法	$\frac{8}{24}$ 33.3	$\frac{8}{24}$ 33.3		
4年	除　法	$\frac{20}{24}$ 83.3	$\frac{15}{23}$ 65.2	$\frac{11}{24}$ 45.8	$\frac{5}{24}$ 20.8

備考　各欄%は中断後において，退歩した人数の百分率を示す．

・次に昨年度実験した２年生の児童に本年４月より引続いて加減九九を実験した結果を表示する

加減九九	繰上り繰下りなし50題				繰上り繰下りある100題			
	加法九九		減法九九		加法九九		減法九九	
中断１ヶ月後（４週）	$\frac{7}{34}$	20.6%	$\frac{1}{31}$	3.2%	$\frac{3}{24}$	12.5%	$\frac{4}{24}$	16.7%
〃２ヶ月後（５週）	$\frac{10}{34}$	29.4〃	$\frac{3}{31}$	9.6〃	$\frac{1}{22}$	4.5〃	$\frac{6}{22}$	27.2〃
〃３ヶ月後（６週）	$\frac{1}{34}$	2.9〃	$\frac{1}{31}$	3.2〃	$\frac{1}{21}$	4.8〃	$\frac{1}{22}$	4.5〃
〃４ヶ月後（７週）	$\frac{2}{33}$	6.1〃	$\frac{0}{29}$	0	$\frac{0}{22}$	0	$\frac{3}{22}$	13.6〃
〃５ヶ月後（８週）	$\frac{0}{33}$	0	$\frac{0}{29}$	0				
〃６ヶ月後（９週）	$\frac{0}{33}$	0	$\frac{0}{29}$	0				

以上の判定により，３週間連続練習すれば充分だといい切ることが出来る。

(iv) 順調に進歩している子供はどんな子供か。

・性格を見ると上・中の者が多い。

・２，３，４年を綜合すると，真面目で，努力家で，態度が良く，物事を几帳面になし，持続性があり，落着いているものである。

(v) 特殊な子供はどんな子供か

・性格より見ると下の者が多い。

・２，３，４年を綜合すると，落着きのない，級友のおせっかいする，多辯，注意散漫，無頓着のものである。

3　昭和28年度の実験の結論

(a) 曲線の類型について

前に述べた様に，各学年を通じて凸状型が多い。

(b) いつやめたらよいか

加減法九九については，３週間連続練習し，後は１ヶ月後，２ヶ月後と適当に練習して忘れない様にすればよい。

乗法，除法九九は本年度では，はっきりしない。

(c) 性格について

はっきりした事は云えないが，グラフによれば，教師の観察による性格の上，中のものは曲線が似ている様に思われる。

下のものは，性格的に落着きがないので，曲線はジグザク型に現れている。

4　反　　省

2　　年

(a) ・九九の速い児童は，どんな計算をやらせても正確で而も速い。

・実験児童以外の児童でも，算数に興味をもち，特に，計算問題においては喜んで学習する様になった。

・繰上り，下りのない加減九九を徹底的に指導したので，繰上り，下りのある九九に困難を感じなかった。

3　　年

・乗法の練習をしたので，除法の指導が楽であった。

・実験によって，乗法，除法の計算練習が早くできた。劣等児も答を楽に云える様になった。

・季節によって，タイムに違いがあった。

4　　年

・除法の商の発見が障碍なくできた。

・日常生活の書かれた問題の解決が，困難なくできる様にしたい。

・３，４年を通じて，練習を始める時期を，理解の上・中・下によって，区別して始めたらよいと思う。（実際，学習指導面に於ては困難であるが）

(b) 昭和27～28年度による乗法九九の練習効果の減退率について

先年度に於いて知能指数と練習曲線とは相関係数からみて，相関関係がないことが明らかになった。

はじめに，各々の子供に応じて，極限に近いと思われる所迄練習した後，中止時―１週間後―２週間後―１ヶ月後―２ヶ月後―３ヶ月後というふうに，減退度について，紙上テストによってしらべた。

その結果は，次の表の通りである

	氏名 ＼ 中止時後のタイム	中止時のタイム	1週間後のタイム 前回との差	2週間後のタイム 中止時（前回）の差	1ヶ月後のタイム 中止時（前回）の差	2ヶ月後の差 中止時（前回）の差	3ヶ月後のタイム 中止時（前回）の差	備考
（上）	岡部イツ子	81秒	85秒 －4	97秒 －10(－6)	99秒 －18(－8)	111秒 －30(－12)	116秒 －35(－5)	
	佐原立子	107	103 ＋4	101 ＋6(＋2)	123 －16(－22)	127 －20(－4)	109 －2(＋18)	
	飯田みさ子	98	93 ＋5	95 ＋3(－2)	99 －1(－4)	118 －20(－19)	121 －23(－3)	
	佐原綾子	89	114 －25	123 －34(－9)	123 －34(0)	155 －16(－32)	127 －38(＋28)	
	中止時と3ヶ月後の差の平均						－22秒	
（中）	戸田哲雄	85	81 ＋4	84 ＋1(－3)	87 －2(－3)	107 －15(－13)	130 －45(－30)	
	松本勝一郎	151	154 －3	142 ＋9(＋12)	167 －16(－25)	180 －29(－13)	142 ＋9(＋38)	例外児童非常にむら気
	杉山加津子	93	105 －12	100 －7(＋5)	107 －14(－7)	107 －14(0)	138 －45(－31)	
	佐原祺文	82	86 －4	85 －3(＋1)	84 －2(＋1)	97 －15(－13)	144 －62(－47)	
	中止時と3ヶ月後との差の平均						－36	
（下）	木下昌勝	90	92 －2	90 0(＋2)	103 －13(－13)	157 －67(－54)	162 －72(－5)	
	山本澄代	91	97 －6	104 －13(－7)	107 －16(－3)	107 －16(0)	182 －91(－75)	
	佐原浦一	120	117 ＋3	117 ＋3(0)	134 －14(－17)	218 －98(－14)	212 －92(＋6)	
	佐藤忠夫	97	100 －3	89 ＋8(－11)	103 －6(－14)	118 －21(－15)	158 －61(－40)	
	中止時と3ヶ月後との差の平均						－79	

表によって考えられる事は，3ヶ月後にいたって中止時との減退度が

- 知能上の者は－35秒，－2秒，－23秒，－38秒となり
- 知能中の者は－40秒，＋9秒，－45秒，－62秒となり
- 知能下の者は－72秒，－91秒，－92秒，－61秒となる

故に，上の者は減退度が少く，次に，中の者は上よりふえ，下の者は最もふえている。

この実験に於ては，上・中の者は極限に近い所まで練習すれば，後は練習しなくてもよいと思われる。

下の者は，練習中止後も尚，或期間練習を必要ではないかと思われる。

5 今後の問題

（a）全学年による検証実験をやりたい

（b）反覆練習の指導を，実際の学習面に応用し，より効果的にしたい。

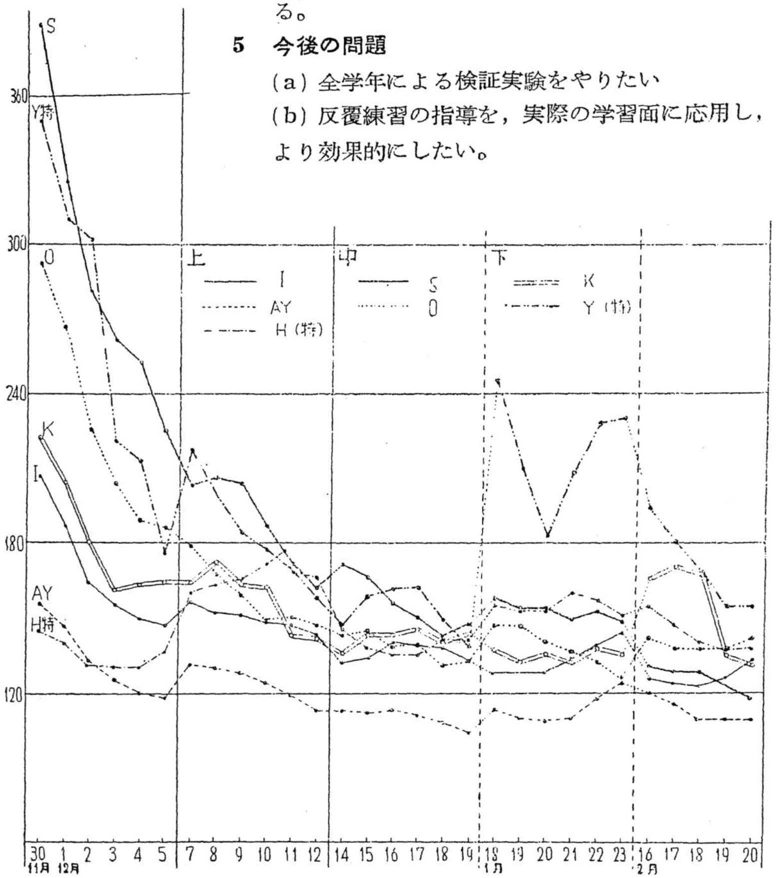

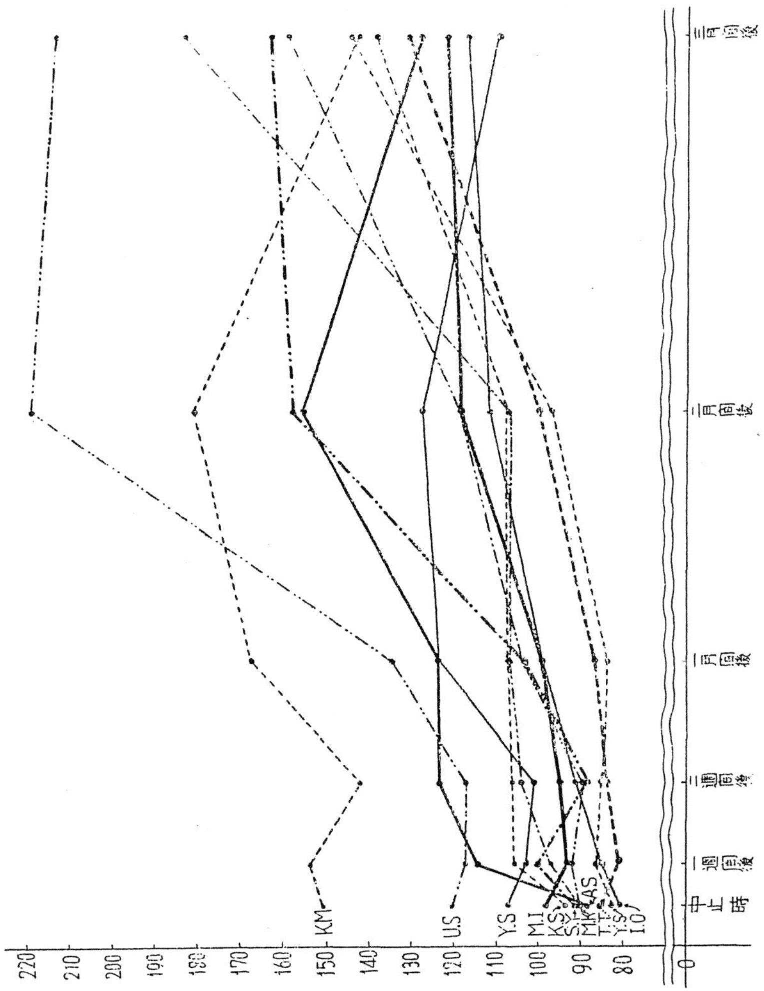

V　事実問題における生活素材とこどもの難易についての研究

実験校　**信州大学付属長野小学校**

1　課　　題

「書かれた問題を解決するにあたって，子供のつまづきの原因は，どんなところにあるか，また，そのつまずきの原因を排除するにはどうしたらよいか」

2　期　　間　昭和26年4月——29年3月（3か年）

3　実験経過

26年度

△記述形式（既知事項と未知事項との配列）について研究した。

△記述形式により場の構成に影響があることがわかった。

①　容易の順…固定数理→関係数理→求答事項

②　〃　　　…求答事項→固定数理→関係数理

③　〃　　　…関係数理→求答事項→固定数理

27年度

△生活素材（経験未経験）についての研究

4　28年度の研究

1　生活素材を研究課題として取上げた意味

新しい教育は問題解決の学習であり，判断指導がその中心である。そのねらいを果すためには，問題解決の場を構成することが最も重要であり，算数学習の成否はこの場の構成如何にかかっているのである。その場の構成を明らかにするには，生活素材が究明されなければならない。従って，生活素材の研究がなされない限り充分な算数指導は望むことができない。

(1)　理解事項を導入する場合における生活素材の適否

(2)　一般化する過程における生活素材の適否

(3)　論理的思考をのばす体系を確立するための生活素材の適否

2　生活素材の意義，規定

素材
(1)　生活素材
（a）りんご，みかん…生活素材それ自身
（b）りんごがどのような場におかれているか…生活素材の在り方
(2)　数学的素材…加法，分数等

3　素材に対する従来の考え方

(1)　生活素材

従来の算数指導においては，あまり重きをおいて，考えられていなかった。算数学習は数学的素材に重きをおかれておった。いいかえれば，数学的素材を理解させるために身のまわりにある生活素材を何の考えもなく取入れており，又それを一般化するときもそうであった。しかし問題解決はどこまでも子供の問題解決という点から考えても，数的なもののみを考えていた従来の考えは一方的であった。こうしたことから考えて，生活素材を取上げて研究しようとしたわけである。

(2)　数学的素材

数学的素材については，生活素材の場合とちがって体系的に取扱っていた。しかし数学的素材も真に理解させるためには，どうしても，生活素材と一体として取り扱わなくてはならない。一般化していく場合も同様である。

4　素材に対する望ましい考え方

〔3素材に対する従来の考え方〕の項で記したように，問題解決の場を構成する要素的なものとしての生活素材と数学的素材について，もっと研究する必要があるわけである。いいかえれば，理解されようとする数学的素材は，単に，それ自体では理解されることが困難である。生活素材と一体的に考えられた場合において理解は容易であると考えられる。このような関係においての生活素材及び数学的素材を，もっと体系的にする必要があるわけである。

5　数量的判断に影響を与えると思われる生活素材の要素的なもの

算数科の問題解決の場における数量的な判断に影響を与えると予想されるものに，次の諸要素がある

(1)　生活素材の経験未経験

問題解決にとりあげる生活素材において，生活素材それ自身の経験未経験が，その場の構成に影響を与えられるものと考えられる。

1　単純な在り方の場合

(1)　生活素材それ自身が経験されていて，その在り方が未経験の場合

(2)　生活素材それ自身が未経験で，その在り方が経験されている場合

(3)　生活素材それ自身が未経験で，その在り方も未経験の場合

予想される難易の順　　易(2)→(1)→(3)難

2　複雑な在り方の場合

(1)　余分な生活素材とその位置的な在り方の場合（生活素材それ自身が同じ場合）

(2)　余分な生活素材の質的な差異による（りんごとうさぎ）

(3)　条件が不足している場合（解答不能）

(2)　生活素材の操作の難易（直接間接）

児童が問題解決に際して，生活素材を実際に操作することが直接的で容易である場合と，操作が間接的で容易でない場合が考えられる。しかもこの間接的なものの間においても広い巾があって，更に難易の別が生じてくると思われる。このような操作の直接間接の度合が判断に影響を与えるだろう。この事は実際に操作して解決する場合も，念頭において考察処理する場合においても，その差異は認められるであろう。特に抽象化の低い低学年においては，その影響の大なるものが予想される所である。

(3)　生活素材の形質

又生活素材の形，質がその判断に影響を与えるものと考えられる。質では点，線，面，立体などの別等が判断に影響を与えるであろう。又形では三角形，四角形，円形などの区別から，規則的なもの不規則的なもの等によって差異が生ずるであろう。

(4)　生活素材の興味関心

この点は今更述べるまでもないことであり，特に低学年児童においては，その判断に大きな影響を与えることは否定できないことである。この点を分析し研究することも，学習指導上肝要なことであろう。

6　生活素材によるつまづき（難易）の調査

(1)　生活素材の経験未経験

◎第1回予備テスト

○調査問題…魚を素材とする求大加法

○素材に対する経験の調査

生活素材		1	2	3	4	5	6	7	8	9	10	11	12	13
	それ自身	ふぐ	ひらめ	かれい	とびうお	かじか	なまず	いわな	わかさぎ	すずき	きす	あい	やまめ	あじ
直接経験	見たいじったたべた		TK			iS	N		AT HO SI K			AK		
間接経験	絵または写真でみた	AK i			H KT		OT S K		N			AK iS Ni		
	お話などより聞いた	S			iS	NT KH TK		A	AK Ni			0 i		
未経験	全然知									ANT OAKH iSTK iSNiK				
	全然知										ANT OAKH iSTK iSNiK			

◎第2回予備テスト

○調査問題並に調査結果

	(調査問題)			調査児童数 一年	二年	三年	四年	計	(主な誤りのタイプ)
		まさお	あきこ	105	126	138	135	504	
				(誤答生徒数)					
I	(1)まさおさんはりんごを5こもっています。あきこさんは7こもっています。はなこさんはまさおさんよりも3こおおくもっています。はなこさんはいくつもっていますか。	①りんご 5 ↓ 0+3 ③はなこ	②りんご 7	39	28	8	9	84	
	(2)まさおさんはなしを5こもっています。あきこさんは6こもっています。はなこさんはあきこさんよりもなしを2こおおくもっています。はなこさんはいくつもっていますか。	①まさお なし	②あきこ なし ↓ ③ 0+2 はなこ	27	24	13	9	73	
	(3)ひろしさんはくりを7こもっています。きよしさんはひろしさんよりもくりを3こおおくもっています。きよしさんはいくつもっていますか。かずおさんは5こもっています。	①ひろこ くり 7 ↓ 0+3 ②きよこ	③かずお くり 5	55	27	21	26	129	
II	(1)まさおさんはりんごを5こもっています。あきこさんは7こもっています。はなこさんはまさおさんよりも3こおおくもっています。はなこさんはいくつもっていますか。	①まさお りんご 5 ↓ 0+3 ③はなこ	②あきこ りんご 7	39	28	8	9	94	
	(2)きよしさんはももを3こもっています。あきこさんはみかんを5こもっています。はなこさんはきよしさんよりももを3こおおくもっています。はなこさはんいくつもっていますか。	①きよし もも 3 ↓ 0+3 ③はなこ	②あきこ みかん 5	61	36	33	11	141	(5+3) (3+5+3)
	(3)しげるさんはなしを6こもっています。はるこさんはだいこんを4ほんもっています。はなこさんはいくつもっていますか。	①しげる なし 6 ↓ 0+3 ③はなこ	②はるこ だいこん 4	59	26	16	11	112	(6+4)
	(4)ふみおさんはりんごを7こもっています。のぶこさんはうさぎを2ひきかっています。はるこさんは，ふみおさんよりりんご1こおおくもっています。はるこさんはいくつおおくもっていますか。	①ふみお りんご 7 ↓ 0+1 はるこ	②のぶこ うさぎ 2	62	37	22	22	150	(5+3)
III	(1)みちこさんはりんごを3ことかき5ことをもっています，のぶこさんはりんごをみちこさんよりも3こおおくもっています，のぶこさんはいくつもっていますか。	みちこ ①りんご 3 ↓ 0+3 ③のぶこ	②かき 5	69	37	22	22	150	(5+3)

Ⅲ (1)まさおさんはりんごを4こもっています，あきこさんはりんごを6こもっています。	①まさお りんご 4 はなこはしよこより2こおおい	②あきこ りんご 6.	64 104 100 60 324 (6+2)

○治療テスト（略）

(2) 生活素材の操作の難易（直接，間接）

◎予備調査

○調査問題

(1)（二年）  ななめのせんをひいたところはぜんたいのどれだけですか。
こたえ（　　　　　）　かんがえかた（　　　　　　　　　　）

(2)（三年） 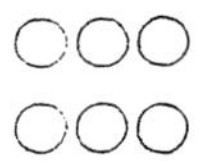 の$\frac{1}{3}$だけえんぴつでくろくぬりなさい。
こたえ（　　　　　）　やりかた（　　　　　　　　　　）

(3)（四年） 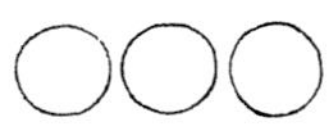 の$\frac{1}{4}$だけえんぴつでくろくぬりなさい。ぬったところはどれだけですか。
こたえ（　　　　　）　やりかた（　　　　　　　　　　）

(4)（五年） 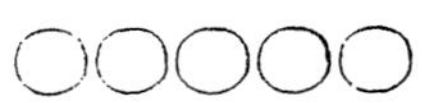 の$\frac{1}{4}$だけえんぴつでくろくぬりなさい。
こたえ（　　　　　）　やりかた（　　　　　　　　　　）

○調査結果

理解できたと思われる児童を下記の表の如く選出した。

調査問題／調査学年	二　年	三　年	四　年	五　年
三　年	44	28		
四　年		22	6	
五　年			25	19
六　年				9

◎本　調　査

○本調査問題

A（二　年）

(1) 1まいのいろがみをたろうさんとはなこさんとよしこさんの3にんでおなじようにわけました，たろうさんのとったのは，ぜんたいのどれだけでしょう。

(2) かずおさんはくりを4こもっています。とみこさんはくりを2こもっています。かずおさんのもっているくりは，とみこさんのもっているくりのどれだけといったらよいでしょう。

(3) 1ぽんのようかんをただしさんと，あきこさんとくにこさんの3にんでおなじようにわけました，ただしさんのとったのは，ぜんたいのどれだけでしょう。

(4) 2つのぱんを4にんでおなじようにわけました。1りぶんは，1つのぱんのどれだけでしょう。

(5) 1つのりんごをたかおさんとまさこさんの3にんでおなじようにわけました。たかおさんのとったのはぜんたいのどれだけですか。

B（三　年）

(1) りんごを3つにわけました。よし子さんは$\frac{1}{3}$とりのこりをよう子さんがとりましたようこさんのもらったぶんはどれだけですか。

(2) 8つのりんごをかずおさんとすみ子さんでわけました。かずおさんは$\frac{1}{4}$とりのこりをすみ子さんがとりました，かずおさんのとったのはどれだけですか。

(3) 1ダースのえんぴつの$\frac{1}{6}$をはるおさんがもらいました。はるおさんのもらったのはなんぼんですか。

(4) 8kgのさとうをおとうさんとおじいさんでわけました。おとうさんは$\frac{1}{4}$とりのこりをおじいさんがとりました。おとうさんのとったのはどれだけですか。

C（四　年）

(1) にいさんがおかねを36円もっています。おとうとはにいさんの$\frac{1}{4}$もっているそうです。おとうとはいくらもっているのでしょう。

(2) 3まいのいろがみを4人でわけました。あき子さんはぜんたいの$\frac{1}{4}$とりました。あき子さんのとったのは，どれだけですか。

(3) 1まいのいろがみを4つにわけました。はな子さんが$\frac{1}{4}$とりのこりをまさおさんがとりました。まさおさんのもらったのはどれだけですか。

(4) 3つのりりごを4人でわけました。たろうさんはぜんたいの$\frac{1}{4}$とりました。たろうさんのとったのはぜんたいのどれだけですか。

D（五　年）

(1) 2このりんごを4人でわけました。ひろ子さんはぜんたいの$\frac{1}{4}$とりました。ひろ子さんのとったのはどれだけですか。

(2) 5まいのいろがみを3人でわけました。はる子さんはぜんたいの$\frac{1}{3}$とりました。はる子さんのとったのはどれだけですか。

(3) ひろしさんは9このりんごをおとうとと2人でわけました。ひろしんさは$\frac{1}{3}$とりました。おとうとのとったのはなんこですか。

(4) 5本のようかんを3人でわけました。まさおさんはぜんたいの$\frac{1}{3}$とりました。まさおさんのとったのはどれだけですか。

○調査結果

第1表（第3学年）

三年 児童名	二年の問題 予備テスト	二年の問題 本テスト 直接	二年の問題 本テスト 間接	二年の問題 本テスト 間接	三年の問題 予備テスト	三年の問題 本テスト 直接	三年の問題 本テスト 間接
1	○	○	○	○			
2	○	○	○	○	○	×	×
3	○	○	○	○	○	×	○
4	○	○	○	○			
5	○	○	○	○	○	○	○
6	○	○	○	○	○	×	×
7	○	○	○	○			
8	○	○	○	○	○	×	×
9	○	○	○	○	○	×	×
10	○	○	○	○	○	×	×
11	○	○	○	○	○	×	×
12	○	○	○	○			
13	○	×	×	×	○	×	×
14	○	×	○	○	○	×	×
15	○	○	○	○			
16	○	○	○	○			
17	○	○	○	○			
18	○	○	○	○	○	○	○
19	○	○	○	○			
20	○	×	×	×	○	×	×
21	○	○	×	×	○	×	×
22	○	○	○	○	○	×	○
23	○	○	○	○			
24	○	○	○	○			
25	○	○	○	○	○	×	○
26	○	○	○	○			
27	○	○	○	○	○	×	○
28	○	○	×	○	○	×	×
29	○	○	○	○	○	×	×
30	○	○	○	○	○	×	○
31	○	○	○	○	○	×	×
32	○	○	○	○	○	×	×
33	○	×	×	×			
34	○	×	×	×	○	×	×
35	○	○	○	○			
36	○	○	○	○	○	×	○
37	○	○	○	×	○	○	○
38	○	○	○	○	○	×	×
39	○	○	○	○			
40	○	○	○	○	○	×	×
41	○	○	○	○			
42	○	○	○	○	○	×	×
43	○	○	○	○			
44	○	○	○	○	○	×	×
計	44	39	39	39	28	3	9

第2表（第4学年）

四年 児童名		三年の問題 予備テスト	三年の問題 本テスト 直接	三年の問題 本テスト 間接	四年の問題 備予テスト	四年の問題 本テスト 直接	四年の問題 本テスト 間接
1	1	○	×	×	○	○	○
	2				○	○	○
	3	○	×	×	○	×	×
	4	○	×	×			
	5	○	×	×			
11	6	○	×	×			
12	7	○	×	×			
13	8	○	○	○	○	×	×
15	9	○	×	×			
16	10	○	×	×			
19	11	○	×	×			
20	12	○	○	○			
22	13	○	○	○	○	○	○
24	14	○	×	×			
25	15	○	×	×			
27	16	○	○	○			
28	17	○	○	×			
29	18	○	×	×			
31	19	○	○	×	○	×	○
32	20	○	○	○			
36	21	○	×	×			
38	22	○	○	×			
43	23	○	○	×			
計		22	9	5	6	3	4

第3表 （第5学年）

五年	四年の問題			五年の問題		
児童名	予備テスト	本テスト		予備テスト	本テスト	
		直接	間接		直接	間接
1				○	×	×
2				○	×	×
3				○	×	×
4	○	○	○			
5	○	×	×			
6	○	○	×			
7	○	○	○	○	○	×
8	○	×	○	○	×	×
9	○	×	×	○	×	×
10	○	×	×	○	×	×
11	○	×	×			
12	○	×	×	○	○	○
13				○	×	×
14	○	×	×			
15	○	○	○	○	×	○
16	○	×	×	○	○	○
17	○	○	○	○	×	×
18	○	×	×			
19	○	×	○			
20	○	×	×	○	×	×
21	○	○	○	○	×	×
22	○	×	×	○	×	×
23	○	×	×			
24	○	○	×			
25	○	×	○			
26	○	×	×		×	×
22	○	×	×		×	×
28	○	×	×		×	×
29	○	×	×	○	×	×
30				○	×	×
計	25	7	8	19	3	3

第4表 （第6学年）

六年	五年の問題		
児童名	予備テスト	本テスト	
		直接	間接
1	○	×	×
2	○	○	○
3	○	○	○
4	○	○	○
5	○	×	×
6	○	×	×
7	○	○	○
8	○	○	○
9	○	×	×
計	9	5	5

以上の結果をまとめると次の表の通りである。

	二年（内容）				三年			四年			五年		
	調査人員	正答数			調査人員	正答数		調査人員	正答数		調査人員	正答数	
		1	2	3		1	2		1	2		1	2
三年	44	39	38	38	28	3	9						
四年					22	9	5	6	3	4			
五年								25	7	8	19	3	3
六年											9	5	5

(3) 生活素材の形質による難易

1 図形の形及び配列による難易

○ 調査問題並に結果

問題 / 学年	二年の問題		三年の問題		四年の問題	
	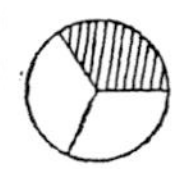	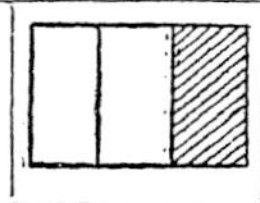	○○○ ○○○ の $\frac{1}{3}$	○○○○○○ の $\frac{1}{3}$	○○○○の $\frac{1}{4}$	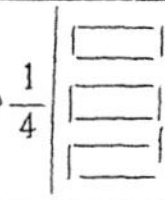 の $\frac{1}{4}$
三年	44	42	28	25		
四年			22	10	6	0
五年					25	6

2 質による難易

7 学習指導計画に於ける望ましい生活素材の配列

(1) 望ましい配列の基準

(2) 配列の一例

学年	一	二	三		四		五		六		
単元	七夕	おきやくさんごっこ	すごろくあそび		かべ新聞		お正月 もののわけ方（分節）	新学年の準備	分数の研究 学級新聞	掃除分担	欠席者調べ
主要指導内容	○半分 半分の半分（四半分）	○ $\frac{1}{2}$ $\frac{1}{3}$ $\frac{1}{4}$	○ $\frac{2}{3}$ $\frac{3}{4}$	○27の $\frac{1}{3}$ （27÷3） ○3が $\frac{1}{3}$ （3×3）	○分数の大小 ○単位分数	○整数小数との関係	○分数の相等関係 ○二つの量の大きさの割合 ○真分数仮分数帯分数	○分数の加減（同分母分数）	○約分，通分共通な分母 ○分数の加減（異分母分数）	○分数の乗除（分数×（÷）整数）	○比 ○比の値

生活素材（それ自身）	色紙 円 長四角 すいか ◦織 ◦パン ◦図形	画紙 糸 はし 色紙 厚紙 ようかん テープ りんご 牛乳 ◦図形	キャラメル（箱） ようかん りんご	人数 画面の数 えんぴつ みかん ◦砂糖(kg) ◦醤油(l) ◦睡眠（時間）	模造紙 ◦ようかん ◦牛乳 ◦仕事 ◦時間（日数）	模造紙(m,cm) ◦水 (l,dl)	ごちそう ようかん りんご みかん ケーキ ◦紙 ◦ひも ◦炭(kg) ◦醤油 ◦図形	1. 学級園 ・植つけの仕事 ・仕事の分担 2. 生活設計 ・日課表	紙面 ◦砂糖(kg) ◦醤油(l) ◦日課表(時間)	草取り（仕事） ◦水槽の水（風呂水） ◦道のり ◦お手伝い（時間）	欠席者 ◦身体異常者（トラホーム） ◦プールの水

8 実際指導例

(1) 単元計画

単元名	設定の理由	観察調査事項
おきやくさんごっこ 11月上旬 7時間	秋も深まり色形さまざまな木の葉が美しく色どられ自然に対する親しみも深くなってくるこの頃である。又一方児童の活動はしだいに内に向き落着きを示してくる頃であろう。この期をとらえて児童の好む遊びの一つであるままごと遊びをして，いろいろなごちそうなどを作ってわけ合ったりすることは意義のあることである。この場合にものを公平に分配することができず，口論などがしばしばおこり困惑を感ずるであろう。このとき1/2，1/3，1/4 などの用語記号を理解させることによりこの困惑を解決させて，ものをくらべてみたり公平に分配しようとする態度習慣を養う。	◦おきやくさんごっこの経験の有無 ◦おきやくさんごっこに対する関心 ◦半分四半分の理解 ◦分数に対する学習意欲 ◦1/2，1/3，1/4 の用語，記号の既有能力

目標	学習問題	学習活動 過程	資料	評価	備考
理解 1. 二分の一の用語を知る。 ◦「…の半分」「…を二つに分けた一つ」であること。	◦おきやくさんごっこをやったことがあるだろうか。	1. おきやくさんごっこの絵について話し合う。 2. おきやくさんごっこの経験について話し合う。	おきやくさんごっこの絵		
1. 三分の一の用語を知る。 ◦「…を三つにわけた一つ」であること。	◦おきやくさんごっこをやろう。	3. おきやくさんごっこをすることにきめる。			
3. 四分の一の用語を知る。 ◦「…の半分の半分」「四つにわけた一つ」であること。	◦どのようにやったらよいでしょう。	4. どのようにわかれてやったらよいか話し合う。 ◦グループの人数 ◦お客と招待する人の数 ◦構成人員の関係			
4. 「二分の一」「三分の一」「四分の一」をそれぞれ，1/2，1/3，1/4と表わすことを知る。 5. 二つずつ，三つずつ，四つずつのグループにわける方法を理解する。	◦どんなものを用意したらよいでしょう。	5. どんなものを用意したらよいか話し合う。 ◦招待状…画紙 ◦遊び用具…おはじき糸 ◦ごちそう…はし 石 魚 色紙 厚紙 木の葉 牛乳 ようかん りんご } ねんど			
6. 一ダースは12であることを知る。 能力 1. 1/2，1/3，1/4 にわけることができる。 2. 1/2，1/3，1/4 の用語を正しく使ったり，記号を書くことができる。 3. わけたものをはじめの大きさと比較することができる。 4. 二つずつ，三つずつ，四つずつのグループにわけることができる。	◦ごちそうはどのようにわけたらよいでしょう。 ◦わけられたものの大きさはどういい表わしたらよいでしょう。	6. ごちそうのわけ方とわけられたものの大きさの表わし方について話し合う。 （イ） 招待状をかく葉書を作る 画紙……1/2 （ロ） 遊び道具をわける 糸…1/2 おはじき…ずつ （ハ） 用具を作る はし…1/2 さら（色紙） 1/2，1/4 木の葉…ずつ 厚紙…1/2 （ニ） ごちそうをわける 石魚…ずつ ようかん…1/2，1/4，1/3 りんご…1/3 牛乳…1/3 ○分数問題のれんしゆうをする	画紙 糸 おはじき はし 色紙 厚紙 木の葉 小石 魚 模型時計 ねんど 牛乳ビン コツプ	◦二等分ができ1/2 の理解ができたか。 ◦ものをくらべてみようとする態度。 ◦四等分ができ1/4 の理解ができたか。 ◦乗除の素地ができたか。 ◦三等分ができ1/3 の理解ができたか。 ◦公平に分配しようとする態度。 ◦それぞれの表現の便利さを知る。	
態度 1. ものわくらべてみようとする。 2. 公平に分配しようとする。 3. 表現の便利さを知って簡単な分数を有効に使用しようとする。	◦おきやくさんごっこをたのしくやろう。	7. おきやくさんごっこをたのしくやる方法について話し合う。 8. おきやくと接待者にわかれる。 9. おきやくさんごっこをする。 ◦招待状を出す ◦遊び道具で遊ぶ ◦ごちそうを出す ◦料理の作り方をお話しする ◦みやげをおくる	鉛筆（はし）	◦1ダースがわかつたか。	
	◦おきやくさんごっこがたのしくできたか。	10. おきやくさんごっこがたのしく出来たか反省する。 ◦挨拶 ◦遊び方 ◦食事の作法 ◦料理の作り方のお話 ◦みやげのわけ方			
	◦どうすればおきやくさんごっこがたのしくできるか。	11. どうすればおきやくさんごっこがおもしろくできるか話し合う。			
	◦おなじようにわけたものの大きさを表わすことができるようにしよう。	12. 分数の問題をれんしゆうする。（倍を含む）		◦表現の便利さを知って簡単な分数を有効に使用しようとする態度。	

(2) 資　　料

（次ページ参照）

○等分の操作についての調査

◎等分の操作についての調査

児童氏名 ＼ 素材・環境用具・等分		色紙 はさみ・鉛筆 二分	色紙 はさみ・鉛筆 二等分	色紙 はさみ・鉛筆 三等分	厚紙 ものさし 鉛筆 二等分	厚紙 ひも 鉛筆 二等分	厚紙 (10cm×3cm) ひも 鉛筆 三等分	りんご ナイフ 三等分	フラスコの水 コップ3こ、しゅうきびん1こ リットル桝（三種）各1こ 2等分	フラスコの水 3等分
1	A				／	鉛筆により目分量で印をつけ助言以前に処理す	目分量で三等分する	／	同じコップ二個をえらんで等分す	コップが三個の場合はできるが二個の場合は他の一個をつかって目分量でわける
2	M	同上		同上 除外	／	(イ)の助言後ひもを使って等分する	できない	／	同上	同上
3	Y	同上		同上	／	目分量で等分す	目分量で三等分する		／	／
4	YK	同上		同上	／	指巾により大体切半す	同上	わからない	／	／
5	MT	同上		同上	／	でたらめに切半す	できない	／	同じコップ二個をえらんで等分す	
6	MY	同上		同上	／	(イ)の助言後使用して切半す	ひもを四等分して厚紙を四等分す	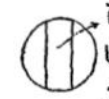 ひろくならないようにと考えている	／	／
7	K	同上		技術適確	ものさしを使用しつめで印をつけて二等分する	同上	／		同じコップ二個をえらんで等分す	同上
8	U	 折り重ねて点線のように切る			折れない厚紙と説明するも不徹底か折って切る	(ロ)の助言をしても不可	／	／	同上	同上
9	YA			同上	ものさしを使用するも印をつけず切ったため不正確	同上	／	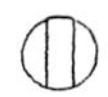	／	／
10	T	同上		できない	同上	同上	／	／	同じコップ二個をえらんで等分す	同上
11	H	同上		できない	ものさしを使用せず目分量で切る	同上	／		／	／
12	HK	同上		できない	指巾ではかり二等分する	(イ)の助言後ひもを使って等分す	／	／	同じコップ二個をえらんで等分す	同上
考察		(1)わけるということは等分に考えている (2)  のわけ方はなくU児をのぞき  である (3)三等分しようという意味はうかがえるが操作は困難で端片は除外する傾向がみられる 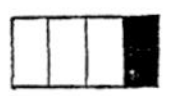			(1)ものさしを使用しない児童はものさしの使用法を知らないためと思われる能力のひくい児童である (2)鉛筆で印をつけて等分したものはない	(1)できないので次の助言をあたえる (イ)ひもを使ってもよい (ロ)ひもをまげてもよい (2)1～6の児童の調査に於てはよく考えて操作させるべきであった (3)助言の時期が不適確であった	(1)操作の上の三等分はできない。これは三等分の操作は困難であるからである	(1)Y児ははじめ二等分のとき形のことを考え他の児童のように簡単に二等分しなかった (2)三等分の場合  はなかった。このようなわけ方の方が困難であることがわかる	(1)操作ができるような条件を与えれば等分できる (2)コップを二個に限定した場合は他の容器を用いるが水の高さで等分を考えて容器の大小を考えない児童は能力の低い児童である (3)等分しようという意志は認められる (4)醤油屋さんへ行った経験を聞いて他の方法が考えられるか聞いてみたがリットル桝ではかろうとするものはなかった。A児のみコップ二個の場合この二つのコップに1:2の割合に入れてその2の方を二等分して三等分した	
方法反省		△調査は1～6までの児童と7～12までの児童とは別々に行う △上中下の層の児童をえらぶ								

(3) 指導過程とその結果

順序	1	2	3	4	5	6	7	8	9	10	11
素材内容 / 児童名	書紙導入（直）1/2	糸（直）1/2	はし（間）1/2	色紙導入（直）1/4	厚紙（間）1/2	ようかん（間）1/2	ようかん（間）1/4	テープ導入（直）1/3	ようかん（間）1/3	りんご（間）1/3	牛乳（間）1/3
1	×	二分の一	三分の一	1/4	1/2	1/3	1/4	1/3	1/3	1/3	1/3
2	一枚	1/2 二分の一	1/2 二分の一	1/4	1/2	1/2	1/4	1/3	1/3	1/3	1/3
3	半分	1/2	1/2	1/4	1/2	1/2	1/4	1/3	1/3	1/3	1/3
4	半分	二分の一	1/2	1/4	1/2	1/2	1/4	○不明	1/3	1/3	1/3
5	半分	1/2 半分	1/2	1/4	1/2	1/2	1/4	1/3	1/3	1/3	1/3
6	半分	半分	半分	×	1/2	1/2	1/2	1/3	1/3	1/3	1/3
7	半分	1/2	1/2	1/4	1/3	1/2	1/4	1/3	1/3	1/3	1/3
8	一枚	1m	二半分	1/2	いほせん	半分	1/4	1/3	1/3	1/3	1/3
9	半分	1/2	1/2	1/4	2/1	1/2	1/4	1/3	1/3	1/3	1/3
10	半分	1/2	1/2	1/4	1/2	1/2	1/4	1/3	1/3	1/3	1/3
11	半分	1/2	1/2	1/4	1/2	1/2	1/4	1/3	1/3	1/3	1/3
12	半分	1/2	二分の一	1/4	1/2	1/2	1/4	1/3	1/3	1/3	1/3
13	半分	1/2	1/2	1/4	1/2	1/2	1/4	1/3	1/3	1/3	1/3
14	一枚	二分の一	二分の一	1/2	1/2	1/2	4/1	1/3	3/1	3/1	3/1
15	半分	1/2	二分の一	1/4	1/2	1/2	1/4	1/3	1/3	1/3	1/3
16	半分	1/2	半分	1/4	1/2	1/2	1/4	1/3	1/3	1/3	1/3
17	半分	1/2	1/2	1/4	1/2	1/2	1/4	1/3	1/3	1/3	1/3
18	長四角	1/2	1/2	1/4	1/2	1/2	1/4	1/3	1/3	1/3	1/3
19	×	二分の一	二分の一	1/4	1/2	1/2	1/4	1/3	1/3	1/3	1/3
20	半分	1/2	1/2	1/2	1/2	1/2	1/4	1/3	1/3	1/3	1/3
21	半分	1/2	1/2	四半分	1/2	1/2	1/4	1/3	1/3	1/3	1/3
22	×	1/2	二分の一	1/4	1/4	1/2	1/4	1/2	1/3	1/3	1/3
23	×	1/2	二分の一	×	1/2	1/2	1/4	1/2	1/3	1/3	1/3
24	×	1/2	1/2	1/2	1/2	1/2	1/4	1/2	1/3	1/3	1/3
25	×	1/2	1/2	×	1/2	1/2	1/4	1/3	1/3	1/3	1/3
26	×	1/2 二分の一	2倍	1/4	1/2	1/2	1/4	1/3	1/3	1/3	1/3
27	×	1/2	1/1	1/4	1/2	1/2	1/4	1/3	1/3	1/3	1/3
28	×	二分の一	1/2	1/2	1/2	1/2	1/4	1/3	1/3	1/3	1/3
29	半分	1/2	1/2	1/4	1/2	1/2	1/4	1/2	1/3	1/3	1/3
30	半分	1/2	1/2	1/4	1/2	1/2	1/4	半分	1/3	1/3	1/3
31	半分	二分の一	二分の一	1/4	1/2	1/2	1/4	1/3	1/3	1/3	1/3
32	半分	1/2	1/2	1/4	1/2	1/2	1/4	1/3	1/3	1/3	1/3
33	×	二分の一	×	×	1/2	1/4	1/4	1/3	1/3	3/1	3/1
34	半分	半分	二分の一	×	1/2	1/2	1/4	1/3	1/3	1/3	1/3
35	半分	二分の一	二倍	1/4	1/2	1/2	1/4	1/3	1/3	1/3	1/3
36	半分	1/2	1/2	1/4	1/2	1/2	1/4	1/3	1/3	1/3	一本のぎゅうにゅうびんのぎゅうにゅうの 1/3
37	一枚	一ぽん	きる	半分	1/2	4/2	1/4	1/3	1/3	1/3	1/3
	挙手口答	筆答	筆答	挙手口答	筆答	筆答	筆答	筆答	筆答	筆答	筆答

5 今後残された問題

VI 算数科におけるできないこどもとその原因についての研究

実験校 埼玉県平方町平方小学校

1 課 題

「算数のできない子どもはどんな子どもか，また，どんな原因は除くことができないか，どんな原因は除くことができるか。」

2 実験期間　昭和26年4月〜29年3月（3か年）

3 実験経過

我々が学習指導をしている際に，もう少しできるようになってくれたならばと思われる子どものいるのを常に認める。これらの子どもは，何らかの影響や素質等の原因があって，その原因のためにできるようになることが妨げられているのではなかろうか。さればその原因はどんなものがあるのだろうか，又原因は除くことができないものであろうか，と考えたのである。

前年度の経過概要（27年度の研究）

1 実験児童の選定

(1) 選出方法

(イ)（A）の問題はできるが（B）の問題はできないという児童をあげた。

(ロ) その児童の中で，できない原因的傾向を著しくもっていると思われる児童を，事例研究によって選定した。

(2) 実験児童

選定された実験児童は，以下次のように呼ぶ。3年……実験児童A，4年……同B，5年……同C，6年……同D

2 実験児童の1人1人は，どんな子どもで，何がこれらの子どものできない原因となっているかを知ろうとするために，事例研究をした。

3 事例研究の結果，次の如き実態を知った。

○実験児童A…教師の説明を聞くとき，ぼんやりしていたり，本のさし絵を見ていたり，鉛筆を噛んだりしている。

○実験児童B…作業的な学習のとき，ノートに絵をかく，手悪さやよそ見をする，いたずらをする等のことをしていて学習をあまりやらない。

○実験児童C…話し合いのとき，手悪さ，目こすり髪いじり，隣の子どもとふざける，あちこちを見廻す等の行為が大変多い。

4 本年度の研究

前記の如き実験児童の実態は，できないことの原因と考え，これをどのようにしたら除くことができるかについて，テストケースをもって研究することにした。

1 テストケースの目的

(1) 実験児童がもつ，できない原因と思われる実態の原因は，なんであるかを明らかにする。

(2) その実態は，どのようにしたら除くことができるかを研究する。

2 テストケース児童の選出

(1) 全校児童の中から，各学級1名を選ぶ。

(2) 実験児童の実態と同様の行為をもつ児童を，事例研究によって選出した。

3 テストケースの実施方法

A．B．C毎にブロック形態をとり，そのブロック内で研究をしながらテストケースを進めていった。

4 テストケース

◎ Aブロック

(1) 原因的なものとして　• 身体障碍　• 性格的な無気力さ　• 環境の影響　の3点があげられたが，その中で，身体障碍（主として鼻）によるものではないかとみられたので，診断したところ，全員鼻の障碍ありと認められた。

(2) テストケース児童の半数が治療を受けたので，治療効果の観察をした。この観察は約3か月で打切り，性格的な面の矯正指導と，指導効果の観察をした。（第1班）

(3) テストケース児童の半数は治療を受けられなかったので，性格的に無気力なのではないかについて研究し，矯正指導と指導効果の観察をした。（第2班）

(4) 第1班の事例研究

○Aテストケース児童1番（女子）1年生

• 治療　アデノイド手術。通院7日で全治

• 治療前の実態

ぼんやりしていて，笑わないし口をきかない。常に1人でいて友達がない。

• 治療効果の観察

(イ)行動面，遊び等では大声で話し，抗議することもある。教師にも話ができるようになり，のびのびとした表情がうかがわれる。

(ロ) 学習面，本をよく読む，挙手をし指名すると答える。テストもの0点が少なくなった。

(ハ) 体操遊戯を元気よくやるようになり，掃除を積極的にやるようになった。

○Aテストケース児童2番（男子）1年生

• 治療　アデノイド手術，蓄膿症もあるが洗滌を行っただけである。

• 治療効果の観察

呼吸がいくらか楽になったように思われる。行動や態度には殆んど変化が見られない。

- 指導　ほめたり，仕事を持たせたりして，活溌な態度を養成する。
- 指導効果の観察

(イ)　自分の得意なことはかなり元気よくやるが，普通にはあまり変らない。

(ロ)　学習面，やろうとする態度が出てきている。本を読むようになり，できそうなことについては，とても張りきってやる。

○Aテストケース児童6番（男子）6年生

- 治療　萎縮性粘膜症を通院して治療し全治。
- 治療前の実態

他児童との交際があまりなく，普通のときはぼんやりとしていて，やらなければならないことでも不活溌である。

- 治療効果の観察

学校家庭共に冒険小説等を読んでいることが多い。動作も不活溌である。

- 指導　大勢の子どもの中に入って遊ぶように仕向け，刺戟や援助を与えて，機敏な態度をとるようにする。
- 指導効果の観察

(1)　多くの友達を得て遊び，積極的に活溌に活動するようになってきている。

(2)　学習面　説明を聞く態度ができてきた。できると思うものは稍々活溌にやる。

(5)　第2班の事例研究

○Aテストケース児童3番（女子）2年生

- 実　　態

(1)　アデノイド及蓄膿症であるが，家庭の事情で治療ができなかった。

(2)　鼻をたらしてポカンと口をあけていることが多く，学習も消極的であり，友達がない。

- 指　　導

(1)　明るい性格を養成するために，友達をふやすように仕向け，ほめてやるようにした。

(2)　学力を伸ばすために，継続的に計算練習をさせ，絶えず刺戟を与える。

- 指導効果の観察

(1)　学習面，積極性が見られ，知能的な学習もよくなってきた。計算の成績はかなり向上している。

(2)　行動的には友達がふえ，皆と元気に遊ぶようになってきた。仕事も積極的にする。

○Aテストケース児童4番（男子）4年生

- 実　　態

(1)　アデノイド及蓄膿症である。

(2)　学習のときぼんやり口をあけていて，話をきくことや仕事をすることに気力がなく，永続きしない。

- 指導　楽しく元気で遊ぶように仕向け，掲示係をさせて明るく生活する態度を養う。
- 指導効果の観察

(1)　外で元気よく友達と遊ぶことがあるようになってきた。

(2)　掲示物がきまると進んで計画に参加し，積極的にやる。

(3)　学習中活気を見せてきてはいるが，むらがあり成績もあまり向上してはいない。明るい態度はかなりでてきている。

○Aテストケース児童5番（男子）6年生

- 実　　態

(1)　慢性鼻カタルである。

(2)　おとなしく何事も引込みがちで，学習もぐずぐずしている。発表することが殆んどない。

- 指導　級務を多くさせ，絶えず刺戟と援助を与えて，積極性を養う。
- 指導効果の観察

(1)　級務を率先してやるようになり気がつくようになってきた。

(2)　学習面ではグループ学習に積極的に参加する。家庭学習をやることが多くなり，基礎的な学習を熱心にやる，といった点がでてきた。成績は顕著ではないが向上している。

◎Bブロック

(1)　学習に無関心であるということは，性格的なものもあろうが，家庭環境からの習慣化による放逸性が原因となっているのではないか，ということが考察された。

(2)　家庭環境調査によって，児童の放逸性を増長するかに思われる点が多く，矯正指導の関心が家人に認められない，ということが，どの家庭にも見られた。

(3) 家庭と学校の両面から，継続的に努力的に仕事をする習慣をつけさせるための仕事を与えて指導し，家人の協力を求めて，環境の善化をはかることにした。

(4) Bブロックの事例研究

○Bテストケース児童1番（女子）2年生

- 実　態

(1) 家庭人の関心は深いが，あまやかしており，世話をしてやりすぎている。

(2) 学用品等粗雑に取扱う。家庭学習を怠け，手悪さ，よそ見，早合点等がとても多い。

- 指導　定められた仕事を必ずなしとげる習慣をつけるため，家庭学習の改善と掃除を受持たせることにした。

- 指導効果の観察

(1) 家庭学習は積極的にとてもよくやる。掃除については，云われるとやるが，充分な活動は見られない。

(2) 学習面に積極性・永続性・熱心さがでてきたし，行動的にもおちつきがでてきた。

(3) 成績も向上してきている。

○Bテストケース児童2番（男子）3年生

- 実　態

(1) 家人の関心が薄く，躾も手伝いも，殆んどかえりみない。

(2) 学習に不熱心で持久力がなく，いたずらが多い。

- 指導　学校と家庭で，生物の飼育栽培をさせ，物事を整然となしとげる習慣をつけさせる。

- 指導効果の観察

(1) 生物の飼育栽培は大変よくやり，家人も喜んでいる。

(2) 労作など率先的な行動が多くなった。

(3) 家庭学習を継続してやるようになり，学習態度に熱心さがあらわれてきた。

○Bテストケース児童3番（男子）4年生

- 実態　家庭内が雑然としていて，家人の児童に対する関心が薄い。

- 指　導

(1) 家庭学習をやらせて，家人の協力を求める。

(2) 学級会計係をさせて，物事を正確にやる習慣をつける。

- 指導効果の観察

(1) 家庭学習も会計も，かなりしっかりやるようになってきた。

(2) 整然とやる，正確にできる，おちついて熱心にやる，といった態度がよく見受けられるようになってきた。

(3) 計算の成績が，やや向上してきた。

○Bテストケース児童4番（男子）6年生

- 実態　家人の児童の躾，学習への関心が乏しい。農事の手伝いを多くさせている。

- 指導　放課後の特別指導によって，学習への安定感を持たせて，家庭学習を熱心にやるように仕向け，家人の協力を求めた。

- 指導効果の観察

学習内容が稍々わかるようになってきたし，おちついてやるようになってきた。

○家庭学習はかなり継続的にやってくるが，いいかげんにやってくることがよくある。（長期欠席のためよくやれなかった）

⦿Cブロック

(1) 学習中，移り気的な行為が多く，永続性がないということは，おちつきのない性格的なものが原因となっているのではなかろうかと考察された。

(2) 問題行為の起るのは，どんな場合で，なぜであろうかについて，実態調査と研究をして指導案をたてた。

(3) 問題行為の起きるのは，興味がない，誠意を持たない，責任を感じない等の情緒的なものからであろうと考察された。

(4) Cブロックの事例研究

○Cテストケース児童1番（男子）3年生

- 実態　計算練習などはやるが，思考を要する学習や話し合いなどのときは，問題行為が多い。

- 指導　家庭学習や，受持つ役割は必ず実行するようにすすめ，誠意をもって仕事をやり通す態度をつくる。

- 指導効果の観察

(1) 家庭学習はとてもよくなってきた。

(2) 学校における行動や学習の態度や学習成績には，殆んど変化が見られない。

○Cテストケース児童2番（女子）4年生

- 実態　一斉的な学習の場にあっては，問題行為がとても多く，きまりきったことや自己本位なことはよくやる。

• 指　　導

(1)　話し合いのとき，聞きとる態度を養成する。

(2)　植物の栽培をさせて，誠意と継続性をもつように習慣づけていく。

• 指導効果の観察

(1)　問題行為は少なくなってきたが，また，いたずらをしていることがある。

(2)　植物栽培に喜びを感じて熱心に毎日やる。

(3)　学習も労作も熱心さがかなり見えてきた，家庭学習がとてもよくなり，学習成績もかなり向上してきた。

○ Cテストケース児童3番（男子）5年生

• 実態　自分で仕事をやりとげることをしないで，他の人の助けを求めている。

• 指　　導

(1)　自分の力で物事をやっていく態度を養う。

(2)　継続的に熱心に仕事をする態度を養う。

（窓の開閉係，学級関係，家庭で動物の飼育を受持たせている）

• 指導効果の観察

(1)　どの受持ちの仕事もだんだん熱心になり，積極的に行動するようになった。

(2)　他の労作面では，いくらか積極的にはなったが，粗雑でむだ口をしていることが多い。

(3)　学習面では積極性が見え，与えられたものは溌溂にやるようになり，グループ学習等は自分の立場を認識した態度でやるようになった。

○ Cテストケース児童4番（男子）5年生

• 実態　思考的な学習や継続的な学習のとき，問題行為が多く，面白いことや計算練習や自己本位な仕事のときは，かなりよくやる。

• 指導　花壇係をさせて草花の世話と観察記録をさせ，注意と誠意をもって仕事をする態度を養う。

• 指導効果の観察

(1)　草花の世話に喜びをもってやっているが，充分な取扱いはしない。

(2)　教師に進んで接触することが多く，騒ぐことがなくなった。

(3)　おちついて学習するようになってきた。

5　今後に残された問題

1　テストケースの内容をまとめて，態度養成の指導の主要点をうち出す。

2　学習面の指導は，どのような面で，どのようにしたらよいかを研究する。

3　実験児童の指導をどのようになすか，について研究する。

4　一般化の問題について研究する。

5　次の実験にかかる。

Ⅶ　割合の概念におけるこどもの誤りの研究

実験校　**富山県是戸小学校**

1　課　　題　割合についてのこどもの誤りをいかに救うか。

2　実験期間　昭和26年4月～29年3月（3か年）

3　実験経過

〔Ⅰ〕　研究のねらい

本校の実験研究の主要なねらいは，数量の大きさを「割合」（整数倍の場合に限定）で比べる場合の学習について，誤答する子供の一人一人について，指導してみて，そのつまずく原因を調べ，研究の結果を実証的に考察することによって，今後，この学習をする子供達に，同じつまずきを繰返えさせないようにする為に，指導上必要な事柄を明らかにしようとするものである。なお，この研究を通して，算数の学習を進める時に，どの子どもも問題の解決に当り，しかも，学習の効果があがるようにする為の，指導法上の改善点を探ろうとするものである。

〔Ⅱ〕　昭和27年度までの研究経過並に結果の概略

○本校の研究課題は，（子ども達が，半具体物で示された，二つの個数の集りの比較を“整数”倍でいい表わす時（例 ☆☆☆
☆☆☆
☆☆☆ は ☆☆☆ の何倍にあたるか。）に，どんなところでつまづくか。また，どんなことが原因になっているか。」である。（昭和27年度の研究発表要項参照のこと）

A　予備調査の結果並に実験児童の決定

実験の対象児童を決定し，研究の仮説をたてる資料を得るために実施した予備調査の結果，あらわれた子供達の誤答には，a−b型，$\frac{a-b}{b}$型，a+b型，a×b型など，種々の思考形式が見られたが，a−b型の誤答をする子ども達が比較的多い事から，

○子ども達が持っている，差による比較の概念の上に，割合（ここでは整数倍）による比較の理解を積重ねることが出来るかどうか。出来るとすれば，どのようにすればよいか。についての研究が，本校の課題からみて，重要なものであると考えたこと。

○実験対象児童が比較的得易いと考えられたこと。――以上の観点から，a−b型の子供について，研究を進めることにした。

(1) 研究に対する仮説の設定について

a−b型の子どものつまずきの原因を，次のように推定し，これを研究の仮説とした。

◎つまずく子供達は，次の理解や能力を欠いている為ではなかろうか。

a 個物の集りの大きさについて

i) 直観的に捉えたり，概測したりする能力。

ii) 数える時に，同個数グループにして数えると，数え易いことの理解。

iii) 同個数の累加（または累減）回数によっても，その数量の大きさをいいあらわすことが出来ることの理解。

iv) 基準になる個数を1グループとして捉える能力。

b 個物の集りの大きさを比較していい表わす場合に，

○差を見ていいあらわす外に，“倍”を使ってのいいあらわし方のあることの理解。

i) “倍”で比べると，適確に処理できる場合のあることの理解。

ii) 比べる基になる個数を一単位として捉え，対象量の大きさを測ればよいことの理解とその能力。

c “倍”を使って大きさをいいあらわす場合の手続きについて，

i) 個数aの中に，個数bが何回あるかを調べ，その回数に倍をつけていえばよいことの理解。

ii) 個数aと個数bとが同じ大きさの場合には，“aはbの一倍である”ともいえることの理解。

iii) 比較の基準になる個数を一単位として捉え，対象の個数を測れる能力。

(2) 試みの指導の結果について

先に述べた原因推定に基いて，指導計画をたて，A型の子供の一人一人について指導（三次にわたって実施した）を試みた結果，一応次のような結論を見ることが出来た。（詳細は27年度の研究報告参照のこと）

◎割合関係を „倍” で処理する場合の指導においては，

a “倍”の用語の意味を理解させることが大切である。

○二つの数量の大きさを比べる場合に，基準にする数量を単位にとって，比べる対象の数量の大きさをいいあらわす時に使う用語であること。

b 「より多い」（またはより少い）は，両者のちがいをあらわすのに対して，“倍”は，比べる対象の大きさを，その中に含まれる基準量の組数で示す用語であること。

○二倍のことを単に，“倍”としていい慣らわされていること。

c 概測したり，概算したりする能力を高めること。

d 数や量を，同数または同個数グループに組分けして，その大きさを捉える能力を伸ばすこと。

○個数を数える場合に，同個数あてに整理して数えようとする態度をつけること。

e 解決に要する手続きを理解し，それを身につけさせることが大切であること。

i) 「基準にするものは何であるか」また，「基準にするものの大きさは，どれだけか」をはっきり見定めること。

ii) 差で処理する場合は，両者のちがいに目をつけるが，“倍”の場合には比べる対象の大きさ全体に目をつけること。

iii) 比べる対象の数量を，基準の数量あてに組分けして，その組数に“倍”をつけること。

iv) 同数量の場合には，3倍，2倍に対して，形式上，1倍としていいあらわされること。

v) 比べる対象の数量よりも，基準になる数量の方が大きいときは，その結果は分数であらわされること。（基準と対象とを逆にすると，その結果は異ること。）

f 解決の結果をあらわすときには，関係の仕方がはっきりわかるよう，表現するように指導することが大切であること。（例“何”は何の“何”倍にあたる。）

〔Ⅲ〕 昭和28年度の研究でわかったこと。

第二年度末の結論について，倍処理の指導に直接関係のあるもの（仮説）

と，その素地として，学習に入る前に，子供達に能力づけられていることが望ましい事柄とを吟味し，これを条件として，次のように整理した。

A　結論の整理について

仮　　説	条　　件
〔Ⅰ〕倍の意味の理解 A　大きなものの大きさを，小さなものを単位にしていいあらわすときに用いる。	a　数量の大きさについて，概測や概算が出来ること。 b　数量の大きさをいいあらわすことばとしての“倍”用語が使えること。（ここでは広さについていえること）
B “倍”で比べたときの答の数は大きいものが小さいものの何回分に当るかを示すものであること。	o　比べた結果のあらわす意味について， a “差”は二数量のちがいを表わす数であることがわかっていること。 b　いくつ分（いくつに分けたいくつ）に当るという時のいくつは，基準と同数量のかたまりの数をあらわすものであることがわかっていること。
C　大きい方の数をもと（基準）にとったときは，その答は分数になる。	o　数量の大きさをあらわすことばとしての何分のいくつが使えること。
D　二倍のことを，単に“倍”といいならわされているのは，二倍の二をはぶいたいい方であること。 E　同じ大きさのときには，1倍ともいえる。	o　次のように示すことが出来る。 a 「ちがわない」「同じ大きさである」 c　一かいぶんに当る。
〔Ⅱ〕“倍”での比べ方がわかる。 a　目のつけどころのちがい。 b　手続きのちがい。 c　結果のあらわす意味のちがい。 d　結果のあらわし方のちがい。	①　比べる手続きについて。 a “差”の場合，二数量のちがいに目をつけて数えることが出来ること。 b　個物の集りについて，任意の数で組分けして，その組数を求めることが出来ること。 ②　かけ算の逆としての割算が出来ること。 乗法の意味がわかって九九が全部使えること。

B　予備調査の結果わかったこと。

前述の各条件を客観テスト化して，調査問題を作り，検証指導の対象学年について，予備調査を行った結果，次のような傾向が見られた。（対象児童，36 名）

(1)　個物の集りについて，組分けはできるが，割合による見方，考え方ができないと見られる子ども。 36/16

(2)　組分けも乗法九九の適用もできるが，割合による見方，考え方ができないとみられるもの。 7/15

（残りの 8 名は，割合による見方はできるとみられる《例　3 倍を 1/3 とする》ところから，倍用語の意味がわかっていないのではないかと思われる。）

(3)　“差”で比べる場合，答は出せるが，その数値が，二つの個物の集りについて，何を示すものであるかを明確に指示できないもののうち，割合による見方，考え方が出来ないと見られるもの。 14/18

(4)　量感覚の鈍いと見られる子どもで，割合による見方，考え方のでき難いと見られるもの。 11/11

（量感覚が鈍いと思われない子どもで，割合による見方，考え方ができ難いとみられるもの 7/24，ただし，この中，分数による見方のわかるもの 5/7 で，あとの 2 名は，“半分”とか“四半分”として，別のことばであらわしている。）

(5)　“差”での，比べた結果のあらわし方（例，「aはbよりもいくつ多い（または少い）の表現」の出来不出来と広さについての“倍”用語が使えること，並に分数用語が使えることとの関係は，はっきりみることができなかった。しかし，表現の仕方のわからぬものや不明確なものは，一般に，“倍”用語についても，分数の見方についても誤答したものが多い。

以上，述べた事柄からみて，指導目標を設定する場合に，「用語のもつ意味」の理解「基準についての意識」「各条件の関係の仕方と目のつけどころ」などに対する指導の手を考えておくことが大切であることの外に，特に，次の事柄についての研究の必要を感じた。

◎個物の集りについて，組分けすることができたり，乗法九九を適用して数の大きさを捉えることができても，（つまり，個物の集りを 1 グループとして捉えることができても）それを一単位として取り扱うことができないとみられる子どもが多いこと。また，量感覚の鈍い子どもは，一般に，割合による見方，考え方が出来難いとみられることから，これらのことがらが，割合の概念の発達と密接な関係があると考えられる。それで，この学習に入る前に，素地として，子ども達は，次のことがらについての能力を持っていることが大切であると思われる。

a　物の大きさを見とる場合に，その物全体の大きさに目をつけて，見当づける力を養っておくこと。

b　見当づけをする場合に，物の大きさについての既有の感覚を基準にとって，それよりも“いくら長い（または多い)”とか，“そのいくつ分の大きさにあたるから，いくら程になる”といった見とり方ができるようにしておくこと。

C　現在，実験研究中のものについて

上に述べた観点に立って

(1)　測定の仕方を身につけること。

(2)　見当づけの仕方について指導し，物の大きさに対する感覚を鋭敏にすること（長さと個物の集りについて）を目指して，指導計画をたて，指導を試みつつ研究を継続中である。

4　今後に残された研究

a　物の大きさについての見当づけが，測定値に近いまでになった子どもについて，本校で設定した仮説について指導したら，割合の概念を深め，“倍”用語を使って物の大きさを見とることが出来るかどうかを検証すること。

b　結論を改善し，一般化するために，本校の他の学年並に他校の子どもについて，検証指導を行うこと。

音　　　楽

1　児童発声の実験的研究

実験校　宮城縣仙台市南材木町小学校

1　実験期間　昭和27年4月—29年3月

2　研究経過概要

前年度に引続き「軽い頭声」とは何か，その実態の究明を継続するとともに頭声に導くための方法はどうしたらよいかについて研究を重ねた。

そのため発声類型についてもそれを新しく考え直し，また頭声の実態をより深く科学的に究明するために，オシログラフによる波型分析や，音域の調査，また前年度開拓されなかった発声異常の分野も除々に手をつけ始めたのである。次に各部門毎に要点を記することにする。

3　実験結果についての報告

㈠　発声類型表

	声区	類　　　　型
正常発声	頭声区	1.　頭声発声 { A / B / C（換声のはっきりしている発声）
	胸声区	1.　全音域胸声 3.　地声 { A / B（音域狭小）
異常発声		4.　唖　声 5.　その他の異常発声

1.　発声類型について

昨年5月に発表した8類型にその後種々検討を加えた結果，新に別表のようにまとめた。前年度に比べての特色としては，

(1) 頭声区と胸声区に大きくわけたこと。

(2) 頭声区を更にＡＢＣの三つにわけ，裏声という項目を削除したこと。

これは始めから，頭声発声Ａに比し，弱々しいひびきの少い声をさしたのであるが，その後この発声は，練習によってＡに変化するものであることがはっきりしたので，これを頭声Ｂとしたのである。

Ｃは従前通り声隊のはっきりしている発声をさす。

(3) 胸声区もやはり全音域胸声，地声ＡＢの二つに分けたこと。

音域狭小は当然地声に含まれるものであるが，まだまだ音域の特にせまい児童が多いので，この項はまだ削除することができなかった。

ここまでは正常発声として扱った。

(4) 嗄声・特異発声児については，発声器官に異状のある場合の状態なので，これは別にとりあげた。

(二) 頭声発声の学年的指導段階

第１回目の発声調査の結果により，それを各類型に分類し，それに対する指導方法を色々研究してきたことは中間発表を行った通りである。

これにより，頭声発声の指導経過を一応つかむことができたので，更にこれに基づいて学年的な縦の指導系統について考えてみることにした。

これを研究するにあたり，発声類型調査の他に実験学級Ａ，対照学級Ｂの１学年２ケ学級について音域調査を行った。これによりいろいろ面白いヒントをあたえられた。

これを全体としてみると，

1．実験学級Ａは比較的音域が揃っている。これに反し対照学級(Ｂ)は女児であっても一般に不揃いである。

2．頭声と胸声地声との間には音域の上でも限界があることがよみとられる。

3．指導期間が３年～４年の２年間と，４年～５年の２年間とでは児童ののび方は，前者の方が著しい。

4．発声という事は，正しい指導の下に訓練をつめば，家庭環境，素質には余り左右されず，ある程度まで伸ばすことができると考えられる。

以上のようなことから低学年・中学年における発声指導の重要性を強く感じさせられた。それで１年生から系統的指導を受けた現在の２年生が６年生になった時，どのような結果があらわれるかを非常に期待している。

(三) 低学年における頭声発声指導経過

1．第 一 段 階

(1) 歌唱に慣れさせる。

(2) 機会をとらえて頭声発声の要領を覚えさせる。

(3) 音域狭小の児童のグループ指導を行う。特に程度のひどいものは個別指導を行う。

(4) 頭声発声の児童の歌唱を鑑賞させる。または範唱を聞かせる。

2．第 二 段 階

(1) 第一段階における，１２３４の徹底。

(2) 高音（＝点ホ以上）の発声の要領を覚えさせる。

(3) ＝点ハ点以下の音を発声する時も，胸声をはりあげず頭声で歌えるように慣れさせる。

(4) 遊び方の指導をして声帯を疲らせたり無理をしないようにする。

3．音域調査表によって発見された諸問題

（Ａ学級２，Ｂ学級４）（別冊参照）

(1) Ａ学級（１年２年と継続指導を行った学級）の表をみると男女共文部省の指導要領に示している標準音域をはるかにこえて，＝点トイロまで発声できる。

(2) 特殊児童をのぞいて全員標準音域（ハ－＝）まで発声できる。

(3) 学級全体の音域がそろって大した差異がない。

(4) Ｂ学級の表をみるとクラス全体の音域がまちまちである。特に男児は標準音域まで発声できぬ者が38％もいる。

(5) 胸声色が強いため，特に男児は＝音以上の音が発声できない者が多い。

4 今後の問題

1 Ａ学級の児童は全員でどの歌も頭声発声の要領で歌うことができる。

しかし１人で歌わせてみると類型の頭声Ｂに入るものが多く，その発声は弱々しい。それで今後体の発育と相俟って，音量とひびきが加わっていくような指導が必要である。

2 第２に，まだいくらかのこされている発声異常児をのぞいた音域狭小の者の個別指導が必要である。

以上残された問題はあるにしても，学級全体からみてどんな歌を歌っても頭声発声の要領で歌えるまでに仕上げて，中学年に進級させることができるのは大きなよろこびである。

(四) 男児童の発声について

1．男児童発声類型調査とその指導

(1) 発声類型による分類

新しい発声類型に基づいて再分類した。

(2) 分類結果に基づく指導方法の研究と実施

2. 全音域胸声児童の指導

(1) 実験当初より約1年間，以上のような調査と指導を加えても，その発声がほとんど変化しない児童を対象にして行ってきた。

(2) そうした児童の発声状態および心理的・生理的・行動的な面の継続的な観察。

(3) その観察に基づく指導方法の研究と実施。

3. より豊かな共鳴をもたせるための指導

(1) 発声類型の頭声に移行した児童の，大部分が頭声発声Bである。何か弱々しい，かぼそい発声にどのような指導を加えたならより豊かな共鳴をもたせることができるかを研究考察する。

(2) その研究考察に基づく指導の実施とその結果の反省。

4. 男児発声の特質についての検討

(1) われわれの理想としている頭声発声の場合，男児と女児との発声は相異するか。

(2) 発声そのものはどうか。

(3) 生理的条件はどうか。

(4) 心理的な面はどうか。

(5) 生活的な面はどうか。

(五) 発声異常児について

A 嗄声について

1. 音楽的立場から見た嗄声

(1) 声がかすれる

(2) 雑音が多い

(3) おしつぶされたような声

(4) 地声に似ているがそれよりさらにひどい

(5) 声がとぎれる

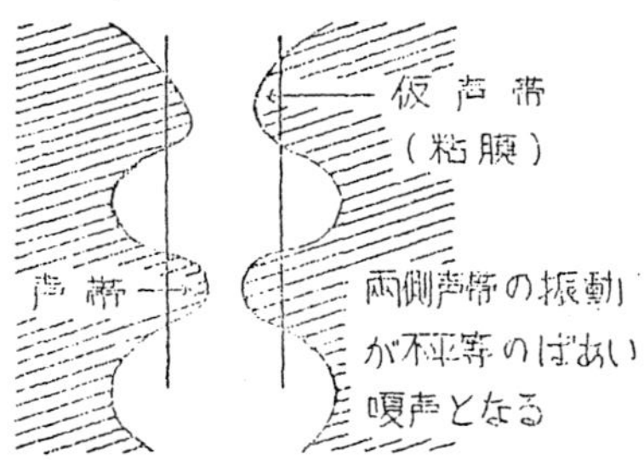

2. 嗄声の分類

(1) カスレル

これは症状としては軽度のもので，声帯が炎症のため軽く浸潤された場合，軽く浸潤された場合または粘液が声帯の表面に付着し，声帯の働きが軽く障碍された場合である。

これは声帯の過労，全身衰弱，声門のふじゅうぶんな閉鎖，声帯

の緊張の不足による。

(2) 音声嘶嗄

声門の閉鎖がふじゅうぶんで 2 mm以上はなれた時，声はあれて無響である。

(3) 失声症

声帯が開ききったままで閉鎖できないので全く声がでない場合をいう。

3. 嗄声の医学的分類

(1) 声帯が炎症性に浸潤された場合

一時的なもの——風邪，音声の酷使

慢性的なもの——慢性伝染病，および鼻・咽頭・渋部気道の慢性炎症

これは原疾病の治癒と共に消失するが，時にその後も長く残ることがある。

(2) 腫瘍による場合

イ 乳嘴腫

ロ 線維腫

ハ 歌手結節

(3) 喉頭筋の麻痺による場合

イ 筋性麻痺

ロ 神経性麻痺

4. わが校における嗄声児の実態

(1) 在籍児童数との比

在籍児童数 2,662名
嗄声児童数 36名 ＞ 1.35%　（2月1日現在）

(2) 嗄声児の既往症および嗄声の原因と思われる疾病

イ 音声酷使	ロ 肉親嗄声	ハ 麻疹	ニ 扁桃腺
ホ 百日咳	ヘ 結核	ト 中耳炎	チ 肺炎
リ 気管支炎	ヌ ヂフテリヤ	ル 疫痢	ヲ 消化不良
ワ 原因不明			

(3) 嗄声児の音域

a. 比較的低音に広がりを有し，高くなるにつれて嗄声度を増し，発声が圧縮的である。 ハ－六

b. 呼吸の回数が多く一音を長く発声し続けることができない。

それで一般児童といっしょの歌唱に際して不自由を感ずることが多い。

5. 対　　策

(1) 医師の明確な診断により指示をうける。

(2) 日常生活，学校生活における音声の酷使を防止するための遊びの指導。

(3) 音楽学習においての対策として歌唱指導にのみかたよることなく器楽・鑑賞・創作等の面において音楽に対する興味を換起させ，音楽的な劣等感をあたえさせないこと。

B その他の発声異常児

1 発声異常の分野において異常発声児とは，次のように分類される。従来は音痴ということばで代表されていたが音痴ということばの内容がはっきりしないので，前述のようなことばでのべていくごとにする。大別すると，

(1) 歌声・話声の区別のないもの

(2) 音の高さに無頓着である

高さが分っても発声できないもの

(3) 声帯の調節能力を欠いたもの

(4) 身体に欠陥のあるもの

2 以上のような児童は当校に約1％いる

3 この異常発声児の原因

(1) 身 体 的

イ 聴力の弱さ（難聴）

ロ 耳　疾

ハ 声帯の病気

ニ 遺　伝

(2) 心理的・情緒的

イ 恐怖感，緊張感，圧迫感

ロ 極端な内向性

4 調査・指導方法

次のような指導カードに累加記録し，指導も加えていく。（別冊参照）

事例研究を主体にして行う。（唖声とも共通）

5 異常発声児の一般的傾向

(1) 歌唱学習時に著しく音程が合わないため，正常な児童といっしょに学習できない。

(2) どの児童にも共通することは音域が狭いことである。（ト－ト）

(3) 知能指数の高い児童もいるが，一般的に知能の低い，内向性の児童が多い。

(4) 遺伝的傾同が強い。

(5) 音楽適性診断の結果を頭声児童と比較してみる。

C 発声指導のための音楽環境調査

1. 問題を取りあげた理由

(1) 本人の幼児期における生活環境と経験

(2) 家庭における音楽的生活環境

(3) 父母の音楽的素養

などと，どのような相関があるかをみるためにこの問題をとりあげた。そして発声と家庭環境はどれほどの相関性があるかをみたいと思ったのである。

2. 調査の対象

4・5・6年の実験学級と対照学級各々2ヶ学級

3. 調査の方法

質問紙によって行った。

2 読譜指導の効果的な方法

実験校　**千葉市登戸小学校**

1 実験期間　昭和28年4月—29年3月

2 文部省実験学校になるまでの経過

1 昭和26年度の研究

A 本校児童の教育環境

1. 学校の施設状況

2. 音楽的環境調査

3. 音楽学習の興味調査

B 本校における音楽研究組織

1. 音楽運営委員会

2. 学年別研究会

3, 職 員 会

C　研究内容と成果

1.　全学級担任による音楽科の経営実施

2.　カリキュラムの作成

3.　研究主題「読譜力を身につけるにはどのようにしたらよいか」について

○素読力調査

○リズム判別調査

○その結果のまとめ

2　昭和27年度の研究

「読譜力を身につけるにはどのようにしたらよいか」について

A　児童は新曲をどのように階名唱するか。

この第1回調査をなし結果の考察をした。

B　第2回調査をなし結果を考察した。

C　その結果について之をまとめた。

3　文部省実験学校としての研究

①　困難点の分析

A　旋律型および音程による困難

1　半音程の困難

2　歌い出しの音が，レ，ファ，ラ，シ，の場合の困難

3　跳躍音程の困難

4　音進行の変化による困難

5　臨時記号による一時転調の困難

6　短調の困難

B　リズム型による困難

1　音符の組合せによるリズムの困難

6　六拍子や三拍子は二拍子や四拍子より困難

3　速度の早いものは困難

②　研究の経過

A　半音の困難を取り上げた理由

B　問題の作成

1　基本的なもの

{ ○順次進行の場合　No.1，No.3
  ○半音程の繰返し　No.2，No.4 後部

2　応用的なもの　{ No.4

種々の旋律型の中にある場合　　No.5

C　実施方法

1　実験学級　　3年～6年　各学級50名

2　調査者　　音楽運営委員，各学級担任

3　調査室と控室を設けて実施

4　調査日　　6月22日～27日　午後1～5時

12月7日～12日　午後1～5時

5　調査の仕方を整一にした

6　処理方法を明確にした

D　第1回調査の結果

1　視唱できた人数

学年		問題 1	2	3	4	5
3	男	7	2	1	0	0
	女	6	3	2	0	0
4	男	12	5	3	1	0
	女	14	10	3	0	0
5	男	20	18	11	4	2
	女	21	17	13	4	1
6	男	19	12	10	3	2
	女	22	14	12	9	4

2　全部不能の人数

学年		問題 1	2	3	4	5
3	男	0	1	8	20	22
	女	1	1	4	17	18
4	男	1	2	4	15	16
	女	0	1	3	9	12
5	男	0	0	0	6	8
	女	0	1	5	7	11
6	男	0	1	2	2	6
	女	0	0	1	2	3

3　一部分困難で完全に視唱できないもの

学年		問題 1	2	3	4	5
3	男	18	22	16	10	3
	女	18	21	19	8	7
4	男	12	18	18	9	9
	女	11	14	19	16	13
5	男	5	7	14	15	15
	女	4	7	7	14	13
6	男	6	12	13	20	17
	女	3	11	12	14	18

4　半音程の困難について

○順次進行についてはあまり困難を感じない。

○(ミ)(ファ)より(シ)(ド)の半音程が困難

○(シ)(ド)より(ド)(シ)の方が困難

○次のような繰返しの時

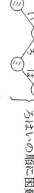

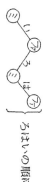

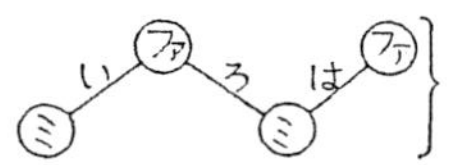

ろはいの順に困難

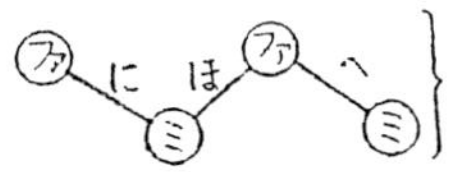

ほへにの順に困難

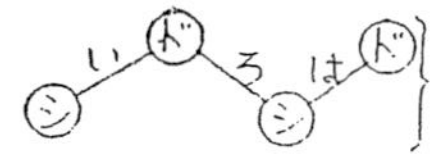

ろはいの順に困難

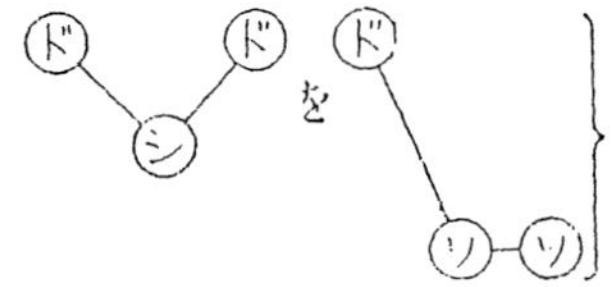

と誤った音程の者が4年に多い。

○複雑な旋律の中の半音程は困難である。

ソ(ミ)(ファ)　ドラ(シ)(ド)　(ミ)(ファ)ラ　ミソ(ド)(シ)

5　半音以外の困難点について

○レファラシの音高がとりにくい。

No.1のソ(ラ)ソ　No.3のラ(シ)等　以下省略

○同音の音高はややとりにくい。

No.4のラソ(ソ)　No.5のドシ(シ)等

○高音の音高はとりにくい。　例　略

○音進行が逆行すると困難である。　例　略

E　困難点の考察と対策

1　No.1 順次進行中の(ミ)(ファ)　(ファ)(ミ)

3年のみ抵抗あり。

対策　○音階をよく身につけさせる。

2　No.2 繰返しの(ミ)(ファ)

3年より6年まで抵抗あり。

旋律線と児童心理の逆行。

対策　○速度をゆるめて音を確めながら歌わせる。

○旋律線に素早く反応させる。

3　No.3 順次進行中の(ド)(シ)　(シ)(ド)

3年より6年まで抵抗あり。

児童心理，発声法等より(シ)(ド)より(ド)(シ)の方が困難である。

対策　○教具を用いて階名と正しい音高の結びつきを計る。

○ドの音高については，高音の発声法を理解させ音域を拡げる。

○無意識に歌わずに音高を意識して歌うように指導する。

4　No.4，No.5における半音

3年から6年まで抵抗大。

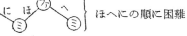

種々な旋律型の中にあると，基本型が可能でも困難となることもある。

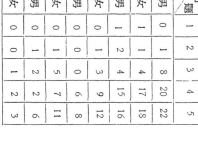

対策　○基本型を完唱してから扱う。
○種々な旋律線に素早く反応するような練習をする。

5　ま　と　め

（調査の結果からみて，今後の学習はどんな点に留意したらよいか）

○音高と結びつけて階名読できるように
（音階の学び方，旋律カード，聴音）

○旋律線に早く反応する学習
（音程練習の仕方，練習曲の自習）

○意識して正しい音を出す習慣
（鑑賞，器楽，創作学習との関連，発声法，自己評価）

F　第2回調査の結果と対策

1　視唱できた人数

学年		問題 1	2	3	4	5
3	男	12	8	7	1	0
	女	17	13	11	3	0
4	男	18	13	6	2	0
	女	20	20	17	6	3
5	男	22	20	17	6	3
	女	21	19	18	11	7
6	男	20	14	14	9	2
	女	23	21	18	16	13

2　全部不能の人数

学年		問題 1	2	3	4	5
3	男	0	0	1	10	12
	女	0	0	0	5	10
4	男	0	0	0	3	4
	女	0	0	0	1	1
5	男	0	1	2	5	6
	女	0	1	1	2	2
6	男	0	0	0	1	1
	女	0	0	0	1	1

3　一部困難で完全に視唱できないもの

学年		問題 1	2	3	4	5
3	男	13	17	17	14	13
	女	8	12	14	17	19
4	男	7	12	19	18	15
	女	5	5	8	16	18

→

学年		問題 1	2	3	4	5
5	男	3	5	8	18	21
	女	4	5	5	9	12
6	男	5	10	10	14	21
	女	2	4	7	8	11

4　結果の考察と対策

○効果の多い学習法

○進歩の遅い児童について（困難児）

○提出問題についての反省

対策　○困難児の補導教室を作る。
○問題を拡充し実験研究をする。

G　読譜学習の困難児について

1．困難児の分類と実態調査（28年12月）

a　階名素読できにくいもの
3年30%　　4年16%　　5年10%　　6年14%

b　音高のとりにくいもの
3年14%　　4年8%　　5年10%　　6年10%

C　声の出しにくいもの
3年6%　　4年6%　　5年8%　　6年2%

2　読譜困難の原因と対策について

aについて

○学習方法の欠陥

○学習遅進児

対策　○与え方のくふう
（児童の興味に即した歌いやすい旋律型を練習させる方法）

bについて

○話声と歌声の区別がつかぬ

○音に対する感覚がにぶい

○耳鼻咽喉の疾病異常による困難

対策　○聴音による高低判別をさせる
○誤唱を自覚させて正す
（楽器と比較させたり，録音を聞いてなおす。訂正日記を書かせる）

cについて

○嗄声による困難

○成育未発達による困難

○咽喉の疾病異常による困難

3　各級における困難児の分布状況

3年以上全学級（3月10日現在）

分類＼学年・学級	三年 1	2	3	4	四年 1	2	3	4	5	五年 1	2	3	4	5	6
a	男女 2 1	男女 3 2	男女 2 2	男女 1	男女 2 2	男女	男女 3 1	男女 1 4	男女 3 2	男女 1	男女 3 3	男女 4 5	男女 3 1	男女 3	男女 3 2
b	3	4	1		1		1	2		1 2	1	2		1	4 1
c				2				1	1			3		2	1
ab	1	1	1	4 2	2 1	4 3		1 1	3	5	5 1	2	1	2 1	1
ac	2		2	1	1	1		3	2 1				1 1	1	2
計	9	10	8	10	9	8	5	13	12	9	13	16	7	10	14
在籍	46	49	47	46	50	50	50	51	50	71	70	71	70	70	68
%	19	20	17	22	18	16	10	25	24	13	19	23	10	14	21

分類＼学年・学級	六年 1	2	3	4	5	6	合計 男	女	計	在籍数に対する %
a	男女 4	男女 2	男女	男女 2	男女 1	男女 4	46	26	72	5.7%
b		2	1 3	1	3	1	27	11	38	3.1%
c		2		3	1	1	14	3	17	1.3%
ab	1		2			1	34	12	46	3.6%
ac	3			2		2	23	2	25	2.0%
計	8	6	6	8	5	9	198			15.7%
在籍	67	67	67	67	67	69	1263			
%	12	9	9	12	7	13	16			

H　低学年ではどのような躓きがあるか

1　問題作成について

2　調査児童　　1，2年全学級

3　調査方法　　1年　階名模唱

　　　　　　　　2年　白抜きかな譜視唱

4　調査の結果について

○半音についての困難

○其の他の困難点について

(1)
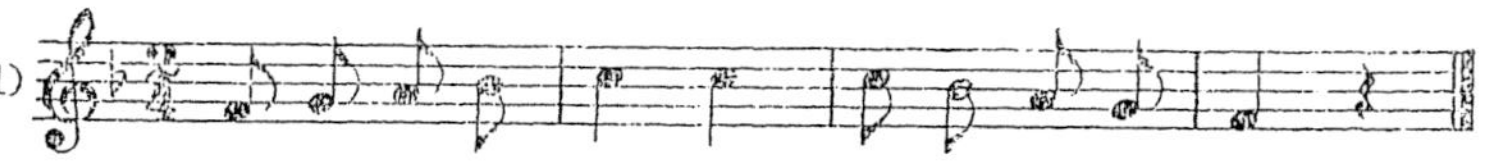

(2)

(3)

I　読譜を困難ならしめた原因と対策

1　旋律型やリズム型には難易さまざまなものがあるが，深く考えずに与えては身につかない。児童の発達段階を考え，基礎教材を順序立てて与えることが望ましい。

2　学習の場がかたよると視唱力は低下する。あらゆる機会を促えて身体的作業を加える綜合的学習が望ましい。

3　基礎教材の学習はその時間のみで次への発展を考えないことが多いが，視唱し難い旋律でも類似の旋律を反覆させることによって習得させることができるので，旋律カード，練習曲等，学習教具を活用することが望ましい。

4　読譜困難児の大部分は過去の環境の中で音に対して無頓着に育ってきた者であるので，音楽環境を整えることが重要であり，現在の困難児に対しては根気よく矯正補導したい。

4　読譜の指導体系について

A　作成の必要性

B　作成の根本方針

1　読譜の意義を明らかにする。

2　読譜指導における基礎能力を明らかにする。

3　児童の発達段階に即して習得すべき基礎能力を配分する。

4　使用に簡便な表にする。

5　学習の効果判定もできるものにする。

C　体系の使い方

1　音楽の要素の面から

2　学習領域の面から

3　評価の面から

4　教材の面から

5　教具の面から

D　使用後の反省

5　残された今後の問題

1　リズムが原因になる困難点。

2　合唱の場合の困難点。

3　基礎教材配列に対する検討。

4　能力別指導を如何にすべきか。

複　式　学　級

複式学級における能率的な学習指導はどのようにしたらよいか

—— 国語・算数における同題材取扱 ——

実験校　岐阜県恵那郡坂下町上野小学校

1　実験期間　昭和27年4月～29年3月

2　課題設定の理由

複式学級をもって

(1)　教材研究および準備がいつでも2箇学年にまたがり負担過重になる。

(2)　したがって，十分な研究と計画が，内容的にも，児童との結びつきという点においてもできない。

(3)　時間の配分が適切にできない。

(4)　したがって，児童の学習は放任されるか，または逆に強制されるかのいずれかになりやすい。

(5)　また，形式的・機械的な学習に流れやすく，内容を深めることができない。

(6)　教科書を追うことが精一杯で余裕が持てない。

さらにこうした日々の営みや，地域社会の条件と児童たちの動きはどのような因果関係を保つかは容易に計り知ることができないが，この児童たちの動きは，私どもの小さな自信を根底からはく奪してしまう。

(1)　学習に全然興味がない。——義務的，請負的。

(2)　あるいは逆に極端な点取り主義になる。——競争的。

(3)　したがって学習に対する考え方が根本的になっていない。

(4)　他律的で，自分で考えようとせず，責任を他人にてんかする。

(5)　現実肯定で向上しようとする意欲がたりない。

(6) 素直さがなく，他の意見や考え，教師の話もきこうとしない。

このような児童，そして自信のない教師を考えて，この分裂症状的学習から脱却するためには，学習形態の単純化とそれに応ずる学習内容の選択という方向にまとめることが必要である。

複式学級経営の困難性を打開する有力な方途として，同一教材・同一内容による指導は，重要で，しかも魅力的な課題として確認するにいたった。

3 実験の条件

隣接2箇学年の編成

4 実験の立場

同一教材・同一内容を撰定する基準を明らかにすること。

同一内容に対する児童の抵抗を明らかにするとともに，また，それは克服し得るものであるかどうかを明らかにする。

第1の問題を主として上学年，第2の問題を主として中学年において実験する。

5 指導の具体例 算数

○分数 上学年 40時間

撰択の基礎

5学年，6学年の分数においては，体系的な発展が明確であり，目標が簡潔で単元の複雑な導入や構成を要しない。例えば，分数の相等関係——約分通分，同分母分数の加法——分数と整数の乗法。同分母分数の加減——異分母分数の加減。分数を簡単な形になおす。帯分数と仮分数の関係——答の処理。同分母真分数・帯分数の加減（くり上り・くり下り）——一般分数の加減（くり上り・くり下り）。

指導の過程

a 導入・図解による理解，相等関係の早見表の作製。

b ①相等関係。②約分の意味とその方法。

c ①大小比較。②通分の意味とその方法。

d ①同分母真分数の加減。②単位分数の累加と乗法。③異分母分数の加減。

e ①仮分数——整数——帯分数の関係。②同分母真分数，帯分数の加減（くり上り・くり下り）。③異分母真分数，帯分数の加減（くり上り・くり下り）。

f ①分数と小数との関係。②分数を整数で除す。

aは導入として一齊に指導。b以下は①は主として5年の要求程度，②③は6年の要求程度でコースを設定して，1．分数の意味のよく理解されないもの。2．b以下に於いて①のコースを進み得るもの，さらに②③と進み得るものの3群に課題を構成し，個別に指導する。一様に①の課題の解決にあたり，それの結果から3群にわかれる。

まとめ

(1) 1群は（5年生・6年生ともに同数ほどふくむ）図解そのものの理解が困難。2群（主として5年生）のうち半数は，放課後1時間程度の補修により3群に進み得る可能性あり。3群（主として6年生）の大半は，前学年の既習の方式にたよる傾向が強く，計算方式の混乱が生じたりしてその意味の真の理解に迫らない。

(2) 1群は先へ進むことを焦り，他生のをそのままにまねたりしてほとんど耳をかさない。2群は義務的，3群は形式的な学習態度が強い。

(3) 1群の理解が困難であったのは，教師側に，具体的・初歩的な指導法の研究が足りなかったことにもよる。

(4) 教師側としては，学習全体の関連をつかむことができて，計画はよくまとまったが，実際の指導にあたって群に応じて与えられるような巾のある材料の用意ができなかった。

(5) 教科書に類した手掛りがなく，全体の学習意欲は落ちる。

(6) 数理的な面が強く出過ぎて，児童の興味を欠いた。

○修学旅行の費用 13時間

撰択の基礎

共通の生活題材であり，乱費の傾向も強いので，旅行の後に取り上げ，5 6年の実務の中から「小遣の整理」と，「出納簿とその用語」としてまとめる。さらにこれの考察として「珠算」「平均と四捨五入」グラフの読み方，書き方をまとめる。

指導経過

a 小遣の整理，珠算

b 出納簿と用語，平均，四捨五入

c グラフの種類

d 棒・折線・円グラフの読み方，書き方

e 目的に応じたグラフの採用

まとめ

(1) とり上げ方（単元）としては，児童にも興味の大きなもの（但し初めのうちだけ）であった。

(2) 計画としての単元の構成に，思いつき的の組合せで，全体計画の中に位置づけられていないと不安な感じがする。

(3) 円グラフは，この程度の取り上げ方としては，6年に要求されている理解までには到らない。

○作物の収穫高，同一教材異内容　30時間

撰択の基礎

生活の題材を共通にし，収穫高として5年教材，作付面積として6年教材に準じながら，しかも児童の能力を考慮して指導する。

指導経過

a　収穫についての話合い

b　収穫高の表わし方

c　メートル法，長さ，重さ，面積の単位

d　尺貫法，長さ，面積，体積の単位と単位関係

e　メートル法と尺貫法の単位関係

f　単位面積の収穫高

まとめ

(1) 具体的な操作が多く，題材も身近で興味をもつ。

(2) 教科書の利用はよくできた。

(3) メートル法，尺貫法そのものの単位関係の理解が困難。

(4) したがって，メートル法，尺貫法の関係の理解はほとんど困難。

(5) しかし，教科書の単位にもたれながら，共通の題材を問題とし得たことで，学習のふんい気はいつでも一つにまとめられた。

(6) 単位関係の原理をつかませるということで学年の教材を超えて児童の能力に応ずる指導ができた。

国　語

○緑の国とわか草　30時間

撰択の基礎

5年教材緑の国の3課と6年教材わか草の進路は内容的に深い関連をもち進路は緑の国の発展として内容の構成が考えられている。進路は内容理解としては高度のものを要求している。（現実の生活に眼を向けさせる）それだけにその理解を助けるためにも，この2つは関連して取り上げる必要がある。

指導の経過

a　5年　緑の村，緑地計画，もみの林
　6年　春の朝，わか草
　} 学年別指導

b　進路（同一教材・同一内容）

①5年の緑の国3課の学習のまとめを素材にして話合うことで導入。

②手紙を読む。③手紙の内容を段落にしたがって調べる。④農村の生活に眼を向ける。

c　手紙の書き方について研究する。

前年においては，5年は比較的長文で，難語句，新出漢字も多いため，読みと漢字の習得を主とし，6年は内容の理解を重点に学年別に指導。後半において，5年前半のまとめをそのまま進路の導入として取り上げ，手紙の段落にしたがって内容を理解することから手紙の書き方へと発展させる。

まとめ

(1) 導入は円滑にいった。

(2) 内容の理解では，5・6年ともに経験と結びついた切実な理解にまで高めることはできなかった。

(3) 手紙の形式，書き方についての理解はできた。

(4) 教科書を共有にしたことで，5年生の学習意欲を阻害された。

(5) 加えて5年生対6年生の学級的ふんいきが好ましくなく，「5年生のくせに」という言葉が6年側からでるほどであった。

(6) また，この逆に，「6年生のなんかできるはずがない」というような，5年生の6年教材に対する感情的な抵抗なども表われて，好ましい雰囲気と意欲が阻まれた。

○文学作品にふれる。毎時間10分ほどずつ時間をさいて，文学作品を読んできかせる。

撰択の基礎

内容をききとること。

話を聞く態度ができていない（聞こうとしない。わからない）ので，文学作品を読んできかせ，そのあとに内容について語り合ったり，筆答したり，作家や作品を紹介したりする。

まとめ

(1) 話を聞くときとは全く異る態度でよく聞く。

(2) 内容を聞きとることは大した差異はなくよくできる。

○読書の仕方　7時間（中共出版，5年）

撰択の基礎

多読によって読みの抵抗を排除し，読み物の撰択，読書の仕方の読書指導。漫画・雑誌が盛んで，5・6年女子は乱読の傾向にあり，5・6年男子は読みの抵抗から読書を嫌うか，または漫画にはしる。

指導経過

a　読み

b　内容の理解

c　書取り

d　自分の読書の仕方について話合う

e　読書ノートの書き方

教材は5・6年の差別感を持たない，他の教科書から採用し，印刷して与える。

cまでは一齊の取扱い，dから各自の目あてや問題をきめて読書し，読書ノートを作る。

まとめ

(1)　読みの抵抗は5年生の方が平均してやや大きいが，学習中個人的に注意させることによってほとんど解決できた。

(2)　内容の理解，書取りは差異はない。

(3)　読書ノートは，毎時間学習のはじまる前に提出して，そのまとめ方，感想などを話合うようにしたが，5・6年の女子は非常に向上し，長続きがしたけれども，5・6年男子は義務的に書くことに終始した。読書ノートは後に日記にふくめるようにした。

○詩　明かるい村　中学年

4年生の現在使用中の教科書から取材した同一教材・同一内容。

まとめ

(1)　読みの抵抗はほとんど差異がない。

(2)　書取りは3年が劣る。

(3)　内容の把握は3年やや劣る。特に主題をまとめようとする態度が劣る。

(4)　詩の暗誦は3年の一部はひじょうによい。

○童話　なつかしい音

明かるい村のつづき。

まとめ

(1)　読みの抵抗は殆んど差異がない。

(2)　書取りは3年が劣る。

(3)　内容の把握は殆んど同じ，3年の発表が多くなる。

(4)　3・4年共，能力の劣る児童には困難であった。

(5)　読み・書取りのできない者は，特別に指導することによって，抵抗を少くすることができた。

○実話物語　子犬物語

3年生の現在使用中の教科書から取材した。4年生は既習の教材になる。

まとめ

(1)　読みの抵抗はほとんど差異がない。

(2)　書取りもほとんど差異がない。

(3)　内容の把握の程度は大体同じであるが，表現の仕方や，漢字の使用度において4年生が優る。

(4)　4年生には既習の教材であったが，3年生と同じに興味深く学習した。

6　実験の結果

概　括

(1)　学習態度による差が著るしく，学年別の能力差というよりも個人差と考えられるものの方が大きい。

(2)　同一内容としての現象的なまとめ方は，かえって危険である。

(3)　本質的な関係の見出されたものについては，同一内容としてとり上げることができる。

(4)　しかも，それは児童の生活に身近かなものとして取り上げられなければならない。

(5)　教科書の単元が有効に利用出来る場合は学習の効果が大きい。

同一教材・同一内容で指導するためには

1　その教科の少くとも1年から6年までの全体系が明確につかまえられていなければならない。

2　児童の生活の広い面から自主的な考え方を養わなければならない。

3　全体計画が明確にされていなければならない。

さらに1の課題を解決するために教科書の分析を早急の問題として取り上げ，2の課題には，生活日記の指導を取りあげた。学年で要求する能力と，その能力の縦・横の関連を明らかにし，一方，児童の生活を知り，自主的な考えを育てる。かくして学習の全体計画が構成され，生活と学習を一元的なものにまで高める。

7　今後の問題

教科書の分析（算数）

○分析の方法

(1)　現在使用中の「新しい算数」（東京書籍）による。

(2)　各学年の単元の目標を明らかにする。

(3)　各学年の順に，単元の目標と展開の仕方を分析して指導要領に示す指導内容の項目にしたがって分類し，1年から6年まで通した項目の縦の系列を見る。

(4)　2によって得たものから，さらに同一単元内およびその単元と他の単元間における項目相互の関係（時期・関連の度合等）すなわち横の関連を見る。

(5)　3・4によって得たものについて指導上の事例を集める。

○分析の結果の一例（現在整理中）

(1)　縦の系列について

○10以下の数の構成，10の群化による数の構成を明確につかませること。これは，位取り，大きな数の構成，概数，四捨五入，小数等の基礎になる。

○合理的でないと考えられる系列が明らかになったこと。例えば時間・時刻の系列。

(2)　横の関連

○10の群化による数の構成は，加減・乗除算の重要な基礎をなしている。

○測定においても，単位の10の群化と密接な関連をもっている。

○各学年において，質的な転換と考えられる飛躍点がある。例えば，1年では「抽象数についての10までの構成」「金銭の等価関係」。2年「繰上り繰下り」。3年「掛算九九」。4年「分数と小数の関係」。5年「分数」。6年「比」というように，広い数経験を基盤としてはじめて転換が可能でないかと見られるもの。

(3)　指導の事例（1例）

○六年男　遅進児2名

「末位に0のある大きな数の0を適当に処理して，除法を計算する。」場合，形式だけを他生を見たりして記憶はしたが，その意味が全然理解されていないので0を消去する数を誤ったりする。この系列を遡ると，被除数2位の計算ができない。数図によって具体的に操作させ，さらにその数図を10の群として処理させ，次に，数図から離れて数を10，100としてまとめるように指導して，3位数割る2位数を克服し，これとの関連で，0の処理の理解にまで到達させた。

生活日記による指導

○方　法

(1)　お話し帳として何でも話し合う。

(2)　教師側からも，書かれている内容に関したこと，学習態度に関したこと，考え方について積極的に話しかけていく。

(3)　学級共通の話題として取り上げる。

○経　過

現在は教師と児童の個人的な話し合いに止まっており，学級共通の話題にまで持ち込むところまでいたらない。しかし，個人的には，物の見方，考え方が深まり，同時に学習態度もよく改善されてきている。

図画工作

1　表現技能はどのように発達するか

実験校　東京都渋谷区大和田小学校

1　実験期間　昭和27年4月—29年3月

2　実験研究のねらい

児童画が教育者，心理学者に問題として取りあげられたのは大体1890年前後であると思う。その後の研究によって，児童画の調査統計的方法に2通り行われているようである。

1　統計的方法

多数の児童について実験的，統計的処理による研究であって，1905年にケルシエンシュタイナーが30万の児童を対象に7か年かかって発表した統計的研究によるものが「児童画研究の宝典」と云われている。

2　発育誌的（伝記的）方法

同一児童の絵画を事例史的に研究することであって，これに2方法ある。

①　研究者自身が被験者と日常接触して，その身心状態，環境変化を知りながら調査する。

②　研究者みずからは直接材料蒐集にあたらないで調査する。

上掲の前者における発育誌的研究の宝典と見られるものは，ヘルガ，エング女史の研究であり，ルュケの研究とともに学ぶべきものがある。

児童画の研究は結局

○「多数児を対象の調査研究」と

○「1児童対象の精密微細な観察研究」

との綜合によって完成されるものである。

当校における調査方法はエング女史の心理学的分類を基礎とした統計的方法によるものである。

本調査は本校在校児童と本校学区域の一才から入学時までの幼時のみを対象としたので，統計的にも一般的にも不備の点があるが，その一節でもなんらかの参考に資したいと努力した。

研究物としては「記録編」と「図解編」の２部に分けたが，実物ならびに作品の写真をここに示すことができないことは残念である。

3　研究経過

昭和27年度頭初に実験校としての課題を受け，６月から実施にうつった。

各学年１名の図画工作研究部員を選定し，調査を始めた。

まず最初に「おとうさんとおかあさん」を書かせてみた（想画)。その結果は先に書くのがおかあさんで画面１パイに大きく書く。これは最も親しい人，いいかえればよく知り，よく親しむ者を先に書くという結果になる。知ること知らせる事がいかに幼時の表現に重要なことであるかがわかる。

４才児のおかあさんが調査の際の記録に「……おしまいにミ子ちゃんのいちばんすきな人を書いてごらんというと……１つ上の姉を書いた。いつでも１日中仲よく遊ぶのでいちばん印象が強いからでしょうが……姉は横に向いてすわっていたが，見ながら書いた絵は正面向きの立っている絵であった」と説明がついていた。

本校調査においても，その点ははっきり出ていた。最初想画で，おとうさん（母）を書き，次に横向きに腰掛けている先生を書いたが，低学年においては大部分が前記の図式画のおとうさん（母）と同じで正面向き立姿であった。粘土工作では１組を立体取扱い，２組を平面取扱い，３組を綜合的に指導し，その発達と指導の結果を見ると，（１組は実物塑像を見せて指導し，２組は絵又は写真を見せる）１組はほとんど立体的に作ったが，２組は粘土板の上にたいらに粘土をおき，レリーフ的に作るものが多かった。

好む物を作らせる場合も前日に指示して写生させた組，製作前に作図した組，何もせず直接作らせた組を比較すると，予想に反して当日そのまま指示した方がおもしろかった。これは前に知った為に最も普通な，製作に安易なものを選んだ結果で，指導の欠かんもあるが留意すべき点である。

なお指導者の一言によって効果の結果を粘土の量で述べれば，「お仕事をしているおかあさん」を作らせた際，１組には百匁の粘土を与え，「たりなければこちらにありますよ」２組には「できるだけこれで作って下さい，たりなければこちらにありますよ」と云った。ただ一言のことばの追加が１組は45人の児童で１貫500匁を多く使用している。

構図の調査，絵日記等あらゆる分野にわたり調査の方法を広げて見たが，結局いろいろの難点が出てきて調査はしたものの統計にも文章にもできない

ものが多数出てきた。いちばん困難したのは評価の問題で，算数の様に１＋１が２と結果が出せない点と，色や実物が示せないため最小限の費用によって図解編を作り発表する次第である。

4　調査上の難点

遺伝と環境のうち，後者の表現に与える影響は非常に大きい。歴史的に見ても美術の発達は常に強力な政治力，社会風俗，資源，経済力の調和した時代であって，戦後の環境の影響は児童の発達にもあらわれている。

地域・家庭・友人・過去の指導・知能等による個々別々の者の統計調査の難点は非常なもので，在学児のみの調査は根底がない事がわかり，学区全体の父兄に協力を願って，生後から入学までの子供の表現発達段階を調べ，それを基礎として在学生に及ぼした。

児童画の発達は無意味，無価値なものの中から，意味ある整然とした発達が見られる。

①　描画力の進歩――線や形を駆使する力の増大

②　児童精神の発達を表わす

③　言語と同じ表現の一方法

一般成人には不具で発育不十分でも，児童は生き生きとしたいぶきの中に右のような表現をしているのである。

児童画の発達段階を下記のように見ていきたい。

乱画→図式画→写実画→美術画

(1)　乱画期（錯画・楽画・掻画）

①　波形乱画

②　円形乱画

③　混合乱画

以上は大体年令による発達段階。

紙面の位置から分類すると

①　密集乱画期

②　分散乱画期

③　分立乱画期

乱画については又下記の点を留意する。

㋑　乱画はどのようにして生ずるか。

A　成人や他人の模倣

B　遺伝的描写本能

㋺　絵画としての意味

A　感情的要素

B　感覚的要素

C　作業への欲望

(ハ)　心理的観点からの意味

(2)　乱画から図式画へ

乱画の集団または一部を「これハタよ」と名をつける。つまり偶然性の乱画に意味づけることから始まる。「何々をかく」というのは本校調査では2年3か月に始まっているが，はっきり意味づけを始めるのは5・6才頃である。

(3)　図　式　画

人物に始まり追々他に移行していく。人物図式画は一般に5才位で確立されると云われているが，本校の調査では4才の始めに確立していると思われる。

(4)　自 動 現 象

児童の絵はある程度反復すると機械的になり，それは自動現象となる。

(5)　位 置 づ け

初期児童画に位置づけの力が書けていることは特長である。

①　不正確綜合

②　並列式配置

(6)　遠　近　法

児童画は原始民族の絵と同じく，輪廓と面との表現であって，両者とも遠近表現までには発達していない。

(7)　釣　合　い

釣合いの感覚欠乏は児童，原始人や退化した芸術に共通にみられるものと指摘できるようである。

(8)　動　　作

(9)　色　　彩

芸術論においては「線などというものはない」とか，「初めに彩色の面あり」などということがいわれているが，児童画においては「始めに線あり」であるという論が強い。

児童のすべては線から出発して，色彩のない輪廓から描き続けるが，これは古い原始民族絵画に於ても同じである。

色彩を用いはじめ，色彩に興味を感じはじめる時期は非常に早められたことが実証される。

赤い色のかたまりを「これリンゴ」と問いたところ「これおかあさん」と

いった子がある。おかあさんが赤い着物を着ていたのを，赤で表現したわけである。とかく形のみで解決しがちなわれわれにとって，この子のように色で表現したことはめずらしい。

精神遅滞児の調査で円，三角，四角を各種の色別にして，同じものを取りなさいといったところ，形でなしに色の同じものを取ったことは注意すべき事がらである。

以上が第1章の総論的な内容の一端である。調査した記録を記す事ができなかったが，第2章以下にとりあげられたことは，

第2章　我が校における表現はこの様に発達している。

第3章　人体各部の表現はどのように発達するか。（1才～13才）

第4章　人物以外（家，木，乗物，花，動物等）の表現発達

第5章　発育段階の記録

第6章　精神遅滞児の描写発達

第7章　調査

1　平面描写力の調査

2　立体描写力の調査

3　写生画と想画の異い

4　構図を作る能力調査

5　粘土工作調査，その1，その2

その1　題「お仕事をしているおかあさん」

(1)　使用量の比

	一年	二年	三年	四年	五年	六年
大	24%	15%	8%	15%	10%	3%
中	40%	50%	59%	15%	50%	31%
小	36%	35%	33%	70%	40%	66%

粘土の使用量はその仕事になれているがいないかに左右される。すなわち粘土をこねる技術は一見簡単に見えるが，そこには相当の熟練を要するものがあるという結論が見られる。また皮肉なことに大きな作品を作ったのは低学年に多く結局高学年ほど，小細工にこってむしろ低学年の方が技巧も大胆である。

(2)　作　業　量

1年から6年までを通して10匁の粘土を余す子供が，たりない子供をカバーして組全体を考えると1時間1人の作業する粘土の量は，平均して各学年とも100匁であるということができる。

(3)　飽　和　度

10分で仕上げた者　　0

20分	68
30分	48
40分	174
50分	240
60分以上	247

平均100匁の粘土を作業するには50分～60分，すなわち約1時間を必要とするものが大半を占めている。

これを学年別に見ると

	20分以内	30分	40分	50分	60分以上	70分	80分
1 年	1人	←全体が仕上がる→					
2 年	10人	← 全体の1/2 →			全体の1/3		
3 年	5人	9人	39人	83人	5人		
4 年	0	2人	9人	28人	108人		
5 年	0	0	3人	0	←残り全部→		
6 年	0	0	1人	9人	←残り全部→		

このように高学年に進むほど技術にとらわれて，時間も多くかかり，また興味も長く持ち続けられるという結果が見られる。

(4) 平面表現はいつまで続くか

	1年	2年	3年	4年	5年	6年
形全体	36人	20人	28人	39人	12人	2人
顔　頭	15人	25人	19人	27人	16人	31人
鼻口目等	56人	40人	16人	14人	13人	19人

(5) 人物表現

	1年	2年	3年	4年	5年	6年
形のバランスがとれている	13人	32人	92人	75人	52人	71人
母の感じが良く出ている	15人	12人	32人	55人	32人	53人

母の感じを表わすことは，低学年より高学年の方が良くできたが，さすがに難かしく25%までにならないが，形のバランスをとるだけであると約50%までの児童ができている。

(6) 動的表現

	1年	2年	3年	4年	5年	6年
動きを出そうとしている	5人	23人	56人	21人	33人	31人
よく出ている	3人	37人	42人	46人	34人	58人
少し出ている	24人	33人	35人	60人	76人	42人
全々出ていない	75人	37人	11人	15人	6人	7人

(7) 技　　法

1年　周囲の児童のまねが多い。

3年　顔を鉛筆によってけずった者　30%

つまみ出した者　10%

はりつけと，ろづけした者　32%

じょうずな児童は表現も細かい。

5年　動作表現のための道具に注意が向けられ，人物表現がおろそかになった者が多い。製作順序は，

(イ) 下部から　(ロ) 頭から　(ハ) 道具類からの3様式である。

6年　体全体の立体感を出す事に努力し比較的良くできたが，顔の点で大分苦労し，特に髪と顔の境に苦心が見られる。

その2　題「すきなもの」

此の作品を通してまず粘土を使って何が一番作りやすいか，どういうものに興味を持ち，何を作りたがっているかがわかる。

第1に作りやすいもので

A　形の単純なもので粘土の塊から，すぐ原型形にひねれるものと，つまみ出しの簡単な操作で型がきまるもの。

「例」灰皿，皿，つぼ，果実類，野菜類，ぶんちん，ボート等が典型的なもので，茶わん類，道具類がこれに入る。

B　とろづけの単純なもの。「例」動物，人

C　簡単な形のはりあわせでできるとろづけ。「例」人，人形，艦船，手提，動物

そのほか「まきあげ」技法「浮きぼり」によるレリーフ式のものなどが見られたが，こうした高級な技法によるものはやはり高学年にだけ見られるものである。

総括して粘土製作の種類は

一　位	家庭用品類	252
二　位	人及び人形	82
三　位	動物	69
四　位	乗物	21
五　位	野菜果物類	12

此のうち人の中で父49に対し母1，その他16，あとが人形類である。

8　木工表現におけるのこぎり，金づちの使用能力段階調査

家庭にある工作道具の調査（%）

		のこぎり		の　み	かんな	金づち	き　り	かじや
新しい	有る	22	87	44	63	97	79	68
古　い	有る	65						
無　い		13		56	37	3	21	32

1　鋸の使用能力

a　角材の横切り（%）

	六年	五年	四年	三年
優	38	5	6	1
可	29	60	44	39
不　可	33	35	50	3
不　能				37

b　割板の横切り（%）

	六年	五年	四年	三年
優	87	2	4	8
可	11	55	40	18
不　可	2	43	56	45

c　尺板の横切り（%）

	六年	五年	四年	三年
優	30	20	0	13
可	25	15	22	34
不　可	45	65	78	28
不　能				25

金づちの使用能力

a　角材への1寸7分のくぎ打ち（%）

釘打の調査は木に直角打ちだけを行った結果

	六年	五年	四年	三年
優	19	13	10	2
可	60	39	50	14
不　可	21	48	40	28
不　能				56

b　尺板（5分）へ7分のくぎ打ち（%）

	六年	五年	四年	三年
優	51	48	32	20
可	47	41	42	37
不　可	2	11	26	6
不　能				37

c　割板（4分）へ6分のくぎ打ち（%）

	六年	五年	四年	三年
優	21	23	30	29
可	69	61	58	29
不　可	10	16	12	7
不　能				35

3　結　　論

上述の如く小学校における木工は5・6年に課せられており5・6年においては適当な材料を選んで行われるとすぐれた作業を期待することができるが，木工に対する興味は実際において4年，下って3年においても実にすぐれたものがある。

実験として扱った，製作目的もないのこぎりと金づちの使い方の練習としての授業が4年生，3年生に見られる熱心さは，無駄口もなく，こうした機会を此の子供達にも与えてやらなくてはならないと感じさせられた。

木工は他の作業と異なり打つ，ひく，音のにぎやかさがまた格別で，時間を考えてやらないと近隣の教室では，うるさくて授業が出来ない。木工をするには特別に音の迷惑のかからない教室の位置が考えられなくてはならない。のこぎりの使用に当っては特に板をおさえる力が体重の軽い児童には負担が重すぎるので万力の様なものとか，工作机等が必要になってくる。工作机は普通教室に置けないので，工作室は不可欠のものということができる。

児童の興味と能力を育てるためにどの学校にも工作室が設けられるべきである。

次に現在各家庭の木工道具は前述の如く，いたって粗末なものであり，児童が興味を持ち，何か作りたいと考えても製作に困難な環境におかれているのである。

職人のそれを見てもわかる通り，道具は日常に不断の手入れと愛情が大切で，道具を学校で備え付けるのも良いが，一通りの木工道具を児童各自に持たせて道具を愛する精神を培かい，手入れをじゅうぶんにして道具を大切にすると共に，自分の思う時に使えて，家にあっては修理等による家族としての役割を果たし，自分等の遊びや学習の材料を作る等，適時適切に活用せしめて，その使用に習熟せしめることが工作の目的にもかなうものである。

要するに，工作室では特別の児童に貸与できる数丁の児童用のほかは良質

の教師用を設備し，教師が立派な模範を示すことができるような良い道具が備えられることが望ましい。

最後に児童が実際工作に当って例えばのこぎりを使うにも「切る」ことだけを考えて姿勢とか，腕の運動，台と板の関係等を考えてするということがたりないので，そうした点に注意を喚起することが授業の指導面に欠くことの出来ない問題で，板目を考えずに台から打点をはなして打つため，板を割ってしまったり，節をかまわずくぎを打ってくぎがまがってしまったり，そうした数々の木工の要領を自ら修得せしめる指導法を我々教師は常に工夫しなければならない。

以上の実験調査に明らかな如く，我々はあくまで指導要領に則し，文部省の示す如く授業は慎重でなければならない。児童の興味をいかし，その材料と道具によっては，その条件が許せる範囲において，4年級でも木工は可能であり，3年生でもそのまね事をする事は意味のあることである。

6　色彩感覚テスト
7　色彩指導経過
8　木工表現におけるのこぎり，金づちの使用能力段階調査
9　折紙による調査
10　はり絵による段階調査
11　低学年の水彩指導

となっているが，その中の例を1，2記すと，第2部の立体描写の表現発達において立方体，直方体，四角推を描かせたところ，1・2年の児童の表現形式に非常に得る点があった。ここでは図解を示せないが，見える面をいかに画面に表現しようかとする努力が，非常に面白く出ていた。消しゴムで消したあとなど貴重な労苦のあとが見える。それに比して3・4年になると最も平易な方向から，最も巧みに書こうとするし，5・6年になるとその様な事なく，ともかく見えた通りを表現できるようである。

第8部の木工における結果としてのこぎり，金づちの使用の可能調査に於て三年までは木材による工作は材料を処理する能力という点から見て，適当なものでないという結論が出た。

但し，木工調査の場合，条件を同じにするために，良材を用い，くぎの数も1人の使用本数が非常に多く，金額的に困難が多すぎた。

写生画，想画，構図粘土，色彩，はり絵，折紙，等記録を取り，またこれ以外に統計に不可なものが多々あって，データはあるが記録にのらず，写真をのせられず色を出すことが出来ない関係で記録編にのせることができなかったが，だんだんに整理し，指導要領との関連において，カリキュラム改訂

を行い，教育の資料としたい。

調査表の1部

精神遅滞児児童実数表（色か形か）

問題／解答	知能指数	第一問題	第二問題	第三問題	第四問題
形よりも色の同じものをとりあげた児童数	40以下	(1)	(1)	(1)	(1)
	40～50	2 (2)	2 (2)	2 (2)	2 (2)
	50～60	5 (7)	5 (7)	5 (7)	5 (7)
	60～70	5 (6)	5 (6)	5 (6)	5 (6)
	70～80	2 (2)	1 (2)	1 (2)	(2)
	80以上	0	0	0	0
色よりも形の同じものをとりあげた児童数	40以下	(1)	(1)	(1)	(1)
	40～50	(2)	(2)	(2)	(2)
	50～60	2 (7)	2 (7)	2 (7)	2 (7)
	60～70	1 (6)	2 (6)	2 (6)	3 (6)
	70～80	(2)	(2)	(2)	(2)
	80以上	0	0	0	0

註　（ ）内数字は，特殊学級児童在籍数である。

1.　第1問　赤い三角を示し「これと同じもの」
　　第2問　白い三角を示し「これと同じもの」
　　第3問　赤い円を示し「これと同じもの」
　　第4問　白い円形を示し「これと同じもの」

2.　結　果

第1問　赤い三角を見せ，

赤い円を取った者	14
白い三角　〃	3
その他	3

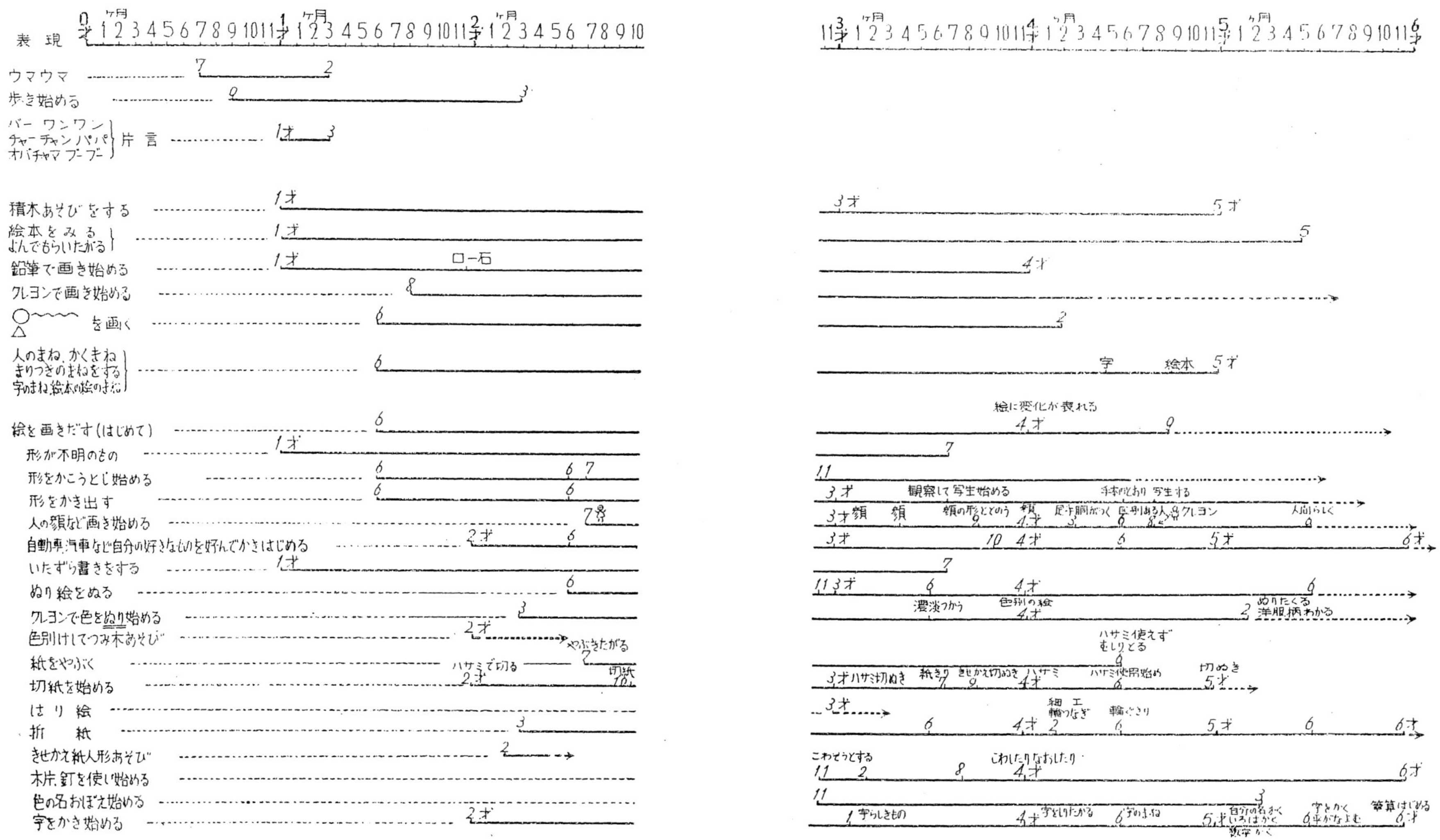
表現
ウマウマ
歩き始める
バー ワンワン
チャーチャン パパ
オバチャマ ブーブー
片言
積木あそびをする
絵本をみる
よんでもらいたがる
鉛筆で画き始める
ロ−石
クレヨンで画き始める
を画く
人のまね、かくまね
まりつきのまねをする
字のまね 絵本の絵のまね
絵を画きだす(はじめて)
形が不明のもの
形をかこうとし始める
形をかき出す
人の顔など画き始める
自動車汽車など自分の好きなものを好んでかきはじめる
いたずら書きをする
ぬり絵をぬる
クレヨンで色をぬり始める
色別けしてつみ木あそび
やぶきたがる
紙をやぶく
ハサミで切る
切紙を始める
はり絵
折紙
きせかえ紙人形あそび
木片、釘を使い始める
色の名おぼえ始める
字をかき始める
字
絵本
絵に変化が表れる
観察して写生始める
手本どおり写生する
顔の形ととのう
人間らしく
クレヨン
濃淡つかう
色別の絵
ぬりたくる
洋服柄わかる
ハサミ使えず
むしりとる
ハサミ切ぬき
紙きり
きせかえ切ぬき
ハサミ
ハサミ使用始め
切ぬき
細工
輪つなぎ
輪くさり
こわそうとする
こわしたりなおしたり
字らしきもの
字をかきたがる
字のまね
自分の名まえ
いろはかく
数字かく
字をかく
かなをよむ
算数はじめる

幼　稚　園

5才児における身体的および知的発達の研究とその指導

実験校　**東京学芸大学付属幼稚園**

1　**実験期間**　27年4月～29年3月

2　**研究のねらい**

3　**研究の経過**

第1年次（昭和27年度）

私どもの幼稚園では，すでに「教育課程の改善」を中心課題として，数年間にわたって実際的研究を続け，昭和26年には，充分に確実な基礎の上に立っているとはいい得ないが，永年の教育的体験と，数年にわたる実験的研究に基づいて，私共の幼稚園における，一応の生活基準としての教育課程をまとめることができた。

しかし，教育課程は幼児や社会の変化に伴って，可動的でなければならない。また，これを一層確実な基礎の上に立つものとしなければならない。

ここにカリキュラムの具体的な基準，つまり基礎資料の必要を痛感するに至った。

ところが，こうした私共の要求に合致した「幼稚園カリキュラムの基準」は，残念ながらまだまとめられていない。

そこで，目的を達成するためには，これを自分たちの手で作らなければならない。

「望ましい経験」を分析するためには，幼児の発達的特質や，社会的環境の特質を具体的，実際的に調査研究し，またこれと，教育の一般的目標に基づいて，指導の具体的目標を確立しなければならない。

そこで私共は，まず，幼児の発達的特質を従前に引き続き，なるべく科学的に理解すると共に，幼児の生活環境の特質を調査研究することにした。し

かしこれは容易な仕事ではなく，具体的な調査に基ずいて，確実な結果を求めることは，一定範囲に止めざるを得なかった。その他は，文献的研究と，指導者を交えての教育的経験に基ずく協議によらざるを得なかった。

次にこれらの資料に基ずいて，指導の具体的目標を定めようとしたのであるが，ここで一般的な教育目標を，再検討する必要にせまられた。

指導の具体的目標は，歴史的，社会的に生活するひとりひとりの幼児の現実に即して考えられるべきものであるが，現実から直ちに具体的目標を導き出すことは困難である。

その根底には，現代の要求する望ましい人間像といったものが求められなければならない。

ここにおいて私共は，歴史的な日本社会が求め，同時にそれが個人の幸福をも招来すると考えられる望ましい人間像を追求して，幾度かの討議を重ね，次のような一応の結論を得ることができた。

望ましい人間像

1　健康でねばり強い体力をもつ人間
2　科学を重んじ，生活を合理的に処理する人間
3　自分でよく考え，正しく判断する人間
4　全体の幸福のために，喜んで協力する人間
5　よいときまったことは，どこまでもやりとげる人間
6　個性豊かで創造力を発揮する人間
7　広い愛情と，敬けんの念を持つ人間

このような人間像が求められた背後には，およそ次のような思想が流れている。

1　日本の国は平和と文化を愛する民主的な国家でなければならない。
2　日本の国は人口過剰である上に，経済力に乏しいから，国民は科学的精神の昂揚と共に，勤労を愛し，大いに生産を増強しなければならない。

このようにして幼児や社会の実態と，教育の一般目標に基ずいて，具体的な指導目標が当てられ，始めてこの目標を達成するために必要な経験を分析することができる。私共は必要な限りにおいてなるべく詳細に，これを分析するように努めた。従ってここにとり出した経験は，可成り確実な基礎の上に立っているのであり，可成りの程度において教育的妥当性をもつものと信ずる。

最後に考えられたことは，幼稚園においてこれらの経験をさせる場合に，特に教師が注意しなければならないと思われる点である。

これは学習指導法に関する部面である。

以上のようにして討議,研究した結果を,教育課程の改善に,有効・適切に使用するためには,利用しやすくまとめる必要がある。そこで,上の5つの欄を設けて,別表のように表示した。（153頁）

1. 発達の特性
2. 環境の特質
3. 指導の目標
4. 望ましい経験
5. 教師の心構えや準備

なお,「発達の特性」の欄の心身発達の項目の分析についても,色々な意見もあると思われるが,一応次のように分けてみた。

1. **身体の発達**	F 排　泄	I 所有に対する尊敬
A 健康状態	G 性の発達	3. **知能の発達**
B 身体の成長と身体的活動	H 安全習慣	A 言語発達
(1) 一般的成長	2. **情緒・社会性の発達**	B 注意の持続
(2) 骨	A 情緒の状態	C 興　味
(3) 筋肉及筋肉活動	B 自分や他人に対する感情	D 想像力
C 神経組織	C 恐怖心を持つ傾向	E 符合の活用
D 特殊器官	D 理想と価値	F ユーモアー
(1) 眼　(2) 耳	E 独立性	G 空間知覚
(3) 鼻　(4) 口と歯	F 責任と感受性	H 時間知覚
(5) 皮膚・毛髪・爪	G 遊　戯	I 創造的能力及び鑑賞力
E 消　化	H 礼　儀	J 批判的な思考

第2年次（昭和28年度）

昨年度は前述の通り「5才児に望ましい経験」の全般について一通りの研究を行ったのであるが，今年度はこうした基盤に立って特に5才児の

A　身体的活動とその指導

B　言語の発達とその指導

について，当園幼児の実態に即し，稍々ほりさげた研究を行うよう進めた。

A　5才児の身体的活動とその指導

(1)　家庭における幼児の健康生活実態

1　環　境

2　遊　具

3　あそび

(2)　幼稚園における健康指導の現状

1　衛生的な面の指導

2　体育的な面の指導

(3)　乳幼児の運動能力の発達

1　出生より4才まで

2　5才児の運動能力

(4)　本園幼児の運動能力

1　調査の種目

2　調査の方法

3　調査の結果

4　結果の活用

(5)　幼稚園における体育的活動の内容

1　リズムあそび

2　表現あそび

3　リズミカル表現あそび

4　器械あそび

5　簡単な競争遊ぎ

6　その他

(6)　体育的活動の指導

（体育的取扱いの実際）

1　自由あそび

2　ごっこあそび

3　音楽・リズム

4　その他

B　言語の発達とその指導法

幼稚園においての言語指導は 1聞く・2話す・3話し聞く・4聞き話す（1949年国立国語研究所個人の言語生活24時間調査の場面分析による）の場面で主として行なわれている。

社会的な機能をもつ言語はその話された環境と共に調査し考察しなければ，本当の姿はつかめない。そこで幼児がおとなに向ってするはなしや，幼児同志のはなしあいの中から，その資料を得て当園園児の言語発達の状態を知り，現実の場面に即して言語指導のねらいを確立したいと考えた。しかし保育を行ないつつ，この流動する場面，活動する子供達から資料をつかむという条件のもとでは，なかなか思い通りの研究は困難なので問題を限定して次の研究を第一段階として行なっている。

(1)　いわゆる「お話」に対する幼児の理解度の調査

まず幼児は「話の理解」についてどのように発達してゆくものであるか，その結果からどの程度の話を幼児に与えるべきか，という指導のねらいを確立したいと考えて話の調査を行ない話の理解について調べている。

(2)　言語表現の発達に関する調査

イ　絵をみて話をさせる（話す）

この調査を通して，どのような言語を用いてどんなことを表現するか，また幼

児の自由な話の構造はどのように発達していくかを調べている。

ロ　幼児の自由な会話（話し聞く）

記録調査して子供同志の話し合いの進展の具合を調査し，この場面の指導のねらいを確立したい。

(3)　読字レジネスの問題（読む）

幼稚園での読字の問題についての考え方を一定の規準のもとで再検討する。

(4)　其の他

3　今後に残された問題

A　5才児の身体的活動とその指導

○現在における日本の幼児の標準的な運動能力を調査するにはどうしたらよいか。

○幼児の身体的活動を正しく発達させるには，環境をどのように整えたらよいか。

○遊具は現状のままで満足であろうか。

○この方面を促進するために，指導者はどのように研究を進めたらよいか。

B　5才児の言語の発達とその指導

○乳児及び幼児の「はなしことば」の発達の状況を研究するには，どのようにしたらよいか。

○5才児の標準的な言語発達の程度を研究するにはどのようにしたらよいか。

○「はなしことば」の指導内容をどのようにしたらよいか。

○幼児の読字指導の問題についての研究をどのように進めたらよいか。

視　聴　覚

I　スライドを利用した学習の評価

実験校　**東京学芸大学付属豊島小学校**

1　実験期間　昭和27年4月～29年3月

2　主題設定の立場

「視覚教材（幻灯）を利用した学習の評価」についての実験学校として，昨年度はその中でも下記の2項を中心として，報告をした。

(1)　社会科の学習指導において，幻灯を利用した場合の効果。

(2)　学習に興味関心の少ない児童が幻灯を利用することによって，どのような反応を示したか。

上記は視覚教材としての幻灯を，学習指導において利用すれば，学習効果をたかめるとの予想のもとに行われた実験で，いわば，幻灯がすぐれた教材であることのたしかめでもあった。

本年も同実験学校として，引続き実験を行うこととなり，本年度は視点を変え，昨年度の実験結果（幻灯はすぐれた教材である）との立場を土台として，「幻灯の扱い方による学習効果のちがいはどうか」ということを研究主題として，下記の2項を特に中心課題とした。

(1)　学習指導における幻灯使用方法のちがいによる効果の比較（Aグループ）。

(2)　幻灯の扱い方によって，学習不振児に対し，どのように学習効果がちがうか（Bグループ）。

3　実験経過の概要

(1)　実験学級の指定

前項の研究主題により，1年から5年までの各学年3学級編成の15学級を

Ⓐ　グループ　　各学年1学級宛　5学級

Ⓑ　グループ　　各学年2学級宛　10学級

にわけ，実験学級を指定，グループにおいて歩調を揃え，随時，両グループ合同の打合わせを行った。

(2) 条件の調整

最初，こころみに実験を行った直後，種々結果の報告を行い話し合った結果，よく承知していながらも，条件の調整において不備な点を発見し，よいデーターを出すにはこの点の打合わせが十分行われる必要を痛感，特にBグループでは，学級・担任を異にして実験し，データーを比較するので一層その必要がある。そこで下記の事項については詳細に打合わせることとした。

① 事前において

指導過程，学習の進度状況，指導の方法，指導の日時，事前テストの問題決定，スライドの選定等。

② 指導にあたって

幻灯取扱いのコースをa（映写前），b（映写中），c（映写後）の3段階により下記のように分類し，その型式を記録することとした。

1型 a 映写するスライドについて注意すべき点を話し合っておく。
b 教師の説明の間に随時児童との話し合いを行う。
c 事後スライドについて話合う。

2型 a 1型に同じ。
b 教師は説明文を朗読。
c 1型に同じ。

3型 a 映写するスライドについて話合いをしない。
b 1型に同じ。
c 1型に同じ。

4型 a 3型に同じ。
b 2型に同じ。
c 1型に同じ。

5型 a 1型に同じ。
b 説明書を使用しないで話合いですすめる。
c 1型に同じ。

6型 a 1型に同じ。
b 児童が説明書により行う。
c 1型に同じ。

③ 事後のテストは時期を調整し，なお次の実験を考慮して指導過程の打合わせは常に行っていく。

(3) 実験後の処置

上述のように実験を行って，問題の提出，指導法の反省を行い，より適正な結果を出すよう打合わせをし，データーの集積につとめ，現在に至っている。

4 Bグループの報告要旨

(1) 1年から5年まで各1学級を実験学級とし，対象児を各男子2名，女子2名宛選定した。

(2) 幻灯を利用した学習の際の対象児の反応する様子を観察記録し，特に映写と説明の（取扱い方）6つの型における学習効果を一般児との差異（進度の度合，理解の永続度）を考慮しながら調べた。

(3) 評価の考察と新しい問題点

記録の累積数がいまだ不十分で確実な結論を下し得る段階には至っていないのであるが，およそ次のような諸点を指摘することが出来る。

① 学習不振児に対しては1型の取扱いが一番効果的である。

② 2型，4型，6型のように，映写中，教師が単に解説書中の説明文を朗読する程度では効果があがらない。

③ 画面に難解な文字があらわれたり，説明文が学年不相応に難かしいと認められるときは，特に効果があがらない。

④ 事後テストを1時間以内に行うと，事前テストよりも正答率が低下してしまうことがある。すでに理解している事柄でも，それが画面に出てこないものは一時消滅する傾向がみられる。

⑤ 対象となっている学習不振児の殆どが，環境性不振児で，精薄児に関する記録が得られない。

(4) 記録の1例

○教科 社会 単元 役にたつ動物（3年）

○学習のねらい 「くじらはどのように役だつか」の理解を一層深めるための整理段階に使用。

○取扱い方 1型

○設問事項

1 鯨の油はどこから，どのようにしてとるか。
2 鯨の油はどんなものに使うか。
3 鯨の骨はどんなものに使うか。

○事前事後のテストの比較

A 正答率	事前テスト正答率	事後テスト正答率
一般児	27%	57%

対象児	S児	20%	30%
	N児	20%	40%
	T児	20%	30%
	A児	10%	70%

B　有効度指数

一般児　41%

対象児　S13%　N25%　T13%　A67%

×有効度指数

$$\left(\text{有効度指数}=100\times\frac{\text{実際の正答率の増加}}{\text{可能な最大の正答率の増加}}=100\times\frac{p_2-p_1}{100-p_1}\right)$$

p_1＝事前テスト正答率　　p_2＝事後テスト正答率

5　Aグループの報告要旨

(1)　評価の考察と新しい問題点

今回は6つの型をきめたが，主として，1型と4型の比較報告にとどまったが，経続して実験をしているので別の機会に報告することとする。以下紙面の都合上限られた結果しかのせることができないが，学習の中でスライドを取扱う場合に，ゆきあたりばったりに説明文を朗読する程度で映写することの効果が少ないこと，あるいは，児童との話し合いのもとに映写をすすめることのよい点などを，ある程度示すことができた。（しかし物語の場合には別問題）　特に高学年よりも，低学年においては，この点がはっきりしていることがいえると思う。なおこのほか次の点も問題点としてあげられよう。

○印象深い場面では印象が特に鮮明で結果がよい。そのために他の事項がときには忘れられてしまうことさえある。

○反面，画面が理解しにくい場合は結果がわるい。

○右のことからスライドの表現上の良悪が，学習効果に大きく影響すること。

(2)　記録の例

㋑

○教科　社会　　「わたしたちの家」　（1年）

○学習のねらい　正しいことばづかい。

○スライド使用前と使用後のテスト問題

1　先生がむこうから見えた場合，それをどんなことばを使って他の人に知らせるか。

先生がきた（わ）よ　×

先生がいらっしゃった　○

2　自分の母が向うから見えた場合，それをどんなことばをつかって，他の人に知らせるか。

お母さんがいらっしゃった（わ）×

母がきました　○

3　日本間の挨拶の仕方

すわって，きちんとおじぎをする。

4　洋間の挨拶の仕方

立っておじぎをし，あいさつをする。

○事前，事後テストの比較

A　正答率

		事前テスト	事後テスト
1型の学級	1問	67%	93%
	2問	71%	53%
	3問	53%	89%
	4問	40%	84%
4型の学級	1問	40%	56%
	2問	76%	62%
	3問	58%	71%
	4問	36%	56%

B　有効度指数

	問　1	問　2	問　3	問　4
1型の学級	79%	62%（下った率）	77%	73%
4型の学級	27%	58%（下った率）	31%	31%

＊ 2問が2グループとも逆に減ったのは1問の理解にまぐれが多いこと，一年生としては，このような敬語の使用法の理解はむずかしいことを示し，問題提出についての反省を責められる。

㋺

○教科　社会　　「役にたつ動物」　（3年）

○指導段階　整理の段階（ただし，鯨については，あまり深く研究はしていなかった。ひととおり軽く扱った程度）

○スライド使用前と使用後のテスト問題

1　鯨の大きさ，馬との比較

2　鯨の種類

3　鯨のいるところ

4　鯨は私たちのために，いろいろ役にたっています。次のものはどんなことに役だっているでしょう。

イ 骨，　ロ 肉，　ハ 皮，　ニ 油，　ホ ひげや内ぞう，　ヘ その他

5　肉や油がどれだけとれるか

6　鯨について知りたいこと

＊特に４の問題を取り上げて評価データとしてのせる。

○有効度指数

	品名	４型の学級	１型の学級
骨	あぶら	10%	27%
	こやし(骨粉)	12	29
	ラケット	0	10
	はし	−42	−22
	くし	−7	−23
	ボタン	0	−13
	椅子テーブル	18	24
肉	ハム	37%	56%
	ベーコン	8	30
	かんづめ	50	63
	ソーセージ	35	62
	肉	−32	5
	食用	−13	−34
皮	かばん	38%	74%
	ハンド・バッグ	49	68
	ランドセル	46	56
	くつ	−18	78
油	ローソク	38%	78%
	石けん	19	53
	バター	13	24
	食用油	−6	−8
	チーズ	−11	0
ひげや内ぞう	肝油	4%	24%
	ラケット	31	36
	ステッキ	12	52
	花かご	23	50
	フイルム	7	19
	くすり	10	−21

＊骨，肉，皮，油，ひげ内ぞうについて全体的に１型学級が向上を示している。

＊各項目中事前より事後の方が劣っているのは，スライドの画面にない項目である。はし，肉，ボタン，くし，食用油，チーズ等。

＊肉のところで食用として事前に書いた項目が事後で劣っているのは，食用としてハム，ベーコン，かんづめ，ソーセージとして具体的になったことで減少している。

(ハ)

○教科　社会　「昔の外国との交通」（４年）

○指導の段階　研究の段階

○スライド使用前と使用後のテスト問題

下記の15題中，特に(1)，(5)，(6)，(9)，(12)について有効度指数を出すこととした。

社会科

つぎの文を読んで，正しいと思うものには○，まちがっていると思うものには×をつけなさい。

(1)　日本の文化のもとになったものは，仏教を中心として伝わった中国・ペルシャ・ギリシャなどの大陸文化です。

(2)　仏教は，印度に始まり，中国・朝鮮を通って，1400年くらい前に日本に伝わりました。

(3)　その後日本からも，遣唐使というものが，大陸のよいものを学びとるために何べんもインドに送られました。

(4)　西洋からの新しい文化がはいってきたのは，仏教と同じころで，ポルトガル人が，鉄砲をもってきたのがはじまりです。

(5)　西洋人は，珍しい品物や進んだ学問と一しょに，キリスト教も伝えてきた。

(6)　西洋から文化がはいってきたころ，御朱印船といって，幕府のゆるしを受けた船が，フィリッピン・シャム・安南などへいって，かつやくするようになりました。

(7)　徳川時代の終りごろ，キリスト教は，仏教や神様の教えと合わないというので禁止された。

(8)　鎖国というのは，キリスト教を日本に入れないようにするために，外国人を日本にこらせることも，日本人が西洋に行くことも禁止したものである。

(9)　鎖国の間にも，オランダ人だけは，キリスト教に関係がないので，日本に出入りを許した。

(10)　鎖国して外国といききをしない間に，日本はすばらしく発展した。

(11)　鎖国が長くつづいていたが，今から100年くらい前にアメリカのペリーという人が，軍艦をひきいてきて，「貿易しよう」と申しこんできた。

(12)　ほんとうに，日本が西洋とはげしく交通するようになったのは，明治になってからである。

(13)　明治時代になると，日本は，汽車や汽船などの造りかたを西洋に教えてやった。

(14)　日本の工業が発展してきたのは，明治時代になって，外国と自由にいききするようになってからである。

(15)　服装が，今のように洋服を多く使うようになってきたのは，江戸時代のなかばごろからである。

○有効度指数

問題	1型の学級			4型の学級		
	第1回正答率	第2回正答率	有効度指数	第1回正答率	第2回正答率	有効度指数
1	35%	84%	75%	65%	86%	60%
5	74	91	65	93	95	28
6	53	79	55	58	84	62
9	72	88	57	56	79	52
12	79	86	33	79	93	67

＊6，12番の問題に於ける有効度指数の第1型の，低下の原因について。

1．問題に於ける第1回の正答率が，第1型の学級において高度であったため，上昇率は少いこと。

2．問題の構成が，選択法（○×式）であるため，正答の危険率が予想されるため。

Ⅱ　放送を利用した学習の評価

実験校　お茶の水女子大学文教学部付属小学校

1　実験期間　昭和27年4月―29年3月

2　実験研究の目的

学校放送が，小学校教育にどのように役だつかを実験的に調査研究するとともに，学校における放送利用が，児童の学習や生活にどのような影響を及ぼし，児童の放送を聴取する能力習慣がどのように進歩するかを考察しようとするものである。本研究は小学校において，広く視聴覚教具を有効に利用するための研究の一環として行っている。

3　方　法

放送教育の研究については，一般には，全校式施設を設備して，学校放送の聴取，および，校内放送の放送ならびに聴取を指導し，研究している所が多いが，当校においては，各個式施設を用いて，放送を利用することを特に

試みた。

すなわち，家庭用受信機（ホームセット）を各学級教室にそれぞれ備えて学校放送聴取ならびに，一般放送の自由聴取を行い，児童の学校生活および家庭生活において，聴取の能力や態度に与える放送の影響を調査研究することにした。

また，放送が，各教科および教科以外の活動の指導のために，教材あるいは教具としていかに役立つかの研究も必要と考えられる。このような放送の効果を測定するためには，一般には放送利用グループと，放送を利用しないグループとを作って，比較実験することが考えられる。しかし，当校では，児童の教育のために役だつと思われるラジオの新設に際して，児童の興味や関心が非常に強く，かつ，その教育効果も認めたので，このような実験を行うことはさけた。

そこで，当校のとった方法は，放送聴取によって期待される，学習の最終段階のあるべき姿と，そこに持っていくための項目，およびその過程を見つけだし，放送利用による能力表の作成を試みることであった。

同時に，各児童，特にラジオ好きの子について，個人的に学習結果を抽出して，みていこうという試みも行われている。

4　本年度までのの経過の概要

お茶の水女子大学文教育学部付属小学校が，文部省から，放送教育の実験学校になることを委嘱されたのは，昭和27年の4月であった。

当時，学校には，受信機の施設がなかったので，研究の第一歩は，まず受信機の設置研究から始められた。文部省・NHK・お茶の水女子大学文教育学部から専門家を招き，放送施設の望ましいありかたについて協議し，種々の受信機について検討を重ねた。

その結果，各個式施設をとることにきまり，昭和27年7月，夏季休暇を利用して，各教室の電源施設が着工された。校舎が鉄筋コンクリート建築であるために，この工事は予想外に日時を要した。

11月，施設完了の見通しもついたので，学校放送聴取開始直前の調査を行った。家庭における音響状況，受信機の有無，ラジオ聴取の状況，児童の聴取の態度，よく聞かれる番組，児童に聴取を奨励している番組，児童の聴取を禁止している番組，児童に及ぼすラジオの影響についての保護者の意見，ラジオ放送に対する保護者の意見等につき，調査したのである。なお，ラジオ聴取と，他の文化活動（たとえば，読書，新聞閲覧，映画鑑賞，音楽鑑賞，その他レクリェーション）との関係を調査するため，最近1ヶ月間に読んだ単行本の書名，毎月購読する雑誌名，毎日あるいはときどき見る新聞名，最

近１ケ月間に見た映画，最近の児童のおもな遊び等についても調査した。これは印刷物を作成し，家庭の父母に回答を求めたものである。

受信機の施設は，12月中旬に完了した。12月15日（月曜日）から，学校放送を計画的に聴取することができた。最初は自由に各教室で，各教科および教科以外の活動の指導に放送を利用する計画をたてた。

学校放送ばかりでなく，民間放送も聞かれ，時刻も，登校するやいなやラジオのスイッチを入れる組，午前の学習に利用する組，休み時間や昼食時に利用する子ども，午後も掃じしながら音楽を聞くというように，聴取率は，はなはだ高かった。

第３学期（28年１月）になって，学校放送教師用テキストを購入し，いよいよ計画的に学校放送を教育に利用することになった。

２月，学級別の学校放送利用状況調査を行った。

３月，放送を利用した国語学習指導の校内研究会を開いた。文部省・ＮＨＫ・お茶の水女子大学より指導者を招き，放送を利用することの教育的効果および，放送を利用することの欠点を討議し，学校放送の効果的な利用法について研究した。

同じく３月，第３学期の学校放送の聴取結果を検討し，学校放送が学習に対して受持つ重要な役割を確認して，学校放送を学習に役だてるための計画をたてた。

その結果，国語，社会，理科，音楽，体育，図工の年次計画をたてる際に，(1) 学校放送の利用を考慮して組みいれる。(2) 選択聴取の番組と，継続聴取の番組を明らかにして指導時数を定める。 (3) 教材として目的的に利用する放送と，教具として手段に用いる放送とを選択して，教科書等との関係を円滑にすることになった。算数，家庭科は放送を利用しない。

また，学校放送をよりよく利用するための，学習時間割の立て方も問題にされた。そして，学校新聞の放送を第３学年以上の全学級で聞くことができるように，その時刻を全校朝会のすぐあとにもっていくようにし，学級朝会の時間を20分設けて，その時間をあてることにした。

なお，ラジオ国語教室，およびラジオ音楽教室を第１時限に聞かれるよう学校放送低学年および中学年の時間を第２時限に聞くことができるように学習時間割を組んだ。高学年の時間のみは，夏時間割では，全校の休憩時間の時になったが，これはやむをえないことであった。（冬時間割では，第２時限において聞かれるように調整した。）

昭和28年４月，昭和28年度が始まって，放送利用の教育も，いよいよ新しく計画的に進むことになった。前年度末に立てた計画に従って，新しい学習

時間割，新しいカリキュラムによる実験研究を進めた。

４月には，次の２つの調査を行った。

(1)　28年度に利用する番組と，放送を利用するにあたっての関係教科およびねらいの調査

(2)　第２回目の，家庭におけるラジオ聴取習慣の実態調査

これは，27年11月に行ったものと全く同様の形式により，家庭からの回答を求め，学校における放送聴取が児童の家庭におけるラジオ聴取の習慣にどのような影響を及ぼすかを調査したものである。

昭和28年５月12日，お茶の水女子大学講堂において，昭和27年度の文部省実験学校研究報告会があり，その際，放送を利用した学習の評価について，１時間にわたり報告をした。

初年度の実験報告は，実験期間が短かったため，中間報告ともいうべきもので，多くの研究は，次年度，昭和28年度に継続発展していくものであった。

４　昭和28年度の実験研究

昭和28年度は，前年度に引続き，継続の目的をもって，実験研究を行ってきた。

５　昭和28年度の研究の大要

(1)　実際指導研究会において，放送利用学習を研究

６月４日（木），６月５日（金），６月６日（土）の３日間にわたり，お茶の水女子大学附属小学校に，広く全国から約1000名の教師が集まって，実際指導の研究会を行った際，４つの放送利用学習を展開して，活発な討議がなされた。すなわち「ラジオ国語教室２年生」を利用した２年生の国語学習指導，「お話玉手箱」を利用した３年生の想画の指導，「マイクの旅」を利用した５年生の社会科指導，「日本の歴史にあらわれた人々」を利用した６年生の社会科指導の４つである。よい放送の選択と，利用のくふうは，学習の効果を高めるということが実証され，現場の求める動きがよい学校放送を生むことが話しあわれた。

(2)　各教科と学校放送の研究

(1)　各教科に特に関係の深い番組や放送の研究

(2)　カリキュラムとの関連づけ

(3)　最も効果的な聴取指導法

(1)についてみると，「ことばあそび」と「ラジオ国語教室」が国語のために聞かれており，社会科のためには，「マイクの旅」「日本の歴史にあらわれた人々」「わたしたちのくらし」がよく利用された。社会科では，児童用テキストを生かして用いることに力が注がれた。理科では「三郎のかんさつノー

ト」，体育では「げんきな子ども」が年間継続一斉聴取の中に選ばれている。音楽・図工では必要に応じて鑑賞や創作のために選択聴取が行われてきた。

各教科に関係の深い放送は幾本かあるけれども，放送そのものを，いつの場合にも目標とするようななまの取扱は，教科指導のために最善とはいえないことが，漸時わかってきている。教師用テキストに予告される番組を検討し，児童のため，教師のために最もよいカリキュラムをたて，ラジオ学習を綜合的なものにして（他の視聴覚教具の利用と相まち）一斉聴取，選択聴取，自由聴取の計画を賢明に進める必要がある。

聴取の指導には一斉指導のほか，パネル式指導やグループ指導が行われている。そして，復習型，事前指導型，全面指導型をはじめとして，表現型や発展型，批判型などが，目的に応じて長短さまざまの形で行われる。ときにはただ聞かせてしんみりと味わう感銘型指導も行われる。

(3) 音楽室に家庭用受信施設をし，音楽室の楽器の利用と関連づけながら，音楽放送を聞かせる研究

家庭用受信機は，各学年の各教室に設備されたが，特別教室にはおかなかった。しかし，実験の結果，鑑賞は教室で，歌唱や演奏は音楽室でという形態は，非常に不自然であることが実証された。九月以降は，音楽室にもラジオがおかれて，児童はラジオを通して流れる音楽を聞き，次には，それを自分たちがやってみるというように一体的な学習を営むことができるようになった。音楽室でラジオを聞くことの楽しさ，ためになるという感想は，児童の作文にもあらわれている。

(4) 放送は主として学習のどんな方面に役だったかの研究

(1) 知識の習得と放送

A 普通は教えなくて，常識的に子どもが学ぶにまかされていることがらについて，放送で聞くと，子どもはいかに覚えるか。

B 普通は，教科書や教師の話で覚えるものを，放送で聞かせると，覚えの程度がどのように違うか。

たとえば，Aの例として，東京語における「お」や「ご」の使い方について調査したのによると，20点満点で，常識のクラスは16.3点，ラジオを15分聞いたクラスは17点の平均をとっている。また，東京発音のまちがいを正す問題では，聞いていないほうでは14.4点，聞いたほうは15.9点で，更にその差が大きい。（当校の中の２グループ）

Bの例としては，社会科で「マイクの旅」で扱った十和田湖と，教師が教えた十和田湖の習得の比較をちょうど半年後にしたところ，一方は24％であり，一方は89％であった。（当校と，地方の学校の比較）また，国語科で，

「れる」と「られる」の使い方について学校内で比較した結果は，68.18％と73.06％の差となってあらわれた。

(2) 能力の発達と放送

A 聞きかたの能力（遅れず聞く，要点を聞く，固有名詞や数字等をまちがいなく聞く）

B メモをとる能力

C 思考力，批判力（意見や感想をいうこと）

これについては，放送を利用しない場合との比較は困難であるが，放送聴取開始当時に比較すると，発達のようすがよくわかる。２年以上の全校児童に学校新聞を聴取させて，当校の現状を明らかにした。最高学年における75％の児童の到達状態を一応最終段階として，各学年の調査結果を順次配列し，能力表を作成したので，次年度においては，できれば他校と比較してこれを標準化していきたい。結論的にいうと，２年生の聴取は，不完全で，おもしろかったこと，身近な関係のことのみをごく断片的に聞いているが，３年になると，話の主題が，３つ以下ならばそれが大づかみにとらえられる。２年に比べて聞きとる内容がいちじるしく増す。４年になると４つの主題が落さずにとらえられ（学校新聞は十分間で，主題は多くて４つ）とらえ方は各学年を通じていちばん細かく詳しくなる。５年になると，内容を要約することが始まる。ポイントとなることばを落さず，くりかえしや修飾語を抜くことを知る。６年では，自分にとって必要と思われることを批判的に抜き出して聞きとる。記録は，単語（２年）——ます体（３年）——である体（４年・５年）メモ体（６年）というように進歩していくことが見られる。

(3) 態度・習慣・行為の向上と放送

A 道徳面（社会適応，騒音防止）

B 文化面（選択，鑑賞，創造，表現）

C その他（たとえば他校の児童と比較して反省し，自覚を高める）

音量や音質に敏感になった。人の迷惑ということを考えるようになった，ラジオに対して批判的になった。ことばに注意するようになった，日本のこと，世界のこと，社会のことに興味や問題をもつようになった，等があげられる。子どもたちは，よく「くだならい放送」ということばを使う。最初は喜んでいた昼休みの娯楽放送を最近はおもしろくない，下品だといい，流行語もあまり問題にしようとしなくなった。

この面の効果は，特にラジオ好きな子どもに顕著にあらわれている。

(5) 家庭におけるラジオ聴取習慣の第３回実態調査

28年３月に，前２回に準じて調査し，目下集計中である。

6　結　び

以上を顧みるに，放送を利用した学習が，各方面において，相当，教育効果を挙げていることが感じられる。当校が採用したホームセット方式は，幸いに，非常に事故が少なく（1年半に小故障2件），音量・音質が適当で，利用にはまことに便利であった。私どもは，日本の子どもの幸福のために，よりよい放送と放送の特質を教育に生かすよりよい利用を，なおますます進めるよう努力したいと思っている。

昭和30年度

文部省初等教育実験学校

研究発表要項

昭和30年5月

文部省初等中等教育局
初等教育課

昭和30年度

文部省初等教育実験学校

研究発表要項

昭和30年5月

文部省初等中等教育局
初等教育課

あいさつ

昭和24年度から公開してまいりました初等教育実験学校の発表会も，今年で第6回目に当ります。

実験学校の研究課題や実験研究の方法につきましては，文部省の立場から決定されてくることでありますので，実験研究をお引受けいただいた実験学校におかれては，学校の運営上からも，かなり困難な問題に当面することが多いと思われますのに，着々とその成果を挙げて，初等教育向上のために御協力いただき今日に及んでおりますことは，感謝にたえません。

これら成果を挙げ得ますかげには，実験学校各位のご努力は申すまでもないことでありますが，教育委員会や地域社会の方々の御助力によるところが多いことと感謝いたしております。

ここに昭和29年度の実験研究の発表概要を編集するに当り一言ごあいさつ申上げる次第でございます。

昭和30年5月

文部省初等中等教育局
初等教育課長
上野芳太郎

目　次

教　育　課　程

○単元学習と教材科以外の活動の連関より学習の全体計画を見る。(昭和27, 28年度)
○学習の全体計画をどのようにたてるのが子どもの全体的発達に対して有効か。(昭和29年度)

神奈川県足柄上郡福沢小学校

1. 実験の期間　昭和 27 年 4 月～昭和 30 年 3 月

2. 実験の意図

(1) 昭和 27 年度は民主社会における有能な社会的実践人としての実力を検討し，単元学習の難点を究明し，実力の面より教科以外の活動との連関を明らかにしようと考えた。更にその立場にたって全体計画を検討しようとした。

(2) 昭和 28 年度は前年度の実験研究の結果，実力の検討を一歩つき進め知識の問題を解明して，基礎学習の位置づけを明らかにすることが必然的に浮び上って来た。そこで知識と実践との具体的な究明によって，単元学習と教科以外の活動の連関を更につきつめ基礎学習における知識を明らかにして基礎学習のあり方を追求しようとした。

(3) 昭和 29 年度は前 2 か年の研究が実力や知識の観点より子どもの内面的な獲得のさせ方，構造づけの点であり，主として内面的主体的連関の究明であった。それとともに客体としての各教科を目標にたよって連関の相を明らかにする必要にせまられた。

よって 29 年度は子どもの実態を見きわめ教育目標を検討して，念願する子どもの理想像を求め，各教科を目標により分析して連関統一を明らかにし有効な学習の全体計画をどのようにたてたらよいかを究明しようとした。

3. 実験方法の概観

(1) 昭和 27 年度は実力を目的論と方法論の上から検討を行った。次に単元学習と教科以外の活動を本質的にほりさげ，目的の上から，方法の上から更に学習の場からの連関を究明した。以上とともに，一人のこどもの実力から見た連関を考え，学習の全体計画に検討を加えた。

(2) 昭和 28 年度は，第一に単元学習における知識はいかなるものであるかを明らかにした。次に教科以外の活動における知識と実践の関係を求めた。更に基礎学習における知識の問題を究明し，単元学習，教科以外の活動基礎学習の位置づけを考究した。

(3) 昭和 29 年度は，第一に各種の調査テスト，父兄その他第三者の言葉等を資料として，教師の話し合いにより福沢の子どもの実態を把握してその対策をたてようとした。

第二に教育目標を検討して育て上げたいと念願する理想像をもとめた。民主的社会的実践人としての資質及び能力を明らかにし

第三にこれによって各教科を検討して，連関統一しようとした。

教育目標はいうまでもなく教育基本法及び学校教育法に明示されているものを再検討して民主的社会的実践人としての資質及び基本的能力の二点より考えた。

各教科には人間形成に寄与する面とその教科独自の技能面とがある。人間形成の観点に立って各教科を再検討し，この点より連関統一を明らかにしようとしたのである。即ちそれは，子どもの現実の姿と理想とのギャップをなくすための全体計画とも言うことができる。

4. 実験の結果

(1) 望ましい全体計画のたて方

我々は3か年にわたる実験研究の結果次の諸点について明らかにすることができた。

(イ) 単元学習と教科以外の活動は同一平面的延長にあり，基礎学習はその基礎的な層をなしている。両者は同一の方法原理に立っており，統一的方向をもっている。学習の場から見れば，単元学習の終りから教科外活動へ，単元学習の中途から教科外へ，教科より単元学習へ，その他いろいろ連関する。

(ロ) 基礎学習は単元学習，教科以外の活動に比し一見分離しているかに見えるが，主体的必然性に即して知識の働きの面でおさえれば共通している。しかし，基礎学習では主として普遍的知識が教科外活動（生活律動）では主として具体的知識が，単元学習では主として個性的知識が獲得される。

(ハ) 福沢の子どもの実態

実態には勿論長所もあり短所もある。長所はますます助長すべきは言うまでもないが我々の最も真剣に取り上げねばならないのは好ましからざる短所である。これは全国一般の傾向として見られるもの，農村の学校に共通的に見られるもの，及び本校児童にのみ見られるものとがある。紙面の関係上ここに列記することは省略する。

(ニ) この実態を理想像にてらしてその対策を考究し，不完全ながら一応たてた。

(ホ) 以上の研究から子どもの全体的発達に有効な学習の全体計画をどのようにたてたらよいか，一応次の結論を得た。もとより研究には限りがないし研究すればするほど欠点が見えて来る。現在の段階においては最もよいと考えるが中間的なものである。

(A) 子どもの全体的発達に有効な全体計画は第一に単元学習，基礎学習，教科以外の活動の三層の間に緊密な連関をもってたてられなければならない。

学習の場や素材其の他形式的な連関よりも子どもが獲得していく時の内面的な主体的な連関が特に考慮されなければならない。生きて働く知識の獲得のしかたを究明し，子どもの内面的な高まり方を究明してみると，このことは一層強く感ずるものである。

(B) 第二に全体計画は統一されていなければならない。統一をあたえる視点は目標と方向と方法である。我々は目標としては民主的社会的実践人としての資質と能力を考えている。方向としては民主社会への適応と改善であり，方法としては，主体的必然性であると考える。全体計画は，この目標，方向，方法において完全な統一のもとに立てられなければならない。

(C) 第三に全体計画は系統が考えられてたてられなければならない。系統には客体的系統と主体的系統がある。前者は対象のもつ系統であり，後者は主体のもつ系統である。主体が対象に働きかけ機能的に構造的に獲得して行く仕方の中に存する系統である。後者を主とし前者にマッチした系統のもとに全体計画はたてられなければならない。

(D) 第四に全体計画は能率を考えて立てられなければならない。時間はほぼ一定している。その中で最大能力を上げるべくたてられなければならない。内容的には重複がなく，むだを除き，方法的には子どもが追求していく筋がすっきりと通り，最短コースであること，等が考えられなければならない。

(E) 1. 教育目標による各教科の統一

——望ましい全体計画——

我々は実力を検討し知識と実践との関係を究明してこの観点より連関統一を追求して来たが，研究を進めて見ると，更に一層具体に下ろして考えなければならなくなってきた。即ち基礎学習における各教科が，ややともすると個々バラバラとなり易く，そこで教育目標を再検討して，理想的な子どもの姿を求めると共に，この目標によって各教科，各層の連関統一を求めようとした。

教育目標は換言すれば子ども達が世の中に出て生きぬいていこうとする力である。民主的社会実践人としの資質で，真理追求，正義至善の愛好，勤労尊重，豊かな情操，健康，体力，協力，創造であり，その根底に自主自立の精神が貫かれている。資質とともに民主的社会的実践人の欠くべからざる基本的能力として言語能力，数量能力，科学的能力，経済的能力をおさえた。これらの資質は単に一教科のみ如何に突いても効果は上らない。単元学習のみどんなに真剣に努力しても決して満足な結果は得られない。各層，各教科，学校の全組織全生活をあげて，密接な連関のもとに強力に参加するのでなければならない。

我々は以上の観点にたって，各科を目標によって再検討し，統一を求めて全体計画を立てようと図った。これこそ最も望ましい全体計画であると信ずる。資質及び能力について前記の総べてについて究明してたてたのであるが紙面に制限があるので資質として協力を基本的能力として国語能力を例にとり，更に学校組織及び学級組織について具体的に実際にもとづいて全体計画の実践的あり方について述べたい。

2.　基の具体例

(A)　力を合せることのできる子どもを育成するには

——横の関係より見て——

成長の過程にある子どもたちの姿は，時々私達教師に失望を起させるような，非協力の姿を現わすことがある。併し失望がそのまま怒りに変ってはならない。教師の眼にくるいもあるだろうし，子ども達の発達の過程に当然現われてくる現象のこともあるだろう。

時折教師は，協力することはよいことである。協力しなければならないという前提で総ての問題を処理しようとする甘さを現わすことがある。どうしたら力を合わせる子どもを育成することができるだろうか。

本校では，二年生以上がそれぞれの班に編成されて，清掃を分担しているが，その班の子どもたちが協力していない姿をよく見受ける。15 分すぎると，どうやら清掃をしたなと思える状態になって，子どもたちはわかれていく。1体こうした状態になっているのはどこに原因があるだろうか。何のために集まってきたのか，目当を共通に持っているか，持つためには，その仕事が自分たちにとって，必要だと理解されていなければいけない。二，三年生は，上級生のまねをする。一生懸命にやると，ほめてもらえて，何となしに嬉しいという子どもたちである。こうした機会があたえられていないのだろうか。方法を知らない場合，リーダーとしてこの資格が欠けている場合，或は又，力を合わせて清掃をしっかりやろう。そのためには，どうしたらよいかを相談している途中に，もんちゃくが起き，それが克服できずに，消極的な無統制な状態になっている場合もあるだろう。班員相互の性格が合わない時，家庭間の状況から生まれる場合もあるだろう。力を合わせない状態のかげには，数多くの原因がかくされていることに気がつく。

こう考えてくると，何でも力を合わせるのだ，力を合わせられない子どもはだめだと，目に見える姿だけをみて，きめつけてしまうのは危険である。学習活動にグループ学習を取り入れる時にも，日々営まれる各種の校内のグループ活動にも，いつも次の考えに立って指導がなされなければ，その効果をあげることができない。

(1)　何をするのか，しなければならないか，が皆によくわかること。

(2)　その仕事が私達にとって必要であり，ねうちがあることが，わかること。

(3)　一人では困難で，みんなの力が必要であることが，わかる。

(4)　力を合わせる時，どんな方法があるかが，わかる。

(5)　その方法の中で，自分はどれだけの責任をもったらよいか，はっきりわかる。

(6)　問題がおきたら，いつも十分話し合ってきめていこうとする。

(7)　いつもみんなと気楽に話し合いができること。

又一つの社会事象を研究する時にも，ただ力を合わせている感心だというのでなしに，何を目当にして力を合わせているのか，その目当は，人々の生活にどんなつながりがあるのだろう，力を合わせてはいるが，その力の合わせ方が一番いいものだろうか，等の条件に立って，批判的にみきわめていく態度を養わなければならない。

(B)　力を合わせることのできる子どもを育成するには

——たての関係よりみて——

力を合わせる子どもを育てるといっても低学年の子どもと中学年の子ども高学年の子どもとではずいぶんな開きがあると思う。一，二年の子どもは必要をみとめ積極的に協力するというのでなく，ただ仲よくするという程度であろうし，三，四年の子どもでは男女の性の差からくるずれをどう調整していくかが問題となるであろうし，高学年では学校奉仕活動の面でどう協力していくかが問題となるであろう。また，上級生と下級生との協力のしかた，おとなに対する協力のしかたについてどうあるのがよいのかということも考えなければならない。

三年生の子どもが遊び場所について男女で競っていたのをたまたま児童会で話し合ってお互の立場を理解し，問題を解決した例もある。部落対抗競技会のとき二年生の子どもが上級生の選手の着がえをたいせつにもって誇としていた例もある。これらは望ましい協力の姿ではあるが，こうしたことが常に行われるとは限らない。例，1 の場合にはお互にすなおにものをいい，お互の立場が理解されたのである。もしすなおに自分の意見がいえなかったら問題を解決することはできなかったろう。例2の場合には自分のしている仕事に誇をもち協力することの意義を感じていたからである。

農村では特に封建性が強く女の子に協力するのは何か承服できないような気持をもっている男の子もいる。そのために協力できない場合もある。したがって社会科の学習では特にこうした皮を脱皮するような指導が行われ，だれとも力を合わせることが必要だと気づく子どもに育てなければならない。

こうした考え方が経営活動の面に或は基礎学習の上に生かされ強化されてはじめて力を合わせることのできる子どもになるのである。

劇の配役をきめる場合にしても自分の立場がわかり，自分の役の価値がわかって，自分の協力する分野がはっきりしてはじめて劇の中の1員として力を合わせることができるのである。こうはいっても根底に利已心があって協力できない場合もあり，性格のちがいから感情的に合わない場合もある。したがって，実際指導にあたっては，その児童をみつめ何に原因があるかをつきとめてから指導することがたいせつである。学年的な差は勿論のこと個々についてもその問題点をさぐり指導しなければ力を合わせる子どもは育っていかなかったと思う。

子どもたち同志の問題とともにおとなに対してどう協力するか，どの程度の協力のできる子どもにするかということもたいせつなことである。それにはつぎのような角度でみていったらどうだろうか？

一，二年ではおとなのじゃまをしない子

三，四年ではなんでもすなおにものの言える子，言ったことに責任をもつ子

五，六年では自分の正しいことを通す子，おとなのいいなりになって力を合わせるのでなく，自分の正しいことをどこまでもおし通して力を合わせる子

— 6 —

以上述べてきたのであるが，力を合わせる子どもを育てるにはその発達の段階に応じ，統合された形で指導するように心がけることがたいせつである。

(C) 民主的実践人の基本的能力の伸ばし方（国語能力について）

民主的実践人の，基本的能力といっても，大そう広範囲のものであるが，ここでは例を国語能力という点にとってみる。

あらゆる教科の学習が，国語を使用してなされている限り，どの教科においても国語の学習指導がなされなければならないし，またなされているということもできよう。しかしここでは，ただ単に，そのことだけを言おうとしているのではない。

国語能力を伸ばすということは，ことばの機能を，ことばにおける行動をとおしてみちびいていくことだと考える。

国語科の学習指導が，万全に行われなければならないことは，いうまでもないが，それだけでは，ただちにことばが，人間形成に結びついてはいかないのである。

ことばにおける行動とは，人間相互の関係である。教育という立場から考えられる人間相互の関係とは，教師と子ども，子どもと子ども，のあいだが，いちばん重要なものであるが，子どもと一般社会の人との間も軽視するわけにはいかない。ことばは，こういう現実の人間関係から生まれる「生きたことば」によって指導されなければならないのである。

「もしもし，福沢小学校の購買部ですが，〇〇商店ですか……」

緊張したおももちの，ひとりの購買部員が教師と，そのほかの部員にとりかこまれて，のび上るようにして受話機にむかっている。ようやく，必要な画用紙とノートの注文ができて，ほっとした子どもたちのほおには，満足そうなわらいが浮かんでいる。

こんなことは，都会の子どもたちにとっては，日常茶飯事であろうが，村内に，かぞえるほどの電話しかない農村の子どもでは，学校の教科以外の活動によって，はじめてなし得る学習活動であるばかりでなく，非常に効果を期待することができるのである。それは単なる練習の電話とは違って，相手に正しくこちらの必要とする品名や，数量や，期日などを伝え得なければ，それはすぐに購買部の仕事にさしつかえ，学校全体の運営に，さしひびくのである。したがって，一語一語のやりとりも真剣に行われるからである。

こういう活動が，あらゆる機会を通して行われることによって，各教科の学習によって培われた基礎的な能力が，実際に生かされ，練習されていくのである。

— 7 —

また，各教科の間のからみあいは，相互に切り離すことができない。

話すことに例をとっていえば，音楽では正しい発音，美しい発声が要求されるであろうし，算数では，論理的に，適確に話すということが訓練されるだろう。

社会科では，問題解決の用具として，ことばの問題がおろそかにできないと同時に，社会科において，民主的な社会人としての，正しい人間関係のあり方が，充分養われていなかったとしたら，いかに他の部面で，ことばそのものの指導をしてみたところで，それは砂上の楼閣にすぎないのである。

以上，述べてきたように，子どもの基本的能力というものは，教科そのものの指導と，他の教科，単元学習，教科以外の活動の，すべてが統合されたかたちにおいて，はじめて十分伸ばすことができると信ずるものである。

(3) 全体計画を実践するための学校組織

計画を実践に移すとき問題となるのは時間と組織である。時間は一応示された基準があるのでこれに準拠しているので，しばらくおき，組織について考えてみよう。組織は全体計画の背後に用意されており，全体計画を実践にうつす場合の軌道となるもので，学習効果の成否を左右する重大な問題である。

次に本校の全校組織について考察してみよう。

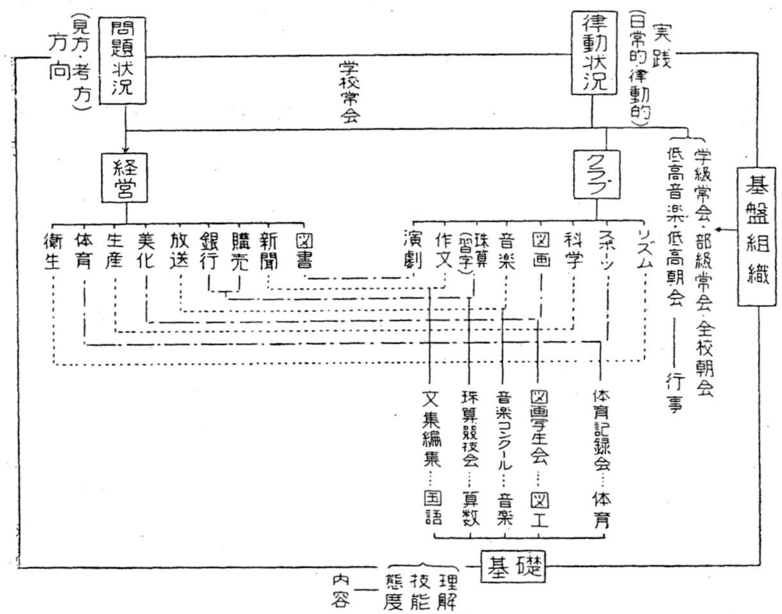

この全校組織は前述の連関統合して立てられた全体計画が実践される組織を示したものである。まづ子どもたちの見方，考え方の方向を根本的にうちたてるものとして問題状況を考え，日常的律動的実践を通して見方，考え方をより確実に身につけるものとして律動状況を考える。見方，考え方を豊かにし，又実践を容易にするために，主として理解，記憶された知識，技能，態度を高める学習の場として基礎学習を考える。

問題状況の延長が経営活動であり，基礎学習の延長が，クラブ活動であると考えられる。経営とクラブ，基礎とは点線（前記表）の如く連関する。子どもたちを一斉に，その平均値を高めようとする教科時①と，それの発展として個人の最大生長を目ざすもの，即ちクラブ活動②と，学校社会全体の雰囲気をぐんぐん盛り上げようとするコンクール③及び其の他の学芸会，展覧会や運動会等の行事や全校合唱等④の実践組織を設けている。

教科時における平均値指導が根本であり，全体的にできる限り高められなければならないのは勿論である。しかし，これのみ万全の努力を傾注しても子どもの力の伸び方においてはある一定の限度までで，それ以上出ることは不可能である。そこで平均値指導の他に個人の最大成長を目ざしてのクラブ活動が必要欠くことのできないものとなってくる。クラブ活動は個人の趣味・興味にのって，平均値指導の線を突破して，それでは到達することのできないところまで，ぐんぐん伸ばしていくものである。クラブ活動で伸ばされた力と自信はやがて平均値指導の教科時に生きて働きこれを高めていく。両者は互に因となり果となって弁証法的発展をしていく。

しかしこれだけではまだ不十分である。なぜならば，これのみでは全校の動きまで行かないからである。この二つと平行して学校全体の雰囲気を高めこの面から盛りあげていくための音楽コンクールや，体育記録会，図画写生会，珠算競技会，作文集編集等一連の実践的な組織が必要である。これ等の組織は単に一つのクラブ員や一つの学級児童のみならず，全校児童に門戸を開放し，自己の好みに応じて自由に参加できるものである。家庭や学校における余暇に趣味をもち興味をもって練習したその進歩向上の努力の後をみとめてやるのである。

こうした実践的組織が子どもの生活に一つの目標となり，これに参加することによって全校としての雰囲気がもり上ってくるのである。教科時指導とクラブ活動とコンクールその他の実践組織の三者一体となって運営されるとき子どもは伸びていくものであると信ずる。

(4) 全体計画を実践するための学級組織

学校の教育計画の具体的な実践は，各学級における週を基本単位とした計画にあると思う。それだけに学級における週計画を立案する背後にある学級の組織に一層の重要性をもってくるものである。その組織については，一様に割り切ることは困難であると思うが，ここ数年間実践しつつある低学年における学級経営の組織と運営の方法について，その一端をあげてみる。

学級組織を図表にしてみると次のようになる。

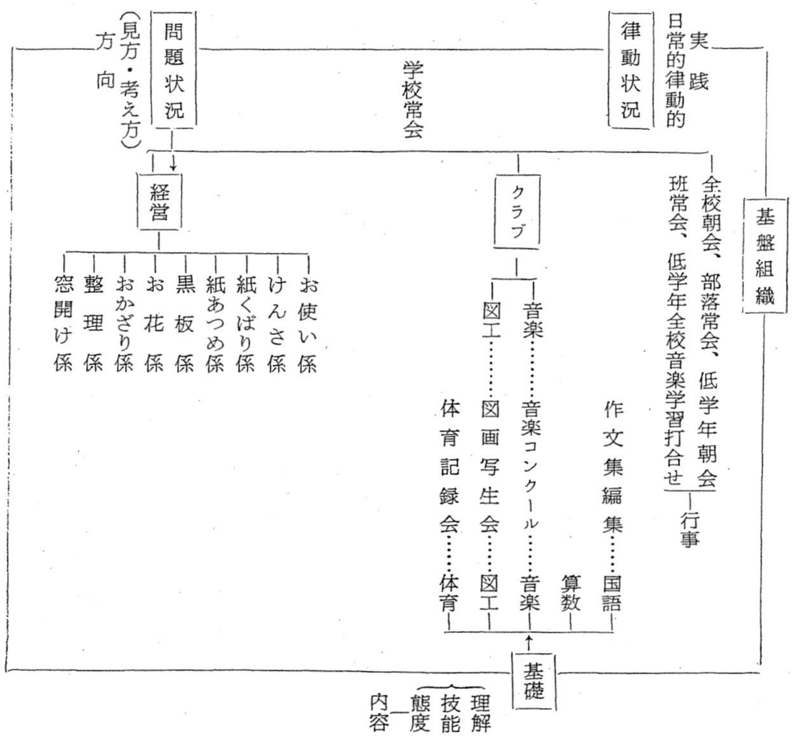

以上のような組織はその一つ一つが個々別々な課程をもって進められるものではなく，相互にからみあってより統合的，総合的であり，さらにそれらが児童生活と結合したものでなくてはならない。即ち全生活の学習構造化が計画の上にもられているのである。

教室を美しく飾ろうとする日常生活上の児童の欲求は，美に対する感覚や配置配合の技能を図工科という教科の時間に知識理解とし得，更にそれらがクラブ活動の図工において個人的にみがかれ，図工コンクールにて自信と安定感があたえられ，それが学級社会の経営としてお花を飾ったり，絵や写真

を掲示したり，整理整頓をしたりする実践生活へとかえってくるのである。指導というものが子どもにおける統一をねらって行われなければならない。問題状況と基礎と律動状況との三層の交錯的指導は，常に上に上にと積み重ねられ内面的な質を高めつつより律動的な効果をあらわしてくるのである。

これは学習の面から考えて，単元学習や基礎学習，生活律動学習が週計画の上に巧みに配分されて計画されなければ効果をあげ得ないことを如実に物語っているのである。

また，誕生会の運営にしても決して一つの層のみによって完成されるものでない。

1. 計画会を開くこと一日時，役割，種目の決定。
2. 見学参加により友人または多くの人の前でおくすることなく演技し，話せるよう練習すること。
3. 蒐集品，成績品の整理をして展覧すること。
4. 紙芝居や朗読は発音，抑揚に気をつけること。
5. 斉唱（独唱）は正確な音程でおくせずにやること。
6. 合奏では歌曲の伴奏（リズムをとる）をしたり，歌曲のメロディーを合奏すること。
7. 招待状，プログラム，会場等を作り，それに色彩し，舞台装飾をすること。
8. 能率的な練習方法を考えること一実施。
9. 終った後で反省会を開き，絵や文に表現すること。

以上の運営活動要項をみても，全体計画の組織が互に統合されて児童の欲求が満たされ，豊かな生活へと目が開かれて行くことがうなずけることと思う。

(5) 今後に残された問題

我々は全体計画の立て方について，いろいろ研究を進めて現在の段階において，望ましいものを明かにした。しかしこれが真に子どもの全体的発達に有効であるかどうかは更に今後の実践と科学的評価にまつところが多い。

また主体である子どもの発達段階を究明してこれに適合するようにしなければならない。いかに有効なカリキュラムであっても環境がよくならない限り，教育の効果は上らない。環境を適確に認識して教育的に整えるよう万全の努力を傾注すべきである。環境は大にしては国，県より地域社会へ，小にしては家庭及び学校社会が含まれ，人的物的の両面が存する。かかる環境を教育的に整備して行くことこそ難事中の難事であり，我々に課せられた使命である。

全体計画をどのようにたてるのが子どもの学習に有効か

東京学芸大学付属世田谷小学校

1. 実験期間　昭和27年4月～30年3月

2. 実験の意図

全体計画には種々あるが，中でも最も代表的なものは経験カリキュラム，教科カリキュラム，及び両者の複合からなる複合カリキュラムの三つであろう。われわれはこれら三種の全体計画によって学習を展開し，それぞれの長所と短所をあらゆる角度から検討し，それに基づいて，子どもの学習に最も有効な全体計画を打ちたてようとするのが，この研究のねらいである。

3. 実験方法の概略

(1) はじめに，研究課題の分析をした結果，まず，目標とする子どもの理想像を明確にしなければならないと考えた。この目標に対して，全体計画がたてられ，学習が展開されて，それが有効であることが究明されなければならないからである。

(2) つぎには異なる三種類の全体計画として，一学年三学級のうちで，全学年を通じて，1組は経験カリキュラム，2組は教科カリキュラム，3組は複合カリキュラムによる学習を実施し，それらの比較検討を行った。

(3) 上の比較検討の結果にもとづいて，子どもの学習を真に有効にする新しい全体計画を打ちたてて，この実施によって，これまでの研究結果の実証をした。

4. 実験の結果

(1) はじめに，われわれの学校で目標とする子どもは，次のような子どもであることを明確にした。(昭和27年度の研究)

それを形式的にみるならば，問題解決能力と基礎能力と実践力を持ち，これらを力動的に駆使して，いつも全力をつくして毎日をすごすような子どもである。

またこれを内容的にみるならば，ひとりひとりの個人として望ましい教養

を持つとともに，社会性のある，健康で，個性のある子どもである。

(2) このような目標に対して，わが校でとりあげた三種の全体計画は，次の通りである。以下，これらに関して，その実践具体例によって，その概要を述べ，ついでその長短について，結論の要点を述べる。

A　経験カキリュラムによる全体計画

(一) この経験カリキュラムによる全体計画においては，大きなわく組として，経験学習と基礎学習，それに健康教育の区分をたてる。

経験学習においては，子どもの生活から生れてくる問題を直接取り上げてその解決のために行う学習である。

例えば，1年生の4月の経験学習の単元は「たのしいがっこう」で，これは，1年生が入学して，およそ1か月の間に，学校や先生・友だちに慣れてたのしく学校生活ができるようになることを課題とする学習である。

内容をさらにくわしく分けると，次のようになる。

① うれしい入学
- 入学式をする。
- 入学のよろこびを話合う。

② わたくしたちの教室
- 教室や教室内の座席を覚える。
- ランドセルや帽子などのおき場所を覚える。

③ 学校めぐり
- 校舎内のおもな場所を見てまわる。
- 校庭の飼育動物や草花を見る。

④ 先生や友だち
- 先生の名まえを覚える。
- となりや前後の友だちを覚える。
- 先生や友だちに挨拶ができるようにする。

④ 遊び

⑥ 登校・下校

⑦ 学用品しらべ

以上のような経験学習に対して，その間に学習されたことで，これを十分身につけるためには別に練習の時間を設けて，これを基礎学習として行う。基礎学習は，言語・数量・形・音楽・造形・図書館に区別する。

さきの経験学習に関連した基礎学習としては，例えば次のようなものである。

○ 言語　・返事のしかた

・挨拶のしかた
・教科書の絵や掛図などを見て話をする。
・紙芝居を見て，話を聞く。
・動物や草花について話をする。

○ 数量形・上下，前後など方向や位置を理解して，用語を正しく使う。
・5ぐらいまで数える。
・数の大小を区別する。
・長い短い，遠い近い，むこう，こちらなど，長さ方向・位置に関する用語を正しく使う。

○ 音楽 ・たのしい学校

○ 造形 ・砂遊び
・学校に関するすきな絵

さらに健康教育としては，用便後の手洗い，遊びの用具や施設の使い方，並んで歩くことなどがある。

(二) このカリキュラムの批判

経験カリキュラムを中心とする全体計画の長所短所は多くの点があげられるが，そのおもな点をあげると次の通りである。

a 長所

① 子どもの持つ現実の興味・欲求・必要から出発して学習ができる。

② この問題学習は，従って子どもが十分興味を持ち，積極性ある学習にすることが容易である。

③ 子どもの興味や必要などを学習の手がかりにするところから，子どもに学習についての計画をたてさせるなど，学習に主動性を持たせ，創意くふう性を伸ばすことに適する。

④ 問題解決過程において，その必要が理解されるから，基礎学習においてとりあげられる個々の技能などの学習目標，学習の位置づけが容易である。

⑤ 問題解決学習における学習活動をくふうすることによって，能力差に応ずることも，協同・協調性を重視して学習するともでき，また，時事問題も随時とり入れて，柔軟性のある学習が行われ易い。

b 短所

① 経験学習の内容や方法が，思いつきになり易く，焦点が不明確になり易い。

② 時間的に見てむだが多くなりがちである。

③ 基礎学習と経験学習の関連は一応よいとしても，基礎学習の個々の技

能や理解に系統性がとりにくい。

従って，この方の系統性・論理性を考えようとすると，経験学習にも，またそれとの結びつきにも不自然になる。

④ 健康教育が遊離しがちである。経験学習・基礎学習と健康教育の三者の有機的な強力な展開がむずかしい。

⑤ 運動会・遠足・身体検査・奉仕活動など，いわゆる従来教科外活動とよばれてものの位置づけが不明確である。

⑥ 経験学習における問題解決の結果，理解されたことが，強力に実践に移されるように十分に計画化されていない。

(三) このカリキュラムの批判から考えられる新しいカリキュラムへの構想

① 学校生活の全般を，しかも細かいことまでも，ひとつの教育計画として無理なく包括できるような全体計画でなくてはならない。

② 基礎的な技能や理解の学習が，論理的にも，系的にも無理なく，練習結果も十分身につくよう計画・組織されなくてはならない。

③ 子どもの実践的な活動の機会を十分に，また，組織的に用意できるカリキュラムでありたい。

B 教科カリキュラムによる全体計画

(一) この教科カリキュラムによる全体計画においては，一応次の原則によって，具体化をはかった。

○ 文部省学習指導要領の一般編並びに各科編に示されたことを，忠実に具体化する。

○ 当校の教育目標にてらし，また，地域性・特殊性を考慮して，学習指導要領の内容を個性化する。

従って，教科としては，社会，国語，算数，理科，音楽，図工，家庭，体育とし，教科外活動としては，クラブ活動と奉仕活動を設けた。

週計画により，一応の教科別時間表を固定して，これに基づいて，学習を行うこととし，教科別の年間時数については，おおむね，学習指導要領の一般のものを参考として，算定し実施した。

(二) このカリキュラムの批判

a 長所

① 論理的系列が重視されているので，確実に学力をつけることができる。

② 学習の展開にむだが少く能率的である。

③ 教科書を使うものはその学習の予想がしやすく子どもにとって予習復習が可能であり，したがってドリル面の習得に便宜が多い。

④ 週プランやデイリープランなどがある程度固定化されてくるので，教

師も児童も見通しがつけやすい。

⑤ 学習のまとまりが比較的小さいので，学習興味を減退させることが少い。

⑥ 教材が大体ににおいて易から難へと進行するので学習の抵抗が少い。

b 短所

① 論理性が先行するため，いわゆる社会的要求が重視され，ともすると児童の興味や欲求を軽んずる結果となって，学習に自発性や自主性が乏しくなり易い。

② 社会科・理科等ではどうしても単元学習的な方法を採らざるを得ないため，児童はいくつもの課題を並行して解決しなければなくなり，その学習負担が重くなってくる。

③ 各科の連絡は十分緊密にとるように計画しても，論理的な系列のたてまえから，往々にして各科はバラバラな展開を余儀なくされてしまう。

④ 教科外活動や学校行事などがこのカリキュラムの性格上うまく統合できない。したがってたとえば大きな学校行事や社会的行事を正しく位置づけることが困難である。

⑤ 各科ともその完全性をねらうあまり，とかく内容が盛りだくさんになりがちである。

⑥ 児童の学習がある生活テーマに直接つながらないものが多く，従って，問題意識のもり上がりが低く児童の積極的な学習を期待し得ない。

㈢ このカリキュラムの批判から考えられる新しいカリキュラムへの構想

① 問題解決学習が，正しく位置づけられるものでありたい。

② 教科と教科外とのつながり，また，教科外の他の課外活動などとの関連など，現に小学校で実際に行われている活動をもっと全体的に包括するものでありたい。

③ 強い実践力をねるさまざまな機会を無理なく，しかも継続的に，計画的に用意できる全体計画でありたい。

④ 各教科のめざす個々の技能や理解，それらの学習の出発にあたっての必要感，生活全般への位置づけが，正しく，能率的に行われるような全体計画でありたい。

C 複合カリキュラムによる全体計画

㈠ このカリキュラムの全般的な特色を言うならば，低学年には，さきに述べた経験カリキュラム的な行き方をとり，高学年においては教科カリキュラムの特徴を生かそうとした全体計画である。

以下実際についてその要点を説明する。（別項の一覧表を参照されたい）

1. 横にみると，心理を重んじている学習のまとまりがわかり，縦にみると，学習の系統が理論に自然に進んでいるのがわかるようにした。

2. ◎は生活経験単元，⊙は教科単元で，教科単元には（ ）の中に中核となる教科を示した。

3. 教科別には，次の三種がある。

(1) 単元学習を展開する間に当然行われると予想される内容を教科別に分析したもの。

(2) ○〰〰印のあるものは，二つの場合がある。

イ 単元学習の中に含まれているが十分に練習の必要のあるもの。

ロ 単元学習とは別に，教科学習にするばあいである。

(3) 単元学習の内容の一部分に〰〰の印のついているものは，この内容を含む教科書の題目で，教科学習に，学習を進めて基礎能力をつける。

㈡ このカリキュラムの批判

a 長所

① 児童の心理と，教科の論理的系列をともに尊重して，学習経験内容に排列し，その展開に考慮したこと。

② 生活経験構成の学習と教科学習との複合ということを性格とするこの教育課程は，つまり生活経験単元による学習と，教科単元による学習と学習と教科学習の三つの活動が，発達段階に即応してよく調和した構造をもっている。

③ 単元学習から教科学習への移行を考え，その分化の過程を重んじていること。

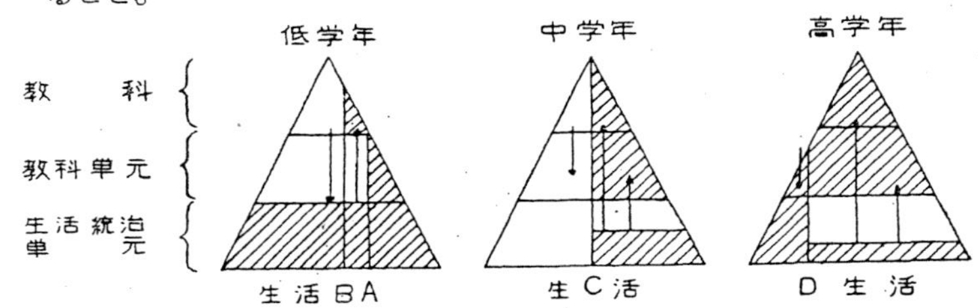

斜線は学年ですすむ学習の領域で，A，B，C，Dの縦線は左の方へ移行するにしたがって分化している。

b 短所

① 生活経験単元と教科単元とのふたつの経験構成の学習を考えたことは経験の統合という点で，指導上問題の焦点を失うことが多かった。

② 教科学習に，3種の型式を考えたが，その型式にとらわれて，基礎的

低学年（第一学年）年間計画の実例

月＼区分	単元・教科単元	おもな目標	学習活動	国語	算数	社会	理科	音楽	図画工作	体育
6月	⊙ことば遊び（国）	1 ことば遊びに興ずるうちに，ことばと語形を結ぶ	1 ことば集めをして，数える 2 口頭で，書いて，尻取遊び 3 文字ならべをする	1 語い・字音 2 かな13字（ことば遊び）	1 六まで数える（いくつあるでしょう）	1 どうぐをそろえる（書方，どうぐ）			1 文字カードを作る(工) 2 カードならべ	
	◎きまりよいくらし	1 時刻に注意して規律ある生活をする 2 時間を守る習慣を養う	1 毎日のくらしのあらましを話合う 2 時刻を守って学校生活をする	1 十二までの数字の書き方 2 幼児語を直す	1 十二まで読む 2 何時（いまなんじ）	1 自分の生活と人の生活とのつながり	1 姿勢運動けが 2 栄養休養衛生（私たちの身体）	1 かくれんぼ ・短い音 ・分れて歌う	1 簡単な絵日記 2 もけいつくり	1 かくれんぼ ・不潔な所危い所を避ける
	◎元気な遊び	1 元気よくみんなで遊ぶ 2 友人となかよく遊ぶ 3 元気とらんぼうの差異	1 遊びを選び遊び方を考える 2 よく遊べるように読み数える 3 元気よく遊ぶ	1 よう促音 2 ひらがな（ひろば）(書)	1 十二までの数（じゃんけんとび・いくつ）	1 学校の施設の正しい利用 2 安全な運動		1 さるのゆうびん，鬼ごっこ ・長い歌詞		1 はしごのぼり 2 目かくし鬼 3 うけわたし
	◎雨ふり	1 雨ふりの日もたいくつしないでくらす 2 梅雨期に特有の自然を理解し，健康で暮す	1 梅雨期の自然を見たり話したりする 2 保健に気をつける 3 なかよく内遊びをする	1 口頭作文 2 ことばを書く 3 書き方（たうえ）	1 四角の類 2 図形の構成（田植雨ふりならべてみよう）	1 病気の予防 2 なかよく内遊び 3 静かな内遊び	1 雨ふりと川の水の関係 2 雨を好む動物（雨ふり）	1 かたつむり ・ドレミで歌う 2 お王じゃくし ・声の出し方	1 雨ふりの絵 ・雨ふりの情景 ・無彩色(白，灰色，黒)	1 梅雨時の保健 ・かわいた着物 ・熟した果物 ・晴れ間の運動
7月	◎水遊び	1 水遊びをして楽しむ 2 安全な水遊びをする 3 夏の気象現象・水の変化を知る	1 いろいろな水遊びの理解 2 水遊びをするときの注意 3 水遊びの道具を作って遊ぶ 4 気象現象を見たり話したり	1 簡単な伝言 2 簡単な復習 3 しゃぼんだまの歌詞の理解	1 遠い近い 2 量を数える 3 名数の数え方（水遊び，箱庭）	1 安全な水遊び 2 班に分れて協同する	1 雲雨雷（夏，夕立） 2 溶解空気風（しゃぼんだま）	1 しゃぼんだま ・歌詞を理解して歌う ・高低，強弱	1 水遊びの道具(工) 2 箱庭(工) ・池や川も作る	1 水かけっこ 2 水中歩き 3 水中の石拾い 4 水遊びの注意
	◎たなばた	1 たなばた祭りをする 2 美しく飾って喜ぶ 3 手先の作業になれる	1 たなばた祭りの計画をする 2 たんざくを書き，飾りを作る 3 出来ばえを話しあう	1 たんざくに書く 2 物語を読む	1 三角四角 2 半分（たなばた）	1 共同して仕事をする 2 社会的行事			1 飾りもの ・紙の折り方 ・鋏の使い方	○1 鬼ごっこ ・からかい鬼 ・手つなぎ鬼 2 球あそび ・球ころがし ・球あて
	◎子ども会	1 子供会を開いてなるべくみんななにかやる 2 相談のしかたの理解	1 子供会の計画をたてる 2 子供会にやることを練習する 3 子供会をする	1 まとまった話 2 長い文を読む（子どもかい）	○数の系列 ・順と逆 ・二，四，六（何番でしょう）	1 会の持ち方 2 出演者がやりいいように		1 夕やけ小やけ ・感情をこめて ・歌とおどり	1 ステージの使い方 2 会場の作り方	
	⊙虫取り（理）	1 虫をとって遊ぶ 2 虫を上手にとらえる 3 虫の生き方を調べる	1 虫のいるところを話合う 2 虫取りの道具をそろえる 3 虫をとって遊び虫をみる		○数字のけいこ ・読みかた ・書きかた	1 虫の害と虫の益 2 虫の共同生活	1 虫の種類食物（ばったとり）（虫の動物園）		1 虫の動物園 ・空箱，空瓶の利用	1 虫害の予防 2 日盛りに外出する注意

なものの反復練習にかけるところがあった。

③ 移行する姿をとらえるために，担任ひとりで，全学年を通して指導しなければならない。しかし現在の実情では理想にはしりすぎる。

㈢ このカリキュラムの批判から考えられる新しいカリキュラムへの構想

① 生活経験単元，教科単元のふたつの経験構成の学習は，一本化して，これを問題解決学習として，共通的な問題発生の場とし，その展開，高められる経験内容に統一をもたせることがたいせつである。

② 教科学習の面を一応強調したが，この教科学習の型式に三つの場を想定したことは，指導上，重点のおき方に煩雑をきたし，ややもすると教科学習の系列を重んずるあまり，経験学習との力動的なかみあわせという点にかけるところがあったので，これを基礎課程として一本化する必要をみとめた。

③ 経験学習と教科学習とのくみあわせは教育課程の組織上では，一応成功したかにみえたが，これらの学習と実践とのむすびつきに不均等なつながりをみとめた。ために強い実践の指導についての具体的な計画を立てる必要をみとめた。

(3) 3種の異なる全体計画による学習結果の比較検討から，われわれの得たことをまとめて，より有効な全体計画に関する提案をすれば，次の通りである。

① 現在の小学校で，現実に行われいるすべての学習・行事を，高い立場から，もれなく包括でき，どんなさ細なことまでも，教育的自覚の下におけるような包括的な全体計画でありたい。

② 問題と積極的にとりくんで，これを解決する意欲と能力を持った子どもを育てるために，問題解決学習を強力に展開できる全体計画をたてること。

③ しかし一方には，子どもに，問題解決の基礎になるいろいろな技能や理解を，十分身につけられるような全体計画をたてること。

④ 問題解決学習の結果として，実行に移されたこと，また，地域社会の要請や学校生活の全般から生れたことを，実践する機会を持つ全体計画をたてる。

⑤ 問題解決力を直接のねらいとして，問題解決課程を，基礎学力をねらいとして，基礎課程を，実践力をねらいとして，実践課程の三課程を設定する。

この三課程は，相互に力動的に関係し，問題課程で必要とされた技能は，すぐ基礎課程において十分練習され，また，実践課程で強く実践され，また，実践課程において問題となったことは，直ちに問題課程においてとりあげて学習されるようにする。

⑥ 上の点をさらに領域的（内容的）に見るならば，次の四領域によって目標をはっきりする。即ち，社会，教養，健康，経済の四領域である。

経済というのは，物の生産・消費に対する理解であり，子どもの身のまわりの自然物・生産物について，生産・消費の立場から理解を深めることである。いま，この四領域のさきに述べた三課程の関係を表解するならば，次の通りになる。

以上の各点の総合から，われわれの到達した全体計画の基本的構想を表解すると次の通りである。

			社会	健康	教養	経済
基礎研究	基礎課程	科学技術	理科			
		生活用具	国語・算数			
		知識技能	社会	体育	音楽・図画工作	家庭
問題解決	問題解決課程	単元学習	学級プロジェクト			
			分団プロジェクト			
			個人プロジェクト			
日常実践	実践課程	随時活動	随時行われる行事（例えば映画観賞など）			
		定時活動	学校及学級行事			
		常時活動	クラブ活動 奉仕活動 日常規律			

(4) 上のような提案に基づいて，当校においては次の各点について，さらにこの全体計画の細部について検討し，さらに実証しつつある。

① 学習の統合について。

② 問題解決学習における問題の実態とその類型及系列について。

③ 基礎能力の要素と系列について。

④ 日常実践の要素分析と系列について。

⑤ 新しい全体計画の実施とその実証。

上記の中で，①②については，すでに昭和27・28年度の当校の実験学校の報告として発表されているので，詳しくはそれらを参照されたい。

③の基礎能力の要素の分析については，その実際例を次に掲げる。

〔国語の例〕（一部分）

分類 大分類	分類 中分類	低学年 1 言語の意識化	低学年 2 言語の意識化	中学年 3 言語の標準化	中学年 4 言語の標準化	高学年 5 言語の効果・能率化	高学年 6 言語の効果・能率化
談話と聴取	対話						
	1 挨拶	○家庭・先生・近所の人に挨拶	○家庭・学校・近所の人に挨拶	○訪問や辞去の時の挨拶	○　同	○来客の時の挨拶取りつぎ	○来客の時のかんたんな応待
	2 紹介	○自分の名前・両親の名前	○自分や両親の名前・家の職業	○簡単な自己紹介	○簡単な集まりでの自己紹介	○集団の場合での自己紹介	同
	3 面接		○意見や許可	同	○情報や許可	○情報や許可・忠告や賛成	○　同
							○信頼のため
	4 問答	○先生・父母に質問や返事	○先生・父母に質問・応答	○　同	○先生・父母・知らない人に質問・応答	同	同
	5 電話	○電話ごっこ	○　同	○電話あそび	○電話のとりつぎ	○電話をかける	同
	会話						
	6 話合	○遊びや作業の時の話合	○集団的な遊びや作業の時	○自由な座談の場合	○　同	○　同	○　同
			○主な経験についての話合	○生活経験の話合い	○　同	○　同	同
	7 会議	○簡単な相談	○いろいろな相談	○学級の相談	○学級自治会	○学級自治会学校児童会・委員会	○学校自治委員総会
				○お楽しみ会の相談	○学校児童会・委員会	○クラブ活動・奉仕活動	○　同
	8 討論	○	○自由な討論	同	○パネル式討論	○講演式討論	○公開式討論
	9 司会	○	○	○	○グループ学習の司会	○　同	○全体学習の司会
					○学級子ども会の司会	○　同	○　同
							○模擬区会・模擬裁判
	独話						
	10 発表報告	○家庭にあった事柄の発表	○　同	○生活経験の発表	○　同	○　同	○　同
		○物語・紙しばい（話・聞）	○　同	○　同	○　同	○　同	○　同
		○伝言やお使いの報告	○伝言・お使い，欠席の報告	○　同	○　同	○　同	○　同
		○朗読・作文の発表	○　同	○　同	○　同	○　同	○　同
				○観察見学読書の報告や発表	○学習作業・会合の報告発表	○　同	○　同
	独話						
	11 お話説明	○絵・労作作品の説明	○　同	○労作作品，図表の説明	○労作作品(絵工作)図表幻燈の説明	○　同	○　同
		○お話・発表会	○学芸会・誕生会	○　同	○　同	○　同	○　同
		○朝会・集会	○　同	○　同	○　同	○　同	○　同
	12 放送映画	○ラジオ・学校放送を聞く	○　同	○　同	○　同	○　同	○　同
		○校内放送	○　同	○　同	○　同	○　同	○　同
		○映画	○　同	○　同	○　同	○　同	○　同
	13 劇化	○ごっこ遊び・かげえ遊びをする	○ごっこ遊び・かげえ遊び・ものまねあそび	○　同	○児童劇をする	○　同	○　同
		○よびかけ，簡単な劇	○簡単な児童劇	○　同	○放送劇をする	○　同	○　同
				○　同	○人形しばい・ひとりしばい	○　同	○　同

④ 実践課程の分析実例〔第一学年〕

○＝常時　△＝定時　●＝随時

領域	題目　月の目標　月	4 きれいなたのしい学校にしよう	5 計画をたて進んで実行しよう	6 丈夫なからだになろう	7 きまりよい生活をしよう	9 自分たちのことは自分たちでしよう	10 強いからだをつくろう	11 きまりは進んで守ろう	12 安全な生活をしよう	1 ことば使い，礼ぎ正しくしよう	2 物を大切にしよう	3 一年間のはんせい，よいことは進んでしよう
教養（個人）	自律 礼ぎ ことばづかい （服装） （学習） 規律 その他	○先生やお客にあいさつができる ○正しく帽子がかぶれる ○学校のきまりをおぼえる			○友だちをよりごのみしない ○みなりをきちんとする ○机の中はいつもきちんとする	○自分のことは自分でする ○云われなくてもよいと思つたらやる ○衣服をきちんとする		○自分のかつてなことをしない ●約束は必ず守る		○あまえて人にめいわくをかけない ○うそをいわない ○年下の人にやさしくする ○近所の人にもあいさつする ○上品なことばをつかう	○おとしまつをよくする	
協同（社会）	規律 行事 用具 登下校 集会 学習 （清掃） その他	○上級生のいいつけを守る	○教室や廊下を走らない ○ロツカーをしめる △早めに家を出る	○正しい姿勢で話をきく	○校舎内であばれない ○人のものをだまつて使わない △ちこくをしない △はやく集る	○持ち物をいつもきちんとせいりする △勝手な行動や話をしない	△かつてに席をはなれない	△行事にすすんで参加する ●持ち物に名前をつける △きまつた道を歩く △よく話をきく ○時間中席をはなれない	○右側を歩く △正しい横断をする	○先生やお友だちにあいさつする	○持ち物を大切にする ○学級や学校のものを大切につかう ○はきものやかさをきちんとしまつする	○反せいができる
健康	衛生 服装 （用具） 遊びと運動 給食 清掃 災害予防 その他	○便所の使い方ができる ○紙くずをちらかさない		○用便後手を洗う ○手足をいつもきれいにする ○ひとりで服装がきられる △食事前に手を洗う ○すききらいをしない ●予防注射をする	○頭髪やつめをいつもみじかくきる ○上ばき，下ばきを区別する	○ちり紙，ハンケチをいつももつてくる ○衣服をよごさない ○あぶないあそびをしない	○目を近づけて本をよまない △体育時の服装になれる ○安全なあそびをする △食事の作法ができる △食べながら話をしない	●上ばき下ばきの区別をする △ひなんくんれんはきまりをよくまもる	●ぬれた着物はすぐきかえる ○あそびのきまりをまもる ○きけんなところであそばない ○道路であそばない △ひなんくんれんで人をおさない	○火の用心をする		
経済	勤労 （服装） （用具） その他		○仕事はきちんとさいごまでする			●たのまれた仕事はよろこんでする						

⑤ 新しい全体計画の実施と実証

問題・基礎・実践の三層と，さきに述べたた四領域による当校の新しい全体計画として，4年生の4月後半の例を掲げる。

問題解決課程　◎からだをいっそうじょうぶにするにはどのようにしたらよいか。

- 身体検査の結果について，学級全体のようすを反省する。(共通)
- 身体検査に表われた病気の原因をしらべる。(共通)
- 運動と健康の関係をしらべる。(共通)
- 食物の身体の成長についてしらべる。(共通)
- 身体検査の結果を個別に反省する。(個別)
- 各自の健康増進の方法をくふうする。(個別)

基礎課程

- 学級新聞のかき方，内容について話合い，発行する。(共通)
- 伝記を読む。(共通)
- 小数のよせ算・ひき算の理解と練習をする。(共通)
- 表やグラフのかき方の理解と練習をする。(共通)
- かすみか雲かの歌の練習（強弱記号・拍子のとり方と指揮の仕方，楽譜の練習）（共通）
- 健康についてポスターをかく。（共通）
- 体力テストを行う。（共通）
- 分団ごとにボール運動やリレーをする。（共通）
- 身体検査をする。

実践課程

- 手足の清潔，食前の手洗いなど衛生習慣の確立に努力する。（共通）
- 給食のたべ方に注意する。（共通）
- 教室門前の清潔に注意する。（共通）
- 毎日の生活を規則正しくするようにする。（個別指導）

共通というのは共通学習であり，個別というのは個人ガイダンスをふくんだ個別学習をさす。

全体計画としては，学級全体の子どもの指導をねらうと同時に，ひとりひとりの子どもの独自の姿に即して，個人ガイダンスも忘れないように，計画されなければならない。

このようなカリキュラムとガイダンス計画は，さらに，週程計画・デイリープラン（日程計画）として具体化されなくてはならない。

週程計画・日程計画をたてるにあたって注意すべきことがらとしては，次の点がある。

① 問題・基礎・実践の三課程にあてられる一応の基準となる時間配分。（この三課程は，もちろん，毎日学習が行われるように計画されなくてはならぬ）

② 基礎課程でも，特に技能的なものと，健康体育に関するものと，情操的なものとの配分に注意することと，それらを日程計画にもりこむようにする。

③ 共通学習と個別学習，個人ガイダンスの機会の配分に留意すること。

④ 学習の展開・区分・学習活動の変化などについては，学年による特殊性を十分考慮すること。

「全体計画をどのようにたてることが子どもの学習に有効か」という研究課題に対する結論は，一応以上の通りである。

われわれは，三種類の全体計画の実施とその比較検討から，望ましい全体計画の集大成に努力し，これをこの研究の結論とした。

今後さらに，この新しい全体計画の実施と検討によって，真に子どもを正しく，力強く育てる具体的な姿を実証したいと思う。

国　語

I かなの学習指導はどのように進めたらよいか

東京都大田区立久原小学校

I 実験の経過

(1) かなの読み書き能力調査（事前調査）

4 月26・27両日にわたって，全学年を対象にしておこなった。

(2) 実験学級の設定

5 月初旬 1，2 年の全学級を指定，実験の準備にとりかかる。

(3) 実験方法の決定

イ 実験コースを決める。

ロ 指導語いを決める。

ハ 調査の時期，方法を予定する。

(4) 実験にとりかかる。

6 月より実験にはいり，本年3月に終る。

(5) 実験方法の吟味と結果の考察

イ 数次にわたり校内研究会をひらく。

ロ 12月末，3 月末，習得状況調査

ハ 3 月末，読み書き能力調査

ニ 国語学力との相関を見るための調査

II 第1学年の実験

(1) 実験の期間

昭和29年4月—昭和30年3月

(2) 実験の意図

第1学年でかたかなの指導をこころみるとすれば，どのような方法で実施するのが有効であるか。

(3) 実験方法の概略

コース	実験方法		
	指導の方法	提出時期	
		6月(入門期の終ったころ)から	1 月から
A	教科書中心 読み，書きとも	(外来語，外国の地名，人名)→ (ぎ声，ぎ音)→	→ →
B	教科書中心 読み，書きとも	(外来語，外国の地名，人名)→	→ (ぎ声，ぎ音)→
C	教科書中心 読みだけ	(外来語，外国の地名，人名)→ (ぎ声，ぎ音)→	→ →
D	教科書以外の 資料中心 読み，書きとも	(習得のやさしいと思われる単語から先にしていく)	→
E	教科書以外の 資料中心 読み，書きとも	(文字から先に教えていく)→	→

① ABCは同じ語いを教える。

② DEは同じ語いを教える。DEはかたかな習得を中心とした資料を工夫する。

③ ABCDEの語いの数は，年間において同数とする。

④ 語いの出し方は，だいたい各単元ごとに均等にする。そのために他教科の教科書または，生活環境に近いかたかな語いを適宜に補っていく。

⑤ 習得状況の調査は，12月末と3月末に習得した語いについてだけ行う。

右のような方針に基いて，次に示すような方法で実験をこころみた。

Bコース　指導の概略一覧表

	提出番号	1	2	3	4	5	6	7	8	9	10	11	12	13	14	15	16	17	18	19	20
	調査番号	21	6	50	1	20	28	2	30	23	7	32	27	38	18	25	17	8	35	3	22
	提出語い	ポチ	カード	オルガン	アメリカ	トンネル	ページ	ミルク	ニュース	ガム	ヌガー	キャラメル	ビスケット	バッジ	エプロン	カルタ	クリスマス	モール	ポン	セーター	カアカア
	指導時期(月)	6	9	9	9	10	10	10	10	10	10	10	11	11	11	12	12	12	1	1	1
	提出ひん度	22	2	1	5	3	1	1	1	1	1	1	3	2	1	6	1	1	3	1	3
	指導時間(分)	45	5	10	12	10	5	15	5	10	5	10	14	7	8	10	5	5	8	7	5
何からえらんだか・教科書	国語	○	○	○	○	○	○						○	○	○	○			○		○
	社会																				
	理科																				
	算数																				
何からえらんだか・其の他	行事																○	○			
	学校生活							○	○												
	家庭社会生活									○	○	○								○	
提出方法	板書	○	○				○														
	カード																				
	教科書	○	○	○	○	○	○						○	○	○	○			○		○
	話し合い				○			○	○	○	○						○				○
	実物を見せて			○								○	○	○	○	○		○		○	
	音を聞かせて																		○		
	略画によって																				
	動作																				
指導方法	板書して読ませる	○	○	○	○	○	○	○	○	○	○	○	○	○	○	○	○	○	○	○	○
	ノートに書かせる	○	○	○	○	○				○	○	○	○	○	○	○	○		○		○
	プリントで練習させる	○		○	○	○		○		○		○			○	○	○				
	カルタで練習させる																				
	カードで練習させる	○	○	○	○	○	○	○	○	○	○	○	○	○	○	○	○	○	○	○	○
	短文を作らせる	○	○		○	○		○											○		○
結果	読み	◎	◎	◎	◎	◎	◎	◎	◎	◎	×	◎	○	○	◎	◎	○	○	◎	○	◎
	書き	◎	◎	○	◎	○	×	◎	×	◎	×	○	○	×	○	◎	○	○	◎	×	◎

以上は指導の概略を示すものとして，Bコースの一例をあげたのであるが，次に各コースにおける提出語いを挙げて対照しておきたい。

コース／月	A（読み・書き）		B（読み・書き）		C（読み）		D（教科書以外）		E（文字から先）	
6	ポチ	カアカア チョンチョン	ポチ		Aと同じ	Aと同じ	ボールベッド		Dと同じ	

	提出番号	21	22	23	24	25	26	27	28	29	30	31	32	33	34	35	36	37	38	39	40	41	42	43	44	45	46	47	48	49	50
	調査番号	10	42	15	47	14	34	31	44	37	29	9	4	41	33	19	26	36	39	40	13	46	48	16	49	12	5	11	24	45	43
	提出語い	コトン	フン	フウフウ	ウフフ	アハハ	エヘン	チョンチョン	シュッシュッ	ピチャピチャ	ピカピカ	サラダ	ソース	ピイ	ノート	パラパラ	パラッ	パチパチ	パア	ポッポッ	レントゲン	ガタントン	ガアガア	ゴウゴウ	ゴウ	テープ	ナイフ	ドン	ホウホケキョ	ボウ	ガアン
	指導時期(月)	1	1	1	1	1	1	1	1	2	2	2	2	2	2	2	2	2	2	2	2	3	3	2	3	3	3	3	3	3	3
	提出ひん度	9	1	1	1	1	2	3	6	1	1	1	1	3	1	2	1	1	1	8	1	4	4	9	1	1	1	1	2	1	4
	指導時間(分)	10	5	5	5	5	5	15	15	8	7	10	10	7	7	8	5	5	5	10	5	9	8	10	7	5	5	5	8	8	8
何からえらんだか・教科書	国語	○	○	○	○	○	○	○	○	○	○			○		○	○	○	○	○		○	○	○	○			○	○	○	○
	社会																														
	理科																														
	算数																														
何からえらんだか・其の他	行事																									○					
	学校生活																				○										
	家庭社会生活											○	○		○												○				
提出方法	板書								○	○							○			○				○							
	カード																		○									○			
	教科書	○	○	○	○	○	○	○	○	○	○			○		○	○	○	○	○		○	○	○	○			○	○	○	○
	話し合い		○		○	○	○					○	○								○	○	○		○					○	○
	実物を見せて														○											○	○				
	音を聞かせて			○										○				○													
	略画によって	○									○																				
	動作							○																							
指導方法	板書して読ませる	○	○	○	○	○	○	○	○	○	○	○	○	○	○	○	○	○	○	○	○	○	○	○	○	○	○	○	○	○	○
	ノートに書かせる	○	○		○				○	○	○	○	○	○	○	○	○	○	○	○	○	○		○			○	○	○	○	○
	プリントで練習させる	○			○	○						○			○											○			○		
	カルタで練習させる																														
	カードで練習させる	○	○	○	○	○	○	○	○	○	○	○	○	○	○	○	○	○	○	○	○	○	○	○	○	○	○	○	○	○	○
	短文を作らせる	○		○		○	○	○		○	○			○		○	○	○	○	○			○	○				○			
結果	読み	○	○	×	○	○	◎	◎	×	○	◎	○	×	○	○	○	○	○	○	○	○	○	◎	○	○	×	○	◎	○	○	◎
	書き	◎	◎	○	○	○	◎	○	×	×	◎	×	○	○	◎	○	○	○	○	○	○	◎	◎	○	○	×	×	◎	×	×	◎

コース／月	A（読み・書き）		B（読み・書き）		C（読み）		D（教科書以外）		E（文字から先）	
7		ピカピカ ドン パア				Aと同じ	チフス パン ミルク		Dと同じ	

洗たく		・ 洗い場（場所と作業面について扱う） ・ 簡たんな洗たく（もめん物のシャツ・ブラウス程度）			
	仕上げのしかた	手のし仕上げ	身なり	5年の実習をもとに家庭で洗たくしたもののアイロンのかけかた，アイロンの扱い方，かける物とアイロンの温度，始末のしかた，	夏のしたく
作りかた	用途と材料	裁縫用具（はさみ，物さし，針，針山，運針用布，箱，指ぬき，へら）台ふきの材料，糸，ほころび縫い，ボタン・スナップつけの布と糸との関係，前かけの材料，ミシンの糸と針の選びかた，など実習に必要なものについて用途と材料を考えさせる	そうじ 身なり 食事の手伝い ミシンの使い方	枕カバーの材料，つくろいの布と糸防寒用品の材料，日用品作り，など実習に必要なものについて扱う。	健康な生活 夏のしたく 冬のしたく くらしのくふう
	裁ち方	実習するものについての裁ち方について考える。	そうじ 食事の手伝い ミシンの使い方	5年と同じ	健康な生活 くらしのくふう
	縫い方	手縫いの基礎（なみ縫い，半返し縫い，まつり縫い，とめ方） ミシンの扱いかた，から踏み，から縫い，本縫，台ふき，前かけ，整理箱のカーテン	そうじ 食事の手伝い ミシンの使い方 身のまわりの整とん	手縫い，ミシン縫いの基礎の応用（ふくろ縫い，かざりミシン） （枕カバー，のれんなど）	健康な生活 くらしのくふう

作りかた	簡単な手芸	生活を美しく豊かにすることに重点をおき簡単なししゅうをする。	食事の手伝い 身のまわりの整とん	生活を美しく豊かにすることに重点をおく。（アップリケ，編物など）	冬のしたく くらしのくふう

（食　　物）

内容		5年 指導の要点	題材	6年 指導の要点	題材
食物と栄養	食事の意義	社交的　食事の作法，食事のしかたと結んで5年に重点をおいて扱う 家庭団らん　配膳とあとかたづけ，食事の作法と結んで扱う。	食事の手伝い サンドイッチ作り	栄養的　食品の選択，日常食の献立材料の整え方，調理，健康なたべ方と結んで扱い6年に重点をおく 家庭団らん　楽しいつどい日常食の献立と結んで扱う。	よい食事 楽しいつどい
	食品の選択	調理実習の献立を中心に簡単にふれる。	サンドイッチ作り	食品の組合わせを中心に，重点をおいて指導する。	よい食事
	日常食の献立	調理実習する献立について理解させる。	サンドイッチ作り	食品の選択を中心に理解させる。	よい食事
食事のしたくとあとかたづけ	材料の整え方	調理実習を行うものについて考える。	サンドイッチ作り	調理実習を行うものについて考える	よい食事
	身支度	食事の手伝いとしての，ぜんだてとあとかたづけと結んで重点をおく。 調理実習の際に習慣づける。	食事の手伝い		

ガム	100% 82	96% 80	94% 64	100% 98	100% 78
カルタ	100 88	94 84	92 60	100 98	98 90
パラッ	100 78	88 70	86 38	100 94	98 60
ビスケット	100 78	92 70	90 42	98 94	96 82
ピカピカ	100 88	94 80	90 62	100 100	96 78
キャラメル	100 76	100 74	100 54	98 94	98 78
エヘン	100 96	94 84	98 80	100 100	96 70
ポン	100 88	96 82	98 70	100 96	88 80
パチパチ	100 88	92 76	82 56	100 96	98 76
ピチャピチャ	100 78	88 64	88 46	98 88	94 68
パア	100 88	92 72	92 50	／	／
ポッポッ	100 74	84 72	80 40	／	／
ピイ	100 88	86 74	94 52	／	／
フン	100 84	88 82	98 74	／	／
ガアン	100 86	96 82	88 58	／	／
ボウ	100 90	88 64	90 60	／	／
ガタントン	100 90	92 84	90 68	／	／
ガアガア	100 96	96 84	96 56	／	／
ゴミウ	100 88	92 72	94 58	／	／
オルガン	100 94	98 78	100 62	／	／
アハハ	98 84	88 74	100 58	100 96	98 68
ホウホケキョ	98 82	84 56	92 52	100 88	98 76
ニュース	98 66	100 68	88 48	100 96	100 62
チョンチョン	98 80	86 72	88 48	94 98	92 72
バッジ	98 70	92 58	94 24	98 84	98 84
ウフフ	98 92	90 74	94 70	／	／

ページ	98% 72	96% 66	82% 36	100% 90	96% 68
ソース	96 80	80 68	92 58	100 98	100 88
モール	96 82	90 78	94 58	100 96	98 90
サラダ	96 82	90 58	88 50	98 96	98 76
クリスマス	96 88	92 78	92 52	100 96	98 92
シュッシュッ	96 58	78 46	82 38	／	／
ノート	94 90	84 84	98 78	100 100	98 90
ヌガー	92 78	82 62	90 42	96 94	98 84

B　DEコースのみの語い習得度（上は読み下は書き）

語い	D	E	語い	D	E
ポスト	100 90	96 80	リレー	98 98	98 80
コスモス	100 96	100 86	ミシン	98 82	96 80
ライオン	100 90	98 82	ベット	96 86	100 90
カンガルー	100 98	100 68	スプーンレース	96 86	98 68
パン	100 100	100 82	チフス	96 86	94 74
ボール	100 90	98 80	ワン	100 94	92 72

C　各コース別文字習得度

文字	Aコース 読む %	Aコース 書く %	Bコース 読む %	Bコース 書く %	Cコース 読む %	Cコース 書く %	Dコース 読む %	Dコース 書く %	Eコース 読む %	Eコース 書く %
清音	98	89	89	80	95	95	97	97	98	89
濁音	98	83	89	74	96	73	96	95	98	83
半濁音	100	88	96	81	98	84	97	97	96	81
平均	99	87	89	78	96	78	97	96	97	85
指導しない文字の平均	**93**	**78**	**83**	**67**	**92**	**67**	**94**	**88**	**96**	**82**
指導した文字の平均	99	90	91	81	95	77	97	97	98	96
ア……	100	94	96	90	94	80	98	98	100	98
イ……	100	94	90	80	94	66	96	96	100	94
ウ……	100	93	86	78	100	72	94	98	94	82
エ……	100	96	92	88	98	90	98	98	96	86
オ……	100	98	98	90	98	90	96	100	100	98
カ……	100	96	100	98	100	90	98	98	100	100

文字	Aコース 読む %	Aコース 書く %	Bコース 読む %	Bコース 書く %	Cコース 読む %	Cコース 書く %	Dコース 読む %	Dコース 書く %	Eコース 読む %	Eコース 書く %
キ ……	100	86	100	98	100	94	98	96	100	98
ク ……	99	93	92	88	100	80	96	98	94	88
ケ ……	99	89	88	90	94	76	96	98	100	88
コ ……	100	98	92	86	98	74	98	98	100	98
サ ……	96	88	90	64	98	68	100	96	100	96
シ ……	96	74	80	72	84	70	92	98	98	96
ス ……	99	93	90	90	98	66	98	96	100	94
セ ……	100	90	88	77	98	68	98	100	98	98
ソ ……	96	86	82	66	90	68	96	98	92	80
タ ……	100	94	90	90	90	82	98	98	98	90
チ ……	99	91	94	80	94	70	98	98	100	92
ツ ……	99	79	84	74	80	80	92	94	92	98
テ ……	100	78	86	58	84	74	98	98	98	92
ト ……	100	93	92	90	86	84	98	98	100	88
ナ ……	100	88	84	80	100	68	98	94	98	92
ニ ……	100	90	96	86	94	66	98	98	100	86
ヌ ……	92	90	80	70	98	68	96	98	99	86
ネ ……	100	94	82	64	96	60	94	92	96	72
ノ ……	94	92	88	82	98	74	98	98	98	98
ハ ……	100	91	90	90	98	94	96	100	100	95
ヒ ……	**100**	**80**	**86**	**72**	**92**	**68**	**94**	**98**	**98**	**88**
フ ……	100	91	90	88	96	90	98	98	98	94
ヘ ……	100	98	98	86	96	78	98	96	100	86
ホ ……	98	92	92	72	96	72	98	98	100	80
マ ……	96	92	86	78	86	70	94	98	96	96
ミ ……	100	92	98	88	100	70	98	98	100	98
ム ……	100	82	88	78	92	74	98	98	98	78
メ ……	100	88	92	72	96	70	98	98	96	78
モ ……	98	88	88	78	98	82	98	96	98	94
ヤ ……	100	86	100	80	98	92	100	98	100	98
ユ ……	97	78	78	78	80	48	88	98	96	78
ヨ ……	98	90	84	74	94	70	88	98	100	90
ラ ……	100	90	88	84	90	70	98	98	98	88
リ ……	100	98	100	86	98	88	98	98	100	98
ル ……	100	93	92	90	98	82	98	94	98	94
レ ……	100	94	86	82	96	84	98	96	94	94
ロ ……	100	88	84	72	98	70	94	94	96	84
ワ ……	**84**	**78**	**60**	**56**	**80**	**54**	98	94	92	68
ヲ ……	**80**	**74**	**72**	**72**	**68**	**48**	**90**	**96**	**92**	**84**
ン ……	100	96	96	90	98	82	98	98	98	98
ガ ……	100	94	100	84	98	82	98	96	100	94
ギ ……	**100**	**92**	**100**	**76**	**98**	**84**	**98**	**98**	**100**	**90**
グ ……	**96**	**88**	**90**	**80**	**94**	**68**	**96**	**96**	**92**	**74**
ゲ ……	100	90	86	80	94	78	96	94	100	80
ゴ ……	100	94	98	90	100	82	98	98	100	88
ザ ……	**100**	**80**	**88**	**62**	**94**	**68**	**92**	**92**	**100**	**74**
ジ ……	98	82	86	66	94	66	94	98	100	76
ズ ……	**96**	**78**	**90**	**78**	**100**	**78**	**96**	**98**	**100**	**88**
ゼ ……	**96**	**84**	**84**	**66**	**100**	**78**	**98**	**94**	**92**	**88**
ゾ ……	**80**	**60**	**80**	**50**	**88**	**58**	**94**	**96**	**94**	**64**
ダ ……	100	86	90	82	98	76	98	98	98	90
ヂ ……	**100**	**72**	**86**	**58**	**93**	**70**	**96**	**92**	**100**	**88**
ヅ ……	**80**	**60**	**70**	**56**	**98**	**64**	**84**	**88**	**94**	**78**
デ ……	**96**	**78**	**80**	**50**	**92**	**56**	**94**	**96**	**99**	**84**
ド ……	100	95	96	84	98	78	98	100	100	90
バ ……	100	90	96	90	98	84	98	90	100	84

文字	Aコース 読む %	Aコース 書く %	Bコース 読む %	Bコース 書く %	Cコース 読む %	Cコース 書く %	Dコース 読む %	Dコース 書く %	Eコース 読む %	Eコース 書く %
ビ ……	100	94	92	80	96	82	98	98	100	89
ブ ……	**88**	**70**	**84**	**68**	**90**	**68**	**94**	**90**	**96**	**84**
ベ ……	**100**	**94**	**98**	**84**	**98**	**76**	98	98	100	92
ボ ……	100	92	96	76	98	70	98	92	96	76
パ ……	100	92	100	90	98	90	98	94	98	88
ピ ……	100	91	92	82	100	78	98	96	94	86
プ ……	100	89	86	76	94	74	98	92	96	80
ペ ……	98	82	98	76	96	86	96	94	96	82
ポ ……	100	90	100	82	100	92	96	94	96	80

2. 結果の考察

① 読み方だけの指導で，読み書き能力をつけることは，はなはだむずかしい。

② まず語として教えるか，文字を分解して教えるか，あるいは，文字を先に教えて語を構成するか，以上の3つの方法の中で，いずれが効果的であるかは，にわかには結論づけられない。

③ 一年でかたかな語いを提出するとすれば，次のようなことに注意して出せば効果的であろう。

> ○児童の生活語の中から。
> ○単純な二文字あるいは三文字構成のものを，
> ○清音で構成されていることばから。
> ○簡単な文字構造を持つことばから。
> ○↙の方向の字体でできた文字を。

このような条件をもったものから先に出していくのが有効である。
また児童にとって次のようなものは，習得困難であると思われる。

> ○「促音」や「よう音」のまじったもの。
> ○長音記号をともなうもの。
> ○文字数の多いかたかなことば。

また児童にとって，書くうえの抵抗の大きい字はつぎのようなものである。

> ヨ・コ・ン・ア・マ・メ・シ・ツ・ユ・タ・ク・ワ・ネ・ヌ・ミ

3. 今後の問題点

① かたかなことばの読み書きの指導に，できるだけ抵抗を少く入るにはどうしたらよいか。

② 一年においてかたかな語いを提出するとしたら，どのような語いをどのような順序でだすのがよいか。

③ かたかなことばの効果的な指導はどうすればよいか。

④ 練習の方法を興味的に，能率的にし，確実に習得させるにはどうしたらよいか。

第二学年の実験

(1) 実験の期間

昭和29年4月～昭和30年3月

(2) 実験の意図

最小の時間と努力で，かたかな語いの習得率を高めるには，どのような方法が有効か。

(3) 実験方法の概略

○Aコース……国語教科書を中心として，各題材ごとに提出されたかたかな語いを，読みと書きの指導を並行して行う。

○Bコース……片仮名語いの出るたびには「書く」練習を行わず，「読み」だけにとどめ，2か月に1回の割合で，総括的に，既出のかたかな語いを「書く」練習を行う。

○Cコース……かたかな語いが提出されるたびには，読むだけにして，9月と1月の2回だけ，集中して書く練習を行う。その時に五十音図を用いる。

○Dコース……各教材ごとに，かたかな語いが提出された時に，読みだけ練習する。ただし，カードを使用して少し念入りに指導する。

4. 実験内容

(1)指導語いの選び方，提出の順序等は次の一覧表に示した通りで，指導時間は各コースともほぼ同量とした。

⊙各コースの実験方法対照表

月＼コース	Aコース	Bコース	Cコース	Dコース
4月	教科書より提出した19語はカードを使用し，他は板書して示す。	指導語い→22語 教科書に提出されるたびに読みだけの練習。	指導語い→24語 教科書に提出されるたびにひらかなと変わらず読みだけ練習。	指導語い→23語 {教科書より19語 その他より 3語} 語いカードを作り語いとして読むだけ。
5月	指導語い→23語 {教科書より 14 その他より 9} 児童の字形上の誤りや，習得の困難度を知るために，どの児童にも板書の機会を与え，互に批正しあう。	四月の指導法と同じ。 指導語い→23 語 清音のみ 8語 濁音を含む 7語 半濁音を含む 2語 拗音，促音を含む 6語	語いカードを作り語いとして読ませた，	指導語い 24語 フラッシュ・カードにより読みだけの指導，

月＼コース	Aコース	Bコース	Cコース	Dコース
6月	指導語い→13語 国語教科書より提出された語いは，3語にすぎないが濁音，半濁音・拗音，促音が含まれている。 その他の10語いは書き方の本より提出。	5月の指導法と同じ。 書く練習は行わず読むだけ。	かたかな語いだけ取出して指導しない 教科書に提出されるたびに，ひらかなと変わらず読むだけの練習。	指導語い→ 6語 {ジフテリヤ グループ コレラ イソップ チフス ピイピイ} 語いカードで読む練習だけ行う。
7月	指導語い→14語 清音のみ 7 濁音を含む 3 半濁音を含 1 む拗音，促音 3 を含む 「トンネル」の「ネ」が新出文字なので時間をかけて指導する。	4月から7月までの提出語い50語について読み書きの練習をノート，板書，プリントによって行う。 筆順の誤り，字形の悪いものについて特に指導を行う	かたかな語いだけを取出して指導せず読むだけにとどめた。	親子カードにより読むだけの練習を行う。 親カードは教師用 子カードは画用紙に印刷して与えた児童用
9月	指導語い→2語 プリントを使用して既習語いの書写練習。	指導語い→2語 {インド ドシン}	第1回の集中指導 4月より提出された語いに対して五十音図を用いて位置づけした。 語いカードを使用して読ませ，文字に分解して筆順の指導を行う。	語いカードにより読む練習を行う。
10月	指導語い→4語 教科書より提出した語いはカードで示した後，板書して筆順の指導。ノートに書く練習を行う。	9月から10月までの提出語い23語について，読み書きの練習。拗音，促音について正しい表記の仕方を指導する。	読みだけの指導。	親子カードにより読みの練習を行う
11月	指導語い→15語 長音表記の語いについて指導を行う	読みだけの練習を行う	読みだけの練習を行う。	五十音カードよりかたかな言葉集め（トランプあそび）を行う。 既習語いの中。抵抗のあったものは常掲するようにした。
12月	指導語い→4語 教科書以外より提出される語いの指導は，教科書の語いの様に時間をかける余裕がないので，カードで示し常掲することにした。	11月から12月までの提出語い19語について，読み書きの練習を行う。長音表記の仕方についての調査を行い正しい表記について指導を行う。	読みだけの指導 マスク アルバム ポスター	既習語いについてフラッシュ・カードによる読みの練習を行う。

コース／月	A コ ー ス	B コ ー ス	C コ ー ス	D コ ー ス
1月	指導語い→5語 擬態語2語を含む休暇中のブランクを補う意味で，プリントによる既習語いの練習を家庭学習として課す。	読みだけの指導	読みだけの指導	興味づけの意味でかたかなをつかった「いろはガルタ」を作る。それをつかってカルタあそびを行う。
2月	指導語い→2語 かたかな語いを用いて短文を作る。既習語いの反復練習特に作文，短文においてかたかなをどんな時に使うべきかについて気をつけさせた。	1月から2月までの提出語い8語について読み書きの練習を行う。4月から提出された語いを，外来語擬音，擬声語に分類して，正しいかなの使い方について指導する。	第2回集中指導。かたかな語いの入ったカルタを作りグループであそぶプリントによる筆順，字形の指導を行う。文字カードをヒントにして，かたかなのことばを作る。	既習語いの中，児童に抵抗のあった拗音，促音，長音の読みの指導を念入りに行う。

(5) 実験の結果

Aコース

3月の調査結果で，読み書きともに 100% の語いは，19語にすぎず，拗音・促音を含まない語いである。清音のみ，または反復語は習得率が良く，拗音・促音を含む語いは，その脱落や誤答が多い。その他，長音記号の混乱が見られるが，これらの事は，各コースともにいえることであり，他に比べると，このAコースは，比較的無理なくその目的を達し得たようである。語いが提出される度に，「読み」と「書き」の指導を行う方法の妥当性が認められる。

Bコース

語いが提出されたその時には，「書く」指導はせず，2か月に一度の練習なので，一語ずつの指導に時間をかける余裕がなく，不徹底に終るきらいがある。「書く」指導の時には，ある程度語いを整理して与える必要がある。

Cコース

語いが提出されるたびには書かず，9月・1月の二回だけ，思いきって時間をかけ，集中指導をするので，比較的能率的な方法かもしれない。しかし筆順なり字形なりは，提出された時指導した方が，より効果的であるようだ。

Dコース

読みだけのコースなので，「書く」練習は全然行わなかったが，「書く」の習得率は非常に悪かった。やはり，視覚だけでは語いの印象がうすく，筋肉動作にうったえなければならないことが実証された。しかし，目によく触れるものは，「書く」練習をしなくても，或程度まで書けることは事実である。例えば「パン」「バス」等はこのコースでも100パーセントの習得率を示している。

(6) 効果的な指導法の例（一部のみ）

Aコース

かたかなの使用範囲や，かたかな語いの種類を知らせる方法として，チョークによる色分け表記（固有名詞→緑色。外来語→黄色。擬声語→赤色。擬音語→青色。）

Bコース

字形の不正確をなおす方法。たとえば「ツ」と「シ」。「ソ」と「ン」の混用や，「ア」と「マ」，「ス」と「ヌ」等の不正確なものをなおすのに，字形の似ている文字を並べて比較させたり，点のうち方だけを取出して指導したり，力の入れ方，抜き方について色鉛筆やクレオンを使ったりして練習させたりした結果，混用や不正確が少くなってきた。

Cコース

劇化した五十音図遊び。文字カードを児童全部に1枚ずつ与え，その字をよく覚えさせてから頭にかぶらせる。教師がゆっくり，「カルタ」，「パン」と発音する。該当児童はことばの順に前に出て並ぶ。それを皆で読んで視写する。

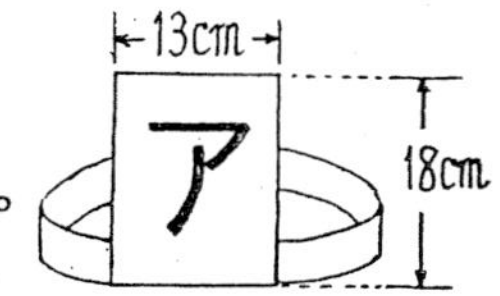

Dコース

○かたかな語いの入ったカルタ（児童作）をつかい，グループに分かれてカルタ遊びをする。

○かたかな五十音の文字カードによる。トランプ遊びをする。

(7) かなかな語い習得の学年的傾向。

(1)生活環境からみて，よく目にふれるものや，児童の身近かな生活語の「読み」は，各コースとも習得率が良い。例（パン，バス，ボール，オルガン等）

(2)擬音としてよく使われるものも，各コースとも良い。（ピイピイ，ザグザグ，ブーブー等の反復語）

(3)拗音・促音は各コースとも悪い。（ギュッ，ミュン等）

(4)「書き」についても大体同じ傾向が見られる。

(5)長音を含む語いは，各コースとも誤答が多く，また，語いの長いものは習得率が悪いようである。

(8) 実験についての反省

(1)実験の当初，語い指導だけで，文字の十分な習得がなされるだろうかと心配し，語いとして習得されたものを，文字に分解し，さらにまた，語いに構成していくという方法が必要なのではないかと考えていたが，実験の結果，その必要は認められなくなった。ただし書く指導の場合，文字に分解するものと同じような方法は取入れてある。

(2)ひらがなとかたかなを並列して指導することの妥当性が実験の結果実証された。

(3)提出語いの選び方や，提出の順序は，次のようにすることが望ましいことがわかった。

(イ)児童の身近かな生活語から選ぶ。

(ロ)その中でも，清音だけの２字～４字位の語いを先に出す。

(ハ)次に濁音・半濁音の入ったもの。

(ニ)長い語いや，拗音・促音の入ったものは後の方から，少しずつ出し，何度か繰返して指導する。

(ホ)長音その他，抵抗の多いものは，注意して提出し，十分に理解されるまで繰返す。

(4)　「最小の努力と時間で効果をあげる方法」としては，Ｃコースが適切であるように思う。ただし，これは，実験データーの上からのみ言い得ることで，各コースの指導法，教材・教具の活用を今一歩工夫するならば，どのコースが有効であるか，今ここに，早計に断定することは出来ないと思われる。

実験のための諸調査

(1)　基礎調査

(1)家庭環境調査――（全校父兄の職業別分類）

(2)かたかな・ひらがなの読み書き能力調査（第１回，全学年）

(イ)調査の目的・対象・方法・処理の仕方。

(ロ)各学年の習得状況。誤答の傾向。誤答の多い文字の順位。調査にあらわれた学年的傾向。所見および反省。

(ハ)全学年共通の誤答傾向

(ニ)清音・濁音・半濁音の別による習得度調査。

⦿実験指導前の実態調査である。（29年４月調査）

(3)国語標準学力検査

(イ)田中教育研究所編「国語新標準学力検査」を使用した。

(ロ)1・2年のみに29年12月に実施。

⦿かなの実験指導の負担が，国語の学力に影響を与えたかどうかの診断的検査。

(4)漢字書写力調査（１年を除いて全校）

⦿国語の基礎力の一部として調査したもの。

⦿４月に漢字100字について実施した。

(2)　実施結果の調査

(1)かたかな・ひらがなの読み書き能力調査。（全校，第２回）

○実験指導１年経過後の能力調査のため30年３月に実施したもの。

(2)かたかな習得状況調査。（1・2年）

(イ)実施期日……29年12月。30年３月。

(ロ)指導したかたかな語いの習得状況を，語いとして調査した。

(3)　実験結果の考察

(1)かなの読み書き能力について

(イ)第１回・第２回調査の比較（１年間の能力の伸張度）

(ロ)誤答の性質的分類

(2)かたかな習得度とひらがな習得度との関係。

(3)音の区別による習得度の差異と，その伸張。

(4)かなを読む力と書く力の相関関係。

(5)指導法と習得度との関係

(6)指導上の問題点

(イ)かなの習得をささえる条件。

(ロ)指導の重点となるべきもの。

II かなの学習指導はどのように進めたらよいか

神奈川県御所見小学校

１年のかたかな指導

(1)　実験の意図

もし１年でかたかなを学習させるとしたら，どういう方法で提出し，どういう指導をするのが一番有効か。

(2)　実験方法の概略

1. 実験コースはA・B・C・Dの4コース。
2. A・B・C・Dとも同じ語いを指導する（25語い）
3. 語いの出し方は大体単元ごとに均等にする。そのために，他教科の教科書または生活環境に近いかたかな語いを適宜に補っていく。
4. 4月，9月，12月，3月にかたかな文字71字の読み書き調査をおこなう。
5. 指導した語いについて12月末と3月末に，読み書きの調査をおこなう。
6. 指導の時期は，6月から始めるコースと，9月から始めるコースに分けて実験する。
7. 読み書きともに指導するコースと，読ませるだけで書く指導をしないコースとに分けて実験する。
8. コース内容次のとおり。

・Aコース
教科書中心に読み書きとも。
指導は6月から。外来語・擬音・擬声語。

・Bコース
教科書中心に読み書きとも。
指導は6月から，外来語。
1月から擬音・擬声語を加える。

・Cコース
教科書中心に読みだけ。
指導は6月から，外来語・擬音・擬声語。

・Dコース
教科書中心に読み書きとも。
指導は9月から，外来語・擬音・擬声語。
ただし，かたかなの一字々々の習得を中心に，その提出の順序を工夫する。

9. 指導計画表（指導語い，指導文字一覧）次の通り。

かたかな語い指導計画表

コース	取材	種別 ＼ 指導の月	6月〜7月	9 月	10 月	11 月	12 月	1 月	2 月	3 月
Aコース（よみ・かき）	教科書	・外来語	・トンネル		・ポスト	・バス	・ボール		・ペリカン ・ライオン	
		・{擬音 擬声	・グーグー ・ガーガー ・メーメー	・ドン	・ザクザク	・ゴーゴー		・チューチュー ・ポリポリ ・チリチリ ・アハハハハ	・ドブン	・チッチッ ・ホーホケキョ
	教科書以外	・外来語	・パン	・リレー ・バトン	・ガム	・トラック				
		・{擬音 擬声			・モーモー					
Bコース（よみ・かき）	教科書	・外来語	・トンネル		・ポスト	・バス	・ボール		・ペリカン ・ライオン	
		・{擬音 擬声						・チューチュー ・ポリポリ ・チリチリ ・アハハハハ	・ドブン	・チッチッ ・ホーホケキョ
	教科書以外	・外来語	・パン	・リレー ・バトン	・ガム	・トラック				
		・{擬音 擬声						・ドン	・モーモー ・グーグー ・ガーガー ・メーメー	・ゴーゴー ・ザクザク

Cコース(よみ)	教科書	・外来語	・トンネル		・ポスト	・バス	・ボール		・ペリカン ・ライオン	
		・{擬音 擬声	・グーグー ・ガーガー ・メーメー	・ドン	・ザクザク	・ゴーゴー		・チューチュー ・ポリポリ ・チリチリ ・アハハハハ	・ドブン	・チッチッ ・ホーホケキョ
	教科書以外	・外来語	・パン	・リレー ・バトン	・ガム	・トラック				
		・{擬音 擬声			・モーモー					
Dコース(よみ・かき)	教科書	・外来語			・ポスト	・バス	・ボール		・ペリカン ・ライオン	
		・{擬音 擬声		・ドン	・ザクザク	・ゴーゴー		・チューチュー ・ポリポリ ・チリチリ ・アハハハハ	・ドブン	・チッチッ ・ホーホケキョ
	教科書以外	・外来語		・リレー ・バトン		・ガム ・パン ・トラック	・トンネル			
		・{擬音 擬声					・モーモー		・グーグー ・ガーガー ・メーメー	

指導した文字

・印 12月末までの指導
×印 1月〜3月末までの指導

A C コース

・印 22 △印 13 } 計 35 字

・パ	・バ	ダ	・ザ	・ガ	・ン	ワ	・ラ	ヤ	マ	△ハ	ナ	タ	サ	△カ	△ア
ピ	ビ	ヂ	ジ	ギ			・リ		ミ	ヒ	ニ	△チ	シ	△キ	△イ
プ	△ブ	ヅ	ズ	・グ			・ル	△ユ	・ム	フ	ヌ	・ツ	・ス	・ク	ウ
△ペ	ベ	デ	ゼ	ゲ			・レ		・メ	ヘ	・ネ	テ	セ	△ケ	エ
・ポ	・ボ	・ド	ゾ	・ゴ		ヲ	ロ	△ヨ	・モ	△ホ	ノ	・ト	ソ	コ	・オ

B コース

・印 16 △印 19 } 計 35 字

・パ	・バ	ダ	△ザ	・ガ	・ン	ワ	・ラ	ヤ	マ	△ハ	ナ	タ	サ	△カ	△ア
ピ	ビ	ヂ	ジ	ギ			・リ		ミ	ヒ	ニ	△チ	シ	△キ	×イ
プ	△ブ	ヅ	ズ	△グ			・ル	△ユ	・ム	フ	ヌ	・ツ	・ス	・ク	ウ
△ペ	ベ	デ	ゼ	ゲ			・レ		△メ	ヘ	・ネ	テ	セ	△ケ	エ
・ポ	・ボ	△ド	ゾ	△ゴ		ヲ	ロ	△ヨ	△モ	△ホ	ノ	・ト	ソ	コ	△オ

D コース

・印 20 △印 15 } 計 35 字

・パ	・バ	ダ	・ザ	・ガ	・ン	ワ	・ラ	ヤ	マ	△ハ	ナ	タ	サ	△カ	△ア
ピ	ビ	ヂ	ジ	ギ			・リ		ミ	ヒ	ニ	△チ	シ	△キ	△イ
プ	△ブ	ヅ	ズ	△グ			・ル	△ユ	・ム	フ	ヌ	・ツ	・ス	・ク	ウ
△ペ	ベ	デ	ゼ	ゲ			・レ		△メ	ヘ	・ネ	テ	セ	△ケ	エ
・ポ	・ボ	・ド	ゾ	・ゴ		ヲ	ロ	△ヨ	・モ	△ホ	ノ	・ト	ソ	コ	△オ

(3) 実験の結果

1. 指導した25語いが，3月末にどの程度読めたか，書けたか。

提出番号	25語いの平均習得率（読み書き／コース）	読み Aコース	読み Bコース	読み Cコース	読み Dコース	書き Aコース	書き Bコース	書き Cコース	書き Dコース
	指導語い 習得率	97%	99%	90%	100%	88%	95%	64%	95%
1	トンネル……	100	100	79	100	86	88	45	83
2	グーグー……	95	98	86	100	86	98	50	100
3	ガーガー……	100	100	100	100	88	100	79	100
4	メーメー……	100	98	95	100	90	98	76	98
5	パン……	97	100	93	100	97	98	86	98
6	ドン……	97	100	100	100	95	98	81	95
7	リレー……	93	100	88	100	69	85	31	88
8	バトン……	93	100	95	100	88	95	83	100
9	ポスト……	100	100	100	100	97	95	90	100
10	ザクザク……	95	95	91	100	79	93	55	88
11	ガム……	100	100	95	100	95	98	65	85
12	モーモー……	95	100	94	100	88	93	79	100
13	バス……	95	100	93	100	90	95	88	100
14	ゴーゴー……	95	98	88	100	88	95	74	98
15	トラック……	95	100	81	100	71	93	62	88
16	ボール……	90	95	79	100	74	90	57	88
17	チューチュー……	98	100	79	100	88	95	21	85
18	ポリポリ……	100	100	100	100	100	95	88	100
19	チリチリ……	100	98	88	100	91	98	54	100
20	アハハハハ……	98	100	93	100	91	100	61	100
21	ドブン……	95	98	88	100	91	95	84	98
22	ライオン……	95	98	98	100	83	98	74	93
23	ペリカン……	98	100	100	100	91	98	40	100
24	チッチッ……	98	98	79	100	93	98	40	93
25	ホーホケキョ……	98	100	81	100	83	88	40	93

2. これでわかったこと。

①提出のよりどころと習得率との関係は，教科書で提出するのが，プリントその他教科書以外からの提出よりも，よい成績を示している。

②最初の印象づけを生活経験より導入したり，具体物と直結させたりして指導した語いは，習得率がよかった。

例 バトン ポスト パン バス等。

③興味づけて指導した語いも習得率がよい。

例 アハハハハ ガーガー ドブン等。

④習得率の順位はDコース，Bコース，Aコース，Cコースである。

読みだけの指導コースCでも，64%書けていることは注目にあたいする。

⑤誤答はコースCが読み書きともに多い。殊に類似した字形ゴーゴーとグーグー，最初の字が同じ，チリチリとチッチッ，捉音の位置の理解ができぬもの（トラック等）の読みちがいがめだっている。

書きちがいは，かたかなの字形や長音符号の使いかたの誤り，ひらがなや漢字との混同がめだっている。リレーがリJーやリーレになり，ザクザクがぜくぜく，トンネルがトンネル，トンでル，メーメーを目ー目ーモーモーをもーもー等。

3. 12月末と3月末との習得率を比較してみると，それぞれのコースにおいて，12月以前に指導した各語いに関しても12月末調査より3月末調査に，よい習得率を示している。比較表次のとおり。

よみかき	読み								書き							
コース	Aコース		Bコース		Cコース		Dコース		Aコース		Bコース		Cコース		Dコース	
語い数	16語い		9語い		16語い		13語い		16語い		9語い		16語い		13語い	
調査月	12月	3月	12月	3月	12月	3月	12月	3月	12月	3月	12月	3月	12月	3月	12月	3月
習得率	93%	96%	97%	100%	81%	91%	99%	100%	80%	86%	85%	93%	50%	69%	80%	93%

・向上した理由としては，

①かたかなに対する関心が深くなったこと。

②1月以降は提出されない語いであるが，語い形成の文字はある程度指導されたりノートや教科書によっての家庭での学習も，ひとつの大きな力になったと考えられる。

4. 一字としてどの程度読めたか，書けたか。

①71文字の習得率

○の数字は調査の月までに指導した文字数

よみかき	読み				書き			
調査の月	4月	9月	12月	3月	4月	9月	12月	3月
Aコース	6%	⑧ 32%	㉒ 61%	㉟ 84%	2%	⑱ 17%	㉒ 45%	㉟ 65%
Bコース	4%	⑤ 23%	⑯ 55%	㉟ 84%	1%	⑤ 11%	⑯ 39%	㉟ 68%
Cコース	4%	⑧ 20%	㉒ 54%	㉟ 76%	0%	5%	26%	48%
Dコース	6%	23%	⑳ 67%	㉟ 89%	0%	12%	⑳ 48%	㉟ 72%

・成績順位はDBACである。

②指導した35文字の習得率（平均）

コース	読み	書き	コース	読み	書き
Aコース	93%	85%	Cコース	87%	65%
Bコース	98%	87%	Dコース	98%	89%

③指導しない36文字の習得率（平均）

コース	読み	書き	コース	読み	書き
Aコース	73%	45%	Cコース	65%	33%
Bコース	71%	50%	Dコース	79%	53%

④指導した文字の内訳次の通り。

指導した35文字の習得状況　よみ

コース＼区分	100%〜90%	89%〜80%	79%〜70%	69%〜60%	59%〜50%	49%以下
Aコース	ト・ン・ネ・ル・グ・ガ・メ・パ・ド・リ・バ・レ・ポ・ス・ザ・ク・ム・オ・モ・ゴ・ラ・ボ・チ・ア・ハ・ブ・ペ・カ・ホ・ケ・キ・ヨ	ツ・ユ・イ				
Bコース	ト・ン・ネ・ル・グ・ガ・メ・パ・ド・リ・バ・レ・ポ・ス・ザ・ク・ム・モ・ゴ・ラ・ツ・ボ・チ・ユ・ア・ハ・ブ・イ・オ・ペ・カ・ホ・ケ・キ・ヨ					
Cコース	ト・ン・グ・ガ・ポ・メ・パ・ド・リ・バ・ス・ザ・ク・ゴ・チ・ア・イ・ペ・カ・キ	ル・ム・ラ・ハ・オ・ホ	ネ・モ・ボ・ブ	ツ・ヨ	レ・ユ・ケ	
Dコース	ト・ン・ネ・ル・ガ・メ・パ・ド・レ・グ・リ・バ・ポ・ス・ザ・ク・ム・モ・ゴ・ラ・ツ・ボ・チ・ユ・ア・ハ・イ・オ・ペ・カ・ホ・ケ・キ	ブ・ヨ				

指導した35文字の習得状況　かき

コース＼区分	100%〜90%	89%〜80%	79%〜70%	69%〜60%	59%〜50%	49%以下
Aコース	ト・ン・ネ・ガ・パ・ド・リ・ポ・ゴ・ペ・ヨ	グ・メ・バ・ザ・ク・ム・モ・ラ・チ・ハ・カ・ケ・キ	ル・レ・ス・ツ・ボ・ユ・ア・ブ・オ・ホ	イ		
Bコース	ト・ン・ル・ガ・パ・リ・バ・ス・モ・ラ・ツ・チ・ア・ハ・イ・オ	ネ・グ・メ・ド・ポ・ザ・ム・ゴ・ユ・カ・ホ・ケ・キ・ヨ・ボ	レ・ク	ブ・ペ		
Cコース	ト・ン	ガ・ド・バ・ラ・カ	パ・リ・ポ・モ・ゴ・ア・ハ・オ・ホ	ル・グ・メ・ス・ク・ム・キ	ザ・ボ・チ・ブ・イ・ペ	ネ・レ・ツ・ユ・ケ・ヨ
Dコース	ト・ン・ル・ガ・バ・ド・リ・パ・ホ・ス・モ・ゴ・ラ・ア・ハ・ペ・カ・キ	メ・ク・ム・ツ・ボ・チ・ブ・イ・オ・ホ・ケ	ネ・グ・レ・ザ・ユ	ヨ		

⑤これによってわかったこと。

(イ)頻度と習得率は大きな関係をもっている。

……提出の語い数文字習得との関係を見ると，ンは提出語い7回で読みの平均100％，書きの平均96％で最もよい結果を示し，トは提出語い4回で読み100％，書き94％，リも提出語い4回で読み100％，書き89％と，頻度の多少が習得率に大きくひびいている。

(ロ)練習の度数と指導法とを比較すると，練習よりも提示の方法，殊に最初の印象づけが習得率に大きくひびいてきている。

(ハ)促音，拗音に使用された文字は習得率がわるい。特にCコースは顕著である。（ツ・ユ・ヨ等）

(ニ)かたむきのある文字，部分関係のむずかしい文字，鏡文字になりやすい字は，習得率がわるい。

・ア——アア　イ——イイ　レ——L　オ——オオ

・ケ——K　ネ——ネネネ

・ヨ——E　モ——モ　メ——X　レ——レ

(ホ)教科書による扱いと，教科書以外からの扱いとを比較すると，読み書きともに教科書による指導がよい。

⑥指導しないが習得率50％以上の文字をみると，次の通り。

	コース＼區分	100%〜90%	89%〜80%	79%〜70%	69%〜60%	59%〜50%
読み	Aコース	ヤ・コ・ニ・ヘ・ベ・ギ	サ・ピ・プ	テ・ヒ・ミ・タ・フ・ズ・ゼ・ゲ・ゾ	マ・ヌ・ソ・エ・ノ・ウ・ダ・ビ・ジ・ヅ	テ・ロ・シ・ワ・ナ・デ
	Bコース	ヤ・サ・コ・ミ・ニ・ヘ・ベ・ギ	セ・ズ・ゼ・デ・ピ・プ	マ・エ・ノ・ヒ・フ・ウ・ビ	ゲ	シ・タ・ワ・ナ・ダ・ヅ・デ・ゾ
	Cコース	ヤ・ヘ・ベ・ギ・	コ・ミ・ニ・ゼ・プ	サ・エ・ノ・タ・セ・ウ・ズ・ピ	マ・ヒ・フ・ダ・ビ・ジ	シ・ナ・デ・ゲ
	Dコース	ヤ・サ・ノ・コ・ミ・ニ・ヘ・ズ・ベ・ギ	フ・セ・ウ・ダ・ゼ・デ・ゲ・ピ・プ	テ・ロ・マ・ヒ・タ・ビ・ジ・デ	ヌ・ソ・シ・エ・ナ・ヅ	テ・ワ・ヲ・ゾ
書き	Aコース			ヤ・ヘ・ベ・ギ	サ・コ・ゲ	マ・ミ・ニ・プ
	Bコース		サ・ヘ	マ・ベ・ギ	ヤ・ノ・コ・ミ	エ・ニ・セ・ビ・ズ・ゼ・デ
	Cコース				ズ	マ・ノ・ギ
	Dコース	コ・ヘ	フ・ベ・ギ・ヅ	サ・マ・ノ・ズ・ゲ・ピ	ヤ・ニ・プ	シ・エ・ヒ・ミ・セ・ウ・デ

⑦指導しないが習得率のよかった理由と思われるもの。

(イ)ひらがなと字形が似ているもの。

や——ヤ　へ——ヘ　べ——ベ　せ——セ　う——ウ

(ロ)漢字との関連が深いもの。

二――ニ　三――ミ　タ――タ　ロ――ロ

(ハ)清音，濁音，半濁音の関係で理解したもの。

ヘベペ　ハバパ　コゴ　チヂ　ケゲ　キギ

(ニ)既習の文字と似いるために習得したもの。

ア――マ　メ――ナ　ク――ワ　ツ――シ　ン――ソ

(ホ)環境で習得したもの。

ノ…（ノート）　ピ…（ピアノ）　五十音表　看板　広告　読書

兄姉をはじめ家庭での指導。

⑧1字ずつ書かせた場合の誤答の傾向。

(イ)漢字との混同

テ――手　ヒ――日，火　タ――田　キ――木

コ――子　デ――出　ダ――田　ゴ――五

(ロ)左右を反対に書いたもの。

ル――ル　メ――メ　サ――サ　ザ――ザ　デ――デ

ヨ――ヨ　モ――モ　タ――タ　イ――イ　ノ――ノ

(ハ)ひらがなとの混同

カ――か　モ――も　セ――せ　ヤ――や　リ――り

(ニ)点画の不正確なもの。

キ――キ　ト――ト　ツ――ツ　チ――チ　セ――セ

マ――マ　ミ――ミ　ネ――ネネ　ル――ルル

ヲ――ヲ　ゾ――ゾ　ク――ワク　ユ――ユ

(4)所見……1年のかたかな指導について。

1.　指導の時期

ひらがなの習得過程が定着の段階にきた時に，指導することがのぞましい。

・かたかな指導初期におけるひらがなの実態。

コース ＼ よみかき	読み 清音	読み 濁音	読み 半濁音	読み 計	書き 清音	書き 濁音	書き 半濁音	書き 計
Aコース（六月中旬）	85	64	31	76%	68	46	24	61%
Bコース（六月中旬）	90	68	28	79%	81	54	27	69%
Cコース（六月中旬）	82	63	34	73%	67	35	22	54%
Dコース（九月上旬）	96	85	49	90%	88	77	44	83%

これでもわかるように，この地域での指導の時期は6月と9月と二通りの時期に限って言えばDコースの9月からの指導が一番適切であった。

2.　提示する語い。

①提示の方法

教科書に提出することがのぞましい。

指導法によっては教科書以外から提出してもよい結果を示すが一般的でない。

②提出する語い

(イ)身近な語いで親しみやすいもの（∴バス・ポスト）等。

(ロ)特徴のある語形，字形であること（∴ゴーゴー・メー・メー・ゲーゲー）等。

(ハ)具体物と直結できる語い（∴トラック・バトン・ガム・パン・ライオン・ペリカン）等。

(ニ)語い数は1か月4語い，週1語い位が適当である。

(イ)新しい語いの中に既習文字が入っていると指導しやすい。

3.　指導方法

①読ませるだけより読み書き共にすること。

Cコースは読ませるだけで成績が不振であった。作業を通し運動を通しての習得がのぞましい。

②指導は興味づけ印象づけてすること。

殊に最初の印象づけを重視すること。

③1語い1回の指導取扱いの時間は3分から5分ぐらいがよい。

なるべく教便物を活用し，多方面から指導し，語いとしての定着と，1文字としての定着に努力すること。

④直線での構成はやさしいようでむずかしい。正確に指導すること。

⑤漢字指導やひらがな指導と，なるべく関連づけて混乱をおこさぬように効果をあげること。

⦿指導しやすく効果的であったコースの順位。

第1位　Dコース……9月からよみかき。

第2位　Bコース……6月からよみかき。

（はじめは少なくあとで多く提出）

第3位　Aコース……6月からよみかき。

第4位　Cコース……6月からよみだけ。

備考　習得状況の成績順位はDBACコース。知能検査，学力検査の結果もDBACの順位である。

二，三年のかたかな指導

△意図

最少の努力と時間でかたかな語いに習熟させるにはどのような方法が有効か。

二年の部

Ⅰ　計画の概要

Aコース……提出のたびに読み書き練習

Bコース……提出したときは読みだけ，書く練習は1か月に1度ぐらい。

Cコース……2か月に1度ぐらいまとめて提出し読み書きともに行う。

ただし教科書中の提出語いだけは，そのつど読み書き。

かたかな語いの指導時間はＡＢＣとも大体同量とする。習得状況は12月末と3月に指導した語い，71文字について調査。

語いの提出量は最も多い月を基準にして少い月は補充文で補う。補充文の提出は教科書の発展として読解し易い短文で 2—4 のかたかな語いを提出する。

清音全部濁音11字半濁音5字拗音6字。

基礎資料は学図の国語教科書。

Ⅱ　結果　(1)　語い習得状況

34語いの習得率

月	12月		3月	
読み書きの別／コース別	読み	書き	読み	書き
Aコース	83%	59%	93%	85%
Bコース	79	62	90	79
Cコース	81	67	93	78

三月末における60語いの習得率

コース別／読み書きの別	Aコース	Bコース	Cコース
読み	94%	92%	94%
書き	79	71	75

・12月末にテストした34語いについて3月末に再びテストした結果は読み10%—12%書き11%—17%上昇している。

・主な誤答傾向　読みの面では9月以前においてカタコトをカラコト，バイヨリン，プケットのようにまぎらわしい発音からくる誤答。書く面では，アナウンサア，シイソオ，メエトルのように長音記号で書くべき所をひらがな表記と同様に書く傾向。ヤッホウをヤッホーのようにウとはっきり発音されているものを長音として表記する傾向，リヤカ・，シーソ・，のように語尾の長音を欠くもの。

ズボッ，ピリピリッ等の促音を欠くもの。

ヘリコクター等発音のあやまりからくるもの，ミツトのように字形からくる誤答。

(2)　71文字の習得状況

かたかな習得状況（71文字）

月／コース	読み 4月			9月			12月			3月			書き 4月			9月			12月			3月		
	清	濁	半	清	濁	半	清	濁	半	清	濁	半	清	濁	半	清	濁	半	清	濁	半	清	濁	半
A	28	23	34	55	58	62	84	83	90	93	93	96	13	23	10	34	30	30	67	67	78	82	82	86
	29			56			84			93			12			33			68			85		
B	22	21	13	49	48	49	81	79	89	92	90	95	7	5	4	19	10	12	61	51	56	81	74	80
	21			49			81			92			7			15			58			79		
C	23	24	28	47	60	57	78	78	94	93	92	94	9	8	6	24	16	24	70	65	83	81	73	79
	24			48			79			93			9			21			69			78		

おもな誤答傾向

シツ，ケチ，メとナ，イとト(イ)，マとア(ア)とヌ，ンソ，タとク，ワとウ，ヨとミ等類字筆順からくる誤答。

ひらがなや漢字との混同　セとせ，カとか等，しかしひらがなや漢字と似ているかたかなは習得率が高い。

読み書き別／コース	12月に於ける既習文字の習得率（47字） Aコース	Bコース	Cコース	未習文字の習得率（24字） Aコース	Bコース	Cコース
読み	88	86	84	75	72	70
書き	74	66	77	54	43	54

既習文字と未習文字との習得率の差の比較的少い理由としては，ノート裏についているかたかな五十音図，広告等からの習得，清音から濁音半濁音へ，既習文字から未習文字への類推による習得のためだと思われる。

(3)　知能検査学力検査の結果と習得状況

習得状況のコース別順位はＡＣＢ，知能検査，学力検査の順位はともに大体ＡＢＣでＢコースの順がかたかなの習得状況と異っているのは読むこと書くことを別の時期に扱うコースであるためだと考えられる。

Ⅲ　反省処見

◉効果的であったコース。そのつど読み書きともに扱うＡコースは習得率高くしかも扱いよく効果的であった。

Bコースは読みだけ先に扱うため中以下の児童は書く指導の時に再び読みを扱う必要に迫られ，上の部と思われる児童は読み指導の時に書きまで習得する等優劣の差が大きくなり扱いにくい。Cコースの習得率はAコースより低い。

⊙文字習得からみて　読みの面で4回のテストのうち 12 月の上昇が著しいのは，二学期の後半に伸びてきているからで，この期の指導のたいせつなことが考えられる。書く面でも後期に入り習得率が高まっている。3 学期になってBコースとACコースとの習得率の差がなくなってきたのは，教科書教材のためどのコースも読み書きともにそのつど扱うようになったためと考えられる。

⊙語い習得について　農村地域ではかたかな環境の設定が大切である。語いの提出は身近かな親しみ易いものから，字数の多い長音促音拗音の組み合わさったものへ。

語ろや文字の関係を考慮し明確な発音指導と正しい表記に留意して指導すること。語い形成の文字は既習未習の組み合せ語頭語尾の関係等を考慮して提出することが必要である。なお注意すべき点としては，後期になって遅進児指導が特に必要になってきたことである。

調査の面ではコース別わくに制約されて指導結果の評価が思うようにならなかったため，次の指導が適切にできにくかった。

書きのテストの場合，教師がはっきりと発音できなかったものは，それが誤答傾向として現われた。擬音語擬声語における長音や促音の表記において，それが特にいちじるしかった。

三年の部

(1)　実験方法の概略

1.　実験コースはABの2コース

2.　コースの内容

・Aコース……提出の度に読み書きの練習をさせる。

・Bコース……提出した時は読みだけで書く練習は2か月に1度にする。

3.　練習の時間はABとも同量とする。読み書きの練習はごく短時間（1語いについて2,3分）にとどめる。

4.　提出の語いは本校で使用中の学図教科書「三年生の国語」上下巻のかたかな語いとし，本校国語カリキュラムにより各月に配分する。

5.　10月末と1月末に両コースとも集中指導を行う。この際の語いは両コースとも学級の実態に即応した文字をもって構成する。1 日 15 分ずつ

5 日にわたって実施。

①10月末…… 9 月の文字習得率（書き）を基準として指導すべき文字を抽出する。

・Aコース……58%以下の36文字，22語い

・Bコース……58以下の35文字，23語い

②1月末……12月の書き習得率を基準とする。

・Aコース……73%以下の22文字，16語い

・Bコース……70%以下の21文字，16語い

(2)　実験の結果

1.　指導した語いの習得率

・12月のテスト…… 4 月よりテストまでに指導した59語い。

・3 月のテスト……12月以降に指導した27語い。

テスト別／よみかき別	12月 よみ	12月 かき	3月 よみ	3月 かき
A　コ　ー　ス	97.0	71.7	100.0	96.0
B　コ　ー　ス	95.6	67.9	100.0	91.2

2.　これでわかったこと。

①AコースはBコースにくらべて習得率がよい。71文字の習得率では成績のよいBコースが語いの読み書きでは劣っている。

②読み書きの差はBコースの方が大きい。語いが読めても書けない児童が多い。

③12月の習得率のよくなかった一つの理由は表記の問題である。長音，促音，拗音の入っている語い（チーズ，ジャック，ピーッ等）の成績がよくない。表記の指導が不徹底であった。

④3 月は12月に比べて向上している。その理由としては

・指導方法の改善……文字の定着に努力，表記面の指導，個別指導の徹底

・11月頃よりかたかなに対する関心が強くなった。

3.　1 字としてどの程度読めたか，書けたか。

・71文字の習得率

よみかき／月	読み									書き								
	4月			12月			3月			4月			12月			3月		
	清	濁	半	清	濁	半	清	濁	半	清	濁	半	清	濁	半	清	濁	半
A	75	80	84	96	92	98	100	100	100	35	31	33	81	75	79	96	94	95
	77.0			95.0			100			34.2			80.0			95.7		
B	88	82	93	97	97	100	100	100	100	43	38	48	85	75	84	96	94	98
	86.8			100			100			42.5			81.4			95.6		

・AコースはBコースに比べ非常に向上している。

(3) 所　見

1. AB両コースを比較するとすべてにAコースの方が指導効果があらわれている。読ませることと書かせることをともにしたほうが有効であった。知能偏差値，学力偏差値ともAコースは稍劣っていることからしてもこのことがいえる。

Bコースでは2か月に1度まとめて書く練習をする時までに読みを忘れてしまう児童がいた。このため書きの習得遅進児がAコースに比べて多い。

2. 集中指導は書きの習得率が65%をこえた10月末でよいと思う。この指導によって地ならし的効果がおさめられこれをきっかけとして児童のかたかなに対する関心が深まった。

10月末の反省としては

・文字を定着させることが不充分だった。

・五十音図の活用は有効

・個別指導が不充分

1月末の指導の際にはかたかな習得を完全化するための個別指導に重点をしぼり有効であった。

3. 自発的に学習しうるような機会と学習用具，環境に対する配慮が必要である。

・かたかな練習カード　かたかなすごろく，かたかなカルタ

4. 1文字の習得から更に進んでかたかな表記の基準を確認させそれに習熟させる必要がある。

III 読解のつまずきは，どんなところにあるか，それは，どうしたら救えるか。

栃木県日光市清滝小学校

Ⅰ 実験期間

昭和28年4月～昭和30年3月

Ⅱ 実験の意図

読みの学習において，(1)どんな点に (2)なぜつまずくのか，すなわち読解の困難点とその原因とを，診断テスト児童の実態の両面から明確にし，平素の学習指導の中において (3)どのように指導したならば，その困難点を除き効果的な読解指導ができるかを実験研究する。

Ⅲ 実験方法の概略

1. 読解のつまずきの分析については，文部省作製よにる読解力診断テストを28年度，29年度実施してこれを基礎資料とした。
2. 診断テストによって明らかにされた結果を検証するため，別に本校作製による詩と対話文についてのテストを29年度2月実施した。これは目下整理検討中である。
3. 診断の結果から，学年別につまずきの実態とその原因を第一年次に分析し，これに対する指導法の研究と効果の測定について第2年次に行ってきた。

Ⅲ 実験の結果

第一年次の調査の中，第一学年と第二学年の読解のつまずきについては，前年度発表したので今回は第三学年以上について報告したい。

第一表及び第二表は，昭和28年度実施した読解力診断テストの調査人員とその結果を示すもので，本校の実験の基礎的資料となるものである。

第一図によって見ると，第三学年以上の学年における漢字の読みは，80%以上の正答率を示している。このテストの診断においては，漢字の読みが読解困難の要因であるとは考えられない。本報告においては，問題の焦点を語句と内容のつまずの原因とその指導にしぼって報告したい。

第1表　調　査　人　員

性＼学年	I	II	III	IV	V	VI	計
男	143	189	198	139	184	153	1011
女	145	167	186	147	173	152	970
計	288	356	384	286	357	310	1981

第1図　読解力，漢字語句内容正答率比較

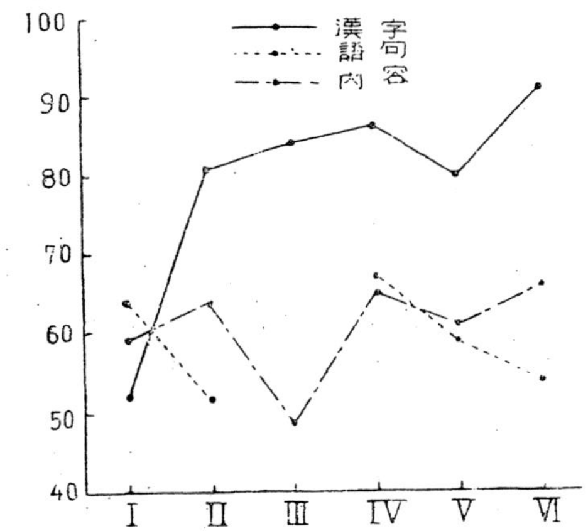

〔I〕 第3学年のテストとその分析

テスト本文　（3年）

「どうだ，いいだろう。」
「なあんだ，まつの木だけじゃないか。」
「まつの木だけ……。おい，よく見てくれ。雲や鳥も書いてあるんだぜ。」
「ふん，へんなかっこうしたすずめだね……。」
「ちがうよ，とんびだよ，これ……。」
「とんびなんか，どこにも飛んでいないじゃないか……。」
「だって，見たんだよ，きのう……。」
「へえ，じゃあ……それ，きのうの写生か……。」
「あら，きのうの写生って，そんなものあるの……。」
「あわてもの三ちゃんだけにあるのさ……。」
「きのうの写生だってあるよ。……でも，へんかな，うまく書けたんだけど……。」
「うまいもんか，すずめみたいなとんびなんて，いやしないよ。」
「じゃあ，きみのを見せてよ。」
「ぼくは，とんびなんか書いていないよ。」
「うまいなあ，良（りょう）ちゃんは……。」

「そうでもないよ。」
「でも，ぼくよりうまいや。」

第3学年の診断テストは，地の文のない対話文で，語句の問題は含まれていない。

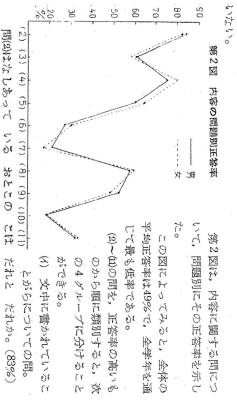

第2図　内容の問題別正答率

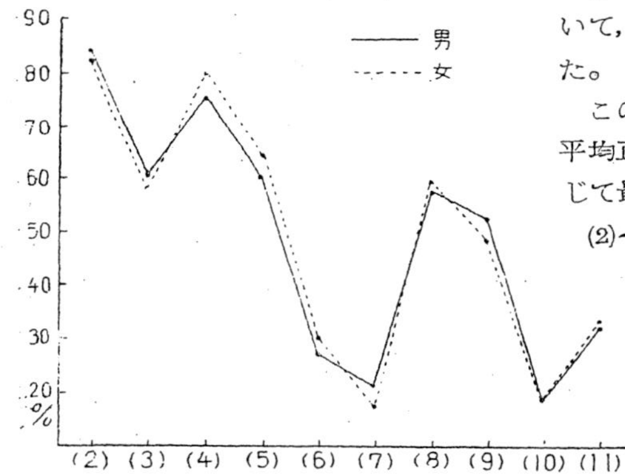

第2図は，内容に関する問について，問題別にその正答率を示した。

この図によってみると，全体の平均正答率は49%で，全学年を通じて最も低率である。

(2)～(11)の問を，正答率の高いものから順に類別すると，次の4グループに分けることができる。

(イ)　文中に書かれていることがらについての問。

問(2)はなしあって　いる　おとこの　こは　だれと　だれか。(83%)

問(4)とんびを　みたのは　いつか。(77%)

(ロ)　文中に書かれたことがらについて(イ)より更に高い解釈を要求した問

問(5)どんな　ふうに　おもわれて　いる　こどもか。(62%)

問(3)まつの　きや　くもを　かいたのは　だれか。(59%)

問(8)「ぼくは　とんびなんか……」といって　いるのは　だれか。(58%)

(ハ)問(9)さんちゃんは　えが　じょうずだと　おもうか。(49%)

問(11)なんの　ことを　はなしあって　いるのですか。(32%)

問(6)「きのうの　しゃせいって………」といって　いるのは　だれか。(29%)

問(9)は，文の表面にあらわれていることばから，文中の人物についての比較的簡単な判断を伴う解釈である。

問(11)は，主題の決定についての問。

問(6)は，文の要点をおさえ，その前後関係と語感からの判断を要求した問である。

(ニ)　問(7)「でも　へんかな……」と　なぜ　さんちゃんは　いいだしたのか。(19%)

問(10)「そうでも　ないよ」といって　いるのは　どんな　きもちか。

(18%)

書き手の立場，文中の人物の立場に立って，内容を考えながら批判的に読むことを要求する問が以上(7)(10)である。

(イ)から(ニ)へのつまずきの増加は，読解の困難度を表わすものと考えられる。これらのつまずきの原因と考えられることは，

① 文中の表面的なことがらにとらわれて注意が読後の印象の強い所に固定し，全体的な見通しの上に立って判断することができない。

② 文の筋を順序立てて読みとっていないために，問に応じて文中のどこを読んだらよいか解答の手がかりがつかまれない。

③ 問のことばの一部分にとらわれて，問そのものの方向を誤る。

④ 問に応じて，文の要点をおさえ，その前後関係から推理判断することになれていない。

⑤ 読みとったことを要約して，問いの方向に思考を整理することになれていない。

⑥ その結果，文中の要件と自己の体験とを混同し，文脈を無視した結果に陥る。

⑦ 学習態度，読みの速度等と関連して，そこに欠陥をもつグループは，学習意欲を失い，思いつきで適当に解答する。

等があげられる。

〔Ⅱ〕 第4学年のテストとその分析

テスト本文　(4年)

山から町へかけて，かなり下り坂です。子どもたちは，いっしょうけんめいにかけだしました。

むねはわくわくするし，あせは，せなかに，ひたいに，どんどん流れだして，息がつまりそうです。

町に近づくと，町のようすは高い所でながめたように，はっきりとはしなくなりました。くろぐろしたけむりが，風にあおられて，西からから東の方へずんずんと飛び，空もにわかにくもってきました。お寺や，消防隊(しょうぼうたい)でならすはんしょうの音が，ガンガンガンガンとなりひびきます。

ともかく三ちゃんは，自分の家に飛びこんで行きました。しかし，家はぶじでした。おかあさんが，たんすやこうりのものを，土蔵(どぞう)にかたずけていました。

「土蔵へ入れたら，だいじょうぶなんですか。」

「さあ，今まで二ども火事にあって，やけのこったのだから，だいじょうぶと，みなさんもおっしゃるのよ。」

第3図は，第4学年における語句と内容について，問題別に正答率を示した。語句の平均正答率は67%，内容の平均正答率は65%である。

第3図　語句内容問題別正答率（4年）

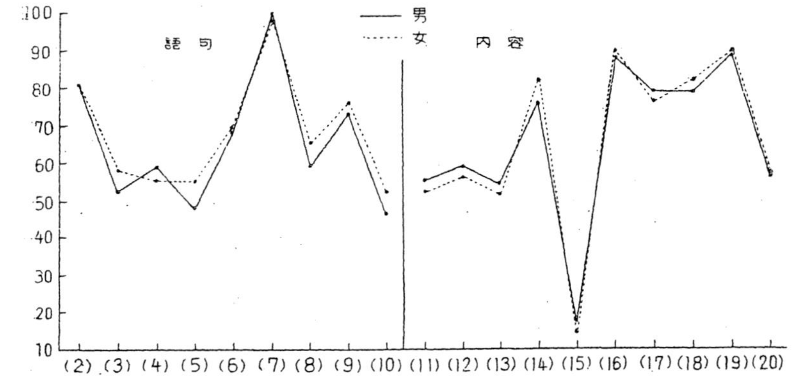

(1) 語句についてみると，最もつまずきの多い語いは問(10)「やけのこる」の49%である。

この問の誤答者は，語いそのものの経験不足と，文脈の中で理解する読解能力の弱いもので，「やけのこる」と複合されている一語を「やけ　のこる」と二語に分解したために誤読したものが目立っている。

問(5)「にわかに」(52%)問(3)「くろぐろとした」(55%)問(4)「かぜにあおられて」(54%)の3問の誤答者を分析してみると，

① 早のみこみで，文を読み返さないで問だけから答えている。

② 文の一部分の印象から答えている。

③ 問と本文とを関係づけて読まない。

④ 本文のどこに使われているかがわからないままに自分の経験を答える

⑤ 文の前後の関係を無視している。

⑥ 語い経験が不足である。

⑦ 知能か低く，学業も不振である。

等の児童がこれにふくまれる。その結果として，文字面からのいいかえに終るか，自己の経験と混同して，文脈を無視する結果に陥っている。

(2) 内容についてみると，

① 文中に表われたことがらについての問

(16) (17) (18) (19) は80～90%内外の正答率を示し，つまずきのあるものは少数である。

② 文の要点をとらえ，文の筋を正しく早く読みとる能力を要求する問(11)(12)(14)についてみると，

(14)「あせが　どんどん　ながれだしたのは　なぜか」の正答率は79%で
これは比較的簡単な判断で解決されるためか正答率は高い。

(12)「こどもたちの　いえは　どこに　あったか」(57%)

(11)「こどもたちは　たかい　ところから　みると　どんな　ことが　わかったか」(54%)

の２問は判断の手がかりとしての文の要点をおさえることが，より高度であるためか約半数の児童がつまずいている。

③　主題の決定についての問い(20)の正答率は，56%で，誤答者は，いずれも，文中の一部分についてのみ解答している。これは，文の要点をおさえた上で結論を導き出すことになれていないグループである。

④　文中の人物の立場や，内容を考えながら批判的に読むことを要求している問の正答率は，

問(13)「こどもたちは　どうして　むねが　わくわく　したのか」(52%)

問(15)「まちに　ちかづくと　どうして　まちの　ようすが　はっきりしなくなったのか」(15%)

となっている。前者は，文中の人物の立場に立って読む問いで，解答の手がかりが文の頭初に書かれているためか，つまずきは約半数の児童にとどまっている。

後者は，内容を考えながら論理的に前後を関係づけて読解することが要求されている。これは85%の児童がつまずいている。

第 4 図

15 まちの ようすが まちに ちかづくと どうして はっきり しなく なったのですか

選/性	はんしょうがガンガンなっていたから	とおくをみわたすことができなくなったから	くろぐろとしたけむりがたっていたから	まちはたかいところにあったから	無答
男	15	17	58	9	
女	20	14	63	4	
均	17	15	60	7	

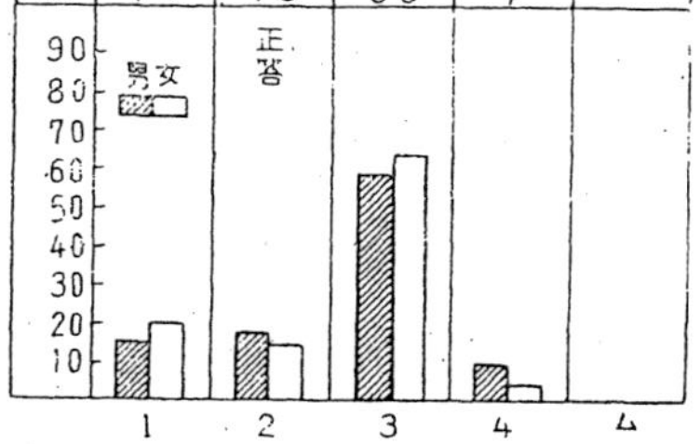

このつまずきの多い(15)について，誤答分布を第４図に示した。

誤答85%中，60%が選択枝(3)に集中している。

この60%の児童の実態は，

①　早のみこみ(26%)

②　学習におちつきなく注意散慢（13%）

③　問われている意味がわからない。(9%)

④　学習不振といわれるもの。(6%)

⑤　学業成績の比較的よいの(6%)

となっている。子供としては「けむりが町中いっぱいに，たちこめていたから，」と考えることも一応うなずけるが，この誤答は本文を読まずに「けむり」から連想して答えているために思考の手がかりとしての本文を無視した結果となっている。

選択枝(1)に誤答した17%のものは，問の内容をはなれて，一読後の印象に残った本文の一部を解答しているものである。これらの児童は誤解の結果を問の方向に合わせて整理する力に欠けている。選択枝(4)に誤答した７%のグループは，本文のあら筋，事件の推移等がおさえられてない児童である。

以上，テストの分析から，特に第４学年においては，文の要点を正しく早く読みとり，文の筋をおさえて，思索的に読む能力の指導を重視してきた。

〔Ⅱ〕 第５学年のテストとその分析

テ ス ト 本 文 （５年）

> つばめたちが，わたくしたちの前から，すがたを消すのは，かれらにとっては，なにもいま急にはじまったことではない。しかし，それにはじめて気のついた人間は，急につばめが，いなくなったと感じるのだ。
> そうして，かれらはいったいどこへ行ってしまっただろうと考える。このことは，むかしからたいへん不思議なことだとされていた。
> 「つばめは，冬になると，かれ木のほらあなにかくれて，冬をこすのだ。」と，広くいわれ，信じられていた。そうして，それを今でも信じている人もある。そこで，わたくしは旅行のたびに，地方の老人などが，そういうことをどう思っているかを，注意して聞いてみると，結局はうやむやになるのであった。事実を見たという人は，一度もあらわれない。

第５図　語句・内容問題別正答率 （５年）

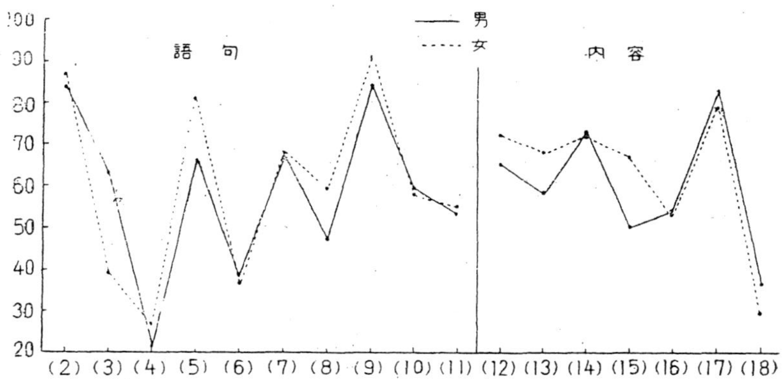

第５図には，第５学年の語句と内容について，問題別に正答率を示した。

語句の正答平均は59%，内容の正答平均は61%である。語句中　最も理解の困難な問は，

(4)「ふゆをこす」(24%)

(6)「ちほうの　ろうじん」(37%)の２語句で，これは文中に位置づけて読解することの不なれなことを示している。これら児童の中には，文中のことがらにとらわれて，自分の経験から判断しているものと，文の全体的な流れ（文脈）を無視して，文中の一部分のことばにとらわれ，単なるいいかえ的なことを答えているものとに分かれている。

(6)の正答率は36%であるが，内容の問(16)において「だれにたずねたのか」と地方の老人について問うた場合は，正答54%で，17%の差がある。これは語句の場合は，単語としてことばから，自己経験中のことがらと混同を起すが，内容の場合は，ある程度文脈にそって思考している結果であるかとも考られる。これについては，さらに検討したい。

以上の結果からも，語句を文脈の中において，全体と部分との関係に立って読む能力，事実に即して論理的に読む能力とを重視して指導してきた。

内容に関する７問の中で６問は，文の要点を正しく読みとる問であり，残り１問が文の主題をきいている。

これらの問は，いずれも文の前後に要点が分散しているので，それらの要点を関係的に論理的に読むことが要求されている問である。特に(12) (13) (15)の３問は，関係代名詞を主要語句としておさえて読みを発展させていかなくてはならない問題である。正答平均は61%で，つまずきのある児童は40%内外である。

第６図

18　この　ぶんは つばめに ついて なにを いって いるのですか					
選／性	つばめのことをしらべるといろいろおもしろいことがある	いなかのとしよりのひとたちはつばめのことをよくしっている	ふゆになるとつばめはどこへいってしまうのだろう	つばめはかれきのほらあなでふゆをこすとおもっているひとがある	無答
男	23	7	36	34	
女	21	10	29	39	1
均	22	9	33	36	

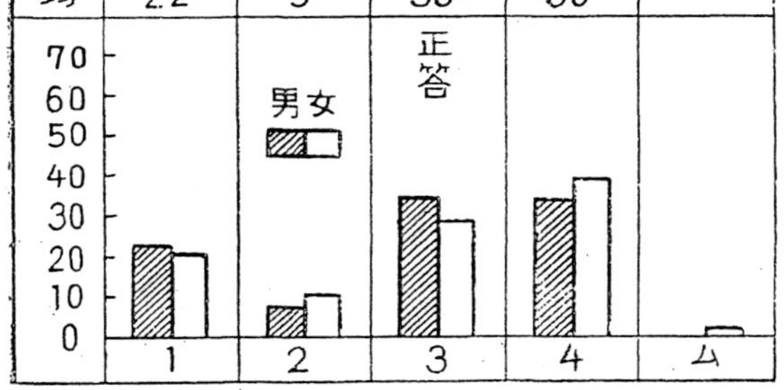

最もつまずきの多い(18)について，そのつまずきの分布を示したものが第６図である。

誤答77%中，36%が選択枝(4)「つばめは，かれきのほらあなで　ふゆを　こすと　おもって　いるひとが　いる」に答えている。

このグループの実態は

① 早のみこみで，文をよく読まない(27%)

② 学習成績不振のもの。(9%)

③ ゆう通性がないもの。(3%)

で，それらの児童は，文中に「つばめは，ふゆになると，かれ木のほらあなにかくれて冬をこすのだ」と書いててあるから，(4)に解答したというものが大部分である。

これらの児童は，いずれも主題の見おとしができないため，文中の話題にのみとらわれているものである。

選択技(1)の22%の誤答者は，文の要点がおさえられず，自分の感想を述べているものである。

以上のつまずきの分析から，この学年においては，文の要点をおさえ，それを前後関係づけて，文の主題を正しく読みとる指導に重点をおいてきた。

〔IV〕 第６学年のテストとその分析

テ　ス　ト　本　文　(6年)

> 人に自由があるとおり，鳥にもけだものにも，天からあたえられた自由がある。この自由こそ，それぞれの生きものにとって，生命ともいうべき第一のたからである。その自由を，自分だけが愛することは，だれでも知っているが，ほかの人の自由や，ほかのものの自由は，ともすれば平気でふみつつける。これは，この世の中で最大の罪である。いつもこんなふうに話すのであった。
>
> 父は，ただ話すだけでなかった。子供たちが，その自由をふみにじるようなことをすると，少しもみのがさなかった。兄の福一が，そのためにさんざんにしかられたことがある。

第７図　語句，内容問題別正答率　(6年)

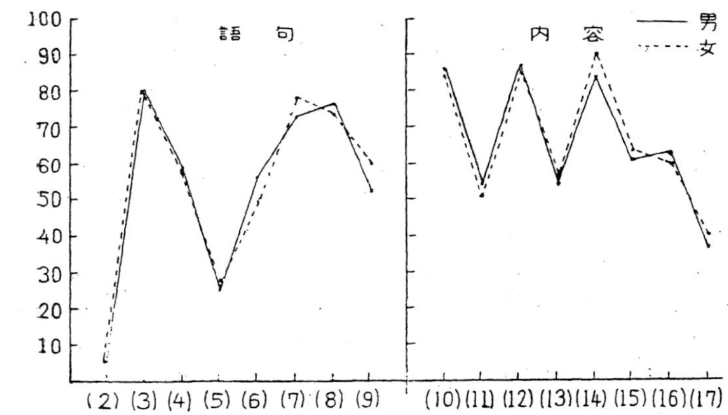

第七図は，第6学年における，語句と内容について，問題別に正答率を示した。語句の正答率平均は54%，内容の正答率平均は66%である。

語句のつまずきの多いものは，

(2)「せいめいとも　いうべき　だいいちの　たからとは　どんな　ことか。」(7%)

(5)「さいだいの　つみとは　どんな　ことか。」(25%)

の2問で，他は50%以上の正答率を示している。

(2)(5)の2問は，主語，述語の間に相当のへだたりがあり，更にこれらが比喩としての間接表現法をとっているため，児童は，文中の語句として，その真意を読みとることができず，単にいいかえに終始している。

内容についてみると，

① ことがらについてたずねているものは(10)(12)(14)の3問でいずれも86%以上の正答率である。

② 関係代名詞等文中の要点をおさえ，前後関係からの判断を要する問としては，(11)(13)(16)の3問で，これの正答率は52～61%の間にある

③ 文中の人物についての判断に関する問(15)は62%

④ 文の要点をおさえ，論理的な推理力を要する問(17)は38%

である。

以上の結果から，反省させられることは，

① 文の前後関係を論理的にまとめながら読解することになれていない。

② 間接的表現を通して，その真意を読解する技術になれていない。

の二点である。

以上の報告は，それぞれの学年についての読理能力のすべてにわたって分析されたものではない。30年2月にこのテストの結果を検証するために，詩及び対話文によるテストを行い，

① 基礎テストに表われたつまずきが，他の文章によるテストにも同じ傾向をもって表われるかどうか。

② 文章の相異によって，読解指導の力点をどのように変えたらよいか。

等についての見とおしをつけようとしているが，これは現在検討中である。

〔V〕 調査からみた学習指導の反省と改善

これまでに述べた読解の困難点とその原因について分析した結果から，その困難点を除くために，次のような指導上の反省と改善点を見出し指導に努力してきた。

(1) 漢字指導については，国語学習の中における漢字指導の位置，特に読解能力を高めるための漢字指導ということを反省してみた。

その結果，

イ 漢字そのものを文から抽象して取扱わない。つまり，いつも文中にどのように使われているかを重視して，文字としてでなく，漢字まじりのことばとして指導する。

ロ その学年における漢字習得の難易を意識して，いわゆる教科書の新出漢字という形式的な考え方にとらわれず，本校児童の実態に即して，独自の漢字指導の体系を立て，漢字のワークブックを作製して，指導上の効果を判定することにした。

ハ 漢字習得の難易の実態調査（881字調査）から，また負担量の限界があるとの見解から，読み書きともに，その習得を要求するということを避けて，読み書きの要求度に差をつけて指導した。

以上の結果を検討する意味で　28年度と同一の診断テストを29年度に実施した。それを示したものが第8図である。

第8図　漢字の比較

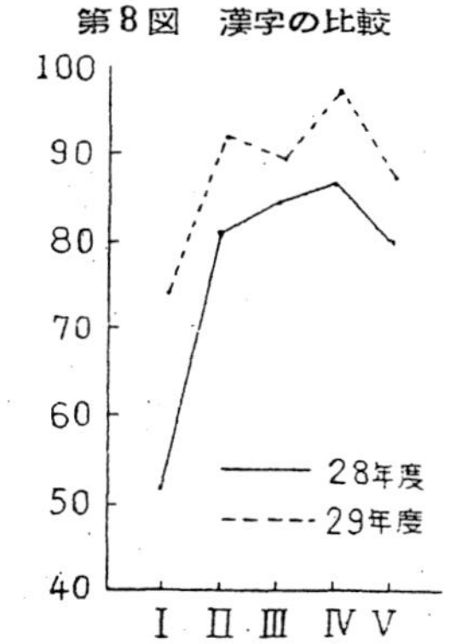

(2) 語句の指導に関しては，28年の診断テスト結果から，次の点を重視した。

イ いいかえ的な指導は行わない。

ロ 指導しようとする語句が，文中に話の中に使えることが，語句の理解であるという立場をとる。

ハ 経験と結ばなくては，理解困難のものについては，経験と結ぶなり，視覚教具によるなりして，どのような事物あるいは事実を指すのか，どんな場合に使われるのか等の指導をした。

ニ 読解に際しては，文から抽象されないように留意し，必ず文中に位置づけることを忘れないようにした。

こうして，語句指導に対する教師の努力が，1か年後の調査結果に，どのように表われているかを示したものが，第9図である。

第9図　語句の比較

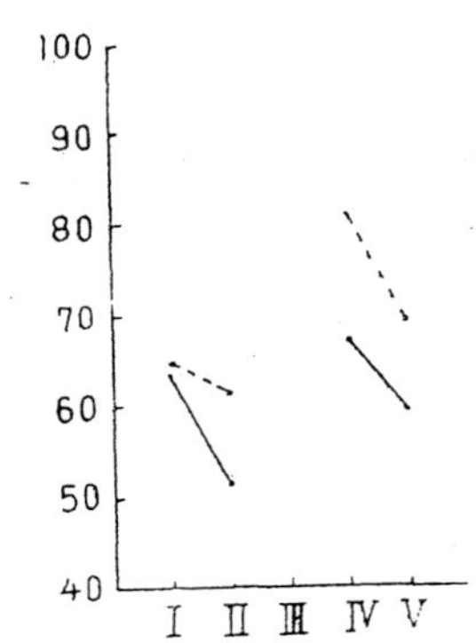

第3学年の診断テストに使用された文中には，難語句は見当らないので，語句に関するテスト問題は省略されている。

(3) 内容の指導に関して

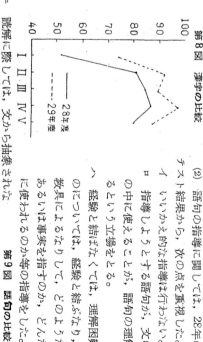

イ いつも，文全体を読みとおして，文

の骨組みを順序だて整頓するように思考の習慣をつける。

ロ　順序だてられた骨組みを見通して，主題の方向づけをする見通しの能力を目がけていく。

ハ　同時に文中に位置づけられた主要語と主要語との間に流れる主題への論理性を読みとる能力をつける。

ニ　教師の発問は，いつもイ～ハの線に沿って行うようにする。

ホ　子ども自身に思考を組立てる時間的な余裕を考える意味においても，教師の発言は，必要以上に出ないようにする。

ヘ　思考の習慣をつけるために，反射的に答えれる問は，極力これを避ける。

第10図　内容の比較

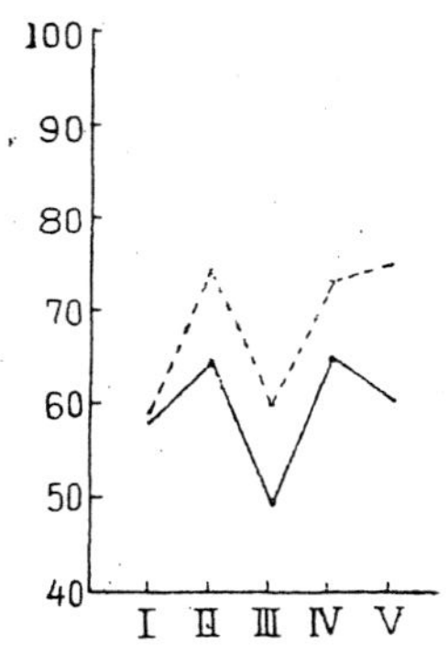

第一年次診断テストの結果から，以上のような線を申合わせて，学習指導に当ってきた。

第二年次（30年2月）の同一の診断テストによって，その1年間の動きをみたのが，第10図である。

もちろん，これら相互に比較される結果は，第1年次と第2年次とにおいて，

1.　児童の能力

2.　教師の指導力

のいずれが原因として，より強く，これらの結果に作用しているかは，更に検討してみなければならない。

社　　　会

社会科の学習過程と結びついた評価のしかた

東京都文京区立窪町小学校

1.　実験の期間　昭和28年4月～昭和30年3月

2.　実験の意図

社会科でいう学力は，単なる形式的ペーパーテストなどでは，じゅうぶん適確にとらええない面がある。またそうした方法では，指導計画や指導法の欠陥を，具体的には解明できない。

学習の発展とともに，児童の思考が社会的にどのように拡大深化されていくか，その跡づけをできるだけ具体的に行うことによって，始めて望ましい指導計画や指導法への手がかりがえられるはずのものである。

しかるに，従来こうした観点からの評価の重要性はかなり認識されていたにかかわらず，その具体的方法については，殆んど見るべき研究成果がなかった。

そこで，社会科の学習過程と結びついた評価のしかたを，具体的単元学習の場において検討実施し，その資料を基礎に社会科の単元学習が一般にどんな問題点を内包しているか反省しようとしたのである。

3.　実験方法の概略

(1)　実験の全体的手順について

28年度は特定の学年だけで実施したものを，29年度は全学年にわたって6学級の実験学級をもうけ，1年「おうちの人たち」(15時間)，2年「お医者さん」(16時間)，3年「町のくらしと交通」(30時間)，4年「私たちの東京」(40時間)，5年「工業の発達」(50時間)，6年「私たちの生活と政治」(60時間)の単元学習時において，この実験を試みた。

まず所要の指導計画の作成，その中での評価の場と方法についての検討を行ったのであるが，その際，実験の成果をより明確にするために，単

元学習の構造をできるだけ簡素化し，かつ学習活動の発展がどんな契機の中から生まれてくるかを，できるだけ具体的に予想しておくことにつとめた。実施は各学年とも２学期に行い，その結果は担任教師が所定の形式に記録し，これに基き関係者全員で整理と解釈を行った。

(2) 評価のしかたを考えるに当っての基本的態度

(a) 学習の発展に即して，児童の理解の深まり方を確かめるという実験の趣旨からいえば，１時間１時間の指導につねに評価のしかたをくふうすべきであるかもしれないが，実験を重点的に行うため，その単元学習のおもな発展段階（分節）ごとに評価を行うことにした。

しかし，この場合，その学習の発展段階として，最も本質的な側面から児童の理解のしかたが確められるような時期と方法を選ぶことにつとめた。

たとえば，５年「工業の発達」の第２分節「わが国の機械生産はいつごろから，どのようにして発達してきたのだろうか」という学習では，第１表にみるように五つの学習活動が展開されることになっている。したがって，ここでは，イギリスの産業革命について児童がどの程度理解したか，四大工業地帯の主要工業都市についてどの程度の知識をもつに至っか，等も評価すべきかもしれない。しかし，この段階の学習のねらいとして最も重要なことは，機械生産の発達ということを各種の社会的条件と結びつけてとらえるようになったか，それとも単なる事実の変遷を知ったにとどまっているか，という点であり，こうした面からみた児童の状態が評価できる方法を考えねばならない。そこで第１表のように，学習活動の３および４が終了した時に，一方は児童が作成した絵図を利用し，他は教師の用意した資料を活用して，問題に対する理解の質的な深さを明らかにするよう評価の方法を考えたのである。

(b) 評価の方法としては，児童の作文、描図，質問紙への記入のほか，発言や行動の観察記録など各種の方法を採用したのであるが，いかなる方法を用いるにしても，教師の評価のために児童に要求される作業が，学習の自然な流れを中断して，児童に自分たちが評価されているという意識をもたせることのないようにつとめた。

(c) 評価のしかたは，いかに着眼点がよくても，児童の反応のしかたが明確で，しかもこれにある程度段階的差異の現われやすいものでなければならない。この点に留意するとともに，その評価法を適用した場合、児童の理解の深浅を判定する一応の基準を，予想としてたてておいた。第１表「工業の発達」の例でいえば，評価すべきことがらの欄にある理解度①，②等が，これである。こうした予想のたちにくい評価のしかたは，方法としても問題があり，また実施後の処理が困難になろうと考えたからである。

4. 実験の結果について

３の(2)に述べたような評価を，六つの単元学習において，約30項目にわたって行い，このような評価を行うにあたって特に留意すべき点を検討し，あわせて自己の指導計画や指導法の診断資料とした。その結果および考察を具体的事例と一般論にわけてあげておく。

(1) 単元「工業の発達」における評価の事例について

第１表にあるように

1. むかしはどのようにしていろいろな製品を作っていたのか調べる。
2. 機械生産が行われるようになったわけについて調べる。
3. わが国の機械生産の発達について調べる。

という活動を行ってきた児童に，グループごとに工業発達の絵図（紙芝居形式）を作らせ，その中からA，B二つの作品（Bの方が画面の選択，説明等において，たとえば工場制手工業，明治後期のせんい工業の発展，戦争の被害などをとりあげていて，より本質的なとらえ方をしていると思われるもの）について，クラス全員の話し合いを通して評価させた。すなわち，この二つの作品のどちらをよいとするか，その理由はなぜかということを追求していくことによって，これまでの学習で，機械生産の発達をどの程度に理解したかの評価ができるからである。その結果は，大多数の児童がB作品の方がすぐれているとしたのであるが，その理由としてあげた点は次のようにかなり差異がみられるのである。（A，B，Cのグループは，知能成績等によって分類したものである）

	Aグループ	Bグループ	Cグループ
Bをよいとする理由	○場面のとりあげ方がよい ○大事なところをよく説明している ○移り変りのところがよく現われている	○順番が正しい ○絵がくわしい ○説明がくわしい	○説明がうまい ○絵が上手 ○わからない
Aにおとされている重要な三つの場面	○工場制手工業の場面 ○明治の終りごろ織物業がとくに盛んになってきた場面 ○戦争の被害の場面	○工場制手工業の場面 ○戦争による被害の場面 ○現在の工業地帯の場面	○工場制手工業の場面 ○専門の仕事をする職人が発生した場面 ○現在の工業地帯の場面

第 1 表

第 5 学年	単元名	工業の発達	時間数	約 50 時間

目標
1. 工業の発達によって，今日の人々の生活はいろいろな便を受けているが，またよく考えなければならない問題も起っている。
   (1) 農業・牧畜その他の産業にくらべて，工業は大いに機械の力を利用して，われわれの生活必需品を作っているが，工業の中にもいろいろ生産のしかたの違いがある。
   (2) 動力の進歩，交通の発達などに伴い，機械生産が工業の中心になり，昔にくらべて物資の入手が容易になった。
   (3) 機械生産のしくみは，工場に働く人々の安全やその他の問題を生じたし，これからの国民生活の向上にとって日本の工業には，いろいろ改善していかなければならないことがある。
2. 日常使用している各種の工業製品や，工場に働く人々の生活に対して関心をもち，進んだ機械や道具，分業のしくみなどの長所を自分たちの生活にも生かすようにつとめる。

学習のめやすとなる問題	具体的目標	学習活動	評価項目 評価の場	評価すべきことがら	評価の方法
I 私たちの周囲ではどのような工業製品がどのようにして作られているだろうか	略	I (10) 1. 導入 日常生活に使われているいろいろな工業製品について話し合う 2. 学校の近くで作られている工業製品について調べる (1) どんな工業製品があるか (2) それらの製品はどんなところで作られているか （・家内生産 ・工場生産） (3) それらの製品は，どのようにして作られているか （・手工業生産 ・機械生産） 3. 学校の近くに行われている手工業生産のようすについて調べる （・使つている道具 ・仕事の進め方 ・製品の出来ばえ） 4 学校の近くの工場を見学して，機械生産のやり方について調べる （・動力や機械 ・分業による流れ作業 ・施設・設備） 5. 手工業生産と機械生産について幻灯をみる 6. 手工業生産と機械生産の特質について話し合い表にまとめる	略	略	略
II わが国の機械生産はいつごろから，どのようにして発達してきたのだろうか	1. 昔は機械生産がなかったので，物を作るにも苦労が多く，いろいろな物を簡単に入手することができなかった。1の(2) 2. イギリスその他の国における新しい動力の発見が工業生産のかたちを大きく変えた。1の(2) 3. しかし，日本は鎖国をしていたので，新しい機械生産をとり入れた工業が発達したのは明治になってからである。1の(2) 4. 現在のわが国では，資源の不足，戦争による工場施設の破壊などに苦しみながらも四大工業地帯を中心にして各種の工業生産が行われている1の(2)	II (18) 1. むかしはどのようにしていろいろな製品を作つていたのか調べる（特に江戸時代の職人による工業を中心として） 2. 機械生産が行われるようになつたわけについて調べる （・機械生産はどこに起つたか ・大量生産の必要に迫られたイギリスの綿工業） 3. わが国における機械生産の発達について調べる (1) 西洋の国々より遅れたわけ (2) どのようにして機械生産のやり方をとり入れていたか （・国の力でとり入れた工業 ・外国から学んだ工業） (3) その後機械生産はどのように発達していつたか 4. わが国で特に工業が盛んになつてきた地方について調べる （・四大工業地帯その他の工業地帯 ・工業発達の自然的社会的条件） 5. わが国の工業について，その将来の問題を考えてみる（原料と動力の問題を中心として）	IIの3が終った後 IIの4が終った後	わ国に機械生産が発達してきた経過についての理解の深さをみる二つの絵図の比較が 理解度｛①工業の推進力となった各種の社会的条件を考慮に入れてできるもの ②単なる生産形式の変化だけに着目しているもの 工業が発達するために必要な自然的条件社会的条件が，どの程度総合的に考えられているか評価する 1. 自然的条件について 理解度｛①地形や気候について具体的に理解 ②漠然とした考慮 ③自然条件を考慮していない 2. 社会的条件について 理解度｛①交通，資源その他の条件を多面的に理解 ②一つの条件だけあげられる ③社会的条件を考慮していない	グループごとにわが国の工業発達絵図を作らせ，その中から二つの作品を選び，その差異優劣について全員で評価させ，その発言をみていく 個人作業によって工業地帯を示す地図を作成させ，その中に工業地帯の発達に関連ある条件がどの程度記入されているか調べる
下 略	下 略	下 略	下 略	下 略	下 略

そこで，クラスの中以下の児童にとっては，なお工業の発達を広く社会的条件と結びつけ理解する点で不徹底な面があり，その後の学習指導で，この点に留意していかねばならないことが明らかになったのである。

もちろん，なぜそのようになったかの反省から，1. 2. 3 の学習活動の改善すべき点，たとえばそこで与えた資料が一部の児童にとってむずかしかった，グループ学習の編成に再検討する余地がある，等の分析もできたのである。

(2) 一般的考察

30項目の評価によって，成功度はさまざまであるが，一般的に次のような結論をうるに至った。

(a) この研究は，あくまで児童の知識，理解の面に限られた評価であるが，このような考え方で評価を実施してみることが，単なる市販のアチーブメント・テストを実施しただけでは明らかにならない社会科指導の問題点が明確になり，単元学習のあり方を究明する出発点になる。

(b) 評価のしかたには，なお方法論的に問題があり，特に教師の発問に対する児童の反応によって理解の程度をはかろうとする場合など，教師の発問技術などによって相当結果が左右される。また評価の場の選定や着眼点がよくても，そのための教師の準備が容易でない場合もある。これらの点については，今後の改善が必要である。

(c) このような評価を成功させる条件としては，学習の発展に即して，各段階ごとの教師のねらいが真に具体的になっており，かつその前後のつながりに対して明確な見透しがついていることである。

(d) したがって，このような評価について研究することが，逆に，単元計画のたて方，学習活動や資料などの厳密な選択等についての教師の関心と技能を高めることになり，学習を通じて社会科に対する児童の興味を高めることになった。

(e) こうした理解に関する評価は，決して社会科の学習を知的な面にかたよらせる意図で行ったものではないが，これと態度や能力についての評価とを，どのように結びついていくかはなお今後の研究課題である。

音　　楽

児童発声の実験的研究

宮城県仙台市立南材木町小学校

1. 実験の期間　昭和27年4月～昭和30年3月

2. 実験の意図

小学校における音楽教育はだいたいにおいて歌唱中心に行われる。歌唱となれば，そこで問題となるのはどのような発声で歌わせるかということになる。

文部省の音楽指導要領には，“軽い頭声”で発声させるようにと各学年の歌唱指導の中で云っている。

それでは果して“軽い頭声”とはどんな発声であろうか？

どのように指導すれば軽い頭声になるか。

この問題に取りくんで実験的研究を行い，それに対する指導のあり方を探究せんとするものである。

3. 実験方法の概略

(1) 実験目標を設定した。

a 学年的，個人的な発声の能力調査

学年によってどれだけの発声の能力差があるか。つまり発声の実態を「学年別」「男女別」「個人別」に把握した。

b 発声の類型研究

児童発声を類型別にオッシログラフ，フォーン測定機等により科学的に調査し頭声の実態を耳と機械によりり認識した。

c 男児発声の研究

男児の発声の特質を女児と比較しながら究明した。

d 児童嗄声ならびに音感異常児について

嗄声および音感異常児の学年別，性別による分布をみてその原因，矯正法などを研究した。

e 事例研究

各発声類型についてケースをとり研究した。

(2) 対象の選定

以上の実験をするために次の対象を選定した。

a 各学年から２箇学級を選び実験学級に指定した。

b 各実験学級ごとに各類型についてケースを選定した。

c 嗄声および音感異常児の調査は，全校児童を対象にした。

(3) 研究方法

a 実験学級の発声類型を指導によってどれほどまでに“軽い頭声”に導くことができるか。また最も効果的な指導法はどのようなものであるかを考え出そうと努めた。

b 事例研究を重視した。

これにはテープレコーダー，フォーン測定，オッシログラフ等の音響学的な方法を重視した。

また児童の身体的，社会的，情緒的，知能的な条件と発声との関係を調査研究した。

4. 実験の結果

(1) 発声類型とその分析

実験学級の児童について発声の状態を調べてみると実に多種多様な発声があることがわかった。

しかしこれを分類してみると次の表のようになった。このような分類のしかたは学者によって，あるいは国によっても種々の説があるが，本校としてはこのように分けたほうがよかったので本校独自のものとして作りあげた。

この分類によるパーセンテージは実験学校第一年度発表要項に詳細述べてあるからそれを参照してほしい。

児童発声の類型

声区＼種別		類型	性質	発声状態
正常発声	頭声区	1. 頭声発声 A B	1. A◦ 全音域が同質に感ぜられ，しかも無理のないやわらかな声 ◦ 共鳴のある明るい弾力のある声 B◦ Aに比べてひびきの少い弱々しいほそい声 ◦ 低音から高音に移る時ある音（ハニ）をさかいとして急に音色，音量がかわる声	◦ 声帯はうすくなって縁の部分だけが振動し声門を閉じる力も弱く空気の波動が頭の方に強く反響する ◦ 胸声から頭声発声へと急に移行し中間に声隙があらわれている
	胸声区	2, 全音域胸声	2, ◦ 力強い豊かな声であるが換声をしないで高音まで胸声で通しているかたい声 ◦ のどのひらかない話し声に近い雑音の多い声 ◦ イロ位の音高になると１オクターブ下げて発声する。比較的高音域のせまい声	◦ 声帯が厚つぼくなって声門を閉じる力も強く声帯の全幅が振動している ◦ 声帯の振動様式は２と同じであるが喉頭腔．下咽頭腔の開き方がたりない共鳴が少い（共鳴腔の形のちがいによる）
異常発声		3,◦ 嗄声	3, ◦ 常に声がとぎれたり，かすれたりして雑音が多くきき苦しい声	◦ ×声帯に病的な異常がある ×声帯がかたくなっていて自由な振動ができない
		4, その他の特異発声（音感異常）	4, ◦ 満足に音程がとれず，旋律どおり歌えないもの	×すきまができていて声にならないまさつ音が含まれている

(2) 頭声の特質

児童発声の望ましいあり方と考えられる“軽い頭声”を生理学的，音響学的，心理学的に追及した。

a 生理学的にみると声帯の疲労度が他の発声の場合にくらべて少い。すなわち頭声発声時の声帯の振動は，辺縁振動であって，声門を通る呼気の圧力が弱いが，胸声発声時には全幅振動であって筋肉の緊張も頭声に比べて多く，また声門を通過する呼気の圧力も強化される。

それで全音域を胸声で発声するよりも頭声で発声するほうが声帯の疲労度が少いと云えるわけである。

b 呼気消費量が，他の発声の場合に比べて少くてすむ。

このことについては，頭声群と胸声群とに分けて，肺活量と発声の持続時間を測定し，呼気量を算出した。

その結果頭声発声の場合は，無理のない呼吸で発声中も呼気を適当の強さに一定し吸気を最大限に利用していることと思われる。

c 頭声発声では高音域の発声が楽にできる。低音域の発声は児童の身体の成長につれて自然に広がっていくが，高音域のひろがりは，頭声発声の要領を会得することによってのみ可能である。一年生の場合についてみても，頭声発声とみなされる児童の大部分はホヘまで発声できるが，胸声の児童の場合は，ニまでである。この傾向は一つの学級だけでなしに各実験学級共通にみとめられた。

このことは胸声による高音域の発声が生理的にも困難であるということを示している。

d 音響学的にみる

生理学的な研究で観察することのできなかった点についてはオシログラフで撮影した波型の分析を行って頭声の特質の解明につとめた。

頭声と胸声の発声の根本的な差異は，結局声帯の振動様式の違いによると考えられたので，オッシログラフで撮影してみた結果，その波型の差が認められた。

なお，頭声とボリュームの測定のためフォーン測定機による結論はまだ出ないが，共鳴状態の良否は大いに関係があることがわかった。

e 心理学的にみると

頭声発声を会得した児童は他の児童に比べて，楽な，たのしい気持で歌っている。これは歌唱に際し声帯の疲労が少く，呼気消費量が他の発声の場合に比べて少く高音域が楽に出るためであろう。

また頭声で歌うことは自然でやわらかく明るく美しい歌唱となるので"軽い頭声" で歌わせるということは今まで述べた実験の結果から正しいことであると結論づけてよいと思われる。

以上述べたことをまとめてみると"軽い頭声"とは次のように考えられる。

○高音が楽に歌える声
○共鳴のある明るい豊かな声
○曲想を十分に表現できる柔軟性のある声
○その音質は全音域を通じて

澄んだ美しさがあり，張りがあり，力強さがあり，輝くような明るさがあり，つやがあり，ひびきがある声。

それではその頭声に導くためにどのような指導法があるか，それについて次に述べることにする。

(3) 頭声に導くための指導法

今まで述べたことは頭声の特質である。この特質を持たせるにはどのように指導したらよいか。

今まで3年間の実験研究によって一応結論づけられた点を低学年，中，高学年，男児の別に述べてみよう。

a 低学年の発声指導

入門期の指導は

○大勢で揃って歌う。
○歌詞をはっきり歌う。
○ブレスまで息を続けて歌う。(歌い出す時，肩を上げないで息を吸う)

○歌声に慣れさせる。
○どならないで歌う習慣を養う。
○母音の正しい口型を指導する。
○歌う時の姿勢に注意し，あごをひき，のどに力を入れないで歌う習慣を養う。
○どんな歌い方がよいのかを発声のよい児童をモデルにして頭声の美しさを自分の耳を通してわからせる。

b 中学年の発声指導

○高音域の発声にいっそう努力する。
○高音の澄んだひびきで低音も歌えるようにする。
○生活指導を通して常に音声をたいせつにする習慣を養う。
○高音域の拡大のためにリズムの比較的単純で高音域で旋律の動いている歌を選んで指導したり，教材を高音域に移調したりする。
○呼吸法を指導し豊かな発声に導く。
○口型や口腔の形に注意させ，ひびきのある声に導く。
○中，低音域にひろがりのある曲により，徐々に低音域の発声に慣れさせる。
○低音域からの上行音階で音をずりあげないように注意させる。
○曲の発想に注意させ，低音域は力まないで歌うような習慣を養う。
○言語生活の指導を行う。

朗読，話声のピッチとボリゥム，環境の整備（噪音の防止）

c 高学年の発声指導

○共鳴のある豊かな明るい発声に導く。
○呼吸法のたいせつなことを知らせる。呼気の支えを持たせる。
○のどを開いて歌うことに習熟させる。
○母音の発声，発音の指導を行い，母音のひびきが均等になるように指導する。

d 男児の発声指導

○男児発声の特色

頭声発声の男，女児の発声をフォーンメーターで測定しその結果を見ると，男児は女児に比してボリゥムが大きいことがわかった。

声域についてみると，女児は男児より低音域がせまく，高音域がいくらか広い程度で，その差はほとんどみられない。

音色についてみると，男児の発声は，ややかたく，充実感があるが，直線的で丸味に乏しい。

女児の発声はやわらかで，丸味があり，ふんわりしているが，芯がなく，弱々しい感じがする。

音響学的にみる。

オシッログラフやフォーンメーターなどで男女児を比較すると，やはり差違が見られる。

それで発声指導の段階や方法は女児と共通な部面が多いが，特に留意しなければならない点は次のようなところであろう。

○日常の話しことばの指導をしなければいけない。つまり常に男子は必要以上に大きな声を出して生活する習慣があるので声帯が無理な動きをしている。このため歌唱の場合も乱暴な発声をしやすい。したがって男児は“歌唱がだめだ”というような観念を持つようになった。

このため日常生活の話しことばから無理のない声の出し方を指導しなければならないと思った。

○歌唱に対する劣等感をとりのぞき興味をもたせることに努力させる。

こうして歌唱に際し喜びを持って歌うようになり，男児の頭声は，女児と違った，力強く張りのある明るいものであることが認識されてきた。

(4) 異常発声

今まで述べたことは正常な発声についてその類型や頭声の指導法についてであるが，異常な発声とみられるものが見受けられる。それは「嗄声」と「音感異常」である。それについての実験の結果をみよう。

a 嗄声（かすれる声）

嗄声の嗄はサまたはシャであり，しわがるまたは声破るの意である。したがって嗄声とは，しわがれ声，かすれ声をいうのである。これには一時的な嗄声と病的なものとがある。

一時的なものとしては長い時間大きな声を出したために起る現象であり病的なものは口腔，のどなどに病気を持ったために嗄声となる児童である。

嗄声には軽度なものから，重症なものまであるが，これを現象面（児童の出した声）から，および医学的な面から分類してみると次のようになる。

○息もれ

これは話声，朗読における音声のひびきは正常であるが，歌声の場合息もれがして音声のひびきが弱く，かつ濁りがある。発声器管に医学的疾患は認められず，したがって発声法に誤りがあるものと考えられる。

○一時的な嗄声

話声，朗読，歌声においておのおの嗄声が認められ，音声は前者よりひびきが弱く，濁りも多く，発声器管または深部気道に軽度な疾患が認められるが，その多くは一時的で，治る可能性のあるものである。

○重症（慣性的）

嗄声度の著しいもので，音声はひびきが非常に弱く，特にひどいものになると，ひびきは全くなく，いわゆるつぶれたまたはこわれた声である。

そのほとんどは，発声器管に医学的疾患をもち発声器管の器質的変化および炎症発赤から，慢性的に嗄声がみとめられる。中には発声器管の異常弛緩から息もれの音だけのものもある。これらは治る可能性においては，全く悲観的なものである。

指導対策

各類型に対して行うことが最も適切であると思われる。

○息もれに対する指導

これはできるだけ発声器管の弛緩状態で発声させる。

呼気の支えを訓練するため，正しい横隔膜呼吸の練習をする。

○軽度な嗄声児に対する指導法

発声時，手の甲を口元にもってきて，手の甲に感ずる息ができるだけ少くなるような状態で発声させる。これは呼気濫費のないようにするためである。またできるだけ小さな声で発声させる。これは発声器管に対する刺激を少くするためである。

声域を考慮して，可能声域内で発声させる。日常生活における発声習慣に特に注意させる。大声で呼ばないことなど。

合唱に参加させる場合，特に声域を考慮したパートにつかせる。この場合音楽的な完成というより，合唱に参加した体験と喜びと，自信を与えるようにする。

重症な嗄声児に対しては医師の診断と治療によらしめる。

b 音感異常児

俗にいう音痴に対することであるが，音痴に対する定義づけはいろいろなされており，定義によっては範囲に相当の幅が出てくるので，本校においては判定の基準を音程感におき「歌唱に際して甚だしく音程が不正確で，普通児童といっしょに歌唱不可能な児童を実験対象とし「音感異常児」と名づけた。

これらの児童の大部分は非常に音域が狭く，低音域では既知の教材を歌唱することもできるが，正規のピッチでは出しにくい。音程感も悪い。

声質は嗄声との共通面が見られる。

これらの原因は何からくるのか。

まず感覚的な欠陥がみられる。

聴力，音感などをテストしてみると，正常発声児に比べ著しく低い。

発声器管にも病的な異常のあるものが多い。

その他家庭環境や遺伝等のことからくるものがあるが，知能との関係は結論づけることが困難であった。

矯正法

医学的原因に対するものとしては，医師の治療によらしめた。

その他発声法の異常の者に対しては，正しい発声法の指導をしながら，徐々に声域の拡張をはかった。これは急激な上達は望み得ないが，教師の根気と熱意によってしだいに正常さに近づいてきている。

嗄声児と同じように低音域のパートをもたせ，合唱のたのしさにひたることもできつつある。もちろん，正常な頭声児の範唱をよく聞かせることも行っている。しかしこれらの効果はすぐ表われるものではないので，異常児に対して音楽の劣等感や，嫌悪感をつけさせないよう，常に配慮している。

(5) 結　論

発声の問題を文章で表現することぐらい困難なことはない。“軽い頭声”も結局は児童や教師がまず「自分の耳」で体得しなければならない。「なまの声」でこれが頭声であると判断できる「耳」を作らなければならない。それと教師自身がまず身をもって「頭声」発声の技術を会得することがたいせつであると思う。

また「軽い頭声」という発声の問題は，広い音楽教育の一分野であって，何も本校では朝から晩まで「発声」ばかり教育しているのではなく，美しい歌唱をさせるための発声実験研究なのである。したがって「発声恐怖症」にかかったこともなく，「マイク向き」の発声に専念しているわけでもない。美しい歌声が日本中に流れることのみを祈念しているわけである。

読譜能力の発達段階とその指導体系

埼玉県大宮市立大宮小学校

1. 実験期間　昭和29年5月～30年3月

2. 実験計画

実験課題の内容を検答してみた結果，1.2 年の短期間に結論を出すには，あまりに広範囲なので，全国知名の方々に現在の指導要領中の読譜に関する問題点について回答を求めた。その結果は調子に対する問題が最も多かった。これに市内の各学校および当校内での意向を考え合わせて，次のような実験計画を立てた。

初年度　調子の指導段階は現行の指導要領のままでよいか
2 年度　調子および旋律型の指導体系
3 年度　旋律型およびリズムの指導体系
4 年度　拍子とリズムの指導体系
5 年度　器楽指導の面よりみた読譜の指導体系

したがって本年度の実験題目は次のとおりである。

『楽譜指導における調子の指導段階』

3. 実験経過の概要

実験の根本的態度として，現行の指導要領や教科書のいかんにとらわれずきわめて自由な立場から読譜指導をし，条件的成長の結果をみる。その結果と現行のシステムとを比較しようとした。

調査方法を簡単にし，結果を明瞭に出すため，一応器楽の面は実験調査の対象には入れず，歌唱指導上の視唱のみに限定した。また，視唱は移動ド唱法をとった。

研究する内容は，

何調から指導し，何調までをどんな方法で視唱させたらよいかを中心に問題とし(一)，

次に低学年においては，その本譜指導への移行とその準備について(二)，

また，調子の指導段階に関連して，調子調号の理解は，小学校ではいつご

ろどの程度に指導したらよいのかについても研究の歩を進めることとした(三)。

(一)については，研究の方針として，一応理解の面は切りはなして考え，児童の感覚面，声域の関係および心理的な面から“何調が規唱しやすいか”の調査から出発した。

(二)については，読譜指導を効果的に進めるには，感覚的な面に重きをおき，リズム感，拍子感，音高感を身につけ，音楽語いを豊かにすることが何よりもたいせつなことであるが，これと平行して視覚面を少しづつ取り入れていって，本譜への移行をスムースに運ばせるようにすることも忘れてはならない。

そこで，わが校で研究した問題は，読譜準備中のごく一部分の，視覚面のあり方にその中心点をおいた。

(三)については，調子や調号を理解しないで読譜をしてはならないのかという観点から，理論的に理解できる時期，学年別の指導方法や内容について研究することとした。

4. 実験結果についての報告

(一) 何調から指導したらよいか。その順序と方法について

(1) 実験調査の報告――何調が視唱しやすいか――

(イ) 方法とねらい。3 年から6年までの各学年2学級を対象として，現在小学校で取り扱っている7つの調子をとり入れた問題について，階名素読，視唱，楽譜書取の3つの面から現在の能力を調査し，調子による難易の差があるかどうかをみることを出発点とした。

(ロ) 調査の結果

a 階名素読では，調子による難易の差はあまりはっきりせず，しいていえばト・ホ・ハのように，線の上に主音のあるものが他に比べて読みやすい。

b 視唱では，素読の場合よりも調子による難易の差がはっきりと出て，成績のよいものからあげるとト・ヘ・ハの順になる。へは素読の場合最下位にあったが，規唱では第2位にあることは注目すべきである。

c 楽譜書取では，前2回の調査でもっとも成績の悪かったイ・ロが最高の成績を示し，学習頻度数のもっとも多いハ調の成績が非常に悪い。成績の悪かったハ・ニ・へは，どれも加線を必要としていることが，大きな抵抗となったようである。

以上のことをまとめて考察すると，児童の実験の上ではどの調子にもはっきりした難易の差はなく，ただ指導の方法，時期等によって相違がでてくる

とみられる。

上記の観点にたって，指導上の問題をとりあげて次の実験を行った。

(2) 実験とその結果の報告

(イ) 実験主題。ある期間一つの調子を固定して指導し次へ進むのと，幾つかの調子を平行させて指導するのと，どちらが能率的に読譜できるようになるか。

(ロ) 実験方法。ハ・ニ・ホ・ヘ・ト5つの調子をとりあげた読譜練習帳を作成し，実験学級用には5つの調子を交互にとりいれ，対象学級用は3年生はハ調のみ4年以上は5つの調子を全部とりいれるが，1つの調子を幾つか指導してから次へ進むようにした。そして1時間の授業のうちに実験・対照両学級が同じ程度に（10分位）この指導をとりいれることにした。

○素読

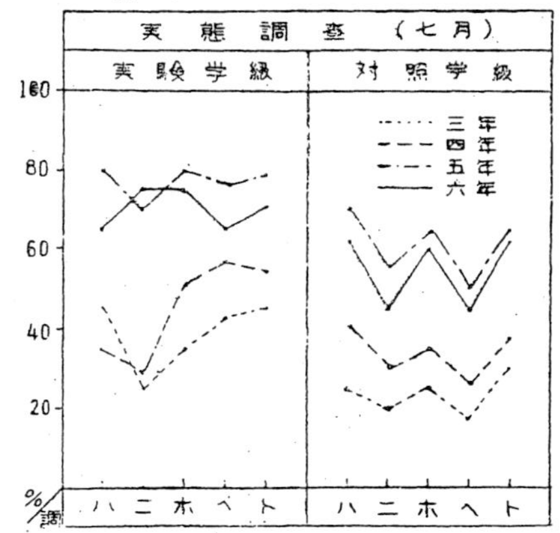

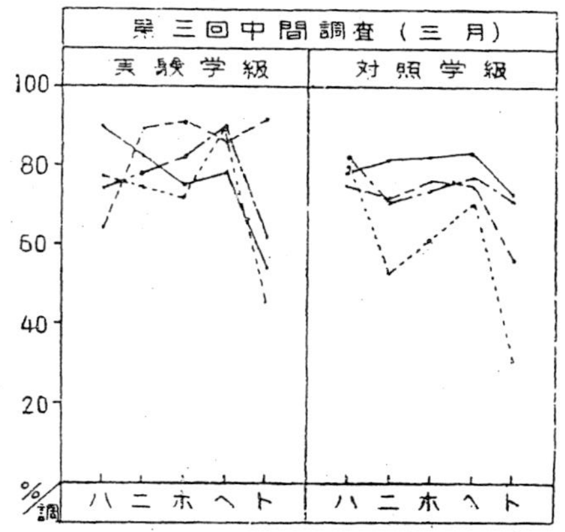

○ 視唱

以上の学習指導の結果どのような進歩がみられたか，3回にわたって中間調査を行った。

(ハ) 調査の方法とねらい。前記5つの調子について，階名素読と規唱の2つの面から能力を調査し，調子による難易の差があるかどうか。また，実験学級と対照学級の進歩の度合に差異が認められるかどうかをみる。

(ニ) 調査の結果

a 階名素読では，3回の調査を通してだいたいホ・ハがよくニが悪いという成績で，実態調査の場合と類似の結果がでている。

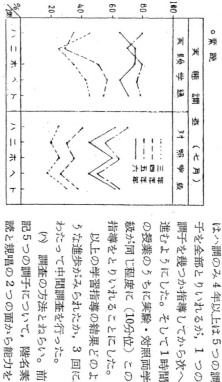

b 視唱では，素読しやすいものが必ずしも視唱しやすいとはきまらず，音域を一定すれば調による差はあまりみら

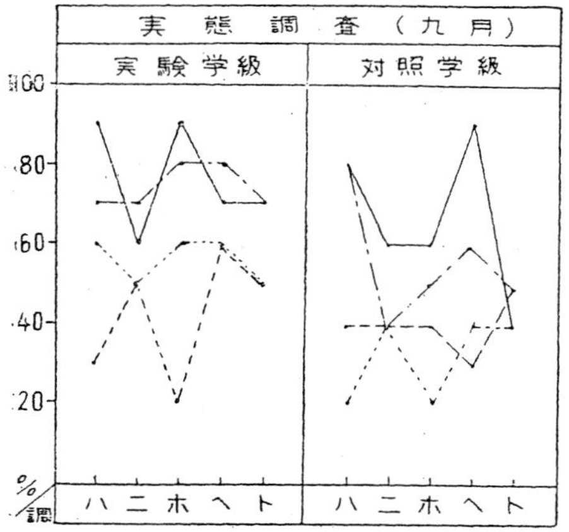

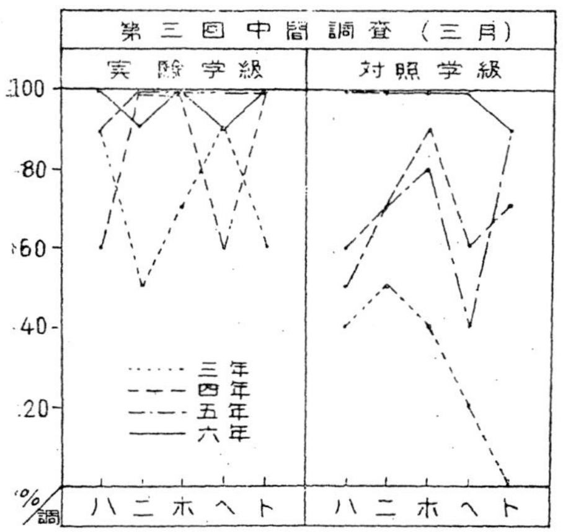

れない。それよりは旋律に含まれる音楽語いが問題となる。

c 実験学級と対照学級の進歩の比較

○素　読

左図で見るように，実験学級のほうが，非常に学年差が少くなっている。

すなわち３４年の進歩が著しいといえる。

○素読視唱

左図で見るように，実験学級のほうが進歩が著しくなお調子による差が少い。

どちらも学年ごとの差を比較してみると，5.6 年ではあまり実験学級と対照学級の差が著しくないが，低学年ほどその差が著しく，実験学級のほうが成績がよい。

(ホ) まとめ

a 結局調による難易の差は，はっきりしないので，何調から指導したらよいかという結論はまだ得られない。

b この実験の結論として，１つの調子に固定しないでいろいろな調子で指導したほうが，読譜力の進歩にはっきり成績のよい結果があらわれた。

c たとえ３年生で，ハ長調のみを指導するにしても，低学年における指導で，どの調子にでも導入できるように準備すべきであろう。

(ニ) 本譜指導への移行とその準備について

(1) 目標　本譜指導への移行を無理なくするためには，その準備も児童の実態に即して，系統的に計画されなければならない。楽譜に対する興味関心の

ない時期において，知的な指導にかたよると感覚面が阻害され，音楽の本質からそれた欠陥を生ずる。そこで五線を与える時期ならびに本譜への導入はどのようにしたらよいかを見出すために次の調査を行った。

(2) 形式的面からの実態調査

(イ) 五線に対する関心度調査（７月，９月）

a 五線および五線上に幾つかの音符のあるものを見せ個人的に調べた。

b １年生は７月においては，五線について知らない者がほとんどであったが，９月の調査では音楽のしるしであると気づいてきた者が８割程度にふえた。

c 教科書を見て歌っていても，教えなければ無関心である。

(ロ) 楽譜に対する関心度調査（７月）

a 音楽の本で見たことのある物を書かせ，教科書に対する関心度を調査した。

b １年生では，知っている歌詞の一部を書いた者が概して多く，各種の楽譜をいろいろな形態で書いた者も多数あった。

c 絵譜や仮名譜を書いた者もあり，指導の結果が表われている。

(ハ) 教科書に対する関心度調査（９月）

a 持色のある３種類の教科書を示し，どれで学習したいかを個人的に調査した。

b １年生では，絵に対する関心が絶体多数で，文字も大きく絵のはっきりしている本を希望している。質問を受けたが，楽譜についてのものが約半数ほどあり，前よりは関心を持っている。

c ２年，３年生では絵がよいのを希望する者が約半数，音符の中にドレミが書きこんであるのを希望する者は約３割程度でている。

d 以上の観点から，感覚面への支障をきたさないようにするには，児童の心理的発達からも考え合わせて，教材の選択やその与え方についても考慮されなければならないと思う。

(ニ) どちらの譜が歌いよいか。（11月，３月）

a 五線上のかな譜(1)，高低かな譜(2)，平なかな譜(3)，五線上の本譜(4)，および (4^1) について調染した。{(4)は♩♪，(4^1) は♩で}

月	学年	(1)	(2)	(3)	(4)	月	(1)	(2)	(4)	(4^1)
十	1	56.0 %	32.5	11.5	—	三	50.0 %	20.0	—	23.0
一	2	75.5 %	21.5	30.0	—		19.3 %	19.3	27.8	33.6
月	3	50 %	22.3	6.7	21	月	7.0 %	2.0	75.0	16.0

b 上記の表から考察すると，1年生では，高低かな譜だけでは，はっきりしないので，五線上にのせて明確にしたい意欲が出てきている。しかしまだ五線上にのせると困る者も約20%ほどいる。

c 一度に五線を与えるよりは，二三線によって前後の音階感と結びつけて，徐々に導入しく方法がよいらしい。

d 2年生では(4)の希望者が30%足らずで，(1)(2)の希望者も40%近くいるので，2年生の本譜への移行はまだ無理であろう。

e 3年生では本譜希望者が21%（11月）～75%（3月）となっているがまだ(1)(2)の希望者もあるので，感覚面の実態も調査し移行の時期等も考慮しなければなるまい。

(2) 感覚的面からの実態調査

(イ) 音階記憶調査（9月，12月）1，2年

a 階名の順序をどの程度記憶しているかを調べ，また音程をつけて歌わせることも行った。

例

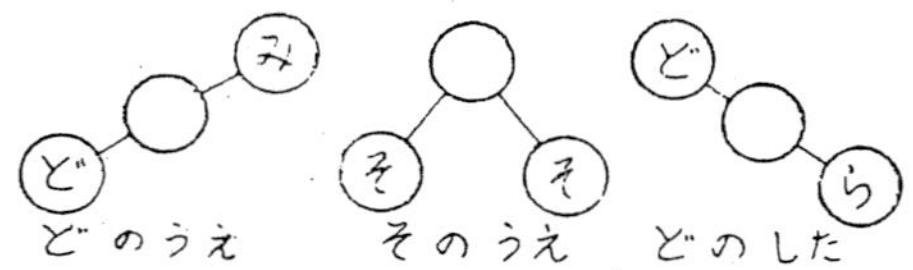

b 記入の正解数は1.2年とも80%以上で大差ないが，1年のほうは86%でややよい。音程は81%でド～ラまではよいが，ラ～ドまでの高音部は比較的に悪い。

(ロ) 五線上の階名素読と音程の調査（2月）

a 問題は5つの調子（ヘ・ニ・ト・ホ）ハで各5問，5～4つの音でなるべく順次進行の形，最初の階名だけを書きこんだ白丸の譜，なお三線上の時は○，五線上の時は♩の形で与えた。

b 三線の場合と比較すると，素読は91%から80%に低下した。この11%の減は，三線が五線に，○が♩に変ったことによる視覚面からの抵抗と思われる。（1年生）音程は79%で線や形に関係なく両者とも差異がなかった。

c 調子による差異はあまりない。

d 絵譜やかな譜等で進めてきた実験学級と，初めから五線を与え主としてハ長調を学習している対照学級と比較すると，実験学級のほうが良好である。

(ハ) 短い曲による素読，音程調査（2月下旬）

a 問題は4小節からなる短い曲で前項と同じ5つの調子，各調共ドから始まりラまでの音域で，最初の音を与えた。

b 前項の調査(ロ)と比較した場合，独力でどの程度歌えるか，どんな抵抗があるかをみる。

c 1，2，3学年とも，ヘ長調が共通的によかったのは，出題の関係と平素ヘ長調の曲を数多く扱っているためであろう。

d 3年対照学級はハ長調に習熟したためか，他の調子も曲の途中からハ長調で読み，間違った者がかなりみられた。ここに問題はないか。

e 歌わせた場合，2年生が最高を示したが，これは読譜が系統的段階を経て進められていることと，発声指導のよい結果と思われる。理想的な視唱へ導くには，発声は重要な条件であり，読譜と発声とは切り離すことのできない相関関係にあると思う。

f ちなみに聴音させて，どの程度聞きとれるかを調査した。問題はだいたい5音からなる旋律10種類。2回の成績比較次のとおり。

条件＼学年	1年	2年	3年
最初の音を歌ってやる	83.9%	61.3%	80.9%
全然暗示を与えない	55.5%	27.0%	45.0%

○以上の結果を考察すると，音楽語いはまだ貧弱であることがわかる。ここにおいても1年が最上を示しているのは，早期から系統的指導を行うことの重要さを物語っているように思われる。

(3) まとめ

(イ) 1年生においては，絵譜や歌詞譜，かな譜等と段階を経て進み，五線上に移す場合，線間の大きさにも注意を要する。なお2年生においては，1年生過程の復習を重ね，白抜き音譜を加えて，それを塗りつぶしつつ音符の形に導入し，3年に至っても，1，2年過程を復習しつつ，本譜への移行をむりなく自然のうちに進めることが望ましい。

(ロ) 現在の低学年の教科書は，ハ長調のみに主力を注いでいるが，ハ長調の曲は加線を必要とし声域も比較的低いので，子供たちにはあまり適当でないように思われる。

読譜の準備としては，ハ長調にのみ固定せず，いずれの調子からも，はいれるような態勢を作ってやるべきではなかろうか。

(ハ) 教科書も児童の心理的，知的発達段階を考慮し編纂されるべきであろう。

(三) 調子調号の理解とその指導段階について

(1) この小題目をあげた理由

(イ) 調子や調号は知らなくとも，読譜力がついてさえいれば，子供たちの音楽生活は豊かになるのではないか。

(ロ) 音階構成について理解させることが必要なのか。またそれはいつごろどのように理解させたらよいのか。

(ハ) 子供たちは調号の位置については，一般に無関心のようであるが，これをどう解決したらよいか。単に機械的は記憶させればよいのか。初めから理解させて調号をつけさせるべきか。またその理解の方法は，どのようにしたら効果的か。

(ニ) 音名についての指導は必要なのか。必要ならば，いつごろどのように指導したらよいのか。

以上のような諸問題があるので，これを明らかにしようとしての小題目をあげた。

(2) 実験目標

(イ) 調子や調号の理解できるのはいつごろか。

(ロ) いつごろどのように理解させたらよいか。

(ハ) 何をどの程度に指導したらよいか。

(3) 実験方法

(イ) まず調号理解の実態を調査した。

○調号のつけ方の正確度

○各調のド，レ，ミの位置を覚えている割合

○音階を理解している程度およびその図解力

○調号理解についての関心度

○音名に対する関心度

(ロ) 実態調査の結果から，今までの指導法を反省し，その対策を立てて指導した。必要なものは実験・対象両学級を別にして，その効果を比較した。（たとえばA組はピアノをひかせることによって調号をわからせるといった感覚面重視の指導，B組はわからせてからひかせるといつた理論的理解を重視した指導）

(ハ) 反省指導してから数か月後に再び調査し，学年別の進止状況および指導法が別の場合にはその効果を比較考察した。

(4) 実験の結果

(イ) 調号のつけ方の正確度（ヘ・ト調）%

時＼学年	4 年	5 年	6 年
第 1 回 (29. 9)	24(33)	59(57)	71(69)
第 2 回 (30. 2)	65(81)	75(83)	70(80)

（　）内は何線へ書くのか知っていた%で，数字の差は技術面の拙劣による。第1回にはピアノで両調の音階をひかせたが，結果はどの学年も90%以上のできであった。上の表より，機械的に記憶し調号を正しくつけることは4 年生で十分可能であると思う。

(ロ) 各調のド，レ，ミの位置（ヘ・ト・ニ・ハ）%

時＼学年	4 A	4 B	5 A	5 B	6 A	6 B
第1回 (29. 9)	53	26	53	70	81	61
第2回 (30. 2)	81	75	88	84	88	86

楽譜素読の基礎力は4年生で十分にできる。

(ハ) 音階理解の程度およびその図解力

第1回調査の場合，音階構成について全然未知だった4年生には，調査日の前週一応図解指導してから実施した。（ヘ・ト長調）%

時＼学年	4 A	4 B	5 A	5 B	6 A	6 B
第1回 (29. 9)	55	65	45	40	66	66
第2回 (ハ調)	18	8	44	34	48	46
第3回 (30. 3)	12	22	66	62	72	70

第1回と第3回の場合は，音列と音階図を示してあり，第2回は音階図を独力で作ったのである。表より4年生では，此の種の指導は無益で，6 年生または5年後期よりの指導が効果的と思われる。（指導法に差なし）

(ニ) 調号理解に対する関心度

児童は調号に対しどの程度に理解し，または理解しようとしているか調査した。

（問題例） ヘ長調ではなぜ第三線へ♭をつけるのですか。

回答は第1回には作文法を取り，第2回にはその結果をまとめて選択法により調査した。結果は下の通りで，理論を求めるようになるのは，6 年生のころと思える。4，5年のころはピアノをひくことや聴音等によって理解させるほうが効果的であると思う。（　）内は第2回

要項　　学年	4年	5年	6年
調号だからの類	20(14)	18(4)	13(2)
ファの音が変だから〃〃	11(21)	30(14)	5(6)
ファの音が高すぎる〃〃	6(16)	14(14)	21(11)
半音さげるため〃〃	6(8)	9(16)	27(8)
音階に合わないから〃〃	5(39)	8(51)	15(72)
わからない	53(2)	21(1)	18(1)

(ホ) 音名に対する関心度

学習した調子の数が少い関係もあろうが，4年生で知っていた人数の割合は10%～30%で，5，6年で50%～70%を示していた。

(5) まとめ

4，5年においては，ピアノをひくことや聴音等によって調号の正しい位置を知らせ，書く練習やその批判によって機械的に覚えさせ，6年または5年の後期から音階図等によって理論的にも理解できるようにすべきではないか。

(四) 本年度調査に基づく結論

低学年の視覚面の取扱は，絵譜や高低をつけたかな譜に重点をおき，自然に五線の必要性へ導入する。これは何調の曲でも行い，けっしてハ長調の導入にのみ力点をおかないほうがよい。本譜導入の時機は，聴音能力，それを図示する能力，階名唱の能力等から，綜合的に決定する。

本譜視唱は，低学年のかな譜視唱に引続き，何調でも平行的に視唱できるようにするのがよいのではなかろうか。実験の結果からもそのほうが読譜力も身につくようである。リズム，拍子，旋律型等歌曲の内容から系統を立てることがよいのではなかろうか。

調号については，児童の心理的発達に従って，高学年になってしだいに感覚的に，理論的にと理解を深めるように取扱うべきではなかろうか。

5. 今後の問題

○小学校において取扱うべき調子の種類

○調子感の問題

○聴音能力や旋律感，リズム感と関連した問題

○具体的な指導法や教具の問題

○器楽と関連した読譜指導の問題

視　聴　覚

放送を利用した学習の評価

お茶の水女子大学文教育学部付属小学校

1. 実験の期間　昭和27年4月～昭和30年3月

2. 実験の意図

学校放送およびテレビ学校放送が，小学校教育にどのように役だつかを，実験的に調査研究するとともに，学校における放送の利用が，児童の学習や生活に，どのような影響を及ぼし，児童の放送を利用する能力や習慣が，どのように進歩するかを考察しようとするものである。本研究は，小学校において広く視聴覚教具を有効に利用するための研究の一環として行つている。

本研究は，放送を利用した学習の評価と，家庭における児童の放送聴取の習慣の実態調査の二面からなされ，その実験結果はすでに，昭和27年度，および昭和28年度のものを2回にわたって報告ずみである。

昭和29年度においては，放送を利用した学習の評価については，主として国語および社会科の面から研究を行い，家庭における放送聴取の習慣の実態調査の方は，引続き同様の調査方法により，第4回目の調査を行った。

以下はその概略の報告である。

3. 放送を利用した国語学習の評価

(1) 方法の概略

(a) 放送文化研究所で行っている学校放送効果調査と協力して，学校放送を聴取している一般公立校と，学校放送を聴取していない一般公立校と，当お茶の水女子大学文教育学部附属小学校との聞きかたにおける差異を研究する。

問題は，ある特定の放送の聴取によって得られた知識の記憶を調査するようなことをさけ，継続的な放送の聴取によって，自然に身につくと思われる理解や技能や態度を調査できるように立案した。すなわち

次の５問である。

（Ⅰ） アナウンスを聞き，その内容を正しく把握する。

（Ⅱ） ニュースを聞き，その内容を，いつ，どこで，だれが，どうした，というように間違いなく理解する。

（Ⅲ） 数人からなる話しあいを聞き，意見がいくつ出たか，司会は誰か，何の相談であるか，どの意見がよいか，を聞き分ける。

（Ⅳ） いくつかのことばを聞き，正しい発音，感じのよいことば，わかりやすいいいかたを判断する。

（Ⅴ） ことづてを聞き，誰から，誰に，いつ，どこで，何の用件かをもらさずに聞きとる。

答の求めかたは，筆答により，（Ⅰ）と（Ⅱ）は文字で記入させ，（Ⅲ）と（Ⅳ）とは，答を三つ書いておき，よいと思う答を一つだけ選んで○をつけさせ，（Ⅴ）はメモに書かせるという方法をとった。

採点は各問とも一題20点とし，合計100点満点として計算した。この調査は，昭和29年12月上旬に公立校８学級，お茶の水の附属小学校６学級について行った。問題はテープレコーダーにあらかじめ録音しておき，これを再生聴取させて，全然そのほかの解説や指示なしに，全部を同一の条件のもとにおいて与えたのである。

(b) お茶の水女子大学文教育学部附属小学校の二年生から六年生までの４学年８学級に，一斉に学校新聞を聴取させ，メモをとらせて，児童の聴取の能力は，どのように進歩するかを調査した。

この調査は，昭和29年２月12日，昭和30年３月15日の２回にわたって，全校一斉の学校新聞聴取時間（９時５分から９時20分まで）を利用して行ったものである。

方法は，平日の通り，各学級担任がそれぞれの学級に行き，放送の始まる直前に，400字詰原稿用紙を児童に一枚ずつ与え，きょうは学校放送を聞いて，この紙にメモをお書きなさいと指示した。

放送は10分間であるが，終了後いつものように５分間の余裕時間を与え，読み直し訂正加筆をさせて，15分後に紙を集めた。

いつもは，担任が板書をしたり，指導を加えるのであるが，この日はいっしょに静かに聴取し，担任にもメモを同様にとってもらった。

昭和28年１月から学校放送を聴取し始めて，ちょうど13ヵ月後の29年２月と，そのまたちょうど13ヵ月後の30年３月とで，どのような聴取の進歩が見られるかを調査しようとするのがこのねらいであった。

(2) **主なる結果**

(a) について

学校放送を聴取している公立校と，非聴取の公立校と，ふだん学校放送を聴取している当校とでは，次の表に示すような差異が見られた。

問題＼学校	公立校		当校		
	聴取校	非聴取校	４年	５年	６年
1. アナウンスの聞きとり (20)	16.7	16.3	16.7	18.8	17.2
2. ニュースの聞きとり (20)	7.6	7.1	15.0	15.1	16.8
3. 話しあいの聞きとり (20)	10.1	10.1	12.7	13.7	14.1
4. ことばの聞きわけ (20)	15.5	14.7	18.3	16.6	16.7
5. ことづてのメモ (20)	8.0	4.9	14.4	14.1	15.4
計 (100)	57.7	53.4	77.1	78.3	80.2

公立校の場合を見ると，3.の話しあいの聞きとりが同点を示しているほかは，いずれも，聴取校の方が聞きかたにすぐれていることがわかった。特にメモのとりかたにおいては，いちじるしい差異が見られる。問題全体を見ると，ニュースの聞きかた，ことづてのメモの二問が特に悪く，点が半分に満たないことがわかる。

これに対して，お茶の水附属小学校の場合は，全体に得点が高い。これは公立校に比し，都会のしかも都心部であること，くじびき選抜を取り入れているとはいえ，比較的知能および言語環境に恵まれた者が多く志望してきていることなどが原因していることもむろんいなめない。

しかし，問題全体の得点順位を見ると，公立校の場合と著しく異っていることがわかる。4.のことばの聞きわけが四年において好成績を示していること，1.のアナウンスの聞きとりが五年において特によいこと，この二つは，いずれもその学年において，この方面の指導がカリキュラムに取りあげられ特に熱心に放送聴取がなされたという，はっきりした原因をもっているのである。また，公立校の場合のような，問題による得点の開きというものが，お茶の水の場合には無く，どれにも平均した得点を示していることも，放送聴取が経験の中に深く浸透している証拠である。ニュースの聞きとりが，公立校の二倍の得点を取っているが，これなどは，あきらかに，当校が，毎日学校放送を計画的に聴取させて，子ども向きニュースに聞きなれさせているためである。

(b) について

この結果は，児童が話の内容をどの程度に正しく理解するかという内容面と，児童がメモを書くとき，そこにどのような文体が使われ，どのような文字が書かれるかという表現面の二つが明らかになった。

内容面についてみると，学校放送程度の，やさしい共通語のニュースの大要が理解されるようになるのは，昭和29年度調査では五年生からであるが，昭和30年の調査では，四年生の正答率が著しく高まっていて，1年間の継続利用の効果があらわれてきている。

表現面においても，メモの記述の進歩が，同一学級について，その適確さ文字の早さ（それに伴うきれいさ）等の面で明らかになってきた。

なお，語い聴取に見る聞きそこないの数も，放送の聞きなれによって減少することがわかり，放送利用が，特に聞きかたの学習効果を高めることが立証されている。

4. 放送を利用した社会科学習の評価

（学校放送「日本のむかし」の評価）

(1) 方法の概略

(a) 「日本のむかし」が，社会科，とくに六年の社会科の歴史的学習にどのように役だつかを本校の研究題目として取りあげたのは昭和29年度からである。約1年間にわたって，六年の1学級（男子26名，女子17名）に「日本のむかし」を継続聴取させ，

（Ⅰ） 歴史的な関心や興味が，どのようにたかまり広がったか。

（Ⅱ） 歴史的なものの見方，考え方がどのように深まったか。

（Ⅲ） 歴史的な理解や知識がどのようにとらえられているか。

（Ⅳ） 放送内容をどのように解釈しているか。

について研究することにした。

実験対象になる児童は，わずか43名なので，実験結果についての信頼度は，種々問題になるであろうが，このような実験方法や，それによって導かれる結論的なものは，「日本のむかし」を聴取している学校に，何らかの問題を提供するであろうと考えて着手することにした。

(b) （Ⅰ）の児童の歴史的な関心や興味については，

「あなたが，近頃，先生にお聞きしたいと思っていることや，しらべたいと思っていること，また，聞きたいお話など，5つ書いてください。」

と，いった問題で，自由に児童の考えていることを書かせ，その中で

イ，全体の質問数に対して，歴史的なものが，どれくらいの割合を占めているか。

ロ，どのような傾向の質問が多いか。

を見ることにした。

この種の調査は，昭和28年度においても二年生以上に試みているので前年度の六年のそれと比較したり，現在の六年の五年のときのものと比較したりして，変化の状態を推測することにした。

（Ⅱ）は，これを

イ．物語的なものを聞いたとき。

ロ．寺院等の見学のとき。

と分け，

イ．については，

「つぎのお話しを読んで，もっとくわしく知りたいと思ったことや，ふしぎだと思ったことを，たくさん書いてください。

となりの国のとのさまが，たくさんの兵隊をつれて，急にせめてきました。こちらの国のとのさまは，山の上の城にたてこもりました。

となりの国の兵隊は，山をとりまきました。

こちらの国のとのさまは，てきの兵隊が，城のま下までくるのをまっていました。

てきの兵隊が，城のま下までくると，けらいたちに一度に大きな石や木を，なげおろさせました。

となりの国のとのさまは，さんざんにまけました。」

と，いった問題で，児童がどのような点について疑問を持つか。またもっと正確に知ろうとするかを見ることにした。

——（この調査も前年度のものと比較研究をする。）——

ロ．については，

「先生といっしょにお寺を見学に行きます。あなたは，そこで，どんなことを先生に聞きたいと思いますか。——護国寺のような寺を考えて書いてください。——」

と，いった問題で，児童がどんなことをたずねようとするかによって，その歴史的な見方，考え方の程度を推測しようとした。——（この調査も前年度のものと比較研究をする。）——

（Ⅲ）については，

学期毎に1～2回テスト風な調査によって，その状態を見てきたが，とくに，昭和29年11月，つぎのような問題を出して，評価の資料を得ることにした。

社会科テスト　（六年）

①つぎのことに関係の深い人や，それをした人を，下から選んで記入しなさい。

(1)外国の人

・江戸時代に日本へきて蘭学の進歩につくした
（　　　　　　　　）
・日本にはじめてキリスト教を伝えた
（　　　　　　　　）
・日本の鎖国の政策をやめさせた軍人
（　　　　　　　　）
・日本をジパングといってはじめて西洋人に知らせた
（　　　　　　　　）

コロンブス
マルコポーロ
ザビエル
ペリー
クラーク
ヘボン
シーボルト
ハリス

(2) 日本の人

・鎖国の方針をきめた将軍（　　　　　　　　）
・長い間乱れていた日本を統一した（　　　　　　　　）
・足がるの子から日本最初の内閣総理大臣になった
（　　　　　　　　）
・米作に力をいれ米将軍とよばれるほどになった
（　　　　　　　　）

徳川家康
徳川家光
徳川吉宗
織田信長
豊臣秀吉
伊藤博文
高杉晋作
西郷隆盛

②つぎの頃は何時代にあたりますか，下から選んで記入しなさい。

(1)

・70年前　（　　　　　　　　）
・250年前　（　　　　　　　　）
・700年前　（　　　　　　　　）
・300年前　（　　　　　　　　）
・1200年前　（　　　　　　　　）

(2)

・士・農・工・商と人々の身分がきまっていた時代
（　　　　　　　　）
・百年近くも乱れていた時代が統一されていった時代
（　　　　　　　　）
・身分の上下などは問題にならず，力の強い者が勢をふるい，領地を広げていった時代
（　　　　　　　　）
・身分によって人々がしばられるということがなく，みんな平等にふるまうことができるようになった時代
（　　　　　　　　）

原始時代
国のはじめの頃
大和時代
奈良時代
平安時代
鎌倉時代
室町時代
戦国時代
安土桃山時代
江戸時代
明治時代

③つぎのことと関係の深い場所を下から選んで記入しなさい。

・ポルトガル人がはじめて鉄砲を伝えた所
（　　　　　　　　）
・徳川氏が豊臣氏にかわって政治の権力をにぎるようになる天下わけ目の戦争のあった所
（　　　　　　　　）
・キリスト教を信ずる農民たちが天草四郎を中心として団結し，幕府の軍勢と戦った所
（　　　　　　　　）
・江戸時代に中国とオランダの商船だけがくることを許された所　（　　　　　　　　）
・織田信長がはじめて天守閣のある城をきずいた所
（　　　　　　　　）

堺
関ケ原
大阪
安土
種ケ島
江戸
島原
鳥羽
長崎
名古屋

④つぎの上のことと，下のことで関係の深いものを線で結びなさい。

・さんきん交代	キリスト教
・日本人町	大名行列
・自由都市	刀狩・検地
・士・農・工・商	堺
・鎖国	御朱印船
・蘭学	山城の国
・農民の自治（武士団の国外払い）	徳川家康
・東照宮	長崎

⑤つぎの原因を書きなさい。

(1)鎖国

(2)百姓一揆

(IV) については，

放送の聴取後，児童に，当該放送について，
・わかったこと。
・よく聞きとれなかったこと。
・問題にしたいこと。

等について，話しあわせたり，また，別に感想文を書かせたりして，その傾向や放送内容の理解の程度を推測して当ることにしているが，とくに，昭和30年1月「直吉の故郷」（日本のむかし―26，産業の発達―3）の聴取後に書かせた感想文を取りあげることにした。

(2) **主なる結果**

(Ⅰ) 歴史的な関心や興味について

イ　全質問数に対する歴史的な質問数の割合の変化

年度	学年	性別	%	計(%)
28	五	男	25	32
		女	42	
	六	男	53	50
		女	47	
29	五	男	36	38
		女	40	
	六	男	54	54
		女	53	

1.　前年度の六年に比較して今年度は，男女ともに高くなっている。

2.　前年度低かった五年の男子が，今年度（六年になって）いちじるしく高くなっている。

※今年度の五年が，前年度の五年に比較して相当高いので（五年は「日本のむかし」を継続聴取していない。）放送にのみよる変化とは推測しがたいものがある。しかし女子のみについてみると，この場合一応放送の影響が推定されるのではなかろうか。

ロ　質問傾向の変化

1.　前年度は，偉人伝に関するものが一番多く，ついで，歴史，戦争となっていたが，今年度は，戦争に関するものが一番多く，ついで偉人伝，戦争の順になっている。これは前年度の六年は「日本の歴史にあらわれた人々」を聴取していたが，それが影響しているものと思われる。

2.　前年度は，奈良，平安時代につながるものが少なくなかったが，今年度は，それが減少し，封建時代につながるものが多くなり，具体的な生活や，農民について関心をよせるものが目立ってきた。

(Ⅱ) 歴史的な見方考え方については

1.　「いつ」「どこで」「だれが」「なぜに」「どうなった」「それはほんとか」といった質問が多くなってきているのが目立つ。

2.　今年度は前年度に見られなかった，「農作物の被害は」「死んだ人の数は」等といった質問の出てきたのは注目されてよい。

(Ⅲ) の理解や知識については，

	一問		二問		三問	四問	五問
	(1)	(2)	(1)	(2)			
正答率%	90	73	71	74			
	82		72		88	62	約80

のような正答率を得ることができた。

※問題の中で最も正答率の低かったのは四問の中の「東照宮」でわずかに43%であったが，これは放送には出なかったものである。しかし児童にはよく知られているものであろうと思って出してみた。これによって放送の影響がどんなに強いものであるか知らされた。

(Ⅳ) の放送内容の解釈について

1.　ほとんど（約88%）の児童は農民の生活の苦しかったこと，その原因は富国強兵，近代産業の発展のための重い税金にあったことを理解している。

2.　約28%の児童は，放送内容を今日の問題に結びつけて考えている。

以上によって，学校放送「日本のむかし」は，社会科における歴史的学習に相当役立っていることが推測される。これは「日本のむかし」を聴取していない学校の児童と比較することによって導くべき結論であるかもしれないが，今年はそこまで手を伸ばすことができなかったので，以上の推論にとどめる。

（詳細なる資料は，本校の放送教育(三)に掲載の予定）

4.　家庭におけるラジオ聴取習慣の実態調査

(一)　保護者に依頼した調査用紙の一部（詳細は昭和27年度，文部省実験学校研究報告参照）

(1)　お宅でラジオを聞く人を，よくきく順に書きいれて下さい。

(2)　児童の聞く態度は，次のどれですか，あてはまるものに○をつけて下さい。

聞かない。番組をえらんできく。……（項目は第二表の項目と同じ）

(3)　今までにラジオを聞いて，よい影響をうけたとおもうことに○をつけて下さい。

新聞を読もうとする。本を読もうとする。……（項目は第三表の項目と同じ）

(4) 今までにラジオを聞いて，悪い影響をうけたと思うことに○をつけて下さい。悪い言葉を使う。子供らしくない歌をうたう。……（項目は第四表の項目と同じ）

(二) 調査実施の経過

第一回　昭和27年11月（聴取指導実施以前）

第二回　昭和28年３月（実施半年後）

第三回　昭和29年３月（実施１年半後）

第四回　昭和30年３月（実施２年半後）

(三) 調査結果の処理方法

(1) 児童が家庭でラジオをきく順位

学年別，男女別に（きく順位）÷（家族数）の商の平均を求める。

(2) きく態度，よい影響，悪い影響については，各項目ごとに，学年別男女別に集計し，100人に対しての数値を求める。

(四) 調査結果

(1) 児童が家庭でラジオをきく順位

第一表

		27年度入学児童	26年度入学児童	25年度入学児童	24年度入学児童
男	第1回 27年11月	0.838	0.726	0.821	0.723
	第2回 28年3月	0.820	0.666	0.763	0.663
	第3回 29年3月	0.708	0.624	0.618	0.637
	第4回 30年3月	0.702	0.574	0.681	0.593
女	第1回 27年11月	0.798	0.765	0.829	0.841
	第2回 28年3月	0.822	0.806	0.647	0.704
	第3回 29年3月	0.675	0.665	0.687	0.710
	第4回 30年3月	0.639	0.622	0.764	0.670

きく順位は各学年とも大体において指導経過につれて向上している。27年度入学児童の第４回と25年度入学児童の第１回は同一学年(三年)の比較であるが，そこでも聴取指導の有無による差異が認められる。

(2) きく態度については第二表に示す通りで，選択聴取の態度が向上しているのが目立っている。

(3) ラジオをきいてよい影響をうけた事は第三表，(4)ラジオをきいて悪い影響をうけた事は第四表に示した通りである。

第二表　児童が家庭でラジオをきく態度（人員100に対する回答数）

	第1回 27年11月 第2回 28年3月 第3回 29月3月 第4回 30年3月	聞かない	番組をえらんできく	しゃべりながらきく	仕事をしながらきく	何もしないで一心にきく	メモをとりながらきく	他人のかけるのをきく	ねころんできく	ぼんやりときく	しゃべりながらきく	たべながらきく	読みながらきく	きいた事について質問する	きいた事を話題にする	ききっぱなしである
昭和二七年度入学男児	第1回	10	50	0	15	45	0	15	0	15	10	5	0	45	45	5
	第2回	5	65	5	0	70	0	20	5	0	5	20	0	55	50	10
	第3回	0	72	0	6	78	17	28	0	6	6	6	0	56	61	6
	第4回	0	84	0	5	74	5	5	5	5	5	11	0	63	53	6
同年度入学女児	第1回	4	58	15	4	54	0	35	8	8	8	27	4	69	42	15
	第2回	4	68	16	12	52	4	24	4	4	8	16	4	64	60	12
	第3回	0	71	8	4	68	15	19	4	8	4	8	0	61	57	0
	第4回	0	85	19	15	65	23	31	12	8	7	39	19	31	46	19
〃二六年度入学男児	第1回	6	71	6	0	64	6	18	18	6	6	24	12	64	59	6
	第2回	5	71	0	10	60	10	5	10	5	0	10	10	60	60	5
	第3回	5	90	50	15	40	15	20	10	0	0	25	10	45	75	5
	第4回	6	89	6	17	55	0	17	6	0	0	28	22	61	44	6
同年度入学女児	第1回	0	63	6	0	56	0	6	0	0	6	6	0	44	50	13
	第2回	0	64	27	0	64	0	18	0	0	9	18	0	55	64	0
	第3回	0	89	0	11	67	6	11	6	0	0	28	6	50	50	17
	第4回	7	90	7	27	13	0	7	7	13	0	13	27	33	53	13
〃二五年度入学男児	第1回	0	50	9	9	59	0	9	5	5	5	9	0	50	59	5
	第2回	5	71	29	10	38	14	24	0	5	19	24	14	62	67	5
	第3回	0	87	23	27	37	11	15	8	11	15	42	15	57	53	8
	第4回	0	86	27	18	23	5	9	5	0	5	14	27	50	77	0
同年度入学女児	第1回	0	79	14	7	64	7	36	14	14	0	29	0	64	50	14
	第2回	6	72	6	17	78	0	28	6	0	6	28	6	39	78	6
	第3回	0	90	10	30	40	15	20	5	0	0	30	5	30	55	0
	第4回	0	75	38	25	50	13	25	13	13	0	38	13	50	75	13
〃二四年度入学男児	第1回	0	72	27	9	45	0	36	36	0	27	55	9	45	55	18
	第2回	5	73	5	14	55	5	28	14	5	5	23	5	64	73	5
	第3回	0	95	20	25	50	5	25	0	0	10	40	20	55	50	5
	第4回	6	81	31	38	44	19	13	13	6	5	38	25	38	44	19
同年度入学女児	第1回	0	79	14	7	64	7	36	14	14	0	29	0	64	50	14
	第2回	6	78	6	17	78	0	28	6	0	6	28	6	39	78	6
	第3回	0	90	31	30	40	15	20	5	0	0	30	5	30	55	0
	第4回	0	75	80	25	50	13	25	13	13	0	38	13	57	75	13

第三表　ラジオをきいてよい影響をうけたとおもう事項

（人員100に対する回答数）

	第1回 27年11月 第2回 28年3月 第3回 29年3月 第4回 30年3月	新聞を読もうとする	本を読もうとする	発音がよくなった	言葉使いがていねいになった	ラジオできいた事を話し合うようになった	日本世界各地の事に興味をもつようになった	社会生活に問題をもつようになった	問題解決のいとぐちをもつようになった	常識がました
昭和二七年度入学男児	第1回	0	15	5	5	60	15	0	5	40
	第2回	0	10	5	0	65	55	0	0	30
	第3回	22	11	0	0	61	50	6	0	39
	第4回	21	11	0	0	74	47	16	5	42
同年度入学女児	第1回	0	12	0	0	50	19	15	0	27
	第2回	8	20	4	8	56	32	8	4	32
	第3回	23	15	11	4	61	31	23	0	46
	第4回	8	15	4	0	58	23	31	0	43
二六年度入学男児	第1回	24	18	0	6	59	59	18	6	47
	第2回	15	20	0	0	70	55	35	0	50
	第3回	15	10	0	0	50	65	25	0	65
	第4回	39	39	0	0	56	39	22	11	61
同年度入学女児	第1回	6	0	0	0	38	44	13	0	50
	第2回	9	0	0	0	55	36	27	0	18
	第3回	28	6	6	0	45	28	17	6	28
	第4回	27	7	7	0	47	20	13	0	27
二五年度入学男児	第1回	14	27	5	0	59	46	32	0	23
	第2回	38	24	0	0	71	52	38	5	48
	第3回	41	23	4	4	72	64	34	0	38
	第4回	45	14	0	0	59	73	41	0	59
同年度入学女児	第1回	14	14	0	7	64	36	29	0	29
	第2回	17	22	6	0	67	50	28	0	39
	第3回	40	25	5	0	75	60	40	0	55
	第4回	50	38	0	25	63	38	50	0	63
二四年度入学男児	第1回	45	18	0	0	36	73	36	9	55
	第2回	27	18	9	0	55	93	23	9	41
	第3回	40	40	0	0	35	65	35	5	55
	第4回	44	31	6	0	56	69	19	0	75
同年度入学女児	第1回	21	14	0	0	36	21	7	0	50
	第2回	38	31	0	0	44	38	31	6	19
	第3回	33	40	7	0	72	41	41	7	72
	第4回	18	9	0	0	55	45	36	9	36

		歌が好きになった	歌の上手下手をきき分けるようになった	自分で楽器を使うようになった	一つの仕事に集中するようになった	遊びにいかなくなった	人に迷惑をかけないできくようになった	暇な時間を有効に使うようになった	工夫するようになつた	批判的になった	反省的になった	ゲームをおぼえた	早起きになった
昭和二七年度入学男児	第1回	30	40	10	0	0	0	10	0	10	0	5	0
	第2回	25	30	0	10	5	15	0	0	5	0	5	0
	第3回	6	17	6	0	0	28	17	0	11	0	11	0
	第4回	0	16	0	5	5	11	5	0	0	0	5	5
同年度入学女児	第1回	42	50	4	4	0	12	0	4	4	0	23	12
	第2回	36	48	8	4	4	4	8	0	8	0	12	8
	第3回	27	53	11	0	8	19	8	0	11	4	8	8
	第4回	39	50	4	4	12	15	15	4	8	8	23	4
二六年度入学男児	第1回	24	47	12	6	18	18	12	6	24	6	18	6
	第2回	15	35	10	0	5	15	5	5	15	15	5	0
	第3回	15	25	10	0	10	5	5	0	5	0	5	0
	第4回	11	22	6	11	6	17	6	0	6	0	6	6
同年度入学女児	第1回	31	31	6	0	0	6	6	0	6	0	13	0
	第2回	45	27	9	0	0	9	0	0	9	0	18	0
	第3回	28	45	0	0	17	6	0	0	6	6	11	0
	第4回	27	53	0	0	7	0	0	0	13	0	7	0
二五年度入学男児	第1回	9	14	0	0	14	0	0	14	14	0	0	14
	第2回	14	14	5	0	10	10	0	5	10	5	5	10
	第3回	27	31	8	0	11	11	11	4	15	0	15	11
	第4回	9	18	5	5	5	14	9	5	18	5	0	9
同年度入学女児	第1回	64	64	7	14	7	14	7	0	14	0	21	7
	第2回	56	44	11	0	6	17	0	0	28	0	11	11
	第3回	40	65	5	0	5	15	15	0	15	0	10	5
	第4回	38	50	25	0	13	0	0	0	25	0	13	0
二四年度入学男児	第1回	9	36	9	0	18	0	9	9	9	0	9	0
	第2回	9	14	5	5	5	9	14	9	9	0	9	9
	第3回	5	35	15	10	25	10	10	5	5	5	10	0
	第4回	6	13	6	0	13	13	6	0	13	0	6	0
同年度入学女児	第1回	21	43	21	0	0	7	7	0	29	0	0	7
	第2回	19	56	0	0	0	0	19	0	19	6	0	0
	第3回	33	41	0	7	0	7	7	7	27	7	0	0
	第4回	45	73	9	0	0	0	0	0	45	0	0	0

第四表　ラジオをきいて悪い影響をうけたとおもう事項

		悪い言葉を使う	子供らしくない歌をうたう	なまいきになった	勉強や仕事をしない	とばく性をもつ	物を買ってもらいたがる	落着きがなくなった	ねぼうになった	夜ふかしの習慣がついた
昭和二七年度入学男児	第1回	5	15	5	5	0	0	0	5	15
	第2回	10	20	5	5	0	0	0	0	10
	第3回	22	6	0	0	0	0	0	6	22
	第4回	16	21	0	5	0	0	0	6	11
同年度入学女児	第1回	8	39	0	4	0	0	4	0	0
	第2回	20	24	0	4	0	0	0	0	0
	第3回	31	34	4	8	0	0	0	0	0
	第4回	19	31	8	12	4	4	0	0	8
二六年度入学男児	第1回	18	35	0	12	0	0	0	6	12
	第2回	40	20	5	10	0	0	0	5	35
	第3回	20	10	5	10	0	5	0	0	15
	第4回	22	21	11	17	0	0	0	0	22
同年度入学女児	第1回	6	13	0	13	0	0	0	0	6
	第2回	9	9	0	0	0	0	0	0	18
	第3回	39	17	0	11	0	0	0	0	22
	第4回	2	33	13	27	0	7	7	0	27

（人員100に対する回答数）

		悪い言葉をつかう	子供らしくない歌をうたう	生いきになった	勉強や仕事をしない	とばく性をもつ	物を買ってもらいたがる	落着きがなくなった	ねぼうになった	夜ふかしの習慣がついた
昭和二五年度入学男児	第1回	9	18	9	5	0	0	0	0	5
	第2回	29	19	10	0	0	0	0	0	5
	第3回	38	19	8	4	0	0	0	4	15
	第4回	18	41	18	5	0	0	0	0	0
同年度入学女児	第1回	7	43	0	0	0	0	0	0	14
	第2回	17	28	11	0	0	0	0	0	17
	第3回	30	25	0	0	5	0	5	0	25
	第4回	13	50	13	0	0	0	0	13	50
二四年度入学男児	第1回	27	55	9	18	0	9	0	0	9
	第2回	46	18	9	9	0	0	0	0	18
	第3回	35	25	10	5	0	0	0	10	20
	第4回	0	25	6	6	0	0	0	6	25
同年度入学女児	第1回	14	29	7	21	0	1	0	0	0
	第2回	13	6	6	13	0	0	0	0	13
	第3回	0	20	0	7	0	0	0	0	7
	第4回	27	36	9	27	0	9	0	0	27

（紙面の都合で説明を省略する。）

視覚教材を利用した学習の評価

東京都千代田区立千桜小学校

1. 実験の期間　昭和29年4月～30年3月

2. 実験の意図

本校においては，つとに終戦後のあらゆるものが荒廃した世相の中で，まず楽しい学校，美しい学校，落ち着いた環境としての教育学習の場を整備すべく，校内の掲示・展示の問題を取り上げ，一方，本校周辺が商業地区で，児童の遊び場，遊園地，公園等もない地域であり，しかも都内中心地として

交通も激頻の地域であることから，校外における生活指導の一助とするためまた，映画教育の重要性にもかんがみて，本校の映画施設の利用を図って来た。

ところが，本年度，上記課題による文部省実験学校としての指定を受けたので，われわれは今までの歩みの上に立ち，今後いかにあるべきかと考えた上で，次に掲げる二主題を選定して研究に当ったのである。

掲示・展示については，学級における学習環境整備のため，学習指導のためのそれは，その巧拙はさておきて，いずれの学級においても行われているが学校全般に，しかも教育上有効な施設として実施されている例はあまり多くないと思う。しかし，児童たちが僕らの学校，私たちの学校として愛し親しむ場所――毎日出入する玄関広場，登降する階段のおどり場，何度となく通る廊下の隅など――に掲示・展示される掲示物・展示物は，毎日の児童の生活の上に軽視しえぬ教育的効果を及ぼすものと考えられるので，まず校内における掲示・展示はどのようにするのが最も教育上効果的であるかの問題をとりあげ，これを一つの研究題目とした。

次に視覚教材としての映画については，児童と映画との結びつきは果してどんな姿であろうか。児童たちの映画の見方，受取り方，感じ方の本態はどうかを知ることは，学級において映画を利用する場合にも学校映画会を行う場合にも，その指導法や映画選択を考える上に重要なことではなかろうか。よって，映画についての児童の実態をはあくすることが，まず映画教育の基本であると考え，これも一つの研究題目とした。

3. 校内における掲示・展示の方法とその評価

目 的

誰にでも，どこの学校でも手軽に簡単に取り入れられ，しかも児童たちの学習意慾を呼び起し，学習に興味を持たせ，さらに学習の資料を与えて，短時間のうちに多くの学習効果をあげることのできるような掲示・展示の方法を見出そうとする。

方法の概略

Ⅰ 研究対象となる本校の主な掲示・展示場所

(1) 教室内の掲示・展示

(2) 玄関の掲示

イ，図画 ロ，壁新聞 ハ，黒板掲示 ニ，週番の目標 ホ，児童会決定事項 ヘ，子供新聞

(3) 二階廊下の掲示・展示

イ，西側廊下陳列戸棚 ロ，東側廊下音楽室前掲示板（国語算数に関する掲示，クラブ活動） ハ，資料室（視聴覚教材以外のもの）

(4) 三階廊下の掲示・展示

イ，東側廊下（図画・習字に関する掲示，クラブ活動） ロ，西側廊下（社会理科に関する掲示，クラブ活動） ハ，資料室（視聴覚教育に関するもの） ニ，図書室

(5) 各教室前における掲示ならびに廊下に陳列された額

(6) 庭，屋上の植物についての説明標

Ⅱ 研究順序

A 家庭における実態調査

B 学校における実態調査

C 色彩に関する調査

D 掲示展示についての評価

E 今後に残された諸問題と発展の方向

以上の項目順に調査研究をした。

〔A〕 家庭における実態調査

掲示・展示の方法・評価ともに，子どもの現実ありのままの姿をとらえた実態調査の裏づけがあってこそ，はじめて妥当性と信頼性に富むものが生れてくるものと思う。そこで，まず全校児童を対象として家庭と学校における実態調査を行った。

1. 調査項目

a 見学等について

(1) 展覧会を見に行ったことがありますか。（美術館42%　デパートその他81%）

(2) 博物館に行ったことがありますか。（上野国立博物館18%　上野科学博物館20%　万世橋鉄道博物館85%　その他見学した博物館４%）

(3) 図書館に行ったことがありますか。（あります25%　ありません75%）

(4) 日曜祭日等を利用して，家の人と，どこかを見学することがありますか。（あります76%）

b 家庭におけるいろいろなあり方

(1) テレビはどのくらい見ますか。（毎日８%　ときどき80%　見ない12%）

(2) 新聞を見ますか。（毎日38%　ときどき36%　見ない４%）見る新聞名

(3) 本は一カ月どのくらい買って見ますか。冊数と本の名前（１冊53%　2～4冊34%　５冊以上４%）

(4) 芝居や劇は一カ月どのくらい見ますか。（１回36%　2～4回15%　５回以上２%）

見ることが好きですか，きらいですか。（好き40%　どちらでもない53%　きらい７%）

(5) 街のポスター広告等を注意して見ますか。（駅のポスター67%　ネオン85%　ウインドの飾り，看板81%）

(6) 絵をかくこと。（すき73%　きらい５%　どちらでもない22%）絵を見ること。すき77%　きらい１%　どちらでもない22%）

c 私たちは家にあってこうしている

(1) 自分の勉強部屋（ある44%　ない56%）

(2) 自分の勉強部屋等は自分で整頓し装飾等しますか。（する50%）

(3) お家での室内の整理や装飾は主に誰がやりますか。（父母８%）そ

れのお手伝は。（する67%）

(4) お家にがくが掛けてありますか。（ある72%） 活花をしてありますか。（あります69%）

(5) お家で学校での新しい掲示・展示について話し合いますか。（話す25%　ときどき62%）

(6) お家で自分の作品をどの様にしているか。（整理し保存する51%　飾る11%　捨てる3%　そのまま保存35%）

(7) 日記を書いているか。絵日記（毎日12%　ときどき20%）日記（毎日21%　ときどき18%）

(8) 自分でかいた絵やその他賞状等を額に入れて飾ってありますか。（あります19%）

d 家庭における諸器具について（次ページ参照）

2. 調査の結果

a 見学等について

(1) 見学は一般に上級になるほど多くなっている。ことに6年生は上野科学博物館の見学，図書館の利用等が多い。したがって見学の要領，作法等の指導をして，じゅうぶん見学の効果があがるようにつとめたい。

(2) 見学の項で平均して最も多いのは万世橋鉄道博物館で，理由としては自分達の地域内にあり，時間的にも簡単に行けるということがあげられよう。

(3) 見学についての話し合いを，ときどき教室内において取り上げ，問題として扱うことが必要である。

(4) 日曜祭日等の見学は，教育に熱心なる家庭ほど多く，また低学年ほど割合に多い。この辺にも家庭へのけいもうの必要が考えられ，父兄会等の問題にとりあげている。

b 家庭におけるいろいろなあり方については

(1) 新聞を見る者は上級に行くほど多くなっている。これについては，新聞の見方，見る場所等について，学年相応の指導が望ましい。

(2) 本は4年あたりが一番多く買って読んでいる。本の選び方の指導や読んだあとの指導がじゅうぶんなされなければならないと思う。

c 私たちは家にあってはこうしている，については

(1) 学校での新しい掲示・展示について話し合うの項においては，低学年ほど多く，家庭においてはお母さんとの話し合が最も多い。したがって家庭における父母の良きあり方が望まれる。

(2) 勉強部屋の整頓掲示等も学年相応にやっている。こうした点を学校で掲示・展示をする場合にもじゅうぶん生かして，リーダー格として教師の助手となれるよう指導し，次第に学級全体に及ぼして行くことによって，掲示・展示についての教師の労力も半減されると思う。

(3) 自分の作品等の扱いは平均してよいが，中学年の子どもが案外粗末に扱っている点家庭との連絡を密にして，よきしつけが望まれる。

d 家庭における諸器具調査の項目においては下記のような結果が出た。

種目	ラジオ	蓄音機	電蓄	電話	時計		録音機	ピアノ	オルガン	紙芝居	幻灯	テレビ	映写機	写真機		本箱	子供用机	自動車			検査人員
					置時計	柱時計								家の人のもの	自分のもの			乗用車	トラック	小型貨物車	
%	98	33	39	73	76	85	2	3	7	24	24	8	6	62	16	88	81	7	2	16	
人員	882	294	350	655	684	764	8	24	66	218	216	74	50	561	143	893	731	64	22	147	899

以上の調査項目は30年度においても取りあげ，どのように変化しているかを見ることによって，掲示・展示の家庭生活に及ぼす効果の判定をしてみたい。

〔B〕 学校における実態調査

1. 調査項目

(1) 展示場所はどんな所が適しているか。

(イ) 校内掲示・展示で一番目につきやすい場所はどこか。（玄関67%　教室33%）

(ロ) 掲示・展示を見るとき，どこの場所が一番見やすいか。（玄関53%　教室39%）

(2) 掲示・展示物の内容としてどんなものを好むか。

(イ) 校内掲示・展示物で，今まで一番おもしろく注意して見たもの。（890名中玄関図画338名，壁新聞174名，玄関の黒板58名，小学生新聞47名，二階陳列戸棚38名，教室図画34名）

(ロ) どこの掲示・展示物が一番好きか。

場所	玄関	教室	二階戸棚	音楽室前	三階東	三階西
一番好き	68%	19%	7%	3%	1%	3%
一番きらい	5%	2%	23%	34%	6%	11%

(3) 掲示・展示物の展示期間は何日ぐらいが適当か。（掲示・展示物を興味をもって見る期間）

場所		玄関				二階	教室内	音楽室前	三階	三階
		図画	壁新聞	小学生新聞	黒板掲示	陳列戸棚			廊下東側	廊下西側
日数	5日	55%	58%	74%	55%	43%		54%	45%	44%
	10日						44%			

(4) 掲示・展示方法のくふう

玄関にはいっての感じはどうか。検査人員890名。（明るい273名気持がよい228名，きれいな感じ120名，今日も一日しっかり勉強したいとはげまされる33名）

(5) 掲示・展示物の内容と難易。

壁新聞はどの学年が一番興味をもって見るか。（各学年とも平均している。）

(6) 参考書購入上に役だてる。

掲示・展示物製作に当って使用した参考書名。

(7) グループ製作と個人製作との効果。

掲示・展示物を製作する場合，グループ製作と個人製作との良否。（グループ66%　個人33%）

(8) 掲示・展示物についておとなと子供との立場の相違発見。

(イ) これからどんな掲示・展示物を作ってみたいと思うか。

(ロ) どんな展示物があったらよいと思うか。

(9) 掲示・展示物の説明の多少，難易の発見。（よむ20%　ときどき67%　よまない12%）

(10) 掲示・展示物に入れる色や絵の効果について。掲示・展示物に色をつけたり絵がかいてあるものとないものの良否。（色のあるもの88%　ないもの12%　絵のあるもの95%　ないもの5%）

(11) 掲示・展示その他子どもの作業指導上の参考。

先生の掲示・展示物はりかえ，その他の手伝いは好きか，きらいか。（好き87%　きらい13%）

(12) 掲示・展示に対する児童の関心度。

校内掲示・展示ははりかえられるのが待ち遠しいか。（待遠しい55%　待遠しくない6%　別に気にしない13%　ときどき気にすることもある27%）

(13) 掲示・展示についてのカリキュラム製作上の参考。1年間を通し掲示・展示に必要な項目をひろって表を作ってみましょう。（4・5・6年にて取扱う。）

2. 調査の結果

(1) 掲示・展示場所は明るくて場所の広いこと。

(2) だれでもが通り，よく見られる場所。

(3) 作品掲示・展示場が高すぎたり低すぎたりしない場所。

(4) 横にはいって見るような場所はよくない。

(5) 掲示・展示方法には変化をもたせ，作品それ自体から働きかけるよう，くふうすること。

(6) 掲示・展示物は読むものでなく，見るものだという考えのもとに製作されること。

(7) 掲示・展示物の貼り換え期間は，10日目ぐらいが最も適していると思う。

(8) 全校児童を対象とした掲示・展示物は，1年生でも読み，内容も理解できるよう，くふうすること。

(9) 掲示・展示物は直接教科に結びつき，児童の必要感をそそるようなものがよい。

(10) 掲示・展示物は，児童に鑑賞する時間を与え，指導してやることが必要である。

(11) 先生は掲示・展示物の展示されている場所と内容とをよく理解していて指導すること。

(12) 展示し終った成績物は有効に使用すること。（優秀作品数点は資料室へ保存，または学年・学級で交換展示を行い，参考資料として有効に取扱う。）

(13) 掲示・展示物の展示がえのときには，児童の手伝いを有効に指導する。

〔C〕 色彩に関する調査

今回は色彩嗜好調査のみにとどめた。（色の明度，配色等は今後に残された問題としてあつかう。）

1. 調査方法

○全校一斉調査　○標準色紙（図研社）13色使用。

2. 調査の結果

色名		黄	橙	茶	桃	赤	藤	紫	空	青	草	緑	白	黒	検査人員
性別	男	10%	2%	0.7%	0.7%	2%	12%	9%	14%	14%	13%	14%	3%	5%	422
	女	15%	2%	0.2%	13%	7%	17%	3%	15%	3%	5%	11%	5%	0.7%	445

この調査は，教室内の色彩調節，季節による教室内の色彩の変化，掲示・

展示物の縁とり，その他利用される面はくふう次第によって非常に大きいと思う。

〔D〕 掲示・展示についての評価

1. 調査場所

ここでは，玄関，二階廊下，三階廊下のみをとりあげ，残りは他の機会にゆずった。

2. 調査方法

評価にあたって当然考えられる面として，大きく次の三つの面を考慮に入れる。

(1) 掲示・展示物それ自身の内容がいいか，悪いか。
(2) 掲示・展示物から児童は何を学習し何を覚えたか。児童に及ぼした効果の面。
(3) 掲示・展示物の効果が子どもの日常生活の面に表われた点。

さらに問題作製に当っては，次の基準を設定した。

◎掲示・展示評価のための一般的基準（7項目）

(1) 掲示・展示物に対する児童の関心度はどうか。
(2) 掲示・展示物と場所との関係はよかったか，どうか。
(3) 時間的に子どもが掲示・展示物を見る余裕はあったか。
(4) 掲示・展示物には時期的のずれがなかったか。
(5) 掲示・展示物には誤りがなかったか。
(6) 掲示・展示物は児童の発達段階に適していたか。
(7) 掲示・展示物の児童に及ぼした効果はどうか。

3. 調査の結果

A 玄関陳列場

a 効果のあった点

(1) 玄関掲示・展示物については，登校時および遊び時間を利用して見る者が最も多く（全体の約70%）玄関にはいって感じがよいと一日の学校生活が楽しいとする者も多く，ことに低学年ほど多い。
(2) 効果は各掲示・展示場所とも非常によく，内容はあくの点についても満足すべき結果が得られた。（平均してわかった 50%，少しわかった 40%，わからない 10%）ことに低学年でも読めるよう，かなをつけた点，色によっていろいろな字等が書かれたことは印象的で非常によかった。
(3) 掲示板の位置は，3年の子どもを対象として，床から大体下縁が80 cm ぐらいの高さに置かれたこともよい結果を得ていると思う。

(4) 図画の展示においてはポスターの効果が最も大きく，衛生面，生活面，学習面によく現われている。したがって全校児童会等の目標をポスター等にして展示することは，最も効果が大であった。

玄関図画展示ではどの種類の物が多く展示されるのを好むか

項目 ＼ 学年 / 人数		1	2	3	4	5	6	全学年
		194	136	98	134	164	148	874
各種ポスター	人員	56	28	36	42	55	43	260
	%	28	20	36	31	34	29	31
各種模様（図案）	人員	89	16	9	21	17	27	179
	%	45	12	9	16	11	19	20
普通の絵（生活画）	人員	27	43	24	21	50	21	186
	%	13	32	25	16	31	15	21
今の展示方法	人員	22	49	29	50	42	57	249
	%	12	36	30	37	14	37	29

(5) 掲示・展示物を見ることにより年間を通じて季節々々の行事がよくわかるようになったこと等も，大きな効果の一つである。（わかった 5%，少しわかった 48%，わからない 10%）
(6) 他学年の掲示・展示が同時に見られるので，学年の特色がわかり，また比較対象して見られて，非常に参考になっている。（参考になった 64%，少しは 32%，わからない 4%）
(7) 壁新聞を作ったり見ることによって，新聞を見るのが好きになり，見方もわかり，学習の面にも大いに役だっている。（わかった 50%，少しわかった 40%，わからない 10%）

b 改良すべき点

掲示・展示について，教師との話し合いの面において，積極的に自ら進んで話し合う習慣をつけるよう，指導したい。

E 二階陳列場

a 効果のあった点

(1) 標本，実物，模型等が総合的に展示され，一目でよく内容が理解できるように仕組まれている点は非常によかった。

個々の展示よりまとまっていてよいか（総合的な展示法）

項目＼学年・人員		1 (198)	2 (134)	3 (99)	4 (134)	5 (165)	6 (150)	全学年 (880)
良い	人員	103	64	65	104	104	94	534
	%	52	48	65	70	63	63	60
少し	人員	37	58	31	26	49	52	253
	%	19	43	31	19	30	35	29
わからない	人員	58	12	3	4	12	4	93
	%	29	9	3	3	7	3	11

(2) 自分たちの手になる図工作品が多く取り入れられ，興味があって見るのが楽しみだという点。

b 改良すべき点

(1) 場所を広くして，落ち着いて見られるようにしてやりたい。

(2) 展示物の内容については，長期展示してあっても，常に関心と興味を持って見られるようなものをもっと多く研究したい。

(3) 展示物がガラスの中にあるので，直接手にふれてみることができないのでつまらない，という意見もあった。したがって掲示・展示物は子どものあらゆる感覚を通して見られるようなくふうが必要であろう

(4) 音楽室前掲示・展示物の展示場所は，高すぎて見にくい（下縁が床から1 m 30 cm）ので，もっと適当な高さに下げるか，掲示する作品を高くしても見えるようなものに変えるかしたい。

C 三階掲示・展示場

a 効果のあった点

(1) 主に高学年向きの資料が多いので，教室の配置から考え，展示場所は適当であった。（よく見る 41%，時々見る 58%，見ない 1%）

(2) 各学年の教材に則した展示であって，児童の関心も深く，理解されやすく非常に効果的であった。

(3) 展示に用いられた絵や字が大きく明瞭であったため，読みやすかった。（調査人員 531 名中，よくわかるが 294 名）

(4) グラフや図解，それに色彩を用いていろいろ区別したことも，理解を深め，調査児童の全部といってもよいほどのものがこれを喜んだのは，非常に効果的であった。（色がついているのでよくわかる531名中

326 名）

(5) 実物，標本も織込んでの展示は，理解と興味を持たせることに効を奏した。

(6) 展示場所も，見るものは高学年児童が多いので，高さの点についてはあまり心配なかった。

b 改良すべき点

(1) 場所の範囲から見て，展示物の量を考える必要を認めた。すなわち量を少なくして，展示期間も短かくして，もっと理解させるようにするとよい。

(2) 低学年の児童にも理解できるように文字にはふりがなをつけ，またやさしい説明をつけることも必要と思う。

(3) 図解，大きな文字，色彩が喜ばれ，その理解に大きな効果を与えたことによって，これに応じた展示をするとよいと思う。

(4) 展示場所をくふうして，立体的な展示，動的な展示等をもっと加味して行きたいと思う。

c 生活面に現われた結果

(1) 物を綿密に見るようになった。

(2) 街中（まなか）の広告やネオンに対して批判力が正しく伸びて来た。

(3) 見る力がつき，図画工作，理科等の成績は一般に向上して来た。

(4) よく考えるようになったとか，廊下をかけなくなったとか，けんかをしなくなったとか，お手伝いをするようになったとかの良い効果も挙げられる。

(5) 図画の展示を見ることによって，心が美しくなったとか，清掃を念入りにするようになり，物をたいせつにするようになったとかなども挙げられている。

(6) 字をていねいに書くようになった。勉強するようになった。

(7) 掲示・展示物に関心を持つ者が多くなり，見た結果についても話し合うものが多くなった。

(8) 中学に進学した生徒が，中学は殺風景でつまらないと言っている点

(9) 絵の書き方，構図のとり方，バックの扱い方，色彩表現等が全体的に非常によくなった。

〔E〕 今後に残された諸問題と発展方向

(1) 家庭実態の再調査

(2) 色彩に関する残された諸調査とその利用。

(3) 評価についての結果を整理し反省して，掲示・展示方法の改善とな

る高度の掲示・展示方法を研究する。

(4) 教室内における，より高度の掲示・展示の方法について。（教科による掲示・展示の方法，教室内における掲示・展示の場の構成，背面黒板の利用法等。）

(5) 資料の整理とその活用法について

5. 映画教育のための基礎調査

I 本校児童の生活環境

A 東京都の中心地である。（都会の中心地で，遊び場もなく，手軽な娯楽として，映画館に親しみやすい。）

B 映画館に近い。（学区域内には映画館はないが，学校を中心として映画館に行くのに要する時間が 10 分から 20 分以内のところに 20 館ある。）

家庭の経済状態もあまり悪くなく，父兄は商売のいそがしさのあまり子どものせわの手をはぶくために，金銭を与えて，町の紙芝居や駄菓子屋，さらに映画館にまで追いやることがあるくらいである。

II 一般映画（映画館における映画）と，児童の日常生活との結びつきの調査。

映画が，児童の成長にさまざまな影響を及ぼすことは否定できない。それがよい効果を及ぼす場合はよいとして，それが及ぼす悪い影響が目にあまる状態のときには，教師たちも，父母たちも，心配せずにはいられない。この意味において，前記のような環境にある本校児童の日常生活と映画の結びつきについて，いろいろな条件，項目について調査したのであるが，その主なるものについて記す。

1. 調査期日　昭和 29 年 12 月。

2. 調査項目と方法

全学年について調査した。低学年においては，教師が問答形式によって行ったものもある。調査項目の内容については，主として，昭和29年 9 月から12月までの間において公開された映画との関係をみた。すなわち，この期間に見た映画，映画館に行った回数ということになる。

A 映画のすききらいと，映画に関係した本，写真，広告，新聞，話し合い等についての調査。

((例)) 映画館で映画をみることは，すきですか，きらいですか。

○すき。	58・0%
○きらい。	7・2%
○すきでも，きらいでもない。	34・8%

—— 120 ——

ここで，すきでもきらいでもないという，34・8%の児童は，自分からすすんで，映画を見ようとする程ではないが，みる機会があれば，楽しくみるという，少なくとも，きらいではない者であることは，他の各種の調査から考えられる。

B 映画をみに行くとき，誰と行くか，月に何回ぐらい行くか，どのようにしてえらぶか，どんな日に行くか，料金はどこから出るか等についての調査

((例)) (イ) 映画をみに行くとき，だれと行きますか。

○ひとりで行く	2・0%	○弟	3・6%
○父	25・7%	○妹	2・6%
○母	28・5%	○友だち	7・0%
○兄	13・6%	○その他	5・4%
○姉	11・6%		

ここでひとりで行くという 2・0 %について，本校では，主として生活指導の面から，ひとりで行くことについては，禁止的立場をとっているのであるが，前記のような家庭環境から，家の誰かがいっしょに行ってやりたくても行けずに，やむなくひとりでやる，または友達とやる，ということが調査の中に，はっきりと出てきている。

(ロ) 1 か月のうちに，どのくらい見に行きますか。

○ 1 回	46・1%
○ 2 回	26・3%
○ 3 回以上	22・3%

回数の上で考える場合，他の調査項目で，学校で映画をやる回数が多くなったので，映画館に行く回数が少なくなった，という声の多いことを考慮しなければならない。

(ハ) 映画を見に行くとき，みたい映画をどうしてえらびますか。

○自分でえらぶ。	53・9%
○ほかの人にえらんでもらう。	46・1%

自分でえらぶ場合，新聞広告，びら，かんばんによるものが一番多くなっており，ほかの人にえらんでもらう中には，教師もふくまれている。

C どんな映画をみるか，みてどんな感じを持つか，どんな俳優がすきか等についての調査。

((例)) どんなものがすきですか。

ニュース。まんが。子供えいが。西部げき。けんげき。文化映画。喜げきもの。悲げきもの。いさましいもの。

—— 121 ——

ここでは，西部げき，けん劇，いさましいものというのが，合せて37・3%を示し，他の文化映画は4・3%，ニュースは9・8%という状態であるが，これも他の調査面において，映画出演の俳優の好ききらいから，映画をえらんでいることが強く出て来ているので，この事も考え合わせる必要がある。

(3) 学校映画会の調査

従来，大体毎月1回の本区巡回映画と，学校の計画による2回の映画と合わせて，毎月3回平均実施して来た。これは休暇中でも実施している。講堂において，幼稚園と1，2年，3，4年，5，6年と，3回に分けて行う。

((例)) (イ) 学校でみる映画と，映画館でみる映画とどちらがすきですか。

学校，　　映画館

そのわけを書きなさい。

学校映画会がきらいである理由についてみると，面白くない，自分ですきなものがみられないから，むずかしすぎてわからない等が主なる理由でありその他は，会場と人数，画面の明るさ，音の問題等であり，ここに従来実施して来た学校映画会のあり方についての大きな反省点があると思われる。

(4) 今後の問題

以上，調査の主なるものについて述べたのであるが，この調査により，一般映画と児童の日常生活とは重要なつながりを持ち，しかも近来一般映画の児童におよぼす悪影響が目にあまる状態に達し，教師たちも，父母たちも，すでにその対策について，たちあがりつつあるが，政治的，経済的な種々の難問題に直面している。しかし，教育の面よりこれを考えるとき，まず何よりも，映画の見方，映画を批判する力を養うことが，現在の，そしてまた将来の教育の問題として，提出されて来ていると思う。そこで本校においては設備の充実と相まって，学校映画会にあっては健全娯楽を主なる目的とし，少なくとも，フィルムを入手できる範囲において楽しめる映画会を実施するとともに，一歩すすめて，映画の見方，映画を批判する力を養うことを今後の問題として行きたいと思う。

さらに30年度においては，29年度に引続き，単元学習における映画の利用，そしてその評価の問題へと研究を進めて行く予定である。

家　　　庭

児童の興味と必要と能力の実態に基く家庭科の指導はどうしたらよろしいか。

東京都豊島区立高南小学校

1. 実験期間　昭和29年4月～昭和30年3月（第1年次）

2. 実験意図

すべての教科の学習指導は，子どもの興味・必要・能力に応じてなされなければならない。家庭科の指導にあたっても，この指導の原則にかわりはない。われわれは，この家庭科学習における興味・必要・能力の実態を各面から研究調査して，家庭科について適切な指導計画をたて，よりよい指導方法を導びきだして，指導の効果をあげることは，是非とも必要のことである。

3. 実験の方法

(1) 家庭科の教育課程の再吟味を行い，指導計画を作成し，それに基く指導の実際を興味・必要・能力の面から詳細に記録した。（実際の指導者と記録者とが，記録を照合する。）

(2) 各題材ごと，小項目ごとに，児童の興味・能力について，事前，事後調査を行った。

(3) 各題材終了ごとに，学年の各組家庭科担任者が話合いをもって，指導法について検討しあって記録した。

(4) 技能のある種のものは，4，5，6学年の能力調査を企画してみた。（4学年のものは未調査。）

(5) 各組から数人を選び，ケーススタデイとして調査する事を企画した。（未調査）

(6) 子どもの家庭環境調査や生活経験調査，父兄の要望調査を行って，指導計画作成の上の参考にした。

(7) 家庭科は実習を伴うので，そのための施設・設備がなければならない。そこで最低必要の施設・設備を整えた上で調査を行った。

4. 実験の結果

(1) 第1年次の指導計画の作成

a 作成上留意した点

① 家庭科の目標を考察して，学習内容を考えた。文部省の「小学校における家庭生活指導の手びき」東京都，豊島区の指導書等を参考にした。（但し1学期は使用していた学習帳の順序で指導した。）

② 児童の心身の発達の段階と，家庭科の学習能力に適合するように立案した。これまでの指導の経験と，他の学校の調査研究を参考にし，一応のみきわめをたてた。

③ 学校の設備の実態を考慮した。

④ 最低線の施設，設備の充実を考えた。

⑤ 実験上，男女共に共通な教材をえらんだ。

⑥ 家庭環境調査，子どもの生活経験調査，父母の要望調査を行って，立案の参考に資した。

⑦ 季節や，地域社会の行事，学校の行事を考慮して配列した。

⑧ 児童の学習歴，他教科，教科以外の活動や日常の生活の関連を考慮した。

b 指導計画の実験的考察

五　年　第　一　学　期

題材および小項目	予定時数（実際要した時間）	指導内容	実際指導による指導計画の反省（興味・必要・能力を中心にして）	研究結果による題材および小項目の配列	時間
・運　針	2	運針の仕方	後記運針の項参照		
・私のうち	2	・いろいろの家庭について ・家庭のあり方について	・5年になって新しく始まる家庭科とはどんなものだろうと言う未知のものに対しての児童の興味は大きい。 また，家庭環境の影響でか家庭科とは裁縫の事と思い自分(主に男児)には必要ないとする児童も数人いる。 家庭科の導入として，身近かな自分の家庭生活から話合いさせる事は，家庭科の意義を把握させるのによいが，出発点において正しい理解を与え興味の方向づけを考える必要がある。	・いろいろの家庭 各自の家庭 家族の構成	2
・家族の話合い		・各自の家庭 ・家族の構成		・私たちの家庭生活 ・一日のすごし方 ・家族のしごと	2
・家庭のしごと	2	・家庭においての仕事の分担 ・各自のできる手伝いについて ・家の人の一日の生活表 ・自分の一日の生活表 ・生活表に対しての反省			
・身なり ・みなり	1	・清潔で活動的な服装について	・各自の身なりについて，反省させたが，児童は，こうした学習に対しても，男女ともに関心が深く，興味をもって活発な学習ができた。	・そうじ ・そうじの仕方	2
・せんたく	3	・せんたく用具洗剤 ・せんたく順序 ・洗い方・干し方 ・用具のあとしまつ	・せんたく用具・洗剤・洗たく順序について理解させ，次の週に実習を行った。児童各自に，洗面器やたらいなどを用意させたが，始めての実習という喜びで，非常に興味をもっていた。しかし，その興味は「清潔な身なりをする」という前時の発展で，せんたくの必要感から，熱心な学習をするというのでなく，単に実習することが，おもしろいからということで元気づいていた。実習計画をさせたり，研究的な態度で実習させるためには，実習前に2時限必要であった。 実習の材料についても，ハンカチ，ワイシャツ等いろいろのものを用意してきたが，この点，児童が実習できる能力において，実習する材料を，選択する必要があった。 （実習材料についての研究の必要がある。）	・そうじ用具のせい作 ・マスク作り ・裁縫用具について	2
				・はたきつくり	2
				・台ふきつくり（運針の仕方）	8
				・みなり ・みなり	
				・せんたくの仕方	2
				・実　習	2
・ボタンつけ ・スナップつけ	2 (4)	・いろいろのボタンのつけ方 ・スナップのつけ方	・せんたくの結果，つくろい，ボタンつけを指導した。二つ穴，四つ穴，スナップ，金ボタンなどは，児童も過去に経験しているものがある。その経験から話合いさせてよいボタンのつけ方を習得させた。 かぎホック類も実習して見たが，時間内には，徹底できず程度として，まだむづかしいと考えられた。	・つくろい（ほころび ぬい等） ・ボタン，スナップつけ	2
・つくろい	2 (4)	・つくろいの必要 ・つくろいの種類 ・つくろいの方法	・つくろいの仕方については，ほころび・穴つぎ・かぎ穴つぎ・さしつぎ・しきしつぎについて，一通り説明し実習させた。しかし実習させて見てほころびぬいやさしつぎはともかく，他は5年生のこの時間の指導の内容としては高度であった。ことに，この題材までは，カリキュラムの未審	・夏休みの計画	2

―― 124 ――　―― 125 ――

			議のまま学習帳の順序で行っていた。運針指導をどの程度に考えてよいか，はっきりしなかったので，学期始めに2時間，男女ともに指導し，毎週家庭科の時間の始めに5分～10分の練習を試みたが，指導法がじゅう分研究されていなかったので，運針が出来る段階に達していなかった。それでいよいよ学習は困難で，したがって興味もわかず，また時間を多くとってしまったこの点指導計画に児童の興味能力との関係の影響が重大であることがよくわかった。		
・きれいな家 ・そうじ ・台ふきつくり（運針） 夏休みの計画	3 (2) 7 (6) 2 (0)		・この題材は大そうじの手伝いから入り，これまでのそうじの経験を系統的に考えさせ，よりよい仕方を指導した。題材相互の関連からいって，家族の仕事調べの，つぎにきた方が，大そうじという経験から導入するよりも，毎日のそうじの仕方を考えさせる上にはよいと考えられる。また運針練習も，それだけを学期始めに指導するのでなく，台ふきつくりをする必要から練習させた方がよいと思う。ボタン，スナップつけ，つくろい等も，その次の段階として考えた方が，学習段階としてよいと思われる。（後略）		

六　年　第　二　学　期

題材および小項目	実際要した時間数	指導内容	実際指導による指導計画の反省（興味・必要・能力を中心にして）	研究結果による題材および小項目の配列	時間
・ミシン縫 ・ミシンについて ・ぬい方 足のふみ方 糸のかけ方，針のつけ方 糸をかけてぬう（台ふき）	 2 8 ④ ② ②	・ミシンについて ・ミシンの種類構造主な各部の名称 ・機械の扱い方と手入れの仕方としまつの仕方 ・布・針・糸の関係について	・一学期に下ばきの製作の前にミシン指導を行いたかったがミシンの台数が，少なかったので，2学期に行った。1組50人で6台のミシンを用意したが，今年度の子どもは多いため1組58人の編成であった。ミシンぬいは，男女共に待望の教材であり，非常に興味をもっていた。しかし一台のミシンで9人～10人のグループにおいての学習は，児童のミシンに対する欲求も思うように満足できないし，じゅうぶん学習することもできず，いろいろ指導法を考えたが，やはり，1台について6人以上	（1学期ミシン縫の指導） ・下着の製作 ・下着について ・被服生活の計画 ・下ばきの製作 ・計画・採寸型紙 ・裁　方 ・股上ぬい ・股下ぬい	 2 2 2 2 2

・自由教材 枕カバー 前かけ ギャザースカート 下ばき ズボン	6		でないと学習効果をあげることは困難であった。教室を使ってミシン指導を段階的に足のふみ方，糸のかけ方，針のつけ方，すぬい，布をぬうというようにわけて，それぞれよく理解させて学習を進めて見たが，その方法は，予定より時間はかかったが徹底できた。 自由教材は既習の下ばきや前かけをえらんだ児童は，早くミシン縫も比較的よくできたが，新しい教材のものは，枕カバーでも，仲々むづかしく時間がかかった。 子どもの必要が導入の際に多様にならないようにしぼっていかないとミシンの指導を徹底させることもできず，新しい教材を各自じゅうぶん習得できず学習に困難をきたす。	・裾口のぬい方 ・胴廻りゴム通し ・反　省	2 2 1
・よい食物のとり方 ・健康と食物 ・食品の組合せ ・実習計画 ・実　習 ・反　省 ・健康と生活 ・一般的な病気と手当 ・病気の予防 ・救急手当の方法 実　習	 2 2 2 4 1 (1) 2 2 (0)		省　略	・よい食物のとり方 ・健康と食物 ・食品の組合せ ・実習計画 ・実　習 ・ごはんたき ・みそ汁つくり ・目玉焼 ・おひたし ・反　省 ・暖かいすまい方 （後　略）	 2 2 2 4 1 2

(2)　被服を中心とした学習指導について

a　目標　簡単な被服について，その選び方や着方，保存や手入れ，作り方について初歩的な知識理解・技能・態度を習得させ，よりよい生活をしようとする態度を身につけさせる。

b　被服指導の系統案

五　年

学期	題材及び小項目（被服関係以外のもの）	指導時間数	被服に関する小項目	指導時間数	被服に関する指導内容	ぬい方の練習の機会 なみぬい	まつりぬい	半返し
1	⊙は被服の指導内容のあるもの							
学	（いろいろな家）	2						
	（私達の家庭生活）	2						
	⊙そうじ	14	（そうじの身なり）	1	・衛生と活動に適した身なり			
	・そうじの仕方（用具，順序，種類）		・マスクつくり	2	・用途，布の種類，鋏のつかい方			
	・はたきつくり		・台　ふ　き	8	・ぞうきん，台ふきの材料や作り方			
					・裁縫用具の扱い方	○		
					・運針の仕方			
	⊙洗たく	6	・よいみなり	1	・清潔で活動的な服装			
			・洗たくの仕方	1	・石鹸や洗剤，布地			
期			・洗　た　く	2	・洗たく用具，せんたくの順序			
					・洗い方，干し方			
					・用具のあとしまつ			
			・つくろい					
			・ボタンつけ ・スナップつけ	2	・ほころび，しきしつぎ	○		
					・いろいろのボタンのつけ方			
	（夏休みの計画）				・スナップのつけ方			
2	（夏休みの反省）							
学	⊙食事の手伝い	18						
	・てつだいについて		（身なり）	1	・食事に適したよい身なり			
			・前かけつくり	16	・型紙の使い方，採寸	○	○	○
					・まつりぬい，半返しのし方			
期	（簡単なべん当つくり）	7						
	（お正月のしたく）	2						
3	⊙身のまわりの整理	20						
学	・みのまわりの整理，整とんについて				・簡単な染物の仕方	○	○	
期	・整　理　箱		（整理箱のカーテンつくり）	6	・採寸，ゆるみ，口明のしまつ			
	（簡単なおやつつくり）		・整理袋	8	・簡単なししゅう	○	○	○

六　年

学期	題材及び小項目	指導時間	被服に関する小項目	指導時間	被服に関する指導内容	縫い方の反復練習 なみぬい	まつりぬい	半返し
1	（明るい家庭生活）	2						
	（健康な生活）	6						
	⊙夏のしたく	10						
	・すずしいすまい方							
学			・衣類のしまつ	3	・被服の手入れについて			
			・ブラッシかけ		・ブラッシのかけ方			
			・かんいクリーニング	1	・簡単なドライクリーニングの仕方			
			・簡単なしみぬき		・しみのとり方について			
					・かん単なしみの取り方			
			・せんたくもののアイロン仕上	2	・簡単なせんたくもののアイロンのかけ方			
期					被服のたたみ方，しまい方			
			・つくろい	2	・いろいろのつぎのあて方	○	○	
	⊙ミシン指導	8	・ミシンについて	2	・ミシンの主な各部の名称			
			・ぬい方	6				
			足のふみ方	②	・布と針，糸について			
			糸のかけ方 針のつけ方	②	・機械の扱い方手入れ			
			糸をかけてぬう	②	・ぬい方			
2	⊙下着の製作	15			・被服の正しい着方			
学			・下着について	2	・下着の種類と枚数			
			・下ばきの製作	13	・材料の選び方			
					・型紙の使い方			
					・布の使い方やたち方			
					・ぬい方（ミシン）			
期	（よい食物のとり方）	11						
	（暖かいすまい方）							
3	⊙予算生活	2						
	⊙生活のくふう	10						
	・保温箱		・保温箱のふと	2	・箱に応じたふとんの	○		

学期	⊙うるおいある生活	6	んつくり 室内の美化（アクセサリー）	4	計画 ・既習の応用 ・簡単なししゅう			
	2年間の家庭科の反省	2						

被服の指導については各題材，各小項目ごとに，興味・能力についての事前事後調査を行ったり，指導記録を詳細に記入し，指導内容と指導方法の検討をした。また問題点となっている個々の問題のうち運針指導，編み物，ミシン指導等については特にとり上げて観察した。

c　運針指導について

被服をつくるための初歩的技能として運針の指導は必要である。また家庭科の目標から考えて男女に指導することの意義がある。しかし小学校の段階として，どこに限界をおくかが問題である。運針は習熟して，きれいに速くぬうことが望まれるが，小学校として正しいぬい方ができることを徹底することに主眼をおくことを考えた。

① 運針指導についての研究

- 5，6年の男女にわけて興味，必要感，能力を調査する。
- 新しい運針の指導法による技能の習得状況を調べる。
- 従来の指導は，学年初めの二時間で運針の方法を指導し，その後は，家庭科の時間のはじめ（調理の時間などは除く）5分～10分の時間をとって，練習させた。また運針練習帳をつくって次第に，競争へともっていき，毎回の記録をさせた。

こうした指導を行って1年たった6年生の運針に対する興味は次のようであった。

A　組

29.5月調べ	男	女	計
す　き	8	16	24
きらい	15	14	29
普　通	3	1	4
調査人員	26	31	57

B　組

29.5月調べ	男	女	計
す　き	0	8	8
嫌　い	14	7	21
普　通	11	12	23
調査人員	25	27	52

また，その「きらい」の理由は，次のようであった。

〔B組について〕

男子 ① 女の人のように器用にできないから　3人
② 下手だから　4人
③ 針目がそろわないから　2人
④ 思うように手が動かないから　3人
⑤ ぬう事が嫌いだから　2人

女子 ① ゆびぬきが，すぐ取れてしまうから　5人
② ぬう事が嫌いだから　1人
③ 左ききだから　1人

また技能の面にいたっては正確な手つきで縫えるのは皆無に近かった

29年5月調べ	A組		B組	
項目	男	女	男	女
正しくできる	0	2	0	1
正しくできない	25	29	25	26
調査人員	25	31	25	27

そこで，指導法については，これまでのように経験させる数を多くするというのではなく，指導の効果が上るような指導法を考え，運針をよく理解させて，経験させることに主眼をおいてみた。すなわち次のように，運針を三段階にわけて，指導してみた。

① 運針の仕方（姿勢・針のもち方・布のもち方・針のはこび方）……………2時間
② 糸こきの仕方　……………2時間
③ 糸こき後，すぐ針を指貫にあて，ぬう事ができる2時間

さらに単調な練習に興味づけをする事と，運針練習の必要を考えさせる事に努めた。

① 各段階を習得するごとに合格の印を与えてみた。
② 時折，能力別に皆の前で縫って，児童相互の批判や検討をさせた。
③ 縫ったものについては，よい点をみつけて奨励した。その結果

A組（調査人員 男25 女31 56人）　B組（調査人員 男25 女26 51人）

興味	問題	性別	A組 一学期 六月(中旬)	A組 三学期 三月(初旬)	B組 一学期 六月(中旬)	B組 三学期 三月(初旬)
運針するのがすきか嫌いか	すき	男	10	14	17	18
		女	19	23	25	25
	嫌い	男	9	7	7	6
		女	7	5	1	1
	普通	男	6	4	1	1
		女	5	3	0	0

また「きらい」の理由については，

男子 ① 女の人のように器用にできないから　2
② はじめは面白いがあきるから　1
③ ゆびぬきがすぐとれてしまうから　1
④ 針目がまがるから　1
⑤ 糸が針になかなか通らないから　1
⑥ ぬうのがきらいだから　1

女子 ① 手の動かし方がうまくいかないから　1

また，運針練習の必要観について3学期に調査した結果は，次のようである。

① 自分でできると便利　男 12人　女 18人
② 上手にぬうため　〃 4人　〃 1人
③ 大人になって必要　〃 5人　〃 10人
④ わからない　〃 4人　〃 2人

運針の仕方の理解の調査は次のようである。

6年

		目と布とのきょり		ぬう両手の間隔		運針に適当な針	
		理解している	いない	理解している	いない	理解している	いない
6月調べ	男	17	8	11	14	10	15
	女	19	12	16	15	18	13
30年3月調べ	男	21	4	19	6	20	5
	女	25	6	23	8	26	5

（調査人員 男 25 女 31 ｝56人）

次に運針の1分間の針目の数について調べると次のようである。

6　年		性別	調査人員	針目70目以上	69～60	59～50	49～40	39～30	29～20
1学期	六月調査（三段階で運針指導を教えた直後）	男	23	0	0	1	5	12	5
		女	28	2	5	6	6	5	4
		計	51	2	5	7	11	17	9
3学期	三月調査	男	23	1	1	5	10	4	2
		女	28	3	4	10	6	3	2
		計	51	4	5	15	16	7	4

（5年省略）

(3) 食物を中心とした学習指導について

a 目　標

合理的な食生活の必要性を理解して，食物の選択や，食事のしたく，食事のしかたについて，初歩的な知識理解や技能，態度を習得させ，よりよい生活をしようとする態度を身につけさせる。

b 今年度の食物指導に関する題材および所要時数

5年　食事の手伝い（9月中旬～11月初旬）

	予定時間	実際指導時数
・食事の手伝い	2時間	2時間
・前かけつくり	10〃〃	16〃〃
・簡単なおべんとうつくり（サンドイッチ）	5〃〃	5〃〃

6年　良い食物のとり方（10月中旬～12月中旬）

	予定時間	実際指導時数
・健康と食物	2時間	2時間
・食品の組合せ	2〃〃	2〃〃
・実習の計画	2〃〃	2〃〃
・実　　習	4〃〃	4〃〃
・（ごはんたき，みそ汁つくり……2時間　目玉焼，おひたし……2時間）		
・反　　省	1時間	1時間

c 食生活指導について

食物についての学習，ことに調理の実習は非常に子どもの関心や興味をよぶが，その興味を生かしてじゅうぶん指導を行うのでなければならない。これまでの調理は，目標は高くかかげても，いわゆる興味本位にながれ科学的，能率的，合理的な思考や態度で実習するというより，一つの料理をつくって見たというにすぎなかったといえよう。はたして，児童の発達段階から考えた教材であったか，時間的な面も，どの程度考慮にいれられたであろうか。そうした教材研究の不足とともに，他方にまた施設，設備の不足が，じゅうぶんな学習の効果をあげることができなかったことも考えなければならない。そこで今年度（29年度）は，教材の研究と同時に，施設，設備の充実を計って，最低必要の線を整え，その上での学習状況を観察した。

① 実習に必要な最低の設備

5年……サンドイッチつくりのための設備（普通教室で行う）

1学級＝48人1グループ＝6人……8グループ（給排水は四つの水の

み場を，各グループにわりあてて使用する。）

1グループに備えたもの				全体に備えたもの	
品名	数量	品名	数量	品名	数量
調理板	1	なべ	1	上皿自動秤	2
まな板	2	ボール	1	時計	1
ほうちょう	2	さいばし	2	ごみ入（衛生バケツ）	1
木炭こんろ	1	バターナイフ	1	火消つぼ	4
こんろ用煙突	1	ごみ入	1		
計量スプン	1	バケツ	1		
水切かご	1	皿	6		

6年の調理指導のための設備

教室は，普通教室を改造した家庭科教室で行う。

•教室の大きさ

•たて　9米，　横　6米。でまど奥行0.5m，長さ7.35m

•水道蛇口　8個，•ガス口，11口。

•コンセント　9個。時計　1

•6年のための設備

1学級＝58人　1グループ＝7人～8人………8グループ

1グループに備えたもの				全体に備えたもの	
品名	数量	品名	数量	品名	数量
かま（1.5升）	1	計量カップ	1	上皿自動秤	2
なべ（中）	1	計量スプン	1	ごみ入（衛生バケツ）	1
かまわく	1	しゃもじ	1		
フライパン	1	しゃくし	1		
洗い桶	1	さいばし	2		
ボール（中）	1	ごはん茶碗	7～8		
水切かご	1	汁碗	7～8		
調理板	1	皿（中）	7～8		
ほうちょう	1	はし	7～8		
まな板	1				

② 調理実習についての研究

5年　サンドイッチつくり

（ねらい）•日常の食事の手伝いから発展して簡単な調理ができる。（サンドイッチ）

•用具の使い方と，あと始末の方法を理解し，整理する事ができる。

•実習するものの材料および分量を理解する。

•計量器の使用法を理解し，使用できる。

•野菜の洗い方，切り方，味のつけ方ができる。

•作業を協力して能率的にする態度ができる。

•食物に関する児童の経験調査（5年A組．29年9月調査　調査人員 男26 女19 45人）

調査事項 1）調理したことがあるか

	男	女
ある	9	14
ない	13	5
わからない	4	0

2）調理したことのない理由

	男	女
家でさせない	8	4
きらい	1	0
わからない	4	1

3）どんな時食事のしたくをしたか

	男	女
母がつとめている	1	2
母がいそがしい	5	8
母が病気	2	2
誰もいない	0	1
手伝ってみたかった	1	1

4）家の人が食事のしたくをしているのをみて感じたこと

	男	女
自分もつくりたい	12	10
大変だなと思った	5	7
手伝いたい	2	2
遅いなあ僕ならもっと早いだろう	7	0

5）どんなことをしたか

	男	女
たまごやき	3	2
魚やき	0	5
パンをやいた	5	5
おこうこをきった	0	1
ごはんたき	1	2
きうりもみ	0	1
にもの	0	1

•技能指導の重点と児童の学習状況

〔炭火のおこし方〕

合理的な，火の起し方を指導した結果，8グループの内，4グループは完全にできたが，残りの4グループは，一回でできなかった。理由は，反古紙を固く丸めすぎた。消炭が不足していた。煙突をかけ忘れた。

〔野菜の洗い方〕

なぜ流し水洗いがよいか，前時の話合いを思い起させ，各グループに流し水で洗うことを徹底させた。

〔野菜の切り方〕

（キャベツのせん切，リンゴのいちょう切）

前時に，ほうちょうのもち方を指導したが，実際にあたって，正しくほうちょうの，もてたものは，男子は約半数，女子は $\frac{3}{5}$ ほどであった。また左手の扱いは大部分あぶなげであった。示範して徹底させる必要を痛感した。

〔キャベツの葉脈の太い部分のあつかい方〕

児童にたずねると，すてていることがわかった。このところで材料のむだのない使い方を指導した。

〔リンゴのあつかい方〕

切口を，塩水につける。

〔計量器の使い方〕

前時にもよく説明し，なお計量スプーンの拡大図を見えやすいところにはって，理解させるようにつとめた。しかし実習の場になると，なかなか速やかに，使うことができなかった。

卵１ケに塩 $\frac{1}{4}$ テイスプーンとして２人で１ケづついり卵をさせたが塩味がうまくついた組は10組，すりきりを山にしたり，おしていれたりして塩からかった組が12組あった。

〔卵のわり方〕

自分でわれるものが男女あわせて33名，われないもの12名であったので，説明だけで実習させたところ，わった経験があるだけで，よいわり方がわかっているものは少なかった。実習中に示範してみせた結果実習後１名を残してみなうまくわれるようになった。

〔いり卵のし方〕

火加減についてよく理解させ，パンにはさむので，いりすぎぬよう半じゅくていどにさせたが，８グループ共よくできた。

〔パンの切り方〕

パンは卵や野菜をはさんでから切ることだけを実習したが，上手に美しく切ることは，実習中一番むづかしい仕事であった。教師の示範が必要であり，ほうちょうは，よくきれるようにしておかないといけない。切り方は標本をいくつか出し，自由にさせた。

〔もりつけ方〕

グループで自由にさせた。机を整とんして並べる。各組のもりつけを見学しあう。

〔試食のし方〕

食べ方を話し合い，反省しあいながら食べさせる。

〔あとしまつ〕

グループのリーダに責任をもたせて，用具のかたづけ，教室の整理整とんを指導した。

算　　数

計算における子どものつまづきについて

千葉市立検見川小学校

Ⅰ　実験の期間　昭和25年4月～昭和30年3月（5年継続研究）

Ⅱ　実験の意図

本校が，実験学校として出発するに当り，文部省の研究課題は，「計算における子どものつまずきについて，その原因は何か，その原因除去の対策はどのようにしたらよいか。」であった。

この研究問題は，次のように分析することができる。

a. 子どもは，二位数に一位数をかける計算において，どんな誤りをするか。即ち，誤算の型について，

b. 子どもが計算を誤るのは，どんな理解事項が欠けているために起るか。即ち，誤算の原因について。

c. ひとり残らずの子どもに理解できるようにして，誤算者を出さぬように指導するには，どのようにしたらよいか。

次に，教師の研究態度として，次のようなことを考えた。即ち，あくまでも現実の子どもに立脚して，その子どもの動きによって，指導法を研究し，改善していくことである。観念的な研究は，尊重はしたが，目前の子どもの行為を確実に把え，その示す結果を最も重要な資料とするようにしたことである。これも実験研究として当然なことではあるが，なかなか行われなかったことである。

さて，この研究の究極の意義としては，さきの分析であげたように，「ひとり残らずの子どもが，理解できるようにすることであると考えた。教育に

たずさわる者として，できない子どもをそのままに見捨てるということはできないことである。しかし現実にはこれがいかにも多いものである。本校は教育環境に恵まれていないという点では，決して他校に劣るものではない。1人の教師が，約50人の子どもを担当しているのであるが，この難問題の解決に一歩でも近ずくことに，最大の意義を認めたのである。また，計算の技能を身につけさせるだけでなく，人間教育の一環として，算数の研究を進めてきたのである。

Ⅲ　実験方法の概略

① 内容の面からみて，

治療指導から，保健指導に，即ち，病人を作らぬ指導を考えた。

その根柢となったものは，子どもがつまづきや，困難をもっているのは素質や環境にも原因があるが，それ以前の教師の指導上の欠陥から，できない子どもとして，捨て去られていることにある，ということを考えた。

そこで，ひとりびとりの子どもについて，どのこどもも伸ばすための指導はどのようにしたらよいか。更に，ひとりびとりの子どもを伸ばすための指導法として，能力に応じた指導をして，子どもに理解を成立させることが必要であると考えた。

この線にそって，今後の学習指導も展開されることになると思う。

② 方法上の面から

① 事例研究

子どもの反応を見ては，研究を進めた。ここでは特に，課外や家庭学習を認めないことにした。

② 四年を中心として研究を進めた。

四年の指導において得た結論を他学年また，他教科にも進展するようにはかった。

③ 本校での研究について，一般性を見るために，協力学校をお願いした。本校の予備調査，指導計画，教具によって研究をお願いした。

④ 其の他

(イ) 職員，四年の担任は毎年交替することを原則とした。特に算数に優れているということではなく，どこの誰でもできるということを実証するために，

(ロ) 研究組織，算数主任，副主任を中心に，各学年一，二名の部員が参加して，協議の上で研究を進めた。指導計画の修正，授業の反省などは常に部員全員参加の上行った。

(ハ) 実験中の分担，授業の速記，指導計画，練習問題の印刷などは，部

員が分担して協力した。

Ⅲ　実験の結果

〔Ⅰ〕　昭和29年度の研究のねらい

1.　昨年度までの研究で残っている問題

(1)　二位数×一位数の指導結果，K型とJ型の誤算者が多かった。

昭和25年度から28年までの研究で，いつも指導後に誤算として残ったものにK型即ち，かけ算九九の誤りと，J型即ち，加法の誤りが，誤算者の一，二位を占める現状であった。そこで，かけ算九九を3年で指導し，加法を2年で指導して，4年の二位数に一位数をかける指導のときは，両者の誤算をなくしたいと考えた。この問題は，四年の指導に直接した研究ではないが，素地となる学習の充実を考えることは重要である。

(2)　特に進んでいる子どもの指導

今までの本校の指導は，所謂おくれた子どもを対象にして，研究を進めてきたために，進んでいる子どもの対策は，残された問題となっている。然し28年度までの研究で，おくれている子どもに対する指導は，一応成功と見られる結果がでたので，この問題にとりくみたいと考えている。

(3)　協力学校の研究での改善点

昨28年度の協力学校は全国で89校で，約9,000人の子どもに実験指導をしていただいた。この結果については，既に，初等教育研究資料として，算数実験学校の研究報告(4)に報告されているので，それによって参照してほしいが，誤算率28%という好結果をおさめることができた。しかし，実際に参加した先生方の御意見によると，もっとよい成果をあげることができたであろうとの反省がでた。また，指導計画や実際指導の上で，改善すべき幾多の好資料をいただくことができた。その資料をもとにして改善を加え，もう1年協力を願ってより一般性のある成果を生みだそうと考えた。

2.　昭和29年度の研究のねらい

(1)　二位数×一位数の実験研究について

この研究は，昭和25年度の誤算の原因を研究することに始まり，誤算者に対する治療へと進み，それらの研究を基礎にして，誤導者を作らない指導へと進展，更に，所謂誤算に対する研究から一歩進めて，理解の成立を考える学習指導の段階を考えるようになった。更に，研究のねらいを分析すると，次のようになる。

①　今までの理解事項に対する験証

②　学習時間の短縮

二位数×一位数の学習をするための素地がでてくれば，ここでの学習指導

時間は短縮できるであろうとの見通しをもつことはできる。本年度の四年は素地の1つであるかけ算九九の指導を三年で意図的に指導しているので，昨年の13時限より幾分短縮することができないかが第二のねらいである。

③　進んでいる子どもに対する指導

進んでいる子どもの指導は，昨年度までは，練習問題の質と量の面で考えることと，一斉学習において，手ぎわのよい方法として進んでいる子どものやり方をとりあげる程度で，積極的に，今までの考え方をもとにして，新しい問題を解決させようとか，もっと手ぎわのよい方法を工夫させようとかする意図や時間はもたなかった。それは，おくれている子どもの指導が十分にまで進んでいなかったからである。この指導が第三のねらいである。

(2)　かけ算九九の実験指導について

四年の指導でいつも問題になることは，かけ算九九の理解してない子どもの多いことであった。そこで，昨年度までの研究で，四年の指導につては一応の見通しをもつことができたので，三年のかけ算九九の指導を，正式に実験指導として取りあげることにした。この場合に，実験の進め方，指導計画の立案，指導上の注意などは，今まで考えたことに準ずることにした。

(3)　協力学校の研究により，本校の研究の一般性を見る。

協力学校は，昨年は多くの学校に依頼したが，本年度は，約半数の学校に依頼することにして，研究の一般性をみることにした。

〔Ⅱ〕　二位数×一位数の実験指導

1.　実験指導の経過

A　本校における実験指導

①　予備調査

4月19日(月)より，23日(金)まで5日間……ペーパーテスト

4月26日(月)より，28日(水)まで2日間……障碍児の診断テスト

②　実験指導

5月6日(木)より，18日(火)まで11日間……実験指導

5月19日(水)より，9日間……指導直後のテスト

③　浮動状況の調査

第1回……7月5日(月)より9日間

第2回……9月6日(月)より9日間

B　協力学校における実験指導

①　協力学校数並びに児童数

昨年に引き続いて協力して下さった学校は，県内19校，県外33校，計52校である。

② 実験指導についての打合せ会

指導効果をあげるためには，本校の研究について詳細に知っていただくと同時に，昨年の反省の上に本年度の研究が進められなければならなと考えて，次のように打合せ会を開いた。

・打合せ会　5月6日(木)　打合せ会と同時に本校の実験指導の第1時を参観していただいた。

③ 実験指導の経過

実験指導は，昨年と同様に14時限行う――(二位数×一位数の指導)

・第1次の指導　6月上旬(学習問題の印刷が遅れたために)
・指導直後のテスト（9日間）
・浮動状況のテスト(理解しているかどうかをみるために2回行った)
・適用性をみるテスト（三位数×一位数の指導前に調査をした。）

2. 学習前の子どもの実態

A 本校（実験児童は，3学級123人である。）予備調査

① 数の大きさとかけ算のいみ

要項 / 判定	数の大きさ(B) A の(1)	A の(2)	A の(3)	A の(4)	A の(5)	A の(6)	A の(7)	A の判定	かけ算の意味(B) B の(1)	B の(2)	B の(3)	B の判定	A判とBの定
Aのグループ	人 119	人 91	人 108	人 95	人 98	人 102	人 50	人 97	人 80	人 39	人 52	人 21	人 13
Bのグループ	／	／	8	15	0	11	58	39	34	70	61	85	54
Cのグループ	2	22	6	6	21	0	7	／	0	8	0	／	39
Dのグループ	2	10	1	7	4	10	8	×の人数 45	9	11	7	×の人数 17	12

② 加法とかけ算九九

要項 / 判定	加法		かけ算九九		能力段階 *	
A	117人	94%	111人	90%	18人	15%
B	4人	4%	6人	5%	54人	46%
C	0	0	5人	4%	38人	38%
D	2人	2%	1人	1%	13人	11%

* 能力段階とは，表の四つの事項についての総合判定によって，A～Dの四段階に分けたことをいう。

これが，指導の場合のグループになるが，特にDは，個人毎に診断テストによって障碍点をはっきりとする。

③ かけ算九九について

誤答者数	誤答題数	全児に対して1人当り誤答数
41人	107題	0.87題

B 協力学校（38校，2,643人）

① 数の大きさとかけ算の意味　38校，2,643人

要項 / 判定	数の大きさ(A) A の(1)	A の(2)	A の(3)	A の(4)	A の(5)	A の(6)	A の(7)	A の判定	かけ算のいみ(B) B の(1)	B の(2)	B の(3)	B の判定	A判とBの定
Aグループ	人 2112	人 1218	人 1764	人 1570	人 1585	人 1747	人 854	人 490	人 904	人 731	人 504	人 219	人 189
Bグループ	15	52	576	514	49	327	962	557	1088	1315	1346	1144	798
Cグループ	204	585	63	254	602	8	234	／	7	117	／	／	717
Dグループ	147	323	206	278	313	439	516	1227	626	354	605	971	950

② 加法とかけ算九九

要項 / 判定	加法	かけ算九九
Aグループ	1,968人	1720人
Bグループ	279人	289人
Cグループ	242人	346人
Dグループ	154人	288人

③ 能力段階

判定	人数	百分率
Aグループ	493人	19%
Bグループ	713人	27%
Cグループ	775人	29%
Dグループ	662人	25%

予備調査の結果をみると，本校においては，ABグループ即ち，並及び並以上の能力の子どもが，61%を占めている。この数字は過去四年間を眺めると非常にレベルがあがったといえる。言葉をかえていえば，三年までの素地が，身についたといえるわけである。

協力学校の予備調査についてみると，並以上の子ども（CDグループ。)が64%もいる。(昨年度は61%)これらの子どもは，抽象数の上では，何らかの障碍を持っている子どもである。昨年より多かったということは，診断に慎重を期したためであるとも思われる。

3. 実験指導について

① 指導計画を，13時限から11時限に短縮することができた。

a かけ算九九の素地（特に誤算の意味）が，前年までに比較して，可成上達してきたので。

b 反覆練習（復習）の時間を特設することの必要がなくなった。

② 特に進んでいる子どもの指導に手をかけた。——但し，この時間は僅かに2〜3時間であった。

進んでいる子どもの指導については，未だ考えなくてはならぬ点が多い。即ち，原理の理解ができていなかったために，他に適用する力ができていなかった。

③ 修正した指導計画

a 特に第1〜3時までの学習の場について筋を通した。このことは，昨年度の協力学校の反省にも出ていた。

b 全般を通して，教師の発問を，子どもの思考を伸すようにした。

4. 指導の成果

① 指導の結果　a. 本校

(イ) 誤算者数の年度別の比較表

要項＼年度	昭和26年6月 第一次	昭和26年12月 第二次	昭和27年5月	昭和28年5月	昭和29年5月
在籍人員	249人	250人	233人	284	123人
誤算人員	105人	14人④	14人④	22人	1人

・○でかこんだのは，特殊な子どもと考えられる児童である。

(ロ) 理解の永続性をみるための浮動状況の調査

児童番号＼誤算型	A	B	C	D	E	F	G	H	I	J	K	L	M	誤答数	指導中欠	I・Q	予備テストの九九の誤	指導後の九九の誤	グループ
215					①					1 ①	⑤	62 ㉒	1 ④	27 33	0	21 最劣	83	72	D
162										②	1 ②		1 ④		0	41 中下	6	4	C

・{数字は5月指導直後のテストの誤算題数
　{○でかこんだのが7月のテストの誤算題数

四年生全児童123人中，上の表の二人の中一名が二回のテストに誤算して居り，他の一名は一回のテストに誤算している。しかもこの一番できないと考えられる215番の子どもが，表のように90題のテストを63題（70点）も正答しているのである。要するに，どのように遅れている子どもでも，目に見えない原理を見るようなものにおきかえて，理解を成立させるような指導をすれば，ひとりのこらずの子どもができるようになることを，はっきりしめしたものといえる。なお，7月と9月のテスト結果をみても，理解を成立させれば，それは永続するものである，ということが験証されたわけである。

(ハ) 適用性をみるための「三位数×一位数」の指導前の調査

演算の意味				数の大きさ				数え方		
◎	○	△	×	◎	○	△	×	かけざん九九	とびかぞえ	ひとつずつ
93人	20人	10△	4人	114人	9人	4人	0人	95人	17人	15人

誤答数	20問全部できたもの	1〜3題誤	4〜6題誤	7〜9題誤	10〜12誤題	13〜15題誤	16〜18題誤	19, 20題誤
人数	81人	36人	6人	0	1人	2人	0	1人

b. 協力学校　38校，2,643人について

① 誤算者の誤答型

年度	児童数	誤者算計	A	B	C	D	E	F	G	H	I	J	K	L	M
28	8,693人	人 2,693	人 436	人 352	人 143	人 34	人 578	人 17	人 100	人 97	人 231	人 1,324	人 1,997	人 998	人 130
29	2,643人	人 628	人 173	人 104	人 22	人 12	人 241	人 13	人 23	人 18	人 65	人 448	人 934	人 294	人 99

② 誤算者の能力別（予備調査）の内訳

	Aグループ	Bグループ	Cグループ	Dグループ	80題以上の誤算者	誤算者総数
誤算人員	10人	35人	170人	458人	12人	735人
計	95人		628人		／	／
総児童に対する百分率	3.6%		23.7%		0.45%	28%

・この二つの表の上にはあらわれないが，誤算児童の一人当りの誤算数は昨年度より非常に少くなっている。

〔Ⅱ〕 三年における「一位数×一位数」の実験指導

五年間の実験指導を通してみると，K型の誤りはどうしても四年になっては救うことが困難なので，三年におけるかけ算九九の指導を実験指導としてとりあげ実施した。（紙面の都合で省略する）

〔Ⅲ〕 本年度の結論と今後の問題

1. 結論として考えられること。

① 今までの結論に対する験証

今までの結論として考えてきたことが正しいといえる。

② 今までの指導を通して，学習指導の改善を要すると思われる点は，次のようなことである。

a. ひとりびとりの子どもに，理解を成立させる。

b. 教材研究のしかた――子どもの問題（学習の場）

c. 指導系統と，指導の段階

2. 今後の問題

①「二位数に一位数をかける」学習に関係した研究

・ a. かけ算九九における指導の徹底（三年）
  b. 加法の指導（二年）
  c. 記数法の指導（一年）

・四年独自としては，

a. 特に進んでいる子どもの指導

b. 指導後に，書かれた問題をどの程度解決する力がついたかの調査

② 計算の原理は，どの程度まで適用できるかの調査。

a. 高学年における調査――同系統の問題の場合

b. 学習一般についての指導法の改善

実験指導の結果考えられた教材研究，指導計画，指導法などについての結論が，かけ算以外の指導において，どのように適用できるかの研究。

学 校 図 書 館

学校図書館利用指導の体系について

東京都港区立氷川小學校

おもな目次

Ⅰ. 実験の期間

昭和28年8月から昭和30年3月まで

Ⅱ. 実験の意図

文部省から実験学校としての依嘱を受けた当初の主題は「義務教育の終期までにどのような図書館経験を与えたらよいか。」ということであった。もともと学校図書館の利用は，新しい学校教育を推進するために，教科および教科外活動の全般を通じて，極めて大切な基礎的条件のひとつである。しかし実際には学校図書館をもっていても，これが十分に利用されていないところもすくなくない。この理由はいろいろあろうが，図書館の利用指導という立場からみると，そのおもな原因としてつぎのようなことが考えられる。

(1) 教師や児童生徒の中には，個人個人としてはよく利用するものもあるが，すべての人々に図書館利用の態度がとけこんでいない。

(2) 個々の教師は努力していても，図書館利用が学校教育の全体計画の中に組込まれていない。したがってこの指導が思いつきにとどまり，系統的に発展しない。

(3) 学習指導が教科書にとらわれ過ぎて，教科書学習から脱しきれない面

も相当に見受けられる。

(4) さまざまの資料を含んでいる学校図書館を利用するような教材や活動の示唆が現行教科書の中に組織的に配列されていない。

(5) 文部省で作っている学習指導要領や国語，理科その他の指導書の中にも，これについての示唆が乏しいため，学年配当に当り現場でも迷っている。

そこで，学校図書館の利用を活潑にし，教育の効果をあげるためには，以上の個々の問題について解決を研究するとともに，学校図書館を利用する児童のさまざまの経験を，実際の過程から広く引出し，これを素材として，他方教育目的や，心身発達の一般的特長，学校図書館のもつ教育的機能の本質等を考えあわせて，指導方法を体系づける必要がある。

これまで学校図書館の利用指導については，図書館教育あるいは図書館教育カリキュラムという名で呼ばれ，多くの試案が出されたが，本校の研究では，在来の諸研究を十分に参考にしつつ，さらに日本の教育・文化・社会等の一般的な実情をも考慮に入れ，さまざまな実験の過程を経て，その指導計画を体系づけようとしたものである。

III. 実験の方法

この意図にもとづき，研究の方法として，つぎのような過程をとった。

(1) まず実際に，氷川小学校図書館を，こどもたちがどのように利用しているかをできるだけ広く検討してみた。そしてこれを，一般の児童の心身発達の状況等と考えあわせて，能力表の形で学年別にあらわしてみた。

(2) 教科書のもつ意味を重視して，児童生徒に期待し得る図書館経験の導びきとなる示唆が，現行検定教科書にどれだけあるかを分析した。

(3) 同様にして学習指導要領をも検討した。

(4) その上で，のぞましい指導の体系の試案を作った。

(5) この試案が実際に本校児童の能力を高めるためのよりどころとなるかどうかをしらべるため，学校図書館利用テストを作成してこれを実施した。テストは昭和29年3月，同30年3月の2回にわたり，各約200名の児童についてこれを実施した。これには小学校教育の基本目標をたえず念頭におきながら，「小学校において最低必要な図書館経験とは何であるか」ということに焦点をしぼってこれをテストの形であらわした。テストの結果は十分審議検討し，テストそのものを改訂することともに，指導体系そのものも改訂して行った。

これらの研究に当っては，研究目的が義務教育9年間を通しての指導体

系を打ち立てることにあったので，すでに昭和27年から，文部省の学校図書館実験学校として，同じ主題について研究を続けて来た川崎市立富士見中学校と緊密な連絡を保ちつつ研究を進めて来た。

IV. 実験結果

A. 学校図書館利用指導の体系表（別掲参照）

ここに挙げた体系表は，義務教育9年間に行うべき，学校図書館利用の指導内容を示す一覧表である。1年から6年までは主として氷川小学校が立案し，7年から9年までは主として富士見中学校が立案した。これは前にも述べたとおり，単なる机上プランではなく，予備段階として，(1)児童生徒の図書館利用の姿を能力表の形で把握し，(2)これに並行して図書館経験として与えたい事がらを摘出して配列し，(3)教科書にあらわれた図書館教材等を参考にしたものである。

(a) 実験過程における個々の問題

この表は試案であって，なお改訂の余地があるが，これが作成の過程において浮かび上った個々の問題を簡単に挙げてみよう。

(1) 能力表——学校図書館利用の指導に当り，児童が基礎としてどのような能力をもっているかを，生活の中から洗い出し，グラフにして表わしてみたものである。これには，文部省学校図書館手引（改訂版）の原案や，各科で従来示された能力表なども参考にした。ここにあらわれたものは氷川小学校における児童の実状であって，このままが一般に適用できるものということはできない。しかしこれによってつぎのような手がかりを得た。

(い) 図書館利用の能力が，学年によってどのような発達段階をとるか，つまりごく素朴的な図書および図書館の利用から，しだいに高度な利用のしかたへと移行していく過程を知ることができた。

(ろ) 各学年において，どのような図書館経験に関心を持つか，また各教科および単元の展開や，各時期の精神的な成長や，社会生活とも深い関連をもっていることを，この表を作る過程において知ることができた。

ここにあらわれた能力は，また平素の図書館教育，ないしは読書指導がどのように行われつつあるかという裏付によって非常に変ってくる。すなわち，われわれが作った能力表は，氷川小学校における過去3カ年半の図書館教育計画表がどのようなものであったかということに深い関連をもつことになる。この能力表をもって他の一般の小学校の児童のあり方を直ちに決定しようとすることは適当でないが，ここから，学校図書館を利用させる基盤として，これだけの能力が養われなくてはならないという基準と

なる能力表や指導の目やすが生れてくることになろう。

(2) 教科書の分析

この調査は，現在の教科書編集者が，図書館に関する資料をどの角度から，どのような取りあげ方をしているかを調べることにより，

(い) 現行教科書がどの程度図書館への関心をよせているか，

(ろ) そのとりあげかたが適当かどうか。また深い考慮の上でなされているか，

(は) どの学年にどのような教材を配当しているか，

(に) 教科書の中に十分に流しこんで指導し得るものがあるかどうか，

を知ろうとした。これによって従来，教科書編集者の立場から，各教科書の構成に当り，図書館をどのように位置づけていたかを知るとともに，今後教科書の編集改善の上に考慮されたい資料を提供しようとしたものである。そのために全教科，全学年にわたる昭和30年度分の検定教科書を全部集めて検討した。この調査には，単元として大きく図書館をとり上げたものに限らず，図書あるいは図書館に関係のある資料は，細大漏らさずこれをとった。この調査により，おおよそつぎのようなことを知ることができた。

(i) 各教科書にあらわれた学校図書館教材は，一部を除いては，旧態の学級文庫または児童文庫を常識的にとり上げているものが多く，新しい教育の根底にこれを考えているものがすくなかった。

(ii) 各教科の問題解決のため，単に素材として図書および図書館をとりあげているものが多く，学校図書館の利用を指導するといったものはすくなかった。

(iii) 分類法や記号法にあやまりのあるものもあった。

(iv) 読書法の指導については，国語科ではかなり関心を示していたが，直接図書の選択や図書そのもののよりよい利用のしかたに触れているものは見出されなかった。

教科書の分析は，多くの労力を必要としたにもかかわらず，その資料は割合少く，そのまま指導計画を作成するに役立つ手がかりはあまり得られなかった。

しかし，これにより，

(i) 各学年の発達段階において，どのような事柄をとり上げて指導することが必要か，

(ii) 各学年の図書館利用の指導上もっとも欠けている点は何か，

(iii) 現在の教科書編集者ないしは，現場の各担任教師の学校図書館に対する理解の程度と，学校図書館担当者の要求する事がらとの間に，どれだけのひらきがあり，これはどのようにして解決して行かねばならないか，

等を参考として考えることができた。なお，この間本校で採用している以外の教科書を補助的教科書として活用する研究を行ったが，これは，児童の読書経験を拡充するとともに，学習指導法にも一機軸を出そうとしたものである。

(b) 本表の性格と使用上の留意点

この体系表は，前に述べた過程を経て得た資料に基づき，従来あった氷川小学校の学校図書館利用の指導内容を検討し，9カ年の義務教育期間を見通して分析整理の上作成したもので，図書館利用指導の骨格をなすものであり，この表の中の左に示す16項目は図書館経験の主要範囲として抽出したものである。

この16項目のうち1から15までは，図書館利用指導の技術的な面を主としたもので，小学校においては，このような技術面だけを図書館経験の中からきりはなし，独立した指導をすることは適切でないので，その指導方法については くふうが払われなければ ならない。氷川小学校では“学校図書館のよいつかいかた”を編集して，学校図書館に関する児童の理解のための手引とし，さらに各教科や教科外の活動と結び，図書館資料を利用するという経験の中で生きた指導をすることに心がけている。

16番目の読書経験の中には，読書への興味，読書領域の拡大，読みの速度および深度，その他読書の技術や態度に関する諸問題が多く含まれるであろうが，しかしここでは一応1から15までの技術面の経験を主として，読書指導の こまかな 経験については 今後の研究に まつことにした。

ここに示したものは，前にも述べたように，図書館利用指導の骨格である。これを学校の現場に即して肉づけし，細かく配当したものが，図書館利用の指導課程となるわけである。

B．図書館利用テスト

学校図書館利用指導の体系表を学校の実状に照し，指導課程に展開して実際に指導した結果，どのような効果をあげ得たかを反省するとともに，逆に最低限度ここまで指導しておきたいという目標をテストの形であらわして，その効果を評価することを試みた。

図書館利用指導の評価については，早くから問題となっていたが，従来

のものは多くは読書能力の面に限られていて，図書館利用の技術的な面については，適切なものがすくなかった。それで一つの試案としてこのテストを作成した。このテスト実施の経過はつぎの通りである。

（a）第一回テスト

① 実施年月日　昭和29年３月24日
② 対象児童　氷川小学校5・6年児童226名
③ 所要時間　1時間
④ 方　　法　実施にさきだって十分間，マイクを通して一斉に問題の解説と必要な注意を行った。
⑤ 結　　果　このテストによってつぎのようなことがわかった。

〇目録，分類に関する問題は，あまり成績がよくなかった。

〇図書館の利用（さくいん，目次，件名カードの利用）に関する問題は比較的よくできた。

〇辞書，地図等に関する問題も，他の問題にくらべて不振であった。

以上の結果にもとづき，問題そのものを検討し，大幅に修正するとともに，これまでの指導の方法をも検討し，改善を加えた。つまり，平素の図書そのものの利用を主とした読書指導の中に，従来よりやや多く利用指導に関する時間をさいた。また学校図書館利用の手引として，“学校図書館のよいつかいかた”を作成して，各児童に持たせ，必要に応じて使用できるだけでなく，時間割の中に設けてある読書の時間にその指導もした。そして１カ年経過した後，改訂した問題により，新しい5・6年児童を対象にテストを実行した。

（b）第二回テスト

① 実施年月日　昭和30年３月18日
② 対象児童　氷川小学校5・6年児童244名
③ 所要時間　50分
④ 方　　法　第１回テストの場合に同じ
⑤ テスト表は次の通り

図　書　館　テ　ス　ト　　（氷川小学校案）

氏　　名（　　　　）　年令（　年　月）　性　別（　男　女）
実施年月日（　年　月　日）　学年（　　年）　担当者（　　　）

注意事項　A　下に書いてある例題をよく読んで、問題に答えてください。
B　はじめから問題の全部に答えようとしなくてもよいのです。まず、やさしいものから、できるだけ、やってみてください。そして時間内に全部終るようにしましょう。

（例題）　あなたが一番よいと考えるものを、下の答の中から選んで、〇印をつけて下さい。

その本が何ページあるか知りたい時はつぎのどこを見ればよいでしょうか。

1、表紙　2、最初のページ　③、最後のページ　4、ひょうだいし　5、もくじ

1、これはある本の標題紙と奥付です。

（標　題　紙）

つ　る　は　南　へ　行　く

カ　ラ　ー　ジ　ン

本多秋五、治子訳

東　洋　書　館　版

（奥　　付）

つるは南へ行く

一九五三年四月二十日印刷
一九五三年四月二十五日発行
定価二〇〇円

訳者　神奈川県逗子町久木一七四三
本多秋五
本多治子
発行者　大井徳三
印刷者　山本芳郎

発行所　株式会社　東洋書館
東京都千代田区飯田町一ノ六
電話九段(33)四二二五・四八五六
振替東京一七〇三六三

つぎの語の中で本の標題紙に書いてあるもの三つに〇印をつけなさい。また標題紙にはなくて奥付にだけ書いてあるもの二つに△印をつけてください。

い、書　名　ろ、もくじ　は、発行所　に、発行日　ほ、著者　へ、定　価

2、上の標題紙と奥付をよくよんで、次の問題に答えて下さい。

い、書名（本の名）は何といいますか（　　　　　）
ろ、この本の著者はだれですか　（　　　　　）
は、出版社は何というのですか　（　　　　　）
に、この本の訳者はだれですか　（　　　　　）
ほ、発行日はいつですか　（　　　　　）

3、下の本は書架の何番のところにあるでしょうか、番号を入れて下さい。

若草物語	シートン動物記	憲法の話	少年朝日年鑑	日本のむかし
オルコット	シートン	金森徳次郎	朝日新聞社	和歌森太郎
（　）	（　）	（　）	（　）	（　）

4、もしつぎの本が、図書館の書架に順序よく並べられるとすると、どの本がまず最初にくるでしょう、同じようにして、第二、第三、第四、第五とその正しい順序を（　）の中に書き入れて下さい。

小公子	音楽絵物語	野口英世	鳥の四季	月夜とめがね
バーネット	村田武雄	小出正吾	中西悟堂	小川未明
（　）	（　）	（　）	（　）	（　）

5、つぎの、上段の分類番号の中から下段の本にあてはまるものを選んで（　）の中に書き入れなさい。

29　53　48　81　93

世界めぐり（　）　植物の一生（　）　汽車の話（　）

ピノッキオ（　）　よい子の作文（　）

6、つぎの伝記を図書館の書架に正しい順序に並べるとするとどういう順序になるでしょう。その番号を（　）の中に書き入れなさい。

ベートーベン	北里柴三郎	キューリー夫人	ナイチンゲール	ニュートン
片山敏彦	寺島荘二	秋田雨雀	酒井朝彦	信田秀一
（　）	（　）	（　）	（　）	（　）

7、下の図は目録カードですがこれをよく読んでから右側の問に答えて下さい。

93	村	岡花子
む		あしながおじさん 講談社 昭28(1953) 321p 18cm ○

い、著者はだれですか（　）

ろ、書名は何ですか（　）

は、発行はいつですか（　）

に、この本の分類番号を書きなさい（　）

ほ、図書記号はどれですか（　）

8、これは図書館の件名目録のひきだしの図です。右の件名は何番のひきだしの中に出ているでしょう。（　）の中にひきだしの番号を書き入れて下さい。

(1)	(2)	(3)	(4)
あ～う ○	え～か ○	き～く ○	け～さ ○
し ○	す～そ ○	た～つ ○	て～と ○
(5)	(6)	(7)	(8)

い　ね（　）

水力発電（　）

寄生虫（　）

国立公園（　）

子供の日（　）

9、次のことばは漢和辞典に書いてあることばですが、よく考えて問題に答えて下さい。

草（くさ）

い、画数（かくすう）は何画ですか（　）

ろ、（艹）は辞書を引くときはなんとよみますか（　）

は、「つくり」というのはどの字でしょうか（　）

に、訓（くん）は何といいますか（　）

ほ、音（おん）は何といいますか（　）

10、次の表はある国語辞典のはじめに出ている五十音さくいんです。これによってつぎのことばが、何ページにあるか見つけ，（　）の中にページを書き入れて下さい。

五十音索引

あ 一	い 一五	う 三一	え 四〇	お 四七
か(が) 九一	き(ぎ) 九一	く(ぐ) 一二三	け(げ) 一三三	こ(ご) 一三六
さ(ざ) 一六一	し(じぢ) 一八〇	す(ずづ) 二三九	せ(ぜ) 二四八	そ(ぞ) 二六七
た(だ) 二八〇	ち 二九八	つ 三〇九	て(で) 三一五	と(ど) 三二五
な 三三九	に 三四八	ぬ 三五四	ね 三五六	の 三五九
は(ばぱ) 三六三	ひ(びぴ) 三七八	ふ(ぶぷ) 三八九	へ(べぺ) 四〇五	ほ(ぼぽ) 四〇五
ま 四一六	み 四二四	む 四三三	め 四三七	も 四四二
や 四四九	い 一五	ゆ 四五六	え 四〇	よ 四六二
ら 四七一	り 四七四	る 四八二	れ 四八三	ろ 四八七
わ 四九一	ゐ 四九六	う 三一	ゑ 四九六	を 四九六
ん 四九七				

い、いいつたえ（　）　ろ、うわさ（　）

は、いとなみ（　）　に、たたずむ（　）

ほ、うちょうてん（　）

11、次の図は、児童百科辞典の背表紙にある文字です。

つぎの事がらは何さつ目に出ているでしょう。（　）の中に番号を書き入れて下さい。

あまの川（　）　国旗（　）

議会（　）　かげろう（　）

イタリヤ（　）

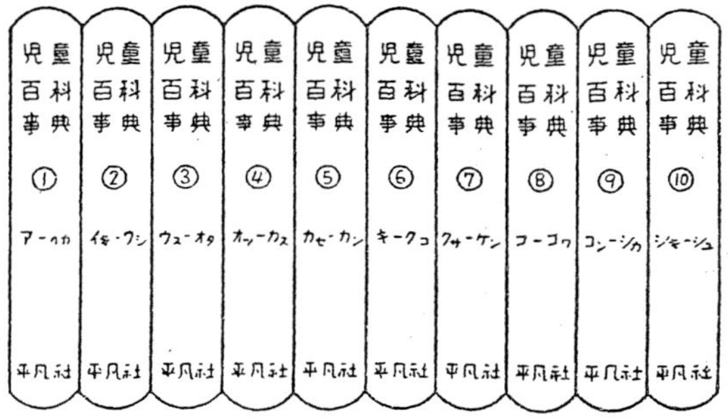

12、下の左側の図は別枝達夫著，「西洋の歴史」のさくいんの一部です。これをよくしらべてから右側の問に答えて下さい。

い、ミイラについて（　　　　）
ろ、マラソンのはじまり（　　　　）
は、マホメット教のおこり（　　　　）
に、大昔に民主政治のおこなわれた（　　　　）
ほ、武者修業の盛んであった時代（　　　　）

13、つぎの図は高橋浩一郎著「雨の観察」の目次の一部です。このもくじを見て、右側の問に答えて下さい。

い、第二章の題は何と書いてありますか（　　　　）
ろ、第五章は何ページからはじまりますか（　　　　）
は、第一章は何ページあるでしょう（　　　　）
に、第三章は何ページありますか（　　　　）
ほ、38ページは何章に含まれていますか（　　　　）

＜雲の観察＞　目次

14、つぎはざっしからとったものですが、よく読んでから問に答えて下さい。

「化石は地球の宝物」　直良信夫　子供の科学　30～32
4月号　　第17巻　第4号

い、この項目の筆者（書いた人）はだれですか（　　　　）
ろ、この項目の題は（　　　　）
は、何というざっしに発表されたのですか（　　　　）
に、何ページに書かれていますか（　　　　）
ほ、いつ発表されたのですか（　　　　）

15、つぎに学校図書館にある有名な８種のざっしと、それについて５種の説明書があげられています。最もあてはまると思われるざっしを（　）の中へ書き入れて下さい。

少女クラブ
旅
主婦の友
小学六年生
子供の科学
近代三百年史
山　岳
野球少年

い、科学の雑誌（　　　　）
ろ、学習雑誌（　　　　）
は、少年少女の読みものを中心とした雑誌（　　　　）
に、スポーツ、ごらくの雑誌（　　　　）
ほ、おかあさんやおねえさんの雑誌（　　　　）

16、つぎの例は書目をつくるときに一つの参考として用いられるものです。つぎの問に答えて下さい。

広　瀬　秀　雄
「流 星 の 観 測」
子供の科学　1954年２月
Ｖ17．Ｐ20～22

い、筆者はだれですか　(　　　　)
ろ、項目の題名は　(　　　　)
は、どのざっしに書かれたものですか　(　　　　)
に、これは何号ですか　(　　　　)
ほ、何ページに書かれていますか　(　　　　)

17、こども会をどのようにやったらよいかということをしらべるにはどの本が適しているでしょうか。○印をつけて下さい。

い、子　供　の　暦　　ろ、のびゆく日本
は、学校新聞のつくり方　　に、国　語　辞　典
ほ、こども会の手帳

18、もしあなたがある事がらについて，どういう本をよんだらよいかを調べるにはどうしますか。正しい答に○印をつけてください。

い、本をすみからすみまで全部よむ
ろ、さくいんをしらべる
は、本をぺらぺらめくってみる
に、一つ二つ見込のありそうな章をよんでみる
ほ、各章のはじめの方をひろいよみする

19、あなたは、本をよむ時、あなたの目を大切にするために、次のどんなことに注意しますか。○印をつけて下さい。

い、本を目から 30 cm ぐらいはなして読む
ろ、絵のなるべく多い本をえらんで読む
は、読む前に手を洗う
に、本の判型に注意してえらぶ
ほ、ものをたべながら読むと目が悪くなるからやめる

20、学校図書館の資料を使ってあなたの学習に役立てるために、一番よいと思う方法をつぎの中から一つだけえらんで○印をつけてください。

い、本の中のよいところに赤えんぴつでしるしをつける
ろ、参考になる本を早くみつけ、友だちにとられないようにかくしておく
は、なるべくたくさんの本をしらべて，みんなノートにうつしておく
に、百科事典が一さつあれば何でもわかるから，ほかのものは見ない
ほ、いろいろの本をしらべ、またパンフレット、きりぬき、スライドなどもしらべ、よい資料をじょうずに役立てる

⑥　テストの結果　　第二回テストの結果はつぎの表の通りである。

得　点　頻　数

得　点	5年 男	5年 女	6年 男	6年 女	計
0～10	0	0	0	0	0
11～20	2	0	0	0	2
21～30	3	2	0	0	5
31～40	3	0	0	0	3
41～50	5	6	0	0	11
51～60	13	8	1	3	25
61～70	13	12	6	7	38
71～80	16	20	22	13	71
81～90	10	9	18	21	58
91～100	2	3	16	12	33
解答者数	65	60	63	56	244
総　点	4272	4150	5164	4554	18130
平　均	65.7	69.2	82.0	81.3	74.3
（学年平均）	(67.3)		(81.7)		

問題別正答者数および百分率

問題	5年 男	5年 女	6年 男	6年 女	計	百分率 %
1	36人	37人	51人	48人	212人	86.8
2	22	24	43	39	128	52.4
3	2	1	18	17	38	15.5
4	6	10	17	14	47	19.2
5	14	12	29	29	84	34.4
6	17	7	32	25	81	33.1
7	26	34	51	42	153	62.7
8	41	36	53	44	174	71.3
9	11	6	25	26	68	27.9
10	54	48	60	52	214	87.7
11	6	3	19	11	39	15.9
12	53	51	59	53	216	88.5
13	27	19	31	22	99	40.5
14	51	48	57	53	209	85.6
15	47	41	49	44	181	74.1
16	41	42	42	50	175	71.7

17	46	47	59	54	206	84.4
18	26	33	36	38	123	50.4
19	47	47	54	48	196	80.3
20	47	51	55	54	207	84.8

この結果により，数々の貴重な反省資料を得，問題をつぎの立場から改訂することにした。

(1) 概念的な知識を引出す問題でなく，実際に図書および図書館を利用する経験の深さがわかるような問題であること。

(2) できるだけ図書館経験の各分野にわたるようにし，またまぎれやすいものや重複する問題は改めたり削ったりした。

(3) 問題となる資料は十分吟味し，適切なものであることに注意した。

このようにして，第二次テストの改訂を行い，第三次案を作成した。

(ここにはつごう上，第二次案を掲げることにした。)

このテストを実施する上の留意点としては，つぎのようなことが考えられる。

(1) 問題の程度は5・6年が適当である。しかし，毎年5年の最後にこのテストを行い，6年の整理の段階で，指導の不十分な点を補うことも一つの方法である。

(2) このテストは，図書館経験全般にわたり，しかも最低限度の必要事項を示したものであるが，これにより指導上の手がかりを得ることができる。

(3) ここにあげた問題は小学校6カ年の義務教育の期間に，綜合的に行うために作ったものである。したがって個々の問題はさらに各学年の指導の現場でテストされるよう，もっと具体化された問題がたくさん作られてよい。むしろ指導課程の一つ一つの単元に，これらの問題がもっと分化展開されるべきである。

V. 今後の方向

この実験の今後の方向として，

(a) ここにあげた指導体系は，本校の学校図書館の実態に即して作られたのもであるが，これを，さらに改訂していきたい。そして一般に学校でこれを活用する場合の適用のしかた等についても示唆を提供したいと思う

(b) この資料を今後の教科書編集の資料として関係者に提供するとともに指導法の全般的な改善のためにも提供したい。あわせて，文部省のコース・オブ・スタデイ等の編集にも参考資料として提供したい。

(c) 本校としては，とくに，読書経験を多角的に分化，発展させる研究や指導を行っていきたい。

(d) なお，学校図書館利用のテストについては，多くの学校に研究資料として提供し，これを標準化して，一般に使用されるように努力していきたい。

参　考　資　料

(1) 氷川小学校の概要（昭和30年4月15日現在）

児童数　654名，学級数　15，職員数　21

(2) 氷川小学校図書館の概要（昭和30年4月15日現在）

(イ) 図書館総坪数　87坪（専用）（内一般閲覧室　31坪
低学年用閲覧室　7坪，小集会室　3坪，視聴覚資料室　6坪，
視聴覚室　37坪，事務室　3坪，）

(ロ) 収容人員 100名，

(ハ) 図書冊数　4160冊，この外小冊子，パンフレット，800点
写真，図表，紙しばい，児童作品，切抜等多数。

(3) 参考文献

(イ) 氷川小学校著，学校図書館前進のために——文部省学校図書館実験学校研究集録第1集，氷川小学校発行，昭和29年11月，185P　A5版非売。

(ロ) 氷川小学校著，学校図書館のよいつかいかた　氷川小学校発行，昭和29年10月，60P，A5版，非売（これは児童のための図書館利用の手引書である）

(ハ) 久米井束著　氷川学校図書館記，明治図書出版株式会社，昭和29年7月，265P，B6版，280円。

付　記　テストはその後改訂を行い，これによってさらに調査を行った。

学校図書館利用指導の体系について

川崎市立富士見中学校

おもな目次

はじめに── 実験学校としての研究領域が広汎にわたる上，研究の前提となる図書館施設の整備，資料の充実に相当の時間と労力を必要とするので，研究方途の確立に大きな困難に遭遇し，いたずらに時間を空費して予期の成果を挙げるまでに至っていないことは，まことに遺憾に思うものである。今後各方面の御指導を得て，研究の躍進を念願している。

Ⅰ．実験の期間

昭和27年7月，文部省の学校図書館の実験研究校として指定されて以来今日に至る。

Ⅱ．実験の意図

昭和27年7月18日，文部省学校図書館実験学校の指定を受けた時の研究課題は，「義務教育の終期迄にどのような図書館経験を与えたらよいか」というのであった。この研究の基本的な意図は，氷川小学校の報告にある記述に譲るが，本校では，この目的に達する段階として，次の目標を定めた。

(1) 中学校の教育目的や目標に照して，どのような図書館経験を生徒に与えたらよいか。
(2) 各教科や教科外の指導によって，どのような図書館利用の経験を与えたらよいか。
(3) 特に本校の教育において，どのような図書館経験を与えることが望ましいか。
(4) これらの研究にもとづいて指導計画を編成する。
(5) 中間発表を適宜行い，最後に結果をまとめて発表する。

研究課題と取り組んだ当初，本校の図書館は蔵書数約百冊と書架若干と普通教室2教室分の広さの部屋で，まったく学校図書館とはおよそかけはなれたものであった。今日唱えられているような読書指導とか，視聴覚資料を含む多角的な図書館活動などを実現するには程遠い実情であった。

Ⅲ．実験の概略

1. 図書館構成

実験方法にはもとより科学的な裏付けがなくてはならない。しかし，学校図書館を場とする動きつつある読書生活の実験的研究は実際には通り一遍の調査，テスト等で簡単に行いうるものではない。そこで，空屋

同然の所にまず図書館作りをすることが，昭和27年から28年にかけての大きな仕事であった。そこで図書館構成の目標を次の五つにおいた。

1. 清潔な雰囲気をかもしだす。
2. 明るさと快適さをもつようにする。
3. 親書に適当した落着きある環境にする。
4. 視近感を抱かせるようにする。
5. 図書館に常にフレッシュな変化をもたせる。

以上の目標をもって，昭和27年4月から28年9月にかけて一応の施設をどうにか作り上げた。こうして種々くふうして作ったものや購入したものは次の如きものである。

1. スライド映写箱の創作
2. 清水式スクリーンの購入
3. 図書展示架（可動式展示架）のくふう
4. 個人用読書机の備付
5. 立体蓄音器の購入
6. 鉄製両面書架の備付

等鋭意図書館の改良を続けて来た。

この際特に意を用いたのは，館内の塗装についてであった。本校は川崎市の繁華街に近く，又土地が戦災により焼けはて，街路樹とか，森に恵まれていない。ただ塵埃によごれた，褐色，灰色の色感覚しかない。図書館をその一部に当てた2階建校舎は25年26年にかけ建築されたものではあるが，土地が砂地であるため，7ｍ以上のかぜでも砂塵があがる始末であった。当初，生徒の行動には，

1. 落着きがない，
2. 忍耐力がない，
3. 口論が多い，
4. 粗暴になり勝ち，などの傾向がいちぢるしかった。さらに机の上に坐る，廊下を走る，ぼうしをかぶったまま教室内に出入するといった好ましくない状態は，教師のいろいろな指導にもかかわらず，ほとんど効果はなかった。このような状態のとき，茨城大学の木村俊夫助教授の御指導を得て，色彩調節の原理に従い，内部の塗装を全面的に改めた。その結果，

(1) 図書館は生徒の好む場所となり，図書館への出入が急増した。
(2) 生徒の行動が自主的にひきしめられて来た。
(3) 室の中に研究的な雰囲気が自然にでて来た。教室で行なわれていた粗野な状態もしだいに少なくなった。

(4) 目の疲労も少なくなったようにみうけられた。

2. 図書館運営の問題

昭和28年から29年にかけて，図書館作りが一応の段階に達し，いよいよ図書館運営の本格的研究に全職員協力して，あたっていくことになった。このときの主な問題は次のようなことがらであった。

(1) 図書館の備品並びにその運営の諸問題について

(イ) 経費捻出についてのＰＴＡの協力，(ロ) 文部省各教科担当官より，各教科の本質より見た学校図書館に対する意見を聞いて研究すること，

(ハ) 図書館塗装についてさらに茨城大学木村助教授の指導を得ること，

(ニ) 研究印刷物の編集。

(2) 図書館利用指導の問題について

i. 教科書の分析

昭和29年度発行教科書1800冊についての分析

(イ) 図書館経験を資料としたものについての内容検討

(ロ) 読書指導に関連した資料の摘出並に内容の検討

(ハ) 教科書の教材の出典，参考書等についての検討とその統計的処理（これらの研究活動の資料は「教科書協会」に提供して教科書改善のため寄与をなすことができた。）

ii. 補助教科書利用による学習指導及び図書館における教科書活用の研究。これは本校採用外の教科書を教室の学習に活用し，又図書館でも再製本，分冊等の方法によって生徒に利用せしめようとするものである。この研究については，中等教育資料，昭和29年6月号掲載「学習指導における補助教科書の利用について」（深川恒喜）に紹介されているが，生徒の図書館経験を拡充する上に非常に成果があった。

iii. 図書館テストの実施

ピーボディー図書館テスト (PEABODY LIBRARY INFOMATION TEST) を参照し，学校図書館テストを実施（29. 2. 13日実施 実施数1322人）

iv. 読解力査定問題の作製実施

教育漢字 881 字を 688 の語句に組立て，読みがなをつけさせた。(実施1300人)

v. 卒業までに図書館で読むことが望ましい本のリストの作製

中学1年から3年までに生徒に読ませたい本を選定し，生徒にそのリストを持たせ，読んだ本を記録させることを試みた。

vi. 生徒の読むべき図書冊数の割当による研究

各生徒に1カ月2冊以上の手近な本を読ませ，その書籍解題とか感想文をレポートに作らせ，これを各ホーム毎に製本し図書館に備え付けて読書力の伸張の手助けとした。又製本したものについて装本コンクールを行った。

Ⅳ. 実験の結果

学校図書館に関する科学的実験にはまだ研究の余地が多いが，今日まで調査したものについて以下簡単な説明を加えたい。

1. 読書実態の調査

生徒の読書能力はどの程度であるか，これに関しては，一度ぐらいのテストの結果ではその全容をつかむのは冒険であるが，一断面は伺い得られると思う。昭和28年6月25日実施した読書能力診断テストの結果は次の如くである。

中学1年で大体中学2年の2･3学期程度

中学2年で大体中学2年の2･3学期程度

中学3年で大体中学3年の2･3学期程度

全校平均は3年1学期程度

である。勿論これは現在より1年有半前の統計であるので，今日では変化していると思う。当時の集計結果は次の通りである。

依田新・岡本奎吾・佐藤泰生 共著　読書能力診断テスト使用（実施人員1587名）

偏差段階	24以下	25～34	35～44	45～54	55～64	65～74	75以上
一　年		20	100	241	182	103	
二　年		12	81	202	168	86	
三　年		5	68	138	150	31	
計		37	249	581	500	220	1587名

上の表で読書力は普通以上の力のあることがわかる。そこで，この調査に関連して生徒は小学校から中学校にかけて，どのような読書経験をもって来たか，又発展しつつあるかを調査してみた。

2. 読書経験の調査（28. 10. 12日実施1474名）

(1)あなたは読んだ本について話し合うことがあるか
- あります 20%
- ありません 5%
- ときどきする 75%

生徒は読んだ本について話し合いをすることが自然であることを物語っている。

(2)どんな所で話し合うか
- 学校図書館で 9.3%
- 教室で 22%
- 廊下で 1.6%
- 運動場で 2%
- 学校のゆきかえりで 40%
- 家　で 25%

読書については解放された時間こそ話し合えるものであることがわかる。

(3)どんな人々と多く話し合うか	友だちと	85%	これらの調査は読者層をにがしてはいけないことを如実にしめす。良書の指導もこの辺に重点があるように考えられる。
	父母と	4.7%	
	兄弟姉妹と	7.6%	
	先生と	0.3%	
	上級生と	2.4%	
(4)普通友だちとどの位の人数で話し合うか	2,3人と話し合う	32.1%	
	4,5人と話し合う	8.9%	
	きまっていない	59%	
(5)どんなことについて話し合うか	本の中の主人公について	11%	この問で大体読書指導は本の筋から発展すべきことが明らかになる。
	おもしろかったことを話し合う	18%	
	悲しい物語を話し合う	5%	
	登場人物の人がら人格について	17%	
	本のあらすじについて	35.6%	
	本の中のさし絵について	1.6%	
	新しいことばの意味について	2.3%	
	自分で発見した本の名や著者の名について	2.8%	
	読んだことを家族や先生と話し合ってよい所がわかるようになった	2.0%	
	か読んだ事について話し合うとあとまでよく覚えているかどうか	2.4%	
	友達と話し合うと自分で読んだ時わからなかった所を発見することができたか	5.3%	

(6)読書と生活の問題について

(イ)自分の生活にプラスするものがあったか	たくさんあった	15.1%	読書は生徒に大きな影響をもつことが伺われる。ここに正しい指導が考究されなければならない。
	なかった	8.9%	
	少しはあった	76%	
(ロ)本を読んだことにより自分が社会人として未熟であったことを発見したか	なかった	5.8%	
	少しはあった	94.2%	
(ハ)父母や家族の人々を喜ばせるようなことをしてみたか	たくさんした	6.0%	
	しなかった	22.6%	
	少しはした	71.4%	
(ニ)人のためになるようなことをしたか	たくさんした	2.9%	
	しなかった	20.8%	
	少しはした	76.3%	
(ホ)自分は勉強しなければならないと思った	大いにしようと決心した	33.1%	
	そんなことに気がつかなかった	0	
	少しは気持が動いた	68.4%	
(ヘ)将来の進む方向を定めるに役立ったか	大いに役立った	16.0%	
	役に立たなかった	14.0%	
	少しは立った	70.0%	

3. 図書館経験についての調査

生徒が小学校でどんな図書館経験を得て来たかを調査すると，興味ある事実を当見することができた。

学校図書館の利用態度調査表（小学校における図書館経験について）

（E. Scripture M. R. Greer, 共著 "Find it yourself" 1949
H. W. Wilson Company より深川恒喜氏試訳による。）

（昭和29年5月13日実施　調査人員691名）

(1) わたくしは公共図書館を(1)よく利用した　(2)時々利用した　(3)少しも利用しなかった

(2) わたくしがこの学校に入る前の学校に　(1)学校図書館があった　(2)なかった

(3) わたくしが前に行っていた学校では学校図書館をどう使うかについて　(1)先生から　(2)図書係の先生から教えられた　(3)教えられなかった

(4) 小学校の学校図書館は　(1)教科別に分類されていた　(2)日本十進分類法（NDC）によった分類であった

(5) わたくしの前の学校では館外貸出しを　(1)していた　(2)していなかった

(6) わたくしの前の学校ではカード目録が　(1)出来ていた　(2)出来ていなかった

(7) 索引は普通は　(1)本の前にある　(2)うしろの方にある

(8) 索引は　(1)トピックのアルファベット順に　(2)章順に　(3)日附順に配列されている

(9) 索引は　(1)著者が何を書いてるかを知るために　(2)どのページにトピックがあるかを見つけるために　(3)その本の内容の概要をあなたが書くために使う

(10) わたくしが以前に使った辞書は　(1)　　(2)　　(3)

(11) わたくしは学校で辞書の使い方を　(1)教えられた　(2)教えられなかった

(12) 辞書は　(1)主題についての情報を得ようとする時　(2)ことばの意味をみつける時　(3)ある人のくわしい伝記を知ろうとする時に使う

(13) わたくしの前の学校では百科事典の使いかたを　(1)教えられた　(2)教えられなかった

(14) わたくしの使った百科事典は　(1)　　(2)　　(3)

(15) 百科事典は普通　(1)一冊である　(2)数冊になっている

(16) 百科辞典の配列は　(1)事がらのおこつた日附の順に　(2)主題の重要性の順に　(3)　主題の五十音順になっている

(17) 小学校で図書館の本を見つけるためにカード目録を　(1)使った　(2)使わなかった

(18) カード目録は　(1)本のねだんがいくらか　(2)必要上の本をみつけるための分類番号　(3)出版社の所在地を知るために使うのである

(19) カード目録は小学校では　(1)ABCの順に　(2)分類番号順に　(3)五十音順に配列されている

⒇ 自分の所の近くに住んでいる有名な人の伝記をみつけるにはわたくしは (1)百科事典 (2)人名事典 (3)日本人名事典をみる

(21) イギリスの有名な人の伝記をみつけるには (1)国語辞典 (2)世界人名事典 (3)日本人名事典をみる

(22) 宿題のノートを取る時 (1)本の中の情報を一語一語うつす (2)ひとくぎりごとにおもな考えをわたくしのことばで書く (3)簡単にまとめておく

(23) 地名辞典には (1)地図 (2)地名についての情報 (3)新聞論説がのっている

以上の調査によって次のことがらが発見された。

(1) 公共図書館利用の経験について

1. 時々利用した者 68.9%，少しも利用しない者 20.8%

本校に隣接して川崎市立中央図書館（収容人員320名，蔵書約1万冊）がある。公共図書館使用の技術及び態度，公共図書館の持つ性格についての理解は概して乏しい。これは一概に生徒だけを責めるわけにいかない。この原因としては，小学校の受験教育の影響，公共図書館利用についての指導があまり行われなかった，公共図書館の児童室利用の暇がないということなど考えられよう。

(2) 小学校の図書館に関して

(1) 教科別に分類されている		65.8%
(2) N. D. C により分類されている		34.2%
(3) 学校図書館の使用を先生に教えられた		45.6%
(4) 司書の先生から教えられた		38.6%
	教えられなかった	15.8%
(5) 館外貸出しをしている		78.5%
	していない	21.5%
(6) 前の学校ではカード目録ができている		55%
	できていない	45%

この統計から得られる結果は，経験のある生徒でも，分類目録についての知識は簡単なことでもあまり多くもたない。（大体35%～45%位）。従って中学校図書館においても，図書館の機構及び規則その他のおもな技術や知識を指導しなくてはならい。

(3) 参考図書使用に関しては

索引の理解は約50%，又目次と索引の混同が多く見られる。目次及び索引の意義について理解させ，その利用・熟達に工夫せねばならぬことを発見した。

(4) 特殊辞典の使用に関しては

辞書は全般的にみて，国語の辞典が大部分を占め（約60%），特殊辞典は

使用度が少く，辞書の使用法の指導を受けたものは65%，受けないものが35%もいた。その指導を受けたものは，国語辞典だけであるから心細い限りである。又地名，人名事典が理解されているのは60%～70%である。なお，百科事典の利用は劣っている。（45%～55%）

(5) カード目録については

目録の意義，とくにその利用についての確実な理解が少なく，又カード目録使用の経験を持つ者は35%である。従って，カード目録の意義を理解させカード目録の利用に慣れさせる必要のあることを痛感した。

(6) ノートのとり方について

大体の態度ができていることは次の統計で了解できる。

宿題のノートをとるには

(1) 本の中の情報を一語一語をうつす	2.9%
(2) くぎりごとにおもな考えをわたくしのことばで書く	78.2%
(3) 簡単にまとめて書く	18.9%

となっている。要するに，読書能力の面からはそれぞれの学年程度に進歩しつつあるが，図書館利用の技術態度は正しい指導をなす必要が感じられる。読書指導は教科学習を深める手だてであり，自主学習への補助的方途であり，又余暇指導とかみあわせて文学指導への傾向も読書指導からうみ出されてくるが，図書館指導は未開拓の分野であるだけに図書館を場とする指導を充実して行くことが，極めて大切であると考えられる。

4. 図書館利用指導の体系（後掲の表を参照のこと）

いわゆる図書館カリキュラムの構成に当っては，まず前述の諸結果の外，中学校の国語教科書等にでている教材や示唆，アメリカの図書館カリキュラム，文部省で研究した図書及び図書館利用の能力表等を参酌し，さらに，氷川小学校における小学校の場合の研究と関連を保たしめて研究した。別掲の表は，学校図書館の利用について，一般的にみた指導事項の最低線を出そうとしたものであるが，本校が素材になっているだけに，あるいは一般的にみるとなお検討の余地があろう。なおその実施に当っては，本校では，毎週1時間を図書館授業に当て，生徒のための手引書によって，継続的，発展的に指導を行っている。

5. 教科書の分析

教科書と図書館利用の活動との間には，どのような関連があるか，とくに教科書の発展的指導が図書館と結びつけられるにはどんな方途があるかを明らかにし，兼ねて教科書の今後の改訂にも資するため，次の研究を行った。

(1) 教科書と参考書の関係

昭和29年度採用教科書に記載されれている参考文献は，どのようになっているかを調べると次の通りである。

教科	調査冊数	参考書明記の教科書冊数	明記された参考図書冊数	1953年の出版年鑑による教科関係の新刊冊数
数学	77	13	147	67
職家	107	3	11	2
図工	42	0	0	0
英語	13	0	0	0
理科	67	45	108	222
保健	13	2	51	10
歴史	20	4	98	44
社会	51	15	686	91
国語	125	(著者名表示563)	563	
計	508	82	2074	436

学校の基本図書としては教科書がまず第一となるはずであるが，参考書名を挙げた教科書が割合に少ないことは教科書から直ちにその参考書を読む学習に不便であることかわかる。今後教科書の各単元に参考書目がのせられるならば，生徒たちの自主的な学習活動が大いに促進されるであろう。

(2) 参考書の頻度数について（28.9.8日，調査）

ついで，国語科，社会科，数学，理科，職業，保健の各科つにいて，教科書にあらわれた参考書目の頻度を調査したが，挙げられてある参考書目をみると，中学生程度に適しないものも相当見受けられ，又教科書によって，参考書のとり上げかたにかなりの差があることが明らかとなった（詳細は参考文献の(ハ)を見られたい。）

参考書の指導は読書活動の分野に大きな力をもつものであるので，図書館教育とあいまって，参考書取扱いの一般的指導を打ちたてる必要が感じられる。すなわち参考書目を教科書にかかげるのみでなく，参考書目を探して自主的に学習するような示唆がもっと多く入れられなくてはならないと思う。

6. 学校図書館利用の評価

学校図書館評価の問題は従来からも，その必要性は認められていてもその具体案の作成が容易でなかった。本校ではピーボディー図書館テストをまず手がかりにして全校生徒にテストを実施した。このテストは簡単なカード目録，月刊雑誌目録，参考資料や書誌を利用する技術から構

成されている。

図書館テストの表及び実施結果は次の通りである。

図書館テスト

氏名　　　　　　　年齢　　年　　月　　　性別　男　女

実施年月日　　　　　　　　学年　　年　　担当者名

注意事項　A　下に書いてある例題を読んで、その意味をよく考えてから次の問題に答えて下さい。

(例)

あなたが一番よいと考えるものを、下の答の中から選んで、その下に線を引いて下さい。

例題　その本が何ページあるか知りたい時は、次のどこを見ればよいでしょうか。

1. 表紙　2. 最初のページ　3. 最後のページ　4. 表題　5. 目次

B　あなたは問題の全部に答えようとしてはいけません。まずやさしいものからできるだけやってみて下さい。そして時間内に全部終るようにしましょう。

1、これはある本の表題ですが、何が書いてあるかよく読んでから次の問題に答えて下さい。

世界
少年少女
文学全集
小公子
バーネット作
小公女
バーネット作
川端康成、野上彰
共訳
創元社
1953

A、書名には何と書いてありますか（　　　）
B、この本の著者はだれですか（　　　）
C、出版社は何というのですか（　　　）
D、この本の訳者はだれですか（　　　）
E、発行はいつですか（　　　）
F、この本は書架の何番の所にありますか（　　　）

2、次の言葉は漢和辞典に書いてあることばですがよく考えて答えて下さい。

草（くさ ソウ）
(1) 画数は何画か（　　　）
(2) （艹）は辞書を引くときにはなんと呼びますか（　　　）
(3) 「つくり」というのはどの字でしょう（　　　）
(4) 訓はなんといいますか（　　　）
(5) 品詞は何ですか（　　　）

3、下の図は書架の本を示します。各々の下にその順序を示す番号を入れて下さい。

若草物語	フランダースの犬	シートンの動物記	憲法の話	少年朝日年鑑
オルコット	ウィーダ	シートン	金森徳次郎	朝日新聞社
(　)	(　)	(　)	(　)	(　)

4、次の左側の図はファーブル「昆虫記」の索引の部分です。これをよく調べてから右側の問に答えて下さい。

索　引	
松喰虫	135—60
繭と蛾	157—60
卵	136—33
習　性	141—44
冬住む場所	141
子	138—40
以下省略	

次の事項は何ページに書いてあるでしょう。

A、松喰虫の住む所 ＿＿＿＿

B、掃除縄は ＿＿＿＿

C、松喰虫の子は ＿＿＿＿

D、松喰虫の習性は ＿＿＿＿

5、もし次の各々の本が、図書館の書架に順序よく並べられるとすると、どの本がまず最初に来るでしょう。

同じように第2、第3、第4、第6とその正しい順序を（　　）の中に書いて下さい。

若草物語	古典の読み方	福沢諭吉	次郎物語	卵のひみつ
オルコット	池田亀鑑	高石真五郎	下村湖人	内田清之助
(　)	(　)	(　)	(　)	(　)

6. 下に掲げたものはヴアン・ルーン著「人類物語」の目次の部分です。それはたいへんおもしろい本ですが、この目次を読んでから右の問に答えて下さい。

目　次

1、第2章の表題には何と書いてありますか　（　　）

2、第6章は何ページから始まりますか　（　　）

3、第1章は何ページあるでしょう　（　　）

4、16ページは何章に含まれていますか　（　　）

7、次の各語の前に普通、本の標題紙のページに書いてあるものに○印をつけて下さい。

＿＿＿＿A題　名　＿＿＿＿D日　附

＿＿＿＿B著　者　＿＿＿＿E目　次

＿＿＿＿C発行者　＿＿＿＿F定　価

8、次のことばは何語か書き入れて下さい。

例（オーケストル（外来語）医者（日常語）米国(略語)野球(国語)標題紙（専門語）

(1) 人　絹（　　語）

(2) 流れ星（　　語）

(3) デモクラシイ（　　語）

(4) こんごうせき（鉱）（　　語）

(5) 血　液（　　語）

9、次の語は大百科辞典の中にある各ページの見出し語です。

クロシロチドリ	461	クズ	ワーグナー	1251	ワイイ
キョクブデンリユウ	115	ギョクモン	ヤマトタケルノミコト	450	ヤマトベイ
トウゲン	1073	ドーケイ	ツイヒ	488	ツインマークルト

次の題目は何ページに見られるでしょうか。

曲目 ＿＿＿＿　樟 ＿＿＿＿

ワーヅワース ＿＿＿＿　統計 ＿＿＿＿

ヤマトヒメノミコト ＿＿＿＿　追放 ＿＿＿＿

10、下図は目録カードですが、これをよく読んでから、右側の質問に答えて下さい。

930	村	岡　花　子
M		あしながおじさん 講談社 昭28(1953) 321 P　18cm ○

1、著者はだれですか　（　　）

2、この本は絵がありますか　（　　）

3、この本の書名は何ですか　（　　）

4、出版はいつですか　（　　）

5、この本の分類番号は何ですか　（　　）

6、これは何の本ですか　（　　）

11、左側の分類番号中から右側の題目にあてはまるものを選んで書き入れて下さい。

760	日本史	(　　)
210	鳥	(　　)
538	音　楽	(　　)
488	伝　記	(　　)
725	航空術	(　　)

12、これは図書館のカード箱の引出の図です。右側の件名は何番のひきだしをみればよいでしょう。（　）の中にひきだしの番号を入れて下さい。

(1)	(2)	(3)	(4)
あ〜う	え〜か	か〜う	く〜こ
し	す〜そ	た〜つ	て〜と
(5)	(6)	(7)	(8)

伊藤永之助（　）　小泉信三（　）
キリスト教（　）　ショパン（　）
温　度（　）　生　産（　）
土佐日記（　）　田中耕太郎（　）

13、次のおのおのは伝記ですが、これを図書館の書架に正しい順序に並べるとするとどういう順序になるでしょう。その番号を（　）の中に入れて下さい。

ワシントン伝	フランクリン伝	ジェファーソン伝	モーゼ伝	ブライヤント伝	エジソン伝	ルーズベルト伝
アレン	ブラウン	オースチン	ノリス	ウオーカー	ジョーンズ	ハリス
（　）	（　）	（　）	（　）	（　）	（　）	（　）

14、次は定期刊行物からとった書目の例です。これをよく読んでから下の問に答えて下さい。

「古銭をあつめて三十年」　宮田富貴夫
中学時代　1953　2月号　No. 111　106—109

(1)　この項目の著者は　（　　）
(2)　この項目の題目は　（　　）
(3)　何誌に発表されていますか　（　　）
(4)　何ページに掲載されていますか（　　）
(5)　いつ発表されましたか　（　　）
(6)　何号ですか　（　　）

〔注意〕(15—18) は正しい答の下に線を引いて下さい。

15、クラブや実行委員会をどう組織したらよいかということについての指針は、次の書物の中、どの本を見ればもっとよいと思いますか。
1、世界暦
2、アメリカの人々
3、生徒会の手びき
4、ウェブスター新万国辞典
5、ロバート著　秩序の法則

16、もしあなたが特殊な事がらについて，どういう本を読んだらよいかについてすばやく見当をつけるにはどうしますか。
1、本をくまなくよむ
2、索引を調べる
3、本をペラペラめくってみる
4、一つ二つ見込みのありそうな章を読んでみる

5、各章の巻頭を拾い読みする

17、権威のある本の内容を正しく写したときは
1、アンダーラインを引く
2、「　」をつける
3、「　」をつけない
4、各語を大文字で書く
5、（　）をつける。

18、国や国民を色分けして示す地図は次のように呼ばれる。
1、身体図　2、人口図　3、政治図　4、投影図　5、気候図

19、次の例は出版年鑑を編集する際に一つの参考として用いられるものです。

マーシャ・ダルフイン
「本の中の北の子供たち」
ホーン・ブック、1941年1月
V7、P39—51

次の問に答えて下さい。
1、著者名（　　）
2、項目の題名（　　）
3、どの雑誌に掲載されていますか（　）
4、これは何号ですか（　　）
5、何ページから何ページまでそれに書いてありますか（　　）

20、学校図書館における次の14種の定期刊行物と、それについて10種類の説明があげられています。最もあてはまると思われるものの記号を定期刊行物の名前の前書き入れて下さい。

＿＿＿＿少年クラブ、少女クラブ
＿＿＿＿日販通信
＿＿＿＿旅
＿＿＿＿音楽の友
＿＿＿＿中学時代
＿＿＿＿子供の科学
＿＿＿＿英語
＿＿＿＿近代三百年史
＿＿＿＿カメラ
＿＿＿＿国際画報
＿＿＿＿山岳
＿＿＿＿野球少年
＿＿＿＿文芸春秋

A、高級な月刊総合雑誌
B、少年少女のための音楽雑誌
C、子供の科学知識をゆたかにする雑誌
D、英語学習の練習になる雑誌
E、日本や世界の登山に関する雑誌
F、現代の諸問題をカメラに捉えたもの
G、最近の日本の歴史についての写真入り説明の定期刊行物
H、観光旅行案内の雑誌
I、色刷さし絵が多く入ったごらくを主とした少年少女向月刊雑誌
J、新刊図書の月報

テスト調査人員　　調査年月日（29. 2. 13）
1年 541人　2年 476人　3年 305人　計 1,322人

集計結果

問題	正解者	正解率	問題	正解者	正解率	問題	正解者	正解率
1.	3人	(0.3%)	8.	92人	(7%)	15.	467人	(35.5%)
2,	99人	(7%)	9.	127人	(22%)	16.	617人	(17%)
3.	38人	(3%)	10.	158人	(12%)	17.	303人	(23%)
4.	39人	(3%)	11.	28人	(2%)	18.	556人	(42%)
5.	27人	(2%)	12.	703人	(53%)	19.	361人	(27%)
6.	381人	(29%)	13.	8人	(0.7%)	20.	91人	(7%)
7.	169人	(13%)	14.	24人	(1.8%)			

得点数による正解者集計

100～90	0人	
89～80	9人	0.2%
79～70	101人	0.6%
69～60	172人	13.0%
59～50	365人	27.7%
49～40	310人	23.0%
39～30	203人	16.0%
29～20	104人	7.9%
19～10	44人	3.0%
9～1	14人	1.6%
	(1,322人)	

V. 今後について

学校図書館の問題は最近読書指導という面から大いに研究がなされ，不良出版物の排除運動と共にいっそう世間にきびしい問題として取り上げられて来た。教育現場からもさらに進んだ研究があがってくると思われる。

本校がいままで行ってきた研究は，読書経験そのものに焦点を置いて，これをどう育て発展させてゆくかにあった。しかし読書経験は本来抽象的観念的な経験である。学校が生徒たちに与えなくてはならないものとしては，直接的な経験も数多くある。むしろ，間接経験と直接経験とが有機的に交錯し，相融合して一体となった生活活動の中で，読書をどう位置づけ発展させてゆくかが，学校としては，究極の研究目標となる。そこで本校では図書館以外の施設，設備を今後さらに充実し，進みたいと思っている。しかし，これまでの研究からしても，(1)本校生徒の図書館経験を豊かにしてくることができた，(2)学習指導法の研究向上に役立った，(3)今後の教科書学習指導要領等の改善への資料を供することができた，(4)従来，試みられなかった図書館利用テストにくわを入れるこができた，(5)一般にカリキュラムの作成に当って，読書活動をどう体系づけるかについての基本的な

一つの資料を提供することができたと信じる。もとより，これらの研究はなお掘り下げる必要が多々ある。ことに，図書館利用テストは今後，さらに多くの学校の協力を願って，これを標準化することを進める必要があり，又利用指導の体系案については，これも一般化するとともにその各学校での適用等について研究する予定である。これらは今後の努力点である。

(1) 参　考　資　料

(1) 富士見中学校の概要（昭和30年4月15日現在）

生徒数1437名、学級数29、職員数44

(2) 富士見中学校図書館の概要（昭和30年4月15日現在）

(イ) 図書館総坪数48坪（専用)、(内訳、閲覧室39坪、小集会室3坪、事務室3坪）

(ロ) 収容人員80名

(ハ) 図書冊数4800冊、この外小冊子、パンフレット、図表、生徒作品等多数

2) 参　考　文　献

(イ) 川崎市立富士見中学校学株図書館概要（教案）昭和29年11月、同株編集発行　30P　A5版　非売

(ロ) 川崎市立富士見中学校研究概要II　昭和29年11月、同校編集発行、64P　A5版　非売

(ハ) 検定教科書の分析から得るもの、川崎市富士見中学校編集発行、昭和29年11月　48P　B5版　非売

(ニ) 私たちの学校図書館（1953）川崎市立富士見中学校編集発行、昭和28年6月、78P　A5版　非売（生徒用の図書館利用の手引書）

(ホ) 学習活動と図書館活動の相関表（昭和28年6月印刷、非売）

(ヘ) 学校図書館の研究概要（試案）　富士見中学校著　昭和28年6月、128P　A5判　非売

付　記　テストはその後改訂を行った。

学校図書館の利用指導計画一覧表（試案）

図書館経験の主要範囲	1　年	2　年	3　年	4　年	5　年	6　年	7　年	8　年	9　年
1. 図書館の機構と規則を知り図書館をよく利用する。	1. 図書館にはどんなものがあるでしょう。 2. 図書館でたのしく本を読みましょう。 3. 学級文庫を作りましょう。	1. 学級文庫や図書館の本をしずかに読みましょう。 2. 図書館のいろいろの道具を大切にしましょう	1. 読書カードに本の名，本を書いた人の名を書きましょう 2. 図書館のきまりを知ってよく守るようにしましょう。 3. 本のかりかたかえしかたのきまりをよく守りましょう。	1. 図書館のいろいろな掲示や展示に注意しよう	1. 図書館の仕組やはたらきを知ってよく利用しよう。	1. 図書館の運営，図書館委員のはたらきをよく理解し，協力しよう。	1. 図書館の意義を知ろう 2. 図書館の設備と資料について説明をきき理解しよう。 3. 図書館の民主的性格を学ぼう。	1. 図書館の運営に参加して奉仕活動を体験しよう。 2. 図書館の受入れ事務を経験して図書館活動の意義を理解しよう。	1. 図書館の展示活動に参加して効果を話し合おう。
2. 読書衛生を身につける。	1. 本をよむ前に手を洗いましょう。	1. よい姿勢で読ましょう。 2. よごれた手で本を読まないようにしましょう	1. 姿勢や光線に注意して本をよく読みましょう					1. 読書衛生について研究しよう。	
3. 本の構成と造本について知り，これを愛護する。	1. 本をていねいにあつかいましょう	1. 新しい本のひらき方をおぼえましょう。	1. 目次の見方をおぼえましょう。	1. 本の種類について調べよう。 2. 目的によって本の持徴を生かして使おう。	1. 本の各部分のはたらきをしらべよう。 2. 本の簡単な修理のしかたをおぼえよう。 3. 造本についてしらべ，本の良否を見分けられるようにしよう。	1. 本ができるまでの経路をしらべよう。 2. 児童書出版の現状についてしらべよう。 3. 自分たちの研究物を製本しよう。	1. 新刊書の扱い方を心得よう。 2. 書架からの出納について反省をしよう。 3. 本の各部の名称を知りその内容について理解しよう。 4. 本の造本過程を調べてみよう。	1. 簡単な製本をしよう。 2. 古雑誌から役に立つ資料を選び、新しく編集しよう。 3 新聞の切り抜きをしよう。	1. 印刷工場や製本工場を見学しよう
4. 分類と配列について知る	1. 本をきれいに並べましょう。	1. え本のかんたんな分類をおぼえましょう。	1. よく使われる請求記号をおぼえましょう。 2. 自分のさがす本が大体どの位置にあるかおぼえましょう 3. 本を正しく書架にかえしましょう	1. 本はどのように配架されているかしらべよう 2. 分類の必要について考えよう。 3. ＮＤＣの組織を調べよう。 4. 請求記号のはたらきを知ろう。	1. ＮＤＣ（児童用）の権威を正しく理解しよう		1. 本の配列と分類の関係を調べよう 2. 日本十進分類法を研究しよう。	1. 分類の意味を理解して自分の読書生活に応用しよう。 2. 分類の事務に参加しょう。	
5. カード目録の利用に習熟する。					1. 目録カードの種類を調べよう。 2. 件名カードのつかい方を理解しよう。	1. いろいろな問題解決のために目録カードを利用して本をさがそう。	1. カードの形式について理解しよう 2. 書物の検索をするのに目録を使うことになれよう。 3. 単元別目録の利用になれよう。	1. 著者目録，書名目録，辞書体目録について知ろう。 2. 件名目録について研究しその使いかたに慣れよう。	1. 自分の学習や教養のための資料をカード目録の形式に作ってみよう
6. 本をよく選ぶことができる。	1. 図書館にいっていろいろの本を手にとってみましょう。	1. 絵の少い本や文の長い本も読んでみましょう	1. おはなしの本のほか理科や社会科その他についてもいろいろの本を	1. 同じことがらでも本によって書かれていることに違いのあることを	1. どんな本が役立つかを著者，目次さくいん，さしえなどによって，	1. いろいろの著者と出版社があることを知ろう 2. 著者と出版	1. 著者によって本を選ぶようにしよう。 2. 本の選択に	1. 本以外にもいろいろの資料があることを知り本と同じように中味を	1. 本の選択基準を作って自分がいままでどのようにして本を選んでき

			読んでみましょう。	話しあって図書を選ぶ手がかりにしよう。 2. ていさいやうわさだけで本を選ばないようにしよう。	その内容をくらべてみよう。 2. 書評などを読んで本を選ぶようにしよう。	社によって本のだいたいの傾向を知ろう。	は著作事項内容，形体等に気をつけよう。	たしかめて目的にあうものを選ぼう。 2. 宣伝や広告で本を選ばないようにしよう。	たか反省してみょう。 2. 書評，図書目録，読書案内によって，図書を選び，又自分の読書計画を進めることに役立てよう。
7. 辞書の使用に馴れる。				1. 辞書の種類構成特色を調べよう。 2. 目的に応じて辞書を利用できるようにしよう			1. 辞書の意義と構成について調べよう。 2. 国語，漢字英語の辞書をひく練習をしよう。	1. 英語や国語の大辞典をひいてみよう。 2. 英和辞典の使い方に慣れよう。	
8. 百科事典の利用に通じる					1. 百科事典の種類，構成特色を調べよう。 2. いろいろの問題について百科事典を利用しよう。 3. 目的に応じて百科事典を利用できるようにしよう。		1. 百科事典の種類をしらべよう。 2. 百科事典の使用法をいろいろやってみよう。	1. 百科事典と辞書の相違を研究しよう。	

— 180 —

9. いろいろの特殊参考書について知りその利用ができる。					1. いろいろな特殊参考書について調べよう。	1. いろいろな特殊参考書のつかいかたに馴れ，じょうずに利用できるようにしよう。	1. 特殊参考書の種類や構成について調べよう。 2. 目次と索引の利用を早く出来るよう練習しよう。	1. 参考書と特殊参考書の関係を調べてみよう。	1. 特殊な辞典を引くことに慣れよう
10. いろいろ冊子の小類があることを知り，その利用ができる。				1. ざっしや新聞のクリッピングを作って学習や生活に役立てよう。	1. パンフレット，リーフレット，切抜などを学習に役立てよう。	1. 図書以外のいろいろの小冊子を集めよう。	1. ファイルにある資料のさがしかたに慣れよう 2. 切り抜きを集めよう。	1. ファイルの資料を集めることに協力しよう。 2. その分類について考えてみよう。	1. 恒久的資料と一時的資料を区別してその価値や使いかたを知ろう。
11. さまざまの定期刊行物について知り，その活用ができる。		1. 本のほかに雑誌なども見ましょう	1. ざっしの中のいろいろの記事を読んでみましょう。 2. 雑誌や新聞からニュースをあつめ話しあいましょう。	1. 新聞や雑誌について調べよう。 2. 新聞やざっしとふつうの本とのちがいを考えよう。 3. 新聞やざっしをじょうずに利用しよう。	1 新聞の研究欄を生かして使おう。	1. 新聞のいろいろの欄について調べよう。 2. 児童のために発行されているいろいろの新聞や雑誌を比較し批判しよう。	1. スポーッ，娯楽，少年雑誌等の特色を知って利用しょう 2. 新聞で一番興味のある所について話し合おう 3. 新聞雑誌から問題をつかみとる練習をしよう	1. 雑誌の種類について調べよう。 2. 参考文献としての利用法を考えよう。	1. 専門雑誌の利用について研究しよう。 2. 新聞の各面の記事を広く学習や教養に利用しよう。
12. 諸種の視聴覚資料について知り，	1. いろいろの紙しばいを見ましょう	1 紙しばいや幻燈を学習に役立てましょう。	1 自分の作った絵話や研究物などを実物幻燈で見ましょう	1 いろいろな視聴覚資料について知ろう。	1. いろいろの視聴覚資料の利用法を知って学習に役立てよ		1. 学習にスライドを利用してみよう 2. 図書館で音	1. 読むこと，聞くこと，見ることで知識を豊かにしよう。	

— 181 —

これをよく利用する。	2. 自分の読んだ本を紙しばいに作りましょう。				う。		楽を楽しもう。	2. 自作スライドを作ってみよう。	
13. 書目をうまく作って調査研究に役立てる。					1. 研究調査のため書目の作り方を工夫しよう。	1. 書目をつかって計画的に読書しよう。 2. 出版目録などを利用しよう。	1. 参考書目の作り方について説明を聞こう。 2. 自分の学習に役立てるように実践しよう。	1. 教科書にのっている参考書目に自分で追加しよう。	1. 書目が読書能率をあげるようにどんなに役立つか反省しよう。 2. 自分はいままでどんな本を読んだか自分の書目と人のとを較べて考えてみよう
14. ノートを目的に応じて要領よくとることができる。	1. 読んだお話をえや文に書きましょう。	1. 読書え日記をつけましょう。	1. 読書ノートつけ正しい読書の習慣を身につけましょう。 2. 本のあらまし，かんそうなどを書きましょう	1. いろいろの読書ノートのかき方を比較し研究しよう。	1. 要点を書きぬきながら読もう。 2. 研究のためのノートのとり方を工夫しよう。	1. 読書ノートをもっと効果的につける方法を研究しよう。	1. 種々の資料について抄録やメモを作ろう。	1. カード目録の形にして集積しよう	1. 自分の作った梗概や要約を読み返えして反省してみよう
15. 校外の図書資料源について知り，これをよく利用する。						1 学校の近くにある資料源について調べよう。 2 主な美術館博物館，図書館を見学しよう。	1. 公共図書館の利用に慣れよう。	1. 美術館，博物館などを見にいこう	1. 自分の調べたいことについて郵便で地方の図書館などに問合わせてみよう。
16. 望ましい読書経験を与える。	1. すきな本をえらんで読みましょう 2. 読んだ本について話しあいましょう。	1. 本をたくさん読みましょう。 2. 本をつかっていろいろのことを調べましょう 3. 読んだ本についてみんなで話しあいましょう	1 長い文のおわりまで読みとおすようにしましょう。 2. 文の内容や要点をじょうずに読みとりましょう。 3. 読んだ本を劇にしてやってみましょう。	1. 研究のための読書と教養ごらくのための読書と区別できるようにしよう。 2. 研究のための読書について目標をはっきりたてよう。 3. 教養，娯楽のための読書についてひろくいろいろの本を読もう。長編もよみとおすように努力しよう	1. 標題，目次さくいん等を利用しよう。 2. 計画をたてて本を読もう。	1. 6カ年間の読書生活を反省しよう 2. 生活の中でどのように読書したらよいかをくふうしよう 3. いろいろな良書のリストをつくろう。 4. 書評や解説文をかいて本についての理解を高めよう。 5. 読書会を開いて本についつ話しあおう，	1 日記，伝記記録等を正しく順を追って読もう 2. 文学的作品を味い読むことに努めよう。 3. 科学書の要点を読みとれるように工夫しよう 4. 物語などを脚色して演出できるようにしよう 5. わからないことは，すぐ本で調べてみるようにしよう。	1. やさしい古典の物語を読もう。 2. 読後感のレポートや討論に習熟しよう。 3. 作者についての研究批判をもっと進めよう。 4. 見たり，聞いたり，やってみたりしたことを本によってたしかめよう。 5. もっとくわしい本，資料の正確な本．原典などを進んで読もう。	1. 学習のための読書，娯楽のための読書教養のための読書をうまくかみあわせて生活を豊かにしよう。 2. 人生や社会問題を読書によって解決のいと口を求めるようにしよう 3. 将来の進路を選ぶために図書を参考にしよう 4. 現代文学の重なものを読破する計画をたてよう。 5. 内外の古典の読書範囲を広げてゆこう。 6. 自分がこれからやってみようとすることについてまず本で調べてみよう。

備考　第1学年から第6学年までは氷川小学校，第7学年から第9学年までは富士見中学校がそれぞれ立案した。

5才児における身体的及び知的発達とその指導

東京学芸大学付属幼稚園

一．実験の期間

昭和27年4月～昭和29年3月

二．実験の意図

5才児に望ましい身体的及び知的発達の実態を理解し，幼稚園におけるカリキュラムの基盤を把握すると共に，科学的な指導の手がかりを得たい意図のもとに，研究実験を行った。

第一年次（昭和27年度）

当幼稚園では数年来「教育課程の改善」を中心課題として実際的研究を進め，昭和26年にはふじゅうぶんながら，当幼稚園における一応の生活基準として，「新しい幼稚園における保育の計画と実際」をまとめた。しかし，教育課程は幼児や社会の変化に伴って可動的でなければならない。また，これを一層確実な基礎の上に立つものとしなければならない。ここにカリキュラムの具体的な基準．つまり，基礎資料の必要を痛感するに至った。

ところがこうした要求にあった「幼稚園のカリキュラムの基準」はまだまとまったものがない。

そこで目的を達成するために自分たちの手で，これを作らなければならないことに立至ったのである。こうして，27年度には，幼稚園における一般的なカリキュラムの基準として，「5歳児に望ましい経験とその基礎について」を研究の課題としてとりあげた。

第二年次（昭和28年度）

昭和27年度は「5才児に望ましい経験の基礎」の全般について，一般的な研究を行ったが，28年度は一層科学的な基礎調査による資料を指導の手がかりとして得たいために，先ず当園の研究しやすい部面から着手することにした。つまり，

A．5才児の身体的活動の発達とその指導

B．5才児の言語発達とその指導

の二つの面をとりあげた。

第三年次（昭和28年度）

科学的な基礎資料を得るためには，非常な労力とそして多くの時間が必要である。昨年度とりあげた二つの問題につき出来るかぎりの努力でその研究を進めたつもりであるが，まだまだ実験調査をぜひ行いたい部面が数多く残された。そこで27年度は前年度に引つづき，

A．5才児の身体的活動の発達とその指導

B．5才児の言語発達とその指導

の二つの課題につき，一層その実態調査を詳らかにするため研究を進めた。

三．実験方法の概略

第一年次（昭和27年度）

「5才児に望ましい経験の基礎」

「望ましい経験」を分析するためには，幼児の発達的特質や社会的環境の特質を母体的，実際的に調査研究し，また，教育の一般的目標に基いて指導の具体的目標を確立しなければならない。

そこでまず，幼児の発達的特質を従前に引つづきなるべく科学的に調査すると共に幼児の生活環境の特質を調査研究することにした。しかしこれは容易な仕事ではなく，具体的な調査に基いて，確実な結果を求めることは一定範囲に止めざるを得なかった。

その他は文献的研究と指導者を交えての教育的経験に基く協議によらざるを得なかった。そして最後に考えたのは，幼稚園においてこれらの経験をさせる場合に特に教師が注意しなければならない教師の心構えや準備である。

以上のような各項目について討議，研究を行った。

第二・三年次（昭和28・29年度）

この二か年間は専ら，

A．身体的活動の発達

B．言　語　発　達

の二つの面に焦点をしぼり，当付属幼稚園児及び付属小学校一年生の児童を対照として実態調査，実験的研究をし，科学的な基礎資料を集めその結果を指導の裏付けとしようと努めた。

A．身体的活動の発達とその指導

1．当園幼児の運動能力の実態調査

(a) 児童母性研究会の種目・方法による場合

(1) 疾　走（25 m）

(2) 走巾とび （3回行わせてその最高をとる）
(3) 投てき （重さ 150 kg の砂入布球3回の最高をとる）
(4) 荷重疾走 （重さ 5 kg の砂袋で行う）
(5) 懸　垂 （鉄棒または横木にて行う）
(6) 行脚とび （25 m の直線コースを往復）

(b) 教育大学研究の種目・方法による場合

(1) 棒上片足立ち （右足3回，左足3回）
(2) 棒上歩き （巾 5 cm，4 cm，3 cm の棒の上を歩く）
(3) 長生体前屈
(4) 伏臥上体そらし
(5) デッピング （図の如く肩で体を支えて持久力をみる）

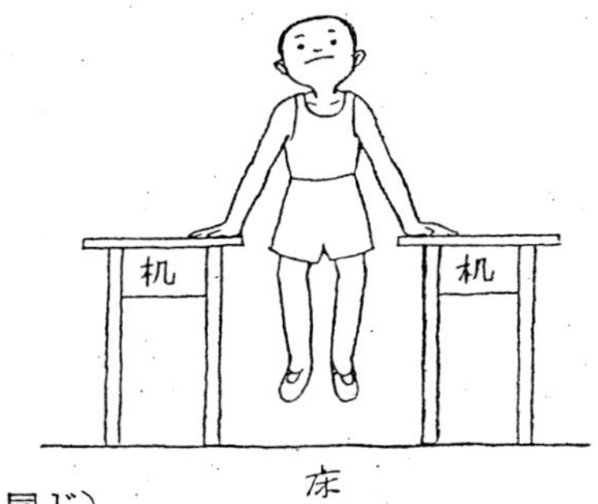

(6) テニスボールなげ （前の要領と同じ）
(7) ソフトボールなげ （同　上　　　）
(8) 走巾とび
(9) まりつき （規定の円内で何回つけるか）
(10) 三回連続とび
(11) 捕　球 （10回の試行成功率をみる）

(12) ストライキング

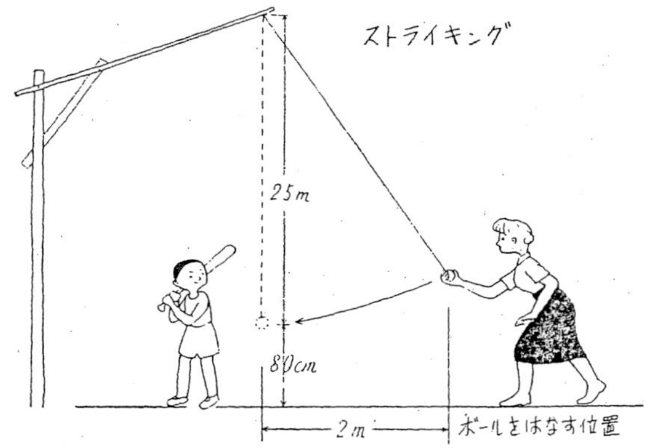

2. 幼児の身体活動に対する環境調査

A. 家庭の状況
（各家庭に調査用紙を渡して記入を依頼する）

B. 幼稚園の状況
（東京都内公私立幼稚園に調査用紙を送って記入を依頼し，それをまとめて当園の状況と比較する）

3. 家庭における幼児の生活状態
（当園幼児の各家庭に一週間分の家庭生活調査用紙を渡し，その記入を依頼する）

B. 言語の発達とその指導法

幼稚園における言語指導は1949年国立国語研究所個人の言語生活24時間調査の場面分析によれば 1. 聞く 2. 話す 3. 話し聞く 4. 聞き話すの場面で，主として行われている。これを幼児の側に立って幼稚園の生活を考慮していいかえるなら，次のようになる。

1. 話を聞く
2. 質問する
3. 会話する
4. 説明する {個人的な経験について / 感情的な印象について}
5. 話を復唱する
6. 詩をうたう
7. 劇化する

2から7にあげた内容は幼児の言語表現に関するものであり，幼児自身がまたその要求をもっているものである。

そして言語で表現することは子どもなりに思想や感情の内的な生活をいとなむことであり，表現する人間と，他の人間が触接して社会生活をいとなむことと関連する。

すなわち言語は精神生活と密接な関係をもっており，社会的な機能を持っている。

そこで言語の発達の状態を知るには，子どもの話している環境と一緒に考察しなければ本当の姿はつかめないと考え，幼児がおとなに向ってするはなし，幼児同志のはなしあいの中からその資料を得て当園園児の言語発達の状態を知り現実の場面に即して言語指導のねらいを確立したいと考えた。

しかし一方において実際家として教育を担当しつつ，この活動する場面，活動する子どもたちから資料をつかむというのであるから，思い通りの研究はなかなか困難であった。そこで28年度，29年度において問題を限定して次のように研究を行ってみた。

(1) 「話」 に対する幼児の理解度の調査

話の理解についてどのように発達していくものであるか，その結果からどの程度の話を幼児に与えるべきかという指導のねらいを確立したいと考えて，語の理解について調べてみた。

28年度　A．童話を聞かせて復唱させて，4歳児と5歳児について比較考察する。

B．視覚に訴えながら（紙芝居）話をした場合についてAのように童話を話した時と記憶の上から理解度を比較する。

29年度　C．対話劇を聞かせて，復唱させ，大意のつかみとり方について4才児と5才児と比較考察する。

(2) 言語表現の発達に関する調査

幼児は発達するに従って，どのような言語を使ってどんなことを表現するか。また幼児の自由な会話の構造はどのように進展発達してゆくものか調べて，この場面の指導の場合に要求の水準をどこにおいたらよいか知りたいと考えて，次のような方法で調査した。

28年度　A．絵をみて話をさせ記録し，話の構造について調べる。

29年度　B．4人の5才幼児の自由な会話を記録研究し，会話の技術の発達の状態を調べる。

C．劇あそび中のある場面をとらえて，自分以外の他のものになって会話することが，どこまでできるか調べる。

(3) 読字レディネスの問題（読む）

幼稚園での読字の問題についての考え方を一定の基準のもとで再検討するために行なった。

28年度　阪本一郎氏の標準テストA号，読書レディネス診断テストを用いて，

A．生活年令と読字レディネス

B．IQ と読字レディネス

にわけて，A及びBについてそれぞれ差の検討をした。

(4) 言語生活と興味に関する問題

精神生活と密接な関係をもっている言語は実際生活の場面に於て調査してゆくうち，興味，環境によって言語生活が異なっていることに気がついた。この方面のことについても調べてみなければいけないと考えて次の方法をとってみた。

29年度　ある幼児に起った興味関心事についてクラス全員について説明し数日たって予告なしに，家庭でどのように報告したか調査する。

四．実験の結果

「5歳児に望ましい経験とその基礎」については，次の五つの項目を設けて表示し，下の各項目別に研究を行った。

○五つの欄
1. 発達の特質
2. 環境の特性
3. 指導の目標
4. 望ましい経験
5. 教師の心構えや準備

○各項目

1. 身体の発達	F. 排泄	I. 所有に対する尊敬
A. 健康状態	G. 性の発達	3. 知能の発達
B. 身体の成長と身体的活動	H. 安全習慣	A. 言語発達
(1) 一般的成長	2. 情緒社会性の発達	B. 注意の持続
(2) 骨	A. 情緒の状態	C. 興味
(3) 筋肉及筋肉活動	B. 自分や他人に対する感情	D. 想像力
C. 神経組織	C. 恐怖心をもつ傾向	E. 符号の活用
D. 特殊器管	D. 理想と価値	F. ユーモアー
(1) 眼　(2) 耳	E. 独立性	G. 当間知覚
(3) 鼻　(4) 口と歯	F. 責任と感受性	H. 時間知覚
(5) 皮膚・毛髪・爪	G. 遊戯	I. 創造的能力及鑑賞力
E. 消化	H. 礼儀	J. 批判的な思考

幼稚園における5才児に望ましい経験とその基礎（その一部）

発達の特性	環境の特質	指導の目標	望ましい経験	教師の心構えや準備
C．興　味				
○色・音・運動・接触などの感覚的な経験を喜ぶ。 ○いじくったり，しらべたり，ためしたりすることに興味がある。 ○自分のまわりのものに鋭い活動的な好奇心を示し新しい経験に対して非常に興味をもつ。 ○好奇心から身体の探索をすることもあるが，性的な活動ではない。 ○答えを求めようとするとそのことに固執して何ども納得のいくまでたずねる。 ○現在のことに興味をもつ	○おもちゃや道具の取扱いに対して，求知心のための分解と，乱暴な取扱いと混同してやたらに叱ることが多い。 ○子供の興味をこわしたりふみにじったりすることがある。	○子供の興味を広く深く伸してやる。 ○経験をゆたかにすることによって，興味を深めさせる。 ○あそびや仕事に自発的な興味をもたせる。	○種々な色，音，環境，材料，運動などで，できるだけいろいろなことをやってみる。 ○自分でいじったり，ためしたりしてみる。 ○生活のあらゆる面に創造的な活動を発揮する。そして創造力や卒先性を伸す。 ○道具や材料を安全に効果的に使用する。 ○簡単な道具を作って仕事をする。	○広い範囲にわたってできるだけ沢山の材料，遊具玩具，設備を用意する。 ○子供ができるだけ自分自身で答えや解決がえられるように適当な助力を与えているだろうか。 ○遊びや仕事に自発的な興味が起るように準備する。
D．想　像　力				
○想像は非常に活潑である。 ○理論的思考は不充分で，考えはしばしば混乱し，不正確である。 ○真実なことと想像的なこととと区別しにくい。 ○誇張し，拡大する傾向がある。 ○想像的なものを喜んでうけ入れる。	○子供の夢を理解して育てようとしない。 ○早く現実的にしたがり子供の夢をこわすことが多い。	○現実的なものと想像的なものとの区別をしらせる ○賞さんやいいわけのためのうそをつかぬようにする。 ○自分のもっている知識や判断の正しさに対して自信をもたせる。	○想像と事実の区別をお話や劇などによって理解していく。 ○起ったことがらと想像したことの相違をみとめる ○物語りを通して他人の経験や感情を楽しむ。 ○粘土，えのぐ，クレオンなどの材料で創造的に表現する。	○劇あそびや興味ある構成的な活動が想像のはけ口として与えられているか。

— 190 —

A．身体的活動の発達

1．運動能力調査の結果

2 5 m　疾　走（秒）

		満4才 男	満4才 女	満4才 計	満5才 男	満5才 女	満5才 計	満6才 男	満6才 女	満6才 計	満7才 男	満7才 女	満7才 計
昭和二十七年度	人数	11	11	22	15	15	30	4	3	7			
	平均	7.49	7.91	(平均) 7.7	6.38	6.84	(平均) 6.62	6.15	6.4	(平均) 6.28			
	標準偏差	0.44	1.26		0.5	0.43		0.43	0.4				
同二十八年度	人数	11	12	23	15	21	36	5	5	10			
	平均	7.4	8	(平均) 7.7	6.92	6.75	(平均) 6.84	6	6.66	(平均) 6.33			
	標準偏差	0.93	0.78		0.73	0.93		5.96	0.23				
同二十九年度	人数	25	24	49	13	15	28	38	38	76	11	12	23
	平均	7.26	7.76	(平均) 7.51	6.21	7.39	(平均) 6.80	5.78	6.02	(平均) 5.90	5.16	6.01	(平均) 5.52
	標準偏差	0.65	0.96		0.51	0.24		0.41	2.01		0.34	0.44	
児童母性平均		7.79	8.27	8.01	6.59	7.20	6.88	6.21	6.85	6.41			
〃標準偏差		1.20	1.34		0.83	1.07		0.66	0.88				

立　巾　跳（cm）

		満4才 男	満4才 女	満4才 計	満5才 男	満5才 女	満5才 計	満6才 男	満6才 女	満6才 計	満7才 男	満7才 女	満7才 計
昭和二十七年度	人数	11	16	27	16	11	27	4	3	7			
	平均	92.1	99.5	(平均) 95.8	107.4	85.3	(平均) 96.3	105.8	106	(平均) 105.9			
	標準偏差	14.50	14.26		12.34	14.55		8.85	9.93				
同二十八年度	人数	12	12	24	16	21	37	5	5	10			
	平均	90.4	79.2	(平均) 84.8	72.1	93.3	(平均) 82.2	112.0	100.0	(平均) 106.0			
	標準偏差	12.08	11.60		29.90	13.95		2.45	4.48				
同二十九年度	人数	24	28	52	13	15	28	40	40	80	11	13	24
	平均	84.3	79.1	(平均) 81.7	104.6	90	(平均) 97.3	116.5	112.9	(平均) 114.7	128	113	(平均) 120.5
	標準偏差	13.03	12.57		11.18	13.03		13.96	18.12		9.60	14.60	
児童母性平均		89.2	84.2	86.9	105.1	97.9	101.6	115.7	105.6	110.7			
〃標準偏差		18.0	16.8		19.8	18.9		19.1	19.7				

— 191 —

投てき (m)

		満4才 男	満4才 女	満4才 計	満5才 男	満5才 女	満5才 計	満6才 男	満6才 女	満6才 計	満7才 男	満7才 女	満7才 計
昭和七年度	人数	11	12	23	14	14	28	4	3	7			
	平均	4.78	2.99	(平均) 3.89	7.85	3.78	(平均) 5.81	6.87	4.4	(平均) 5.36			
	標準偏差	1.18	0.79		2.57	0.74		1.94	0.43				
〃八年度	人数	11	12	23	16	21	37	5	5	10			
	平均	6.91	3.74	(平均) 4.83	6.75	4.33	(平均) 5.54	10.6	4.6	(平均) 7.6			
	標準偏差	2.02	10.89		2.33	1.22		0.48	0.48				
〃九年度	人数	26	26	26	15	15	30	40	41	81	11	13	24
	平均	5.97	3.47	(平均) 4.72	9.31	3.91	(平均) 6.61	10.5	5.57	(平均) 8.03	12.83	5.24	(平均) 9.03
	標準偏差	1.90	0.97		2.45	1.12		3.06	1.41		2.49	0.77	
児童母性平均		4.83	3.39	4.23	7.21	4.40	5.84	9.66	5.5	7.52			
〃標準偏差		1.49	0.90		2.28	1.29		2.79	1.35				

荷重疾走 (秒)

		満4才 男	満4才 女	満4才 計	満5才 男	満5才 女	満5才 計	満6才 男	満6才 女	満6才 計	満7才 男	満7才 女	満7才 計
昭和七年度	人数	10	11	21	16	15	31	4	3	7			
	平均	4.47	4.01	(平均) 4.24	3.66	3.40	(平均) 3.53	3.6	3.8	(平均) 3.7			
	標準偏差	0.66	0.84		0.65	1.34		0.39	0.64				
〃八年度	人数	12	12	24	16	21	37	5	5	10			
	平均	4.06	4.68	(平均) 4.37	4.37	4.02	(平均) 4.20	3.94	4.06	(平均) 4.00			
	標準偏差	0.66	0.75		3.16	0.58		0.45	0.63				
〃九年度	人数	23	28	51	14	15	29	40	41	81	11	13	24
	平均	4.24	4.78	(平均) 4.51	3.91	4.53	(平均) 4.22	3.46	3.69	(平均) 3.52	3.06	3.42	(平均) 3.24
	標準偏差	0.96	0.85		0.39	0.39		0.39	0.40		0.15	0.26	
児童母性平均		4.52	4.74	4.63	3.85	4.16	4.00	3.51	3.78	3.65			
〃標準偏差		0.81	0.91		0.60	0.68		0.48	0.49				

懸垂 (秒)

		満4才 男	満4才 女	満4才 計	満5才 男	満5才 女	満5才 計	満6才 男	満6才 女	満6才 計	満7才 男	満7才 女	満7才 計
昭和七年度	人数	12	10	22	15	17	33	4	3	7			
	平均	21.33	53.3	(平均) 37.31	52.56	60.41	(平均) 56.48	61	62.33	(平均) 61.56			
	標準偏差	7.96	4.18		3.56	2.78		3.81	6.58				
〃八年度	人数	11	12	23	16	18	34	4	5	9			
	平均	44	57.75	(平均) 50.88	37.13	43.34	(平均) 40.23	36.5	27.94	(平均) 32.22			
	標準偏差	27.4	40.7		13.1	31.1		10.2	15.6				
〃九年度	人数	27	27	54	14	14	28	39	38	77	11	13	24
	平均	41.22	30.66	(平均) 35.94	79.36	57.71	(平均) 68.53	70.77	61.28	(平均) 66.02	121.55	56.31	(平均) 88.93
	標準偏差	34.4	20.9		32.4	32.9		33.5	33.3		56.2	25.4	
児童母性平均		60.08	67.76	63.72	80.6	73.6	77.3	119.2	120.48	119.94			
〃標準偏差		40.1	42.8		59.6	62.6		80.2	70.0				

片脚跳 (m)

		満4才 男	満4才 女	満4才 計	満5才 男	満5才 女	満5才 計	満6才 男	満6才 女	満6才 計	満7才 男	満7才 女	満7才 計
昭和七年度	人数	11	10	21	15	15	30	2	3	5			
	平均	20.6	34.7	(平均) 27.65	42.13	50.86	(平均) 46.49	59	57.66	(平均) 58.33			
	標準偏差	64.53	28.13		2.541	27.67		8.0	3.36				
〃八年度	人数	12	12	24	16	21	37	5	5	10			
	平均	20.68	03.58	(平均) 25.63	30	49.47	(平均) 39.74	39.4	63.5	(平均) 50.95			
	標準偏差	14.11	10.77		12.17	23.09		7.45	26.94				
〃九年度	人数	27	27	54	14	15	29	40	41	81	11	13	24
	平均	24	26.13	(平均) 25.06	43.96	42.60	(平均) 43.28	66.05	64.05	(平均) 56.05	85.82	68.94	(平均) 77.38
	標準偏差	13.45	14.24		22.25	16.92		24.37	32.50		1.21	37.84	
児童母性平均		26.05	29.65	27.75	49.55	46.75	48.15	77.45	64.77	71.72			
〃標準偏差		17.2	14.15		23.8	23.25	34.5	24.1					

◎ (b) の運動能力調査の結果は紙面の都合により，省略する。

以上の運動能力調査の結果をみると，次のことが，考えられる。

(1) 25 m 疾走及び荷重疾走は，個人差も少なくまた男女の差も少い。

(2) 立巾は，その発達段階が年令に応じ，非常に順調に表われている。
立巾が身体の発達をみる最もよい種目であることがうなずかれる。

(3) 投てきは各年令を通じ最も男女の能力の差のはげしい運動である。
幼児のあそびの歴史的なものの反映であろうか，興味ある問題である。

(4) 当園幼児の懸垂力が，児童母性研究会のものにくらべて，全体的に非常に劣っている。都市の子どもの欠陥が明瞭に裏がきされた感がある。今後の身体活動の指導にこの方面を大いに重視しなければならない。また懸垂力は極めて個人差のはげしい種目であることが明瞭にされた。

(5) 片脚跳はこれも個人差の多い種目であり，懸垂程ではないが，意志力が非常に影響する種目である。

2. 幼児の身体活動に対する環境。

A. 家庭の状況

○幼児のもっている玩具、遊具（男女別）　　（その一）

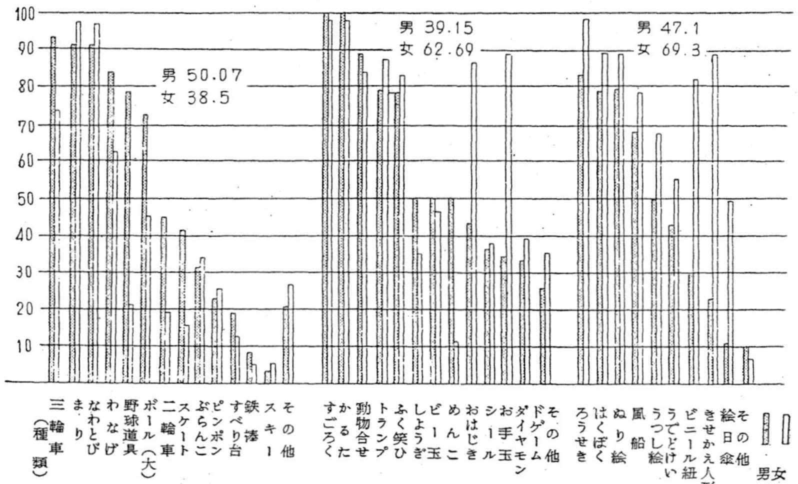

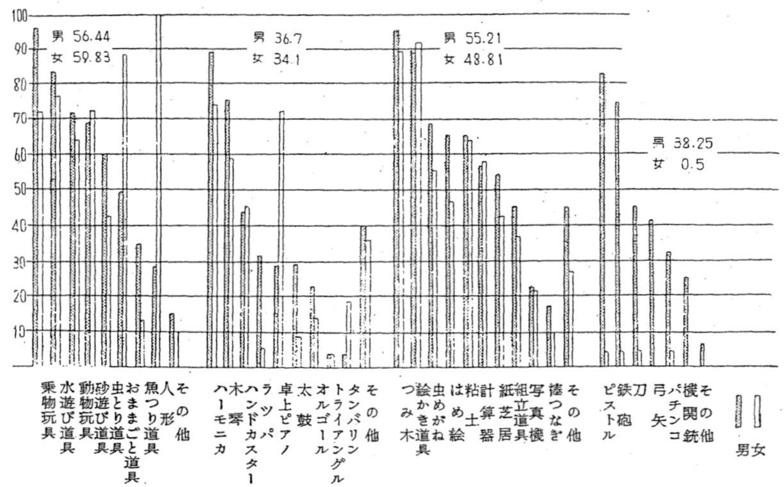

○子供部屋、庭、近所の広場　　（その二）

子供部屋のあるもの　69%
庭のあるもの　83%
近所の広場　71%

B、幼稚園の現状

○遊具の施設状況
（東京都内公私立幼稚園82園の調査まとめ）

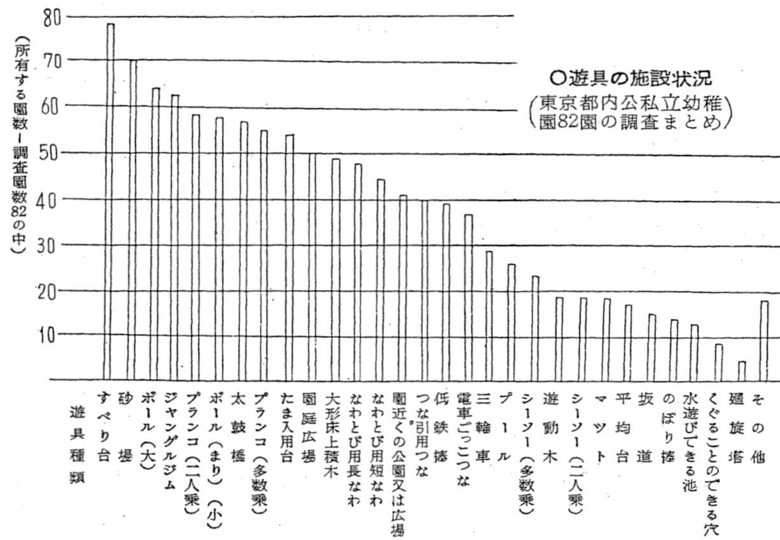

遊具種類	屋内	屋外
すべり台	30	67
砂場	4	70
ボール（大）	12	57
ジャングルジム	0	67
ブランコ（二人乗）	2	56
ボール（まり）（小）	29	34
太鼓橋	3	54
ブランコ（多数乗）	13	44
たま入用台	10	42
園庭広場	0	51
大形床上積木	38	12
なわとび用長なわ	11	32
なわとび用短なわ	15	33
園近くの公園又は広場	0	41
つな引用つな	10	32
低鉄棒	0	39
電車ごっこつな	6	32
三輪車	0	28
プール	0	26
シーソー（多数乗）	4	19
遊動木	0	19
シーソー（二人乗）	7	13
マット	7	14
平均台	2	15
抜道	0	16
のぼり棒	1	14
水遊びできる池	0	13
くぐることのできる穴	0	9
廻旋塔	0	5
その他	12	16

3. 幼児の身体的発達調査と指導

(1) 個人差に応ずる指導

幼児時代は個人差が多いということを，運動能力の面において実によく実証され，またその実態を摑むことができた。したがって，身体的な面でもこれを手がかりに今後大いに個人差に応ずる指導を行い，その効果をあげたいと思う。

(2) 幼児の体力と環境

幼児の家庭での遊具は比較的値段のやすい知的玩具が多く，固定的な運動施設が非常に少い。これは幼稚園の遊具を大いに拡充しなければならない一つの問題点である。

しかし，幼稚園のこの方面の現状も前掲の調査の通り，一般に低調である。幼児の体力向上のため質・量共に大いに改善されなければならないことが痛感される。

(3) 幼児の家庭生活と体力

個々の幼児の家庭における動的生活，静的生活，睡眠と，その運動能力は関係が深い。その一例を一週間の家庭生活調査からひろってみると次の通りである。

体力輪廓線

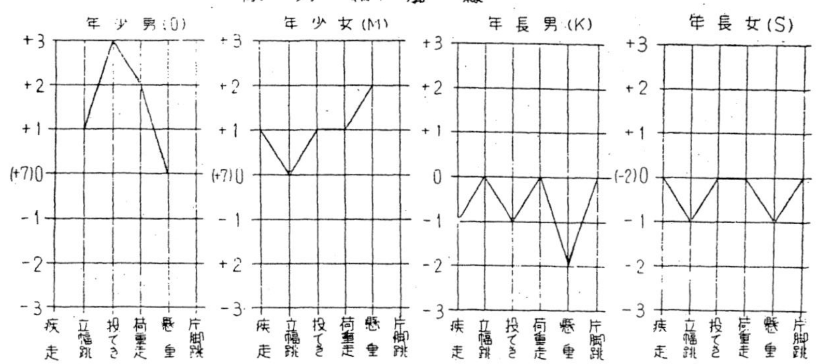

運動能力の低い子どもが家庭生活でも，動的生活が極めて少ない。これは，本人の身体的故障またはその家庭環境によるものであるから，その原因をたしかめ，家庭と連絡して適切な指導をしなければならない。

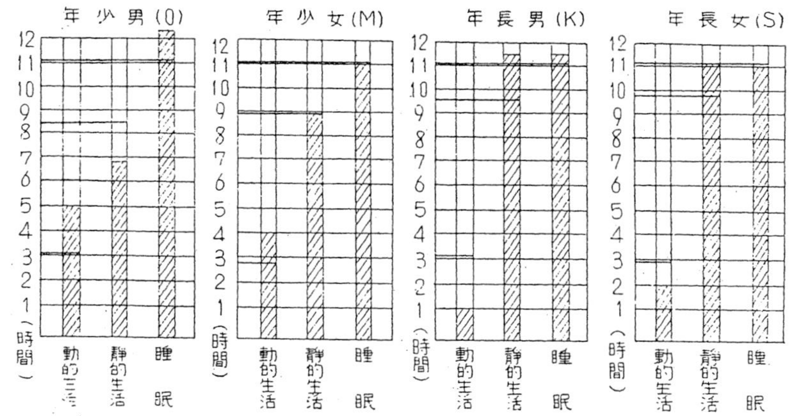

(4) 幼稚園における体育的活動の指導にはどのようなものをとりあげたらよいか。

a. リズムあそび（歌を伴う郷土的なあそび，簡単なリズムにのせるあそび）

○さくらさくら・あぶくたった・花いちもんめ・せっせっせなど。

○その他音楽に合せて歩くこと・走ること・スキップすることなど。

b. 表現あそび（ごっこあそび・模倣あそび・物語りあそび）

○動物・のりもの・お花・とけいその他周囲にあるもののまね。

○おそうじ・せんたく・大工さん・まりなげなどいろいろな仕事やあそびのまね。

○浦島太郎・ありときりぎりす・遠足などのように物語りや一連の生活のまね。

c. リズミカル表現あそび

○表現あそびがリズミカルに発展したもの。

○情景を表わす音楽によって表現するもの。

d. 固定施設をつかってのあそび

○ぶらんこ・すべり台・太鼓橋・ジャングルジム・低鉄棒・シーソー平均台・廻旋塔・遊動木など。

e. 簡単な遊戯（力試しまたは競争的なあそび）

○1人または2人で行うもの――なわとび・まりつき・ボールなげ・おしくら・ひきくらなど。

○集団で行うもの――たまいれ・すずわり・つなひき・ねことねずみ

かけっこ・いすとり・おにごっこ・かくれんぼなど。

f. その他

〇水あそび・雪あそびなど。

B. 言語の発達とその指導

(1)のA　話の理解度の調査

（1954年文部省実験幼稚園研究発表会要項より抜粋）

取材した童話　かしばいさむ作「びっくり蛙」

〇話のすじ及び要点を18にわけると次のようになる。

1. 小さい池
2. よい天気
3. 三匹（小・中・大）の蛙がひなたぼっこをしていた。
4. ねこが木のかげを歩いていった。
5. 小さい蛙がジャブンと水の中にとびこむ。
6. 中ぐらいの蛙と大きい蛙がわらった。
7. 犬が木のかげを歩いていった。
8. 中ぐらいの蛙がジャブンと水の中へとびこむ。
9. 大きい蛙がわらった。
10. 牛が木のかげを歩いていった。
11. 大きいかえるがジャブンと水の中にとびこんだ。
12. しばらくして（水の中にもぐって）
13. 小さい蛙と中ぐらいの蛙と大きい蛙が水の中から顔をだす。
14. 猫と犬と牛が歩いていく。
15. 小さい蛙が「なあんだ……」という。
16. 中ぐらいの蛙が「なあんだ……」という。
17. 大きい蛙が「なあんだ……」という。
18. みんなあははと笑いました。

〇この18項に従って5才児を中心とする幼稚園教育2年目の年長組と入園当初の4才児中心の年少組を比較すると次の通りとなる。

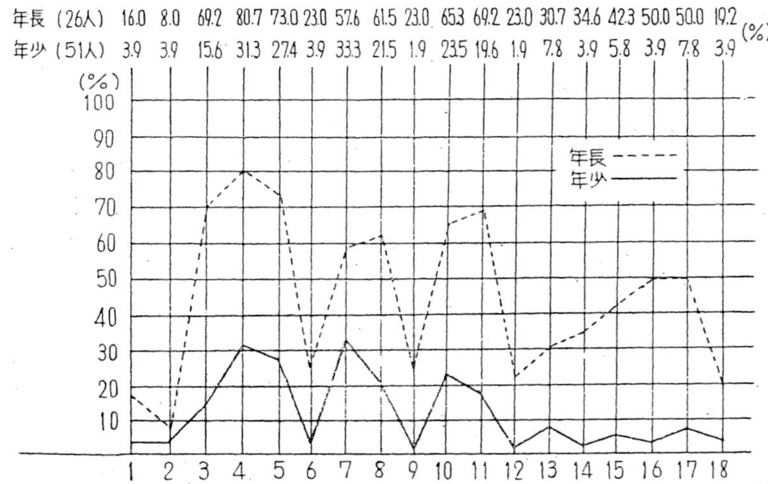

項目別に見た話の理解（%）

(3) 読字レディネスについての調査

当園幼児，5才児中心の年長組について，前記レディネステストを施行した結果は次の通りである。

〇読字レディネステスト種目別成績（被検者60名）

	平均点	標準偏差	テスト手引による満点
1. 指摘	31.36		36
2. 同形結合	8.15		14
3. 記憶	10.91		14
4. 文字	11.90		17
5. 眼球運動	16.28		38
総点	78.60	8.60	
読字レディネス偏差値	56.84	9.45	

〇読字ディネステスト偏差値分布の状態

当園幼児の偏差値分布の状態と，手引きに示された標準分布率表を比較して示すと次の通りである。

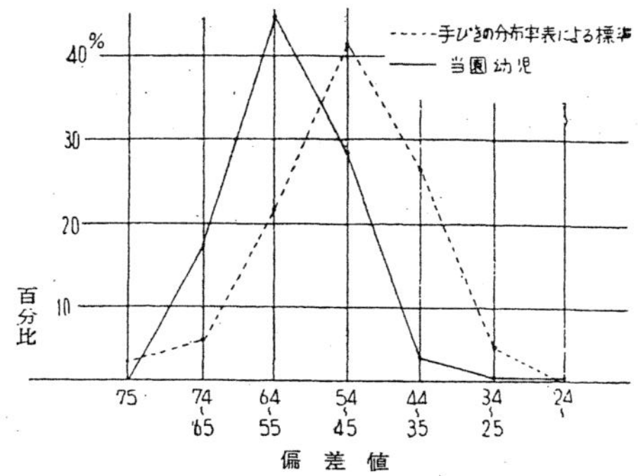

○生活年令と読字レディネスの関係

	人数	平均年齢	レテ総得点平均	標準偏差
年長群	25	5：11	(M) 82.4	8.80
年少群	25	5：3	(M′) 73.2	12.20

$$M - M' = 9.2$$
$$t = 3.06$$

危険率 2.5% に於て，有意の差が認められる。故に，生活年令と読字レディネスとの関係は密接なものがあると考えられる。

○知能指数と読字レディネスの関係

	人数	I.Q の平均	レテ得点平均	標準偏差
I.Q 上位群	25	135.8	M_G 42.7	15.3
I.Q 下位群	25	109.8	M_P 41.8	13.6

尚被検者（幼児60名）のI．Qの分布の状態は次の通りである。

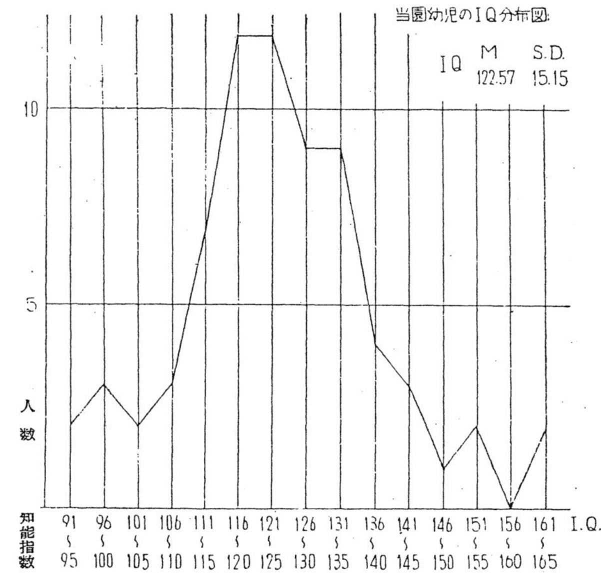

上記の資料によって，I．Qの上位，下位群にわけて，読字レディネスとの関係を検討する。

$$M_G - M_P = 0.9$$
$$t = 0.23$$ 有意差なし

という結果が出るので，知能指数と読字レディネスの間にはあまり関係がないと考えられる。但しこれらの結果は対象幼児に於てのみ意味があるのであって，これを一般的な結論にみちびくまでには，広範囲の対象についての検討が必要である。

紙面の余裕がないので結果の報告はこれにとどめ，当日の報告で責めをはたしたいと考えている。